Linguistische Beiträge zur

Linguistische Beiträge zur Müntzer-Forschung

Studien zum Wortschatz in Thomas Müntzers deutschen Schriften und Briefen

Herausgegeben von
Hans Otto Spillmann

Mitherausgeber
Universität Kassel
Gesamthochschule

1991
Georg Olms Verlag
Hildesheim · Zürich · New York

Die Publikation erfolgt mit freundlicher Unterstützung
der Universität Gesamthochschule Kassel.

* *

Printed in Germany
Herstellung: Druck Partner Rübelmann GmbH, 6944 Hemsbach
ISBN 3-487-09464-9

VORWORT

Die vorliegenden lexikologischen Müntzer-Studien erscheinen zu einem Zeitpunkt, da die noch vor Jahresfrist als unsicher oder aussichtlos erscheinende Wiedervereinigung Deutschlands bereits Wirklichkeit geworden ist.
Dieser Tatsache wird auch und in ganz besonderem Maße die Müntzer-Forschung Rechnung tragen und überall dort, wo kontroverse Positionen allein oder vorwiegend durch ideologische Prämissen des Forschungsansatzes begründet waren, zu einer Versachlichung der Fragestellungen auf der Basis der Quellen kommen müssen. Hierzu wollen die lexikologischen Studien beitragen.

Das Erscheinen dieses Buches wurde durch vielfältige Förderung ermöglicht und beschleunigt: Dank gebührt dem Olms Verlag und dessen Verleger W. Georg Olms für die zuvorkommende Zusammenarbeit und dem Kasseler Hochschulbund sowie auch dem Raiffeisenverband Kurhessen für Beihilfen zur Drucklegung. Mein ganz besonderer Dank gilt dem Fachbereich Germanistik der Universität Kassel für seine großzügige Unterstützung der Publikation. Schließlich danke ich Herrn cand.phil. Ullrich Janovsky für die Zusammenstellung des Wortregisters.

Kassel, Oktober 1990 — Hans Otto Spillmann

INHALT

HANS OTTO SPILLMANN

EINLEITUNG

1. Zielsetzung der vorliegenden Publikation

Die wissenschaftliche Literatur zu Thomas Müntzer, die in größerem Umfang erst seit den 50er Jahren zu erscheinen beginnt, hatte Mitte der 70er Jahre ein Ausmaß und eine derartige Vielfalt an teilweise hochkontroversen Deutungsperspektiven erlangt, daß sie A. FRIESEN und H.-J. GOERTZ unter dem Verweis auf die Forschungslage, die „schon unübersichtlich zu werden" begann, zur Publikation der wichtigsten Müntzer-Interpretationen in einem Sammelband veranlaßte (1978, VII).
Inzwischen ist die Zahl der Veröffentlichungen weiter angewachsen, und vor allem das Müntzer-Gedenkjahr 1989 hat im Bereich der damaligen DDR, aber auch in Westdeutschland zu einem nochmaligen regelrechten Publikationsschub geführt. Damit besteht schon heute im Hinblick auf die Forschungslage eine Situation, die die zitierte vorsichtige Beurteilung der Entwicklung durch FRIESEN und GOERTZ als Faktum bestätigt.

Nach der Wiedervereinigung Deutschlands ist weiterhin mit einer hohen Publikationsfrequenz zu rechnen; denn wenn auch künftig eindeutig politisch motivierte Elaborate wie z.B. die *Thesen über Thomas Müntzer* (1988) wohl kaum noch geschrieben werden dürften, so ist gerade jetzt unter den völlig veränderten Bedingungen eines freien und geeinten Deutschlands das Einsetzen einer lebhaften Diskussion vor allem der bisher kontroversen Aspekte in der Müntzer-Interpretation zu erwarten. Hierbei wird es von entscheidender Wichtigkeit sein, daß die Argumentation am Text und unter Verweis auf ihn erfolgt, um so Nachprüfbarkeit zu sichern.

Die Wortschatz-Studien des vorliegenden Bandes verstehen sich als Beiträge zu dieser Diskussion, wobei die semantischen Analysen durchaus auch als Angebot zur Agumentationshilfe bzw. -fundierung verstanden werden wollen. Auch aus diesem Grund verzichten wir ganz bewußt auf eine „Deutung des müntzerschen Gesamtwerks" aufgrund der jeweiligen Untersuchungsergebnisse, die GOERTZ (1978a, 517) schon bei meinem Müntzer-Buch (SPILLMANN 1971) vermißt. Wenn GOERTZ (1989a, 13) mit Berufung auf WOLGAST (1981) feststellt, daß auch auf der Basis der bisherigen Müntzer-Forschung „die Zeit für eine ausgewachsene Biographie noch nicht reif" sei, so muß eine derartige Einschränkung ebenso hinsichtlich der Reichweite linguistischer Untersuchungsergebnisse für eine Gesamtinterpretation des Müntzerschen Werkes gelten. Dort aber, wo die linguistische Untersuchung für einen begrenzten Objektbereich ein Ergebnis zutage gefördert hat, wie es z.B. für den Begriff der *Armut* in den Schriften Thomas Müntzers vorliegt (SPILLMANN 1971, 75–80), was durch SCHWAB aufgrund der Untersuchung der Briefe im vorliegenden Band eindrucksvoll bestätigt wird, muß dieses auch in seinen Implikationen für weitergehende Deutungen Bestand haben und Berücksichtigung erfahren bis zu seiner Modifikation bzw. Widerlegung anhand des Textes. Hier kann dann die Negierung eines linguistischen Untersuchungsergebnisses allein aus Gründen der Inkompatibilität mit einem favorisierten Interpretationsrahmen nicht als Argument dienen.[1)]

Verglichen mit der Anzahl der historischen und theologischen Publikationen im Rahmen der Müntzer-Forschung machen die linguistischen Beiträge zu ihr einen verschwindend geringen Anteil aus. Von diesen wiederum nur ein kleiner Teil sind lexikologische Arbeiten, die aber vielfach im Rahmen einer übergeordneten Fragestellung den Wortschatz Müntzers neben dem anderer Autoren unter bestimmten Aspekten mitbehandeln wie z.B. die Publikation von DÜCKERT[2)] oder die ertragreichen Untersuchungen mit sprachstatistischer Fundierung von KETTMANN-SCHILD[3)], oder aber unter einem so speziellen Untersuchungsaspekt auf den Wortschatz Müntzers ausgerichtet sind, wie z.B. FRITZE (1980), die der Frage der regionalen Gebundenheit von Wörtern nachgeht und hierbei wertvolle Ergebnisse erzielt, daß sie zum Komplex der Deutung des Müntzerschen Werkes nur sekundär beitragen können. So stellt sich die Situation dar, daß unter den linguistischen Beiträgen zur semantischen Untersuchung des Wortschatzes Thomas Müntzers die hier vorgelegten Studien zusammen mit meinem Müntzer-Buch (SPILLMANN 1971) nach wie vor den Status von Pilotarbeiten haben.

Der Band trägt den Titel *Linguistische Beiträge zur Müntzer-Forschung* und nicht *Beiträge zur linguistischen Müntzer-Forschung*. Hierauf hinzuweisen, ist keine Spitzfindigkeit, es ist vielmehr notwendig, um die Zielsetzung der Publikation deutlich zu machen und zu präzisieren, welche Erwartungen an sie gerichtet werden können: Die Verfasser gehen davon aus, daß dieses Buch in weitaus höherem Maße von Theologen und Historikern gelesen werden wird als von Linguisten. Der bisherige Anteil der Linguistik an der Müntzer-Forschung legitimiert diese Annahme, deren Konsequenz bei der Konzeption und Formulierung der einzelnen Beiträge das Bemühen um einen möglichst hohen Grad an Lesbarkeit für den voraussichtlichen Rezipientenkreis bewirkte. Es ist andererseits darauf hinzuweisen, daß es sich um linguistische, und nicht um theologische oder historische Untersuchungen handelt. Den Verfassern ist trotz

dieses vorausschauenden Versuchs einer Klarstellung deutlich, daß die hier vorgelegten Wortschatzstudien die gleichen zweifachen Angriffsflächen bieten wie die erste empirische Untersuchung zum Wortschatz Thomas Müntzers überhaupt (SPILLMANN 1971), der von linguistischer Seite unter anderem mangelnde theoretische Fundierung bzw. Theoriefeindlichkeit angekreidet wurde[4] und von theologischer[5] bzw. historischer[6] Seite die ungenügende bzw. fehlende Berücksichtigung entsprechender fachwissenschaftlicher Aspekte.
Unabhängig von derartigen unterschiedlichen Einordnungen der Untersuchungsaspekte und -ergebnisse wird dagegen die Notwendigkeit von linguistischen Textanalysen als Grundlagenmaterial sowohl für reformationsgeschichtliche Fragestellungen wie für eine Sprachgeschichte des Frühneuhochdeutschen allgemein betont.[7]

Bei den lexikologischen Studien haben die Beiträge von HUFEISEN, SCHWAB und WARNKE, bei denen es sich um gekürzte und überarbeitete Fassungen von bisher unveröffentlichten und von mir angeregten Staatsexamensarbeiten handelt,[8] die Sprache in Thomas Müntzers deutschen Briefen zum Untersuchungsgegenstand. Die Behandlung dieses Teiles des Müntzerschen Werkes, die ich in meinem Müntzer-Buch (SPILLMANN 1971, 5) angekündigt hatte und die von dessen Rezensenten – so zuletzt SCOTT (1988, 559) – zu Recht eingefordert wurde, darf hiermit als zu einem guten Teil eingelöst angesehen werden. Meine Beiträge sind Überarbeitungen der entsprechenden Darstellungen in meinem Buch, in dem alle größeren Schriften in deutscher Sprache untersucht werden, und zwar das *Deutzsch Kirchen ampt* und die *Deutsch Euangelische Messze*, die als „liturgische Schriften" bezeichnet wurden, sowie die Schriften *Von dem getichten glawben*, *Protestation odder empietung*, *Außlegung des andern Vnterschyds Danielis*, *Außgetrückte emplössung des falschen Glaubens* in den Fassungen A und B, *Hoch verursachte Schutzrede* und das 'Prager Manifest' in beiden deutschen Fassungen.
Diese Schriften wurden aufgrund ihrer stilistischen Kriterien und Aussageintentionen als „politisch-polemische" Schriften bezeichnet. Ihnen zugeordnet wurden auch die Vorreden zu der *Deutsch Euangelischen Messze* sowie der *Ordnung und berechunge des Teutschen Ampts zu Alstadt*, dies aber nicht „stillschweigend", wie BRÄUER (1977/78, 106, Anm. 55) vermerkt, sondern mit einer textsortenspezifischen Begründung (SPILLMANN 1971, 5). Diese Studien erscheinen hier, um dem Leser Untersuchungsergebnisse von korrespondierenden Wortschatzstrukturen in Thomas Müntzers Briefen und Schriften auch in publikationsmäßigem Zusammenhang vor Augen zu führen.

2. Aufbau

Den Wortschatzuntersuchungen geht ein Bericht zur neuesten Müntzer-Forschung von WARNKE voran. Damit wird über die Forschungsberichte von STEINMETZ (1975a), BRÄUER (1977/78), FRIESEN (1978), GOERTZ (1978a) und SCOTT (1988), in die die linguistische Literatur zu Thomas Müntzer nur vereinzelt eingegangen ist, ein Anschluß an die gegenwärtige immer unübersichtlicher werdende Publikationssituation hergestellt. Dies gilt insbesondere für die linguistischen Beiträge zur Müntzer-Forschung, über die BRANDT (1989) im Zusammenhang mit ihren syntaktischen Müntzer-Studien einen Überblick gibt.
Die Wortschatzstudien basieren alle auf der Methode der Wortfelduntersuchung. In den einzelnen Beiträgen wird deshalb nicht jeweils neu auf diese Untersuchungsmethode und die Strukturierung des jeweiligen Gegenstandsbereiches eingegangen, dies geschieht vielmehr grundlegend für alle Aufsätze unter Gliederungspunkt 4 der Einleitung.

Die Literaturangaben der Beiträge beziehen sich auf die Bibliographie am Schluß des Bandes. Nur dort, wo Spezialliteratur zitiert wird, die sich nicht oder nicht direkt auf Müntzer bezieht, wird diese nach dem jeweiligen Beitrag in den Anmerkungen genannt.

Die Fachbibliographie zur wissenschaftlichen Erforschung des Werkes Thomas Müntzers ist für den Zeitraum von 1950 bis 1990 angelegt und strebt Vollständigkeit an.
Hierbei wurde neben der Berücksichtigung der maßgeblichen Müntzer-Bibliographien von ROETTIG (1975), HILLERBRAND (1976), GOERTZ (1989a), JACOB (1989) und BOSSE (1989) bei der gezielten Titel-Recherche auch auf fachgebundene Literaturdatenbanken (Religion Index Database, MLA Bibliography Database und Historical Abstracts Database) zurückgegriffen. Daß bei allem Bemühen um größtmögliche bibliographische Sorgfalt der eine oder andere Titel dennoch nicht erfaßt worden ist, versteht sich von selbst.

Die bisherigen Bibliographien zu Müntzer sind entweder nach Publikationsart geordnet (HILLERBRAND) oder sachbezogen (BOSSE) oder verwenden ein beide Verfahren verknüpfendes Ordnungsprinzip (ROETTIG, GOERTZ, JACOB). Insbesondere die letzte Gruppe von Bibliographien ist trotz der gut systematisierten Sachgruppenordnung doch schwer zu handhaben, was das schnelle und sichere Auffinden einzelner Titel anbelangt. Deshalb ist die vorliegende unkommentierte Titelbibliographie formal-alphabetisch angelegt, wobei auf der zweiten Ordnungsebene nach dem Erscheinungsjahr der Publikation vorgegangen wird.

Dadurch kann eine chronologische Übersicht über die Beiträge eines Autors zur Müntzer-Forschung vermittelt werden.
Aufgenommen in die Bibliographie wurden Monographien, Sammelbände, Aufsätze in Sammelbänden sowie verstreute Aufsätze, die sich primär auf Thomas Müntzer beziehen. Das bedeutet, daß thematisch übergreifende Literatur, in der Müntzer nur nebengeordnete Erwähnung findet, wie z.B. generelle Nachschlagewerke, Monographien zur Reformationszeit oder auch linguistische Querschnittsuntersuchungen zum Frühneuhochdeutschen nicht aufgenommen sind.

Der Wortindex erfaßt alle in der vorliegenden Publikation zitierten Quellenbelege. Aus Gründen der besseren Übersichtlichkeit werden Schreibvarianten eines Wortes nicht als gesonderte Lemmata ausgewiesen, sondern dem der nhd. Schreibform nahestehendsten Eintrag beigeordnet.

3. Quellen

1968 brachte GÜNTHER FRANZ die erste kritische Müntzer-Gesamtausgabe heraus: Thomas Müntzer, Schriften und Briefe. Kritische Gesamtausgabe. Unter Mitarbeit von PAUL KIRN hrsg. von G. FRANZ (1968). Gütersloh (Quellen und Forschungen zur Reformationsgeschichte, Bd. XXXIII).
Dieser Ausgabe wurden schon bald nach ihrem Erscheinen Mängel attestiert, – so STEINMETZ (1969b), BRÄUER (1977/78), GOERTZ (1989a) – die Nachbesserungen und Teilausgaben begründeten (vgl. BRÄUER 1977/78, 129–135) und schließlich zur Planung einer erweiterten kritischen Neuausgabe führten, die eine Herausgabe der Schriften durch Gottfried SEEBASS und Eike WOLGAST, Heidelberg, und der Briefe und verstreuten Textstücke durch Manfred KOBUCH, Dresden, und Siegfried BRÄUER, Berlin, vorsieht. Es wird aber noch geraume Zeit dauern, bis diese Neuausgabe vorliegt, und bis dahin kommt als Quelle für die Müntzer-Forschung nur die Ausgabe von FRANZ in Frage, „nach der heute, sowohl im Westen als auch im Osten, in wissenschaftlichen Abhandlungen gearbeitet wird“ (GOERTZ 1989a, 9).
Nach dieser Ausgabe wird auch in den vorliegenden lexikologischen Studien mit Seiten und Zeilenangabe zitiert, wobei Zitate durchgängig kursiv gesetzt sind.

4. Untersuchungsmethode

Die Beiträge beziehen sich auf die von mir (SPILLMANN 1971, 6–37) angewandte Untersuchungsmethode und schließen an sie an, deshalb soll diese im folgenden kurz skizziert werden.
Es war damals eine Darstellungsform gesucht worden, die es ermöglichte, eine Übersicht über die inhaltliche Gliederung des Wortschatzes eines Autors zu vermitteln. Aus Gründen der Praktikabilität wurde von mehreren in Frage kommenden derartigen Darstellungsformen das „Begriffssystem" von HALLIG – v. WARTBURG gewählt.[9)]
Da der theoretische Status dieses Begriffssystems trotz der ausführlichen Explikation (SPILLMANN 1971, 9–12) nicht richtig gesehen[10)] oder vollkommen verkannt[11)] worden ist, muß dieser hier ausdrücklich berücksichtigt werden: Es handelt sich bei dem System nicht etwa um die Darstellung lexikalischer Strukturen, sondern vielmehr um ein Schema, eine Anordnung von Begriffen, die Resultate von Kognitionsprozessen bzw. -strategien sind. Die Bezeichnungen für Begriffe oder Gruppen von Begriffen dieses Systems haben nicht den Status von objektsprachlichen Wörtern, sondern sind nur aus Gründen der Verständlichkeit oder Bequemlichkeit durch einzelsprachliche Zeichen repräsentiert.
Wie der Titel des Buches besagt, stellt das Begriffssystem von HALLIG – v. WARTBURG den Vorschlag eines Ordnungsschemas f ü r die Darstellung oder Beschreibung des bzw. eines Wortschatzes dar, wie es in entsprechend modifizierter Form allen onomasiologischen Wörterbüchern zugrunde liegt.

Nach diesem Begriffssystem wurden nun die Grundlexeme des untersuchten Wortschatzes von Thomas Müntzer gruppiert, wobei mit diesem Terminus eine Derivationen bzw. Kompositionen zu Grunde liegende Basisform bezeichnet wird. So ist zum Beispiel für die Lexeme *schalk, schalckhafftig, schalkeit, hauptschalkeit* das Grundlexem *schalk*. Dieses Verfahren wurde gewählt, um der von HALLIG – v. WARTBURG immer wieder betonten Notwendigkeit[12)] nachzukommen, dem Begriffssystem keine Wörter, sondern die durch den jeweiligen Wortschatz repräsentierten Begriffsstrukturen zuzuordnen. Ungeachtet der Schwierigkeiten bei der praktischen Anwendung des Verfahrens kann doch festgestellt werden, daß diesem Postulat bei der Zuordnung von Grundlexemen sicherer, vor allem aber einfacher entsprochen werden kann als durch die Herausarbeitung entsprechender Konstellationen aus dem jeweiligen untersuchten Wortschatz.

Die Zuordnung der Grundlexeme zum Begriffssystem ließ nun eindeutige Schwerpunktbildungen erkennen: So konnten dem Begriffsbereich „Der Mensch als seelisch-geistiges Wesen“ und seinen Unterabteilungen 23% aller Grundlexeme zugeordnet werden. Mit dem Nachweis derartiger Konzentrationen an bestimmten Stellen des eingeordneten Materials war eine erste Zielsetzung der Untersuchung erreicht: die Markierung von Stellen im Begriffssystem, das quasi die Funktion eines Grobrasters hatte, die nun einer detaillierten Beobachtung unterzogen werden sollten. Die Tatsache, daß die Ermittlung derartiger Schwerpunktsetzungen mittels der Anwendung des Begriffssystems gelungen ist, muß entgegen den geltend gemachten Bedenken gegen die Anwendung dieses Systems für die Untersuchung des Wortschatzes Thomas Müntzers[13)] vielmehr als Beweis für die Praktikabilität des hier gewählten Verfahrens angesehen werden.

Den Grundlexemen der jeweils ermittelten Schwerpunkte wurden nun alle mit ihnen gebildeten Lexeme zugeordnet. Es wurden also in einem onomasiologischen Verfahren Begriffen oder Gruppen von Begriffen auf sie bezogene Bezeichnungen zugewiesen. Innerhalb der so gewonnenen Strukturierung des Wortschatzes wurden Konstellationen sichtbar, wie zum Beispiel die Gruppe der Bezeichnungen für mentale Fähigkeiten, für die Bedürftigkeit des Menschen usw., bei denen es sich um onomasiologische Paradigmen handelt.[14)] In Anlehnung an die von TRIER geprägte sogenannte „Wortfeldtheorie“[15)] wurden die Begriffe bzw. Begriffskomplexe als 'Sinnbezirke' und die auf sie bezogenen lexikalischen Strukturen als 'Felder' bezeichnet, und zwar als 'sprachliche Felder' dort, wo es sich um ausgedehntere Komplexe handelt, wie zum Beispiel bei den Bezeichnungen für die mentalen Fähigkeiten des Menschen, und als 'Wortfelder' für die Binnenstrukturen der sprachlichen Felder. Es wurde darauf hingewiesen (SPILLMANN 1971, 36, Anm. 92), daß der Anschluß an diese Terminologie nicht auch die Übernahme der von TRIER aufgestellten und umstrittenen bzw. widerlegten Prinzipien des Feldes wie zum Beispiel der Ganzheit, Vollständigkeit, Lückenlosigkeit usw. bedeutet. Mit der Übernahme dieser Terminologie sollte vielmehr zum Ausdruck gebracht werden, daß der unbestrittene Ansatz der TRIERschen Konzeption, nach dem der Bedeutungsumfang eines Wortes von dem seiner Feldnachbarn mitbestimmt wird, Grundlage der anschließenden Wortschatzuntersuchungen sein sollte.

An diesen Punkt der Untersuchungen von 1971 knüpfen nun die vorliegenden Beiträge zur Untersuchung des Wortschatzes in Thomas Müntzers Deutschen Briefen. So wurde der Wortschatz im Bereich der Sinnbezirke, die auf der Materialgrundlage der Schriften Thomas Müntzers untersucht worden waren, nun für die Briefe einer Analyse unterzogen, um dadurch zu einer für den jeweiligen Ausschnitt gültigen Gesamtaussage hinsichtlich des Wortschatzes zu kommen.

Ausgangspunkt aller Beiträge sind also die onomasiologisch ermittelten lexikalischen Strukturen, die 'sprachliche Felder' bzw. 'Wortfelder' genannt werden. Ob es sich bei diesen Strukturen dabei in definiertem Sinne um 'Feld'-Strukturen handelt, das heißt, ob die weiter untersuchten onomasiologischen Paradigmen als 'Felder' bezeichnet werden dürfen, wie dies zum Beispiel Ščur bezweifelt,[16] steht hier nicht zur Debatte. Vielmehr soll zum Ausdruck gebracht werden, daß die hier vorliegenden Beiträge ganz bewußt in eine lexikologische Tradition gestellt sind, deren Berechtigung, vor allem aber deren empirisch erzielte Arbeitsergebnisse unbestritten sind.[17]

Die Begründung der Zuweisung eines Lexems zu einem lexikalischen Feld stellt eines der größten methodischen Probleme der Wortfeldforschung dar; und wenn es auch nicht an Versuchen gefehlt hat, hierzu methodisch stringente Verfahren zu entwickeln,[18] so trifft insgesamt doch nach wie vor die Feststellung von Hoberg zu,[19] daß sich die Feldforschung hier in einer für die Geisteswissenschaften typischen Situation befinde und keine mathematisch exakt beschreibbare Konturierung der einzelnen Felder angeben könne. Immerhin gilt, daß bei der zugegebenermaßen heuristischen Konturierung der Felder, d.h. der Zuweisung eines Lexems zu einem oder dem benachbarten Feld, die Feldzentren doch eindeutig ermittelbar sind, wozu im Untersuchungsverfahren der Zuordnung von Grundlexemen die Funktion des Begriffssystems als Grobraster zur Schwerpunktgewinnung auch quantitativ sichernd gewirkt hat.
In den Beiträgen soll nun die semantische Struktur der untersuchten sprachlichen Felder beschrieben werden. Dies bedeutet in der linguistischen Analyse einen Wechsel des Verfahrens: Bei den sprachlichen bzw. Wortfeldern handelt es sich um onomasiologisch gewonnene lexikalische Strukturen, die nun einer semasiologischen Untersuchung unterworfen werden. Das heißt, ausgehend vom Signifikanten oder der Ausdrucksseite des bilateralen sprachlichen Zeichens soll nun sein Signifikat, seine Inhaltsseite, seine 'Bedeutung' beschrieben werden. Das geschieht einmal im Vergleich mit dem Bedeutungsumfang der Feldnachbarn des jeweiligen Lexems und in Abgrenzung zu ihnen, zum anderen aber durch die Berücksichtigung des jeweiligen sprachlichen Kontextes, d.h. seiner syntagmatischen Einbettung[20].
Ziel der linguistischen Wortschatzstudien ist damit die Beschreibung der Bedeutungsstruktur der untersuchten sprachlichen Felder in einem Individualwortschatz. Vor dem Hintergrund der Erforschung des Frühneuhochdeutschen und

seiner lexikographischen Belegung[21)] stellen die Untersuchungsergebnisse zugleich einen Beitrag zur Frage von Normbedeutungen dieser Sprachepoche dar.

5. Anmerkungen

1) Z.B. STEINMETZ, Max (1972), Rezension von SPILLMANN (1971), in: Zeitschr. f. Ge-schichts-wiss., 20. Jg., Berlin-Ost, 894.
2) DÜCKERT, Joachim (Hg.) (1976), Zur Ausbildung der Norm der deutschen Literatursprache auf der lexikalischen Ebene (1470–1730). Untersucht an ausgewählten Konkurrentengruppen. Berlin-Ost.
3) KETTMANN, Gerhard und SCHILDT, Joachim (Hg.) (1978), Zur Literatursprache im Zeitalter der frühbürgerlichen Revolution. Untersuchungen zu ihrer Verwendung in der Agitationsliteratur. Berlin-Ost.
4) Van der LEE, Anthony (1973), Rezension von SPILLMANN (1971), in: Het duitse boek, Jg. 3, Heft 1. Amsterdam, 25/26.
5) So z.B. JASPERT, B. (1972), in: Wissenschaftlicher Literaturanzeiger Freiburg, Heft 1; BRÄUER, S. (1977/78), 105/106.
6) So z.B. STEINMETZ (1972), Rezension von SPILLMANN (1971), 895.
7) Vgl. z.B. die Rezensionen von SPILLMANN (1971), bei: van der LEE (1973), 25; LEFEBVRE, J. (1973), in: Etudes Germanique Bd. 28, Paris, 113; WOLF, Herbert (1974), in: Zeitschr. f. Dialektologie 3/1974, 343; VOLZ, Hans (1974), in: Germanistik 1, 124.
8) SCHWAB 1981, HUFEISEN 1984, WARNKE 1989.
9) HALLIG, Rudolf und WARTBURG, Walther v. (^{2}1963), Begriffssystem als Grundlage für die Lexikographie. Versuch eines Ordnungsschemas. 1. Aufl. 1952. Berlin.
10) So STEINMETZ (1972), Rezension von SPILLMANN (1971), 895.
11) So BRÄULER, S. (1977/78), 105, Anm. 54, der das Begriffssystem von HALLIG – v. WARTBURG mit der von Jost TRIER wesentlich geprägten linguistischen Methode der Wortfeldforschung kontaminiert zur „Wortfeldtheorie Rudolf Halligs und Walther von Wartburgs" (sic!).
12) HALLIG – v. WARTBURG (1963), besonders 58ff.
13) STEINMETZ (1972), Rezension von SPILLMANN (1971), 895; BRÄUER (1977/78), Rezension von SPILLMANN (1971), 105.
14) Vgl. hierzu van der LEE, Anthony und REICHMANN, Oskar (1973), Einführung in die Geschichte der Feldtheorie. in: dies. (Hg.) (1973) Aufsätze und Vorträge zur Wortfeldtheorie. The Hague – Paris, 29; REICHMANN, Oskar (1976), Germanistische Lexikologie. Stuttgart, 22ff.
15) Vgl. hierzu TRIER, Jost (1931), Der deutsche Wortschatz im Sinnbezirk des Verstandes. Heidelberg.
    Ein Abdruck der wichtigsten Schriften TRIERS zur Wortfeldforschung findet sich bei: van der LEE / REICHMANN (1973). Die wichtigsten Texte zur Diskussion der Wortfeldtheorie bis 1968 bringt SCHMIDT, Lothar (Hg.) (1973), Wortfeldforschung. Darmstadt. Eine ausführliche Darstellung der Wortfeldforschung ist die Publikation von HOBERG, Rudolf (^{2}1973), Die Lehre vom sprachlichen Feld. Düsseldorf.
    Einen kurzen Überblick über Ansatz und Verfahren der Wortfeldtheorie und die wichtigsten Kritikpunkte an ihr unter Aufweis der entsprechenden Literatur bringt REICHMANN, Oskar

(1969), Deutsche Wortforschung. Stuttgart, 21–39, und sehr knapp REICHMANN (1976).

16) ŠČUR, G.S. (1977), Feldtheorien in der Linguistik. Düsseldorf, 27 u. 86f.

17) So z.B. ŠČUR (1977), 87; LUTZEIER, Peter Rolf (1981), Wort und Feld. Tübingen, 83f.; van der LEE / REICHMANN (1973), 22; HOBERG (1973), 98–99; REICHMANN (1976), 46.

18) Z.B. LUTZEIER (1981).

19) HOBERG (1973), 117.

20) Vgl. RUPP, Heinz (1968), Wortfeld und Wortinhalt. in: BESCH, Werner / GROSSE, Siegfried / RUPP, Heinz (Hg.) (1968), Festgabe für Friedrich Maurer zum 70. Geburtstag. Düsseldorf, 46.

21) Vgl. das jetzt erscheinende Frühneuhochdeutsche Wörterbuch, hg. v. ANDERSON, Robert, R. / GOEBEL, Ulrich / REICHMANN, Oskar, Bd. 1 (1989), bearb. v. REICHMANN, O., Berlin – New York.

Ingo Warnke

QUELLENARMUT UND PUBLIKATIONSREICHTUM – BERICHT ZUR NEUESTEN MÜNTZER-FORSCHUNG

0. Vorbemerkung

Man hat sich darauf geeinigt, im Jahr 1989 den 500. Geburtstag Thomas Müntzers zu feiern, obgleich das Geburtsdatum Müntzers nicht gesichert ist und nach neueren Erkenntnissen zwischen den Jahren 1470 und 1495 liegen kann. Der Schwerpunkt der Jubiläumsfeiern lag in der offiziellen Thomas-Müntzer-Ehrung der DDR, die mit Ausstellungen, vielfältigen Veranstaltungen und Publikationen auf den 'Helden der frühbürgerlichen Revolution' aufmerksam machen wollte. Aus heutiger Sicht weiß man, daß dieses Jubiläum für die Staatsführung der DDR die letzte Gelegenheit war, Thomas Müntzer als Galionsfigur eigener politischer Manifestationen zu nutzen. Daneben hat die Müntzerforschung im Osten wie im Westen aus Anlaß des „500. Geburtstages" Thomas Müntzers neue Untersuchungsergebnisse erarbeitet und unterschiedlichste Interpretationsansätze publiziert. Der nachfolgende Bericht zu der in den letzten Jahren sprunghaft angestiegenen wissenschaftlichen Müntzer-Literatur soll die Orientierung über die gegenwärtigen Forschungspositionen erleichtern und zugleich als Übersicht zu den wissenschaftlichen Früchten des Müntzer-Jubiläums verstanden werden.
Nach Durchsicht der wesentlichen Publikationen bleibt angesichts der für Müntzer oft beklagten Quellenarmut das Erstaunen über die große Anzahl der Veröffentlichungen. Dieser Publikationsreichtum fordert zu einem weiterführenden Diskurs auf, soll nicht zugleich mit dem Ende des Jubiläums auch das Interesse an Müntzer wieder schwinden. So kann der vorliegende Forschungsbericht auch als Bilanz ziehender Bericht verstanden werden, der zu einer weiterführenden Beschäftigung beitragen will.
In den vergangenen Jahren sind mehrere umfangreiche wissenschaftliche Monographien zu Thomas Müntzer erschienen, in denen neue und bereits bekannte Ergebnisse miteinander verknüpft sind, mit dem Ziel, ein annähernd umfassendes Bild von der historischen Gestalt Thomas Müntzers zu geben; dabei sind biographische Gesamtdarstellungen von ausführlichen Detailuntersuchungen zu unterscheiden. Daneben sind Aufsätze zu nennen, die sowohl in Sammelwerken, als auch in diversen Fachzeitschriften veröffentlicht worden sind.

Der methodische Zugriff des Forschungsberichtes ordnet die Publikationen zunächst ausgehend von den umfänglichen, zentral wichtigen Veröffentlichungen hin zu einzelnen weniger wichtigen Aufsätzen. Da jedoch im Rahmen des Berichtes die wesentlichen Gedanken der Autoren untereinander in Beziehung gesetzt werden sollen, ist diese Strukturierung bewußt nicht streng eingehalten; so werden Veröffentlichungen eines Autors nach Möglichkeit im Zusammenhang besprochen, auch wenn darunter Publikationen von unterschiedlichem Gewicht und Umfang sind, ebenso gibt es Fälle, in denen einzelne Publikationen bereits an anderer Stelle erwähnter Autoren im Zusammenhang mit thematisch zusammengehörenden Untersuchungen behandelt werden. Unberücksichtigt bleibt dieser methodische Ansatz bei den sprachwissenschaftlichen Titeln. Hier liegen keine umfangreichen Monographien vor, sondern lediglich Aufsätze, die in einem speziellen Abschnitt des Forschungsberichts erwähnt werden.
Die Überblick schaffende und Forschungsschwerpunkte ordnende Funktion des Berichts bedingt eine Verknüpfung von inhaltlichen Zusammenfassungen und systematisierenden Beurteilungen, wobei es in einem solchen Zusammenhang keinesfalls um umfassende, allen Aspekten gerecht werdende Auseinandersetzungen gehen kann; die Beurteilungen dienen somit einer kritischen Weiterbeschäftigung und sollen nicht als Bewertungen verstanden werden.
Für den Forschungsbericht sind die wohl wichtigsten Publikationen des Zeitraums von 1987–1989/90 ausgewählt – unerwähnt bleiben die lediglich politischen Veröffentlichungen der DDR-Staatsführung. Die im folgenden jeweils in Klammern vermerkten bibliographischen Kurzangaben sind in der am Ende dieses Bandes befindlichen Bibliographie nachgewiesen.

1. Historiographische und theologische Veröffentlichungen

Die erste bereits auf das Müntzer-Jubiläum bezogene biographische Gesamtdarstellung zum Leben und Wirken Thomas Müntzers ist Klaus Eberts Publikation aus dem Jahr 1987 (Ebert 1987). Ebert, dessen Name durch eine Publikation zum Verhältnis von Theologie und politischem Handeln bei Thomas Müntzer (Ebert 1974) in der Müntzer-Forschung bereits gesetzt ist, bemüht sich in seiner zweiten Monographie zu Müntzer um eine Darstellung der wichtigsten Lebensstationen des Reformators unter Berücksichtigung der Alltagsgeschichte des 16. Jahrhunderts. Diese partikulare Vorgänge berücksichtigende Biographik schließt die Darstellung der ökonomischen Bedingungen der Reformationszeit ebenso ein, wie etwa Ausführungen zur Volksfrömmigkeit. Ebert will durch diese

Methodik den Lebensweg Müntzers in das Spannungsfeld der vielfältigsten äußeren Umstände stellen. Dabei werden jedoch wichtige Faktoren oft zu knapp behandelt, etwa der inhaltlich stark verkürzte Exkurs über die Mystik. Die ausführlicheren Darstellungen erweisen sich bei genauerer Kenntnis als bereits bekannte Ergebnisse der Forschung, so die Abhandlung zum Müntzer-Bild der vergangenen Jahrhunderte, die auf dem Hintergrund der weitaus detaillierteren Untersuchungen von STEINMETZ überflüssig erscheint. Erstaunen erweckt das im Epilog ausgeführte Engagement für die Figur Müntzers im Zusammenhang mit der gerafften Darstellung der verschiedensten sozialkritischen Ideen der Moderne; die Motivation der Ausführungen sind hier inhaltlich undurchsichtig, so daß Eberts Buch mit seinen ohnedies wenigen detaillierten Informationen für die wissenschaftliche Beschäftigung nur sehr begrenzte Relevanz hat.

Kann Eberts Publikation als akzidenteller Beitrag zur Müntzer-Forschung bezeichnet werden, so ist Hans-Jürgen GOERTZS' Biographie von 1989 (Goertz 1989a) als wichtige Publikation hervorzuheben. Goertz bemüht sich, wie auch Ebert, um eine allgemeinverständliche Darstellung des Lebenswegs Müntzers. Die Adressaten der Monographie sind nicht nur die mit Müntzer ohnehin beschäftigten Theologen, Historiker und vielleicht auch einige Germanisten, sondern ebenso interessierte Laien. Dabei geht es Goertz darum, seinen bereits bekannten Ansatz nochmals zu verdeutlichen, wonach Müntzer weder ausschließlich als „Knecht Gottes“ noch allein als „Sozialrevolutionär“, sondern beide Aspekte verbindend als „Theologe der Revolution“ zu verstehen ist. Herauszustellen ist dabei, daß Goertz diesen Interpretationsansatz fast vollständig von einer eindimensionalen Rückführung auf Luthers Persönlichkeit löst. Ausgehend von einer „kritischen Sympathie“ für Thomas Müntzer verbindet Goertz die Ergebnisse der neueren Müntzer-Forschung mit einer allgemeinverständlichen biographischen Darstellung. Zu dieser Methodik gehört es auch, auf allgemeinere Zusammenhänge einzugehen, etwa auf den Autoritätsverlust der Papstkirche als monetärer Macht der Reformationszeit, auf regionalpolitische Vorgänge und auf die wirtschaftliche Situation der Zeit. Trotz der Tendenz, Fakten stark zu bündeln und weniger am Detail auszuführen, herrscht eine wissenschaftliche, reflektierende Darstellung vor, wobei insbesondere der für eine allgemeinverständliche biographische Darstellung nicht übliche umfangreiche Anmerkungsapparat die Monographie auch für die wissenschaftliche Arbeit geeignet macht. Die biographische Darstellung berücksichtigt häufig die Beeinflussung Müntzers durch ihn umgebende Personen, exemplarisch ausgeführt bei der Beschreibung der Vorfälle, die zu Müntzers oppositioneller Haltung gegenüber der Wittenberger Reformation geführt haben. Hier legt Goertz die theologischen Grundpositionen Luthers und Müntzers nachvollzieh-

bar dar. Für die wissenschaftliche Beschäftigung mit Müntzer hat insbesondere die Gesamtdeutung der Gestalt Müntzers durch Goertz Relevanz; so die kontrastive Einordnung zu Luther und die Ansicht, daß Müntzers Ziel eine „demokratisch verfaßte Theokratie" war – obgleich dieser Gedanke jedoch kein originärer Standpunkt Goertzs' ist, sondern sich bereits bei Bräuer (1987a, 92) explizit findet. Für interessierte Laien leistet Goertz mit seiner Publikation einen Beitrag zur Korrektur des allgemein noch stark verfälschten Müntzerbildes, für den Wissenschaftler legt er eine verwendbare Biographie vor.
Ein weiterer Beitrag Goertzs' zum Müntzer-Jubiläum ist der Forschungsbericht von 1988 (Goertz 1988), in dem ein Gesamtüberblick zum Bild Müntzers in der wissenschaftlichen Beschäftigung angestrebt ist. Dabei wird die jüngere Forschung allerdings nicht hinreichend differenziert beschrieben. Da Goertz seinen Bericht jedoch nicht als chronologisch exakte Ausführung versteht, sondern als Darstellung, die einer breiteren Öffentlichkeit den Zugang zu Müntzer erleichtern soll, ist dieses Vorgehen zu akzeptieren.

Eine noch detailliertere biographische Gesamtdarstellung als Goertz hat der Historiker Günter Vogler – ehemals Ost-Berlin – 1989 vorgelegt (Vogler 1989d). Wird Müntzer hier zwar noch basierend auf einem Honecker-Zitat auf dem Hintergrund des frühbürgerlichen Revolutionsbegriffs interpretiert – Vogler hat den Begriff der *frühbürgerlichen Revolution* entscheidend geprägt –, so ist er als Theologe im Gegensatz zu älteren marxistischen Darstellungen unangefochten. Dabei versucht Vogler den Sachzusammenhang von Theologie und gesellschaftlichen Umständen verständlich zu machen. Er geht bei der Darstellung des Lebens Müntzers sehr differenziert vor, die redundanten Signale des auf der Quellenarmut basierenden Vermutens werden mit ausführlichen Fakten und Zahlen zur Einordnung in die historische Situation und die gesellschaftlichen, politischen und ökonomischen Rahmenbedingungen ausgeglichen. Als Nachteil erweist sich dabei jedoch, daß diese die jeweiligen Lebensstationen Müntzers näher erklärenden Rahmeninformationen nicht bibliographisch nachgewiesen werden; eine weiterführende wissenschaftliche Beschäftigung wird damit erschwert. Die überblickartige biographische Darstellung wird bei Vogler durch die Paraphrasierung der wichtigsten Schriften Müntzers ergänzt. Auf dem Hintergrund der um Objektivität bemühten und jegliche Wertung zurückhaltenden Darstellung erstaunt das abschließende Fazit Voglers, das als deutlicher Bruch festzustellen ist. Hier kommt Vogler dem obligatorischen Verknüpfungsanspruch mit den Theoremen der marxistischen Historiographie nach. Müntzer wird in bekannter Weise als Theologe der Revolution manifestiert, er wird ohne die vorher beachtete Genauigkeit der Darstellung mit den Klassenkämpfen der deutschen frühbürgerlichen Revolution in Zusammenhang gebracht; die Argumentation wird undurchsichtig und ist nicht mehr nachvollziehbar. Insbesondere der Darstellung von Müntzers Intention einer Veränderung der sozialen und politischen Ordnung fehlt ein an der neueren Müntzer-Forschung ausgerichteter Argumentationszusammenhang. Es bleibt fraglich, ob es Müntzer um die *„Umgestaltung der Gesellschaft durch Veränderung der Eigentums- und Machtverhältnisse"* ging. Die eigentliche biographische Darstellung bleibt aber von diesem theoretisch-methodologischen Aspekt der Verknüpfung der Persönlichkeit Thomas Müntzers mit der Sozialstruktur und den Vorstellungen des Klassenkampfes unberührt und kann als zentraler und gewichtiger Beitrag der Müntzer-Forschung gewertet werden.

Neben dieser Monographie hat Vogler noch eine Reihe von Aufsätzen zum Müntzer-Jubiläum vorgelegt. So die Ausführungen zur Thematik „Thomas Müntzer und die Städte" (Vogler 1989e). Auch hier wird das soziale und politische Umfeld der Entwicklung Müntzers berücksichtigt und auf das Problem der Quellenlage hingewiesen. Vogler führt aus, daß die Städte insbesondere durch die Universitäten und durch Müntzers spätere Predigttätigkeit einen wichtigen Einfluß auf seine Entwicklung hatten. Diese Ausführungen liefern jedoch keine neuen über die Biographie hinausgehenden Ergebnisse; für eine Sicht auf den erkenntnisbildenden Ansatz Voglers sind sie jedoch interessant. Insbesondere die als Diskussionsgrundlage gemeinten Aussagen, die knapp zusammengefaßt die wichtigsten Gedanken zur behandelten Thematik enthalten und den Aufsatz abschließen, können die Forschung weiterbringen.

Voglers Aufsatz zu „Thomas Müntzers Sicht der Gesellschaft seiner Zeit" (Vogler 1990) beginnt mit einer Standortbestimmung gegenüber Engels und Smirin und im Forschungsüberblick auch gegenüber Goertz. Hervorzuheben und im Widerspruch zu an anderem Ort gemachten Aussagen ist Voglers Beurteilung, Müntzer sei nicht primär Sozialreformer sondern Seelsorger gewesen. Der Versuch einer Annäherung an westliche Interpretationen ist hier offensichtlich, insbesondere dann, wenn Vogler zur Untermauerung seiner Ansätze Goertz heranzieht. Führt Vogler jedoch im wesentlichen auch hier Gedanken aus, die sich bereits in seiner Biographie finden, so enthält der Aufsatz zu den „sozialethischen Vorstellungen Thomas Müntzers" (Vogler 1989c) wichtige und neue Gedanken zum Verhältnis von Individuum und Gesellschaft, das Vogler bei Müntzer durch die Ordnung Gottes bestimmt sieht. Vogler vergleicht die zentralen Gedanken Müntzers mit denen der Täufer für die Zeit von 1525–1535, wobei es nicht um das Aufzeigen einer direkten Traditionslinie geht, sondern um die Darstellung der Analogien: Antiklerikalismus, Lösung vom Kreatürlichen, Sonderung von Auserwählten und Gottlosen, Apokalyptik. Voglers Beiträge sind im Gesamtüberblick als zentrale und differenzierte

Beiträge der marxistischen Historiographie zur Müntzer-Forschung anzusehen (vgl. auch Vogler 1989a). Gerhard BRENDLERS offizielle DDR-Müntzer-Biographie mit dem programmatischen Titel „Thomas Müntzer, Geist und Faust" (Brendler 1989) kann hingegen in der Folge der jüngsten politischen Veränderung als überholt angesehen werden. Brendlers Gesamtbeurteilung, Müntzer sei es darum gegangen, die Spannung zwischen realem Leben und erhofften Glaubensvorstellungen politisch zu überhöhen, entbehrt trotz stellenweise ausführlicher Darlegung einer wissenschaftlich gegründeten Analyse. Der Beitrag ist vornehmlich politisch geprägt, versucht eine erneute Begründung für die Inanspruchnahme Müntzers im Rahmen der DDR-Erbepflege und wird wohl in Zukunft nur als historisches Dokument in der Forschung berücksichtigt werden.

Dem nationalen Geschichtsinteresse der östlichen wie der westlichen deutschen Publikationen zu Thomas Müntzer steht das Interesse der angelsächsischen Welt an Thomas Müntzer nicht nach. Tom SCOTT hat mit seiner Biographie (Scott 1989) eine knapp zusammenfassende Darstellung der bekannten Fakten vorgelegt, die sich primär an den angelsächsischen interessierten Laien wendet. Auffallend ist dabei die gute kartographische Aufarbeitung und die Darstellung zum Bauernkrieg im allgemeinen. Die Texte Müntzers sind in der englischen Übertragung von Peter Matheson (Edinburgh 1988) eingearbeitet. Scott versteht seine Biographie als einen Beitrag zur Richtigstellung des Müntzerbildes. Er stellt Faktoren wie „his theological erudition", „his intellectual creativity", „his earnest and engaged humanity" heraus. Dabei zeigt er auf, daß Müntzer von den verschiedensten Seiten beeinflußt war und nicht lediglich im Spannungsverhältnis zu Luther zu verstehen ist. Scott bewertet den revolutionären Ansatz als einen der Theologie Müntzers inhärenten Faktor, ebenso wie er die Bedeutung mystischer Elemente der „Theologia deutsch" betont. Wenn sich Scotts Monographie auch nicht vorwiegend an den Müntzer-Forscher wendet, so bildet sie doch einen wichtigen Beitrag für die Breitenwirkung der neueren Erkenntnisse über Thomas Müntzer.
Scott hat zum Müntzer-Jubiläum auch einen detaillierten Forschungsbericht vorgelegt (Scott 1988).

Eine weitere englischsprachige biographische Monographie hat der US-amerikanische Kirchenhistoriker Eric W. GRITSCH vorgelegt (Gritsch 1989a). Zwei Jahrzehnte nach Veröffentlichung seiner biographischen Müntzer-Studie *„Reformer without Church..."* (Gritsch 1967) beschreibt Gritsch hier die Entwicklung der wesentlichen Gedanken Müntzers und den Prozeß der aktiven Verwirklichung dieser Gedanken im reformatorischen Handeln, wobei Müntzer im wesentlichen als Opfer einer „tragedy of errors" beurteilt wird. Damit hat Gritsch von einer Neuauflage seiner älteren Müntzerpublikation bewußt Abstand genommen, um so die wesentlichen Forschungsergebnisse der vergangenen zwanzig Jahre mit einarbeiten zu können. An den Ausführungen Gritschs ist besonders das auffällig quellennahe Arbeiten hervorzuheben. Durch diese texthermeneutische Methodik sind die Interpretationsansätze immer auf primäre Quellen bezogen und daher in einen nachvollziehbaren Argumentationszusammenhang gestellt. Um hier das Verständnis nicht zu gefährden, hat Gritsch auf original frühneuhochdeutsche Zitate verzichtet und die englische Müntzer-Übertragung Mathesons herangezogen. Im Wissen, daß dabei vieles von der Originalität der Müntzerschen Sprache verloren geht, hat Gritsch jedoch für jede englische Übersetzung eine Referenzangabe zur Kritischen Gesamtausgabe von Franz beigefügt. Dadurch wird die Biographie für Laien und Wissenschaftler gleichermaßen benutzbar. Dem Überblickbedürfnis des interessierten Laien trägt auch eine dem Band beigefügte Müntzeriana Rechnung, in der Gritsch einen knappen Überblick zur Müntzerrezeption seit Luther und eine Darstellung nennenswerter Forschungsarbeiten bis 1988 gibt. Die an das Ende der Publikation gestellte Bibliographie ist wegen unvollständiger Titel und einiger falscher bibliographischer Angaben als Instrument für weitere Arbeiten nicht brauchbar.

Die zunächst als umfassende biographische Studie geplante Publikation des Nestors der Müntzer-Forschung Max Steinmetz (Steinmetz 1988b) ist aus Alters- und Gesundheitsgründen nicht zu Ende geführt und behandelt daher nur die Zeit bis zum Beginn des Wirkens in Allstedt. Der Untertitel der Publikation betont daher, daß es sich um eine Studie zur Müntzerschen Frühentwicklung handelt. In diesem letzten umfänglichen Müntzerbuch hat Steinmetz viele Ergebnisse seiner Forschungen zusammengefaßt, die teilweise aus seinen vielfältigen Publikationen bereits bekannt sind. So sind einige Kapitel direkte oder leicht überarbeitete Wiederabdrucke von früheren Publikationen, etwa die Einleitung, die bereits 1983 als separater Aufsatz veröffentlicht worden ist. Dennoch gelingt es Steinmetz aufgrund der detaillierten historischen Kenntnisse und der Vertrautheit mit den Quellen, eine differenzierte Darstellung der Müntzerschen Frühentwicklung in einem neuen Rahmen vorzulegen. Die Adressaten sind dabei wohl weniger die mit dem Thema bereits vertrauten „Kenner", was sich etwa aus der instruktiven Darstellung zur Bibel deutlich ablesen läßt. Neben der Schilderung der sozialen und politischen Situation lenkt Steinmetz den Blick immer wieder auf die Literatur des 16. Jahrhunderts, die als Spiegel der gesellschaftlichen Zustände verstanden wird; hier wird die Müntzer-Forschung ausgesprochen sachkundig ergänzt. Die Abschnitte der Monographie sind eigenständig, oft auch gar nicht unmittelbar auf Müntzer bezogen, wie etwa das Kapitel zu „Apokalyptik, Eschatologie und Chiliasmus". Dem stehen differenzierte Detailanalysen zu Müntzer entgegen, beispielsweise die Untersuchung eines Müntzerbriefes an Melanchthon vom 27. März 1522. Einen Einblick in das persönliche Interesse Steinmetz' an Müntzer gibt das Nachwort. Steinmetz versteht sein Buch als einen Beitrag zu den Desideraten der marxistischen Forschung; Müntzer wird hier primär als Theologe bewertet, womit der streng marxistische Standpunkt früherer Publikationen aufgegeben ist.

Eine von vornherein nur die Jahre bis 1519 berücksichtigende biographische Darstellung zu Thomas Müntzer hat der Heidelberger Theologe Ulrich Bubenheimer mit seiner umfangreichen Publikation von 1989 (Bubenheimer 1989b) vorgelegt. Aufgrund der schmalen Quellenbasis für die Schüler- und Studentenzeit Müntzers gehören die Fragen zur Herkunft und Bildung immer noch zu den vorangigen Desideraten der biographischen Müntzer-Forschung. Bubenheimer hellt die unklaren Stationen der Frühzeit Müntzers auf und verschafft damit der biographischen Forschung eine solide Grundlage. Er bedient sich dabei einer spezifischen Methodik, wonach allgemein bekannte Lebensumstände Müntzers als Elemente einer heuristischen Auswertung neuer Zusammenhänge herangezogen werden. Zu einer solchen rückschließenden Quellenauswertung gehört das Bedenken der allgemeinen politischen und sozialen Situation des frühen 16. Jahrhunderts ebenso wie etwa der mit Hilfe eines kontrastiven Datenvergleichs erbrachte Nachweis, daß die These von der Immatrikulation Müntzers mit 17 Jahren unhaltbar ist, da es ganz offensichtlich keine Regelmäßigkeiten des Studienbeginns gab. Auf der Basis weiterer Auswertungen weist Bubenheimer darauf hin, daß Müntzer in der Zeit zwischen 1470 und 1495 geboren sein muß. Weitere neue Ergebnisse werden durch die sogenannte „Verflechtungsanalyse" erzielt, so etwa im Zusammenhang mit gegenüberstellenden Untersuchungen zur Herkunft Müntzers und Luthers. Ein Schwerpunkt der gesamten Untersuchungen liegt in der Beschäftigung mit Müntzers Aufenthalt in Braunschweig und Frose. Bubenheimer erweitert die Quellenbasis hier durch Archivforschungen in Braunschweig und Wolfenbüttel und eine erneute Teilanalyse des Briefwechsels. Die Erforschung des Braunschweiger Freundeskreises Müntzers läßt Bubenheimer zu dem Fazit gelangen, daß Müntzer in Braunschweig einem massiven religiösen Nonkonformismus begegnete, der seine spätere Koalition mit dem ökonomisch führenden Stadtbürgertum bereits angelegt hat. Bubenheimer hat mit seiner Monographie die Müntzer-Forschung in wesentlichem Umfang weitergebracht – für die Wissenschaft ist insbesondere der umfangreiche Quellenanhang zu erwähnen. Unverständlich bleibt, daß die Müntzerschen Quellen in einer neuhochdeutschen Übertragung zitiert werden, kann man doch

davon ausgehen, daß der Leser dieser wissenschaftlichen Publikation mit der frühneuhochdeutschen Sprache zumindest vertraut ist. Es soll auch erwähnt werden, daß ein Teil der Ausführungen Bubenheimers entweder bereits zu früherem Zeitpunkt oder später an anderem Ort publiziert worden ist. So ist das gesamte Kapitel zur Wittenberger Zeit, zu Orlamünde und Jüterbog eine leicht überarbeitete Fassung eines bereits ein Jahr zuvor veröffentlichten Aufsatzes (Bubenheimer 1988b). Das Kapitel zum Humanismus ist fast textgleich in einem weiteren Aufsatz zu finden (Bubenheimer 1989a). Bedenkt man dann, daß Bubenheimer bereits 1984 und 1985 umfangreiche Ausführungen zu Müntzers Braunschweiger Zeit publiziert hat und somit auch die Untersuchungen zu diesem Lebensabschnitt in der biographischen Detailanalyse von 1989 im wesentlichen bereits früher dargelegt wurden, so liegt der Verdienst der Monographie wohl eher in einer Zusammenfassung teilweise bereits veröffentlichter Ergebnisse als in einer vollständig neuen Analyse zu Müntzer. Insgesamt sind die dargelegten Ergebnisse von zentraler Relevanz für die Beschäftigung mit Müntzer.
Bubenheimers Untersuchungen gehören zu den differenziertesten und wichtigsten der neueren Müntzer-Forschung. So auch der Aufsatz zu Luther, Karlstadt und Müntzer (Bubenheimer 1987), in dem zunächst die sogenannte „Verflechtungsanalyse" als methodisches Instrumentarium der vergleichenden Biographik näher beschrieben wird. Bubenheimer weist mit Hilfe dieser Methodik u.a. nach, daß Müntzers Kontaktpersonen auffallend oft aus dem Goldschmiedehandwerk, aus dem sozialen Umfeld von Münzmeistern und Fernhändlern stammen. Neben einer Analyse einzelner Verbindungen Müntzers, wie etwa die zu dem Nürnberger Montanunternehmer Führer, ist insbesondere Bubenheimers Nachweis einer humanistischen Bildung Müntzers hervorzuheben.
Ausgehend von der Überlegung, daß für die Erforschung des Verhältnisses zwischen Luther und Müntzer wichtige Quellen fehlen, insbesondere zu Müntzers Aufenthalten in Wittenberg, weist Bubenheimer in einem weiteren Aufsatz nach (Bubenheimer 1988a), daß Müntzer sich eindeutig während des Wintersemesters 1517/18 und für eine Zeit des Jahres 1519 in Wittenberg aufgehalten hat. Bei diesem Nachweis kommt der Hieronymus-Vorlesung des Johannes Rhagius Aesticampianus eine zentrale Bedeutung zu. Bubenheimer hat die Vorlesungsnachschrift Müntzers, die als Blatt 23 des Moskauer Müntzer-Faszikels bisher aufgrund der falschen Quellenangaben von Franz übergangen wurde, in kommentierter Form ediert und zusammen mit seinem Aufsatz zur Wittenberger Studienzeit veröffentlicht (Bubenheimer 1988b). Die Müntzerschen Randbemerkungen machen deutlich, daß Platon ein wichtiges Vorbild Müntzers war. Diese nun quellengestützte Erkenntnis eröffnet neue Interpretationsansätze:

Bubenheimer beurteilt Müntzers Wertschätzung der Askese als eine Analogie zu platonischen Idealen. Im weiteren untersucht Bubenheimer neben Darlegungen zur Taulerrezeption Müntzers, die offensichtlich bereits in Wittenberg begonnen hat, die Jüterboger Predigten daraufhin, was Müntzer in der Folge seiner Wittenberger Studien theologisch vertreten hat.
Müntzers Auseinandersetzung mit dem Humanismus untersucht Bubenheimer in einem Aufsatz von 1989 (Bubenheimer 1989a). Ausgangspunkt der Überlegungen ist die bisherige Ablehnung der Forschung, Müntzer als Humanisten zu akzeptieren. Außer Bubenheimer hat in der jüngeren Müntzer-Forschung allein Steinmetz auf die humanistischen Einflüsse aufmerksam gemacht. Bubenheimer sieht eine zentrale Ursache dafür in den Mangelstellen der Franz'schen Müntzer-Ausgabe, so daß er seine Untersuchungen als einen Beitrag zur allgemeinen Diskussion um Müntzer auf der Basis einer erweiterten Quellensituation versteht. Daß Müntzer tradierte humanistische Vorstellungen rezipiert hat, wird ebenso eindeutig nachgewiesen wie die Bedeutung der Wittenberger Zeit für Müntzer. Die keineswegs periphere Stellung humanistisch geprägter Rhetorik im Müntzerschen Sprachstil wurde bisher auch von der Linguistik nicht genügend beachtet, und es ist Bubenheimers Verdienst, dazu die Skizze einer exemplarischen Sprachanalyse innerhalb des Aufsatzes vorzulegen. Gegen die von Goertz vertretene Ansicht, der Müntzersche ordo-Begriff sei mystisch determiniert, stellt Bubenheimer die Auffassung, dieser entstamme der humanistischen Rhetorik. Bubenheimer geht davon aus, daß Müntzer seinen ordo-Begriff als formale Kategorie an mystische Texte herangetragen hat. Diese Formalbegriffe seien bei Müntzer daher als nicht theologisch abzuleitende hermeneutische Grundkategorien zu beurteilen. Auf diesem Hintergrund der Humanismus-Rezeption wird Müntzers Abgrenzung von den Erasmianern in neuer Weise verständlich, insbesondere im Zusammenhang mit Müntzers Ansicht einer hermeneutischen Gleichwertigkeit von Altem und Neuem Testament.

Zu den wichtigen Publikationen des Müntzer-Jubiläums 1989 gehört auch der von S. Bräuer und H. Junghans herausgegebene Sammelband mit dem sprechenden Titel „Der Theologe Thomas Müntzer". Da hier nicht nur Aufsätze von Theologen aufgenommen sind, sondern ebenso von Historikern, ist der Titel als Ausdruck einer grundsätzlichen, die historische und theologische Forschung aus Ost und West verbindenden Neubestimmung in der Gesamtinterpretation Müntzers zu verstehen. Trotz der ganz unterschiedlichen thematischen Gewichtungen der einzelnen Beiträge hat man sich um einen einheitlichen formalen Aufbau bemüht: Nach einem Überblick zur jeweiligen Forschungslage haben die Autoren möglichst quellennah gearbeitet und das Genuine ihres Ansatzes und die Novitäten deutlich herausgestellt. Im Folgenden werden die wichtigsten der insgesamt 15 Aufsätze besprochen.

Siegfried Bräuer, Theologischer Direktor der Evangelischen Verlagsanstalt, ehemals Berlin-Ost, untersucht in seinem Aufsatz zu Müntzers Kirchenverständnis vor der Allstedter Zeit (Bräuer 1989c) unter chronologischem Aspekt die Genese des Müntzerschen Kirchenverständnisses. Da jedoch schon allein aufgrund der Quellenlage keine vollständige Ekklesiologie vor der Allstedter Zeit abzuleiten ist, hat Bräuer die Quellenarmut als grundlegendes Problem der Müntzer-Forschung zu bewältigen; er arbeitet daher zunächst entlegene Details auf. So wird eine bisher noch nicht vollständig veröffentlichte Himmelfahrtspredigt Agricolas ebenso herangezogen wie ein Schreiben des Rektors der Städtischen Lateinschule in Braunschweig. Bräuer schließt, daß Müntzer bereits 1517 auf die reformatorischen Veränderungen eingestellt war, um dann im Fahrwasser der Wittenberger Reformation sein Kirchenverständnis zu entwickeln. Dies wird insbesondere deutlich gemacht am abnehmenden Respekt Müntzers gegenüber der kirchlichen Rechtsordnung bis hin zum Frühjahr 1521. Gegen die Beurteilung Müntzers als Humanisten stellt Bräuer die Bewertung, Müntzers Theologie sei von dem Gedanken der unmittelbaren Geisterfahrung geprägt, was als Divergenz etwa zur humanistisch geprägten Theologie des Egranus verstanden wird. Nach einer Darstellung des Aufenthalts Müntzers in Böhmen vertritt Bräuer die Ansicht, daß Müntzers Interesse nicht bei einer ausgeformten Ekklesiologie lag. Er versteht den Wandel vom reformatorischen Prediger zum endzeitlichen Propheten als Einschnitt in eine kontinuierliche Entwicklung, der nicht durch den Gedanken der Mystik-Rezeption zu erklären sei. Das Kirchenbild Müntzers wird als Verknüpfung der Ideen Hegesippos und Eusebios mit Gedanken Cyprians beurteilt. Auf diesem Hintergrund stellt sich Bräuer im Fazit seines essayistisch-biographischen Ansatzes sowohl gegen die Interpretation Müntzers als eines lediglich revolutionären Kämpfers als auch gegen das Verständnis Müntzers als Theokrat.
Neben diesem Beitrag zum Sammelband von 1989 sind weitere wichtige Aufsätze Bräuers zum Müntzer-Jubiläum zu erwähnen. Beschäftigt sich Bräuer im besprochenen Aufsatz mit Müntzer vor dessen Allstedter Zeit, so behandelt er in einem Aufsatz von 1987 (Bräuer 1987a) Müntzers Verbindung mit dem Allstedter Bund. Dabei wird die Situation Allstedts präziser als bisher skizziert. Auf dem Hintergrund der geographischen und sozialen Situation wird Allstedt als *„ausgezeichneter Multiplikator“* für die reformatorischen Bestrebungen Müntzers bezeichnet. Davon ausgehend führt Bräuer seine Erkenntnisse zu den beiden Organisationsstufen des Allstedter Bundes aus; gegen die Einschätzung dieses Bundes als Revolutionsorganisation stellt er die Beurteilung einer biblisch gerechtfertigten und chiliastisch-apokalyptisch dimensionierten Vereini-

gung. Abgeschlossen wird der Beitrag mit einer Darstellung der Nachwirkungen des Allstedter Bundes bis zum Jahr 1534.
Die Theologie Thomas Müntzers als Grundlage sozialethischer Impulse ist Gegenstand eines Aufsatzes von Bräuer aus dem Jahr 1989 (Bräuer 1989a). Es handelt sich hier in Vorbereitung des Müntzer-Jubiläums der DDR um einen Beitrag zu einem Kolloquium der Sektionen Theologie. Bräuer zeigt auf, daß das Müntzer-Bild bis heute vorrangig durch die unterschiedlichsten Rezeptionsstränge geprägt und daher nicht hinreichend durch Quellenanalysen gesichert ist. Daraus ergebe sich die Aufgabe einer erneuten Überprüfung der Quellen, etwa im Hinblick auf die Untersuchung der theologischen Grundlagen einer Sozialethik Müntzers. Bräuer formuliert dieses Forschungsdesiderat als wichtige Aufgabe, die jedoch gegenwärtig aufgrund der erst am Anfang stehenden Erforschung der Theologie Müntzers noch nicht zu leisten sei.

Ein weiterer Beitrag zum Sammelband von 1989 ist Goertzs' Aufsatz zum Geistverständnis Thomas Müntzers (Goertz 1989b), das als zentrales Element des Müntzerschen Weltbildes hervorgehoben wird. In seiner Forschungsübersicht zeigt Goertz die auffallenden Interpretationsdivergenzen für das Müntzersche Geistverständnis auf. Gegen dieses uneinheitliche Bild stellt er den von ihm wiederholt geforderten Interpretationsansatz einer Berücksichtigung des „Sitzes im Leben". Sowenig diese Herangehensweise von Goertz neu ist, sowenig Novitäten enthält der Aufsatz im Gesamtblick. Einzelheiten hingegen sind differenziert und weiterführend dargestellt, so die Beurteilung, daß die Pneumatologie Müntzers zur Begründung der Revolution herhält, oder die Darstellung der Entwicklung einer Vorstellung unmittelbaren Wirkens des göttlichen Geistes im Menschen. Ebenso zu erwähnen sind die Ausführungen zum Müntzerschen Antiklerikalismus, der durch die pneumatologische Fundierung einen wichtigen Stellenwert innerhalb der Müntzerschen Theologie habe und nicht zuletzt den Dualismus von Gottlosen und Auserwählten determiniere. Ebenso wie bei Bubenheimer soll auch bei Goertz auf die passagenweise wörtlichen Übereinstimmungen mit der biographischen Monographie von 1989 hingewiesen werden.

Erich W. Gritschs Beitrag beschäftigt sich mit Thomas Müntzers Glaubensverständnis (Gritsch 1989). Ausgehend von den drei Schriften des Jahres 1524 stellt der US-amerikanische Theologe die Grundrisse des Müntzerschen „theologisch-systematischen Glaubensverständnisses" dar. Dieser Gedanke der Systematik in der Theologie Müntzers ist signifikant und steht im Gegensatz zu einer Beurteilung der Müntzerschen Theologie als Ergebnis von Reaktionen auf lediglich äußere Bedingungen. Gritsch interpretiert den im Leiden verankerten

Glauben Müntzers als 'imitatio christi' in der Verbindung mit einem theologisch geprägten Gesetzesbegriff. Hier sieht Gritsch ein Indiz für die Unabhängigkeit der Müntzerschen Theologie von der Lutherischen. Ziel des Beitrags ist, gegen die Bewertung Müntzers als eines lediglich mystisch geprägten Theologen oder Lutherschülers, der einzig auf gesellschaftliche Umstände reagiert, den eigenständigen aktiven Systemcharakter der Müntzerschen Theologie herauszuarbeiten.
Gritsch hat zum Müntzer-Jubiläum weitere Aufsätze publiziert. In „Thomas Müntzer and Luther, A Tragedy of Errors“ (Gritsch 1988) konstatiert er in bezug auf die wissenschaftliche Beschäftigung mit dem Verhältnis von Luther und Müntzer ein Forschungslabyrinth. Gritsch geht es auf diesem Hintergrund zunächst darum, die Übereinstimmungen zwischen Luther und Müntzer aufzuzeigen. So wertet er Müntzers Aufenthalt in Prag als Mission im Namen der Lutheraner und sieht in den späteren Divergenzen zwischen Luther und Müntzer eine 'shakespeareartige Tragödie von Irrtümern'. Die Differenzen liegen nach Beurteilung Gritschs dabei vor allem im unterschiedlichen Geistverständnis und resultieren aus Müntzers Theologie der unmittelbaren Geisterkenntnis der Auserwählten.
Daß Müntzer den Bauernaufstand theologisch gedeutet habe und nicht die Theologie sich im Aufstand von Frankenhausen deute, vertritt Gritsch in einem weiteren Aufsatz (Gritsch 1989c). Hier wird insbesondere auf die Spannung von Ideal und Wirklichkeit in Müntzers Theologie hingewiesen und daraus die Sicht auf Müntzers Zwang gelenkt, eigene reformatorische Ideale immer mehr in der Apokalyptik verankern zu müssen. Daraus resultiere, daß die Menschen von Müntzer schließlich nur noch als Werkzeuge eines apokalyptischen Prozesses verstanden würden.

Eine Untersuchung von Vogler zu den Begriffen 'Gemeinnutz' und Eigennutz' bei Müntzer ist im Sammelband von Bräuer/Junghans enthalten (Vogler 1989b). Trotz der quantitativ geringen Belegung der Termini 'Gemeinnutz' und 'Eigennutz' geht Vogler von einer qualitativen Bedeutung der ingesamt fünf Belege aus. Eine solche Beurteilung kann von Seiten der Linguistik als durchaus sinnvoll erachtet werden, da die quantitative Wortbelegung gerade auch bei Müntzer kein allein aussagekräftiges Indiz für die qualitative Stellung im Wortschatz ist. Im Sinne einer kontextberücksichtigenden und die tradierten Verwendungen der Termini einbeziehenden Analyse der Begriffe untersucht Vogler zunächst den Ursprung der Terminologie von Gemeinnutz und Eigennutz und ihre gesellschaftliche Funktion in der Geschichte. Dabei werden die antiken Wurzeln ebenso herausgearbeitet, wie beispielsweise das Verständnis bei Th. v. Aquin, der Gemeinnutz sozial und Eigennutz theologisch gedeutet habe. Diese antonymische Wertung zeige sich bei Müntzer nicht. Vogler selbst wertet den Begriff des Gemeinnutzes als allgemeine Chiffre für die Forderung des 'gemeinen Mannes'. Der Rückschluß, daß Müntzer mit diesem tradierten Verständnis vertraut war, liegt zwar nah, ist aber innerhalb des Aufsatzes nicht analytisch abgesichert.

Hat der Heidelberger Historiker Eike Wolgast in seiner Biographie von 1980 noch betont, daß weder Müntzers Theologie ein abgeschlossenes Ganzes bilde noch seine Vorstellungen über Obrigkeit und weltliche Ordnung als systematisch anzusehen seien, so befaßt er sich in seinem Beitrag zum besprochenen Sammelband konträr zu dieser Aussage mit der Obrigkeits- und Widerstandslehre Müntzers (Wolgast 1989). Wolgast geht dabei vom Widerstandsrecht auf theologischer, juristischer und politischer Ebene aus und wertet Müntzers Obrigkeits- und Widerstandslehre als unter apokalyptischen Vorzeichen stehend. Er betont dabei, daß dieses Verständnis Müntzers nie theoretisch-theologisch konstruiert gewesen sei, sondern sich an den jeweiligen Konkreta im Sinne einer „politischen Theologie" entwickelt habe. Die in diesem Zusammenhang herangezogenen Quellentexte sind bei näherer Überprüfung der Textpassagen jedoch teilweise nicht bestätigend. Die zu Wolgasts Interpretationen divergierenden Kontexteinbindungen bei Müntzer zeigen, daß hier mit theoriegeleiteten Gesichtspunkten den Quellen nicht immer Rechnung getragen wird. Wolgasts Versuch, die Theologie Müntzers als politisches System zu interpretieren, bedarf weiterer Analysen, die dann auf einer ausführlicheren Quellenauswertung aufbauen sollten.
Ergebnis der Vorbereitungen zur Neuherausgabe der Müntzerschen Schriften ist wohl ein Aufsatz Wolgasts zu Müntzers Gefangenschaftsaussagen (Wolgast 1989a). Der Autor ist hier weniger um eine Interpretation der historischen Gestalt Müntzers bemüht als vielmehr um eine quellenkritisch orientierte Ausführung zu Müntzers Verhörprotokoll, insbesondere unter Berücksichtigung der Veröffentlichungsintentionen. Darüber hinaus findet sich eine Darlegung zur Wahrscheinlichkeit, daß Müntzers letzter Brief vom 17. Mai 1525 seine Empfänger nie erreicht hat.

Als thematische Ergänzung zu Ausführungen Wolgasts kann Voglers inhaltsreicher und differenziert argumentierender Aufsatz zu Müntzers Obrigkeitsverhältnis beurteilt werden (Vogler 1989g). Da Vogler Wolgasts Aufsatz zu Müntzers Obrigkeits- und Widerstandslehre nicht mehr berücksichtigt hat, fehlt jedoch eine unmittelbare Auseinandersetzung mit Wolgasts Interpretationsansatz. Vogler, der bewußt keine grundsätzlich neue Interpretation zum Müntzerschen Obrigkeitsverhältnis vorlegen will, ordnet Gedanken zur Thematik in die

Darstellung biographischer Stationen Müntzers ein. Dabei beschränkt er sich auf den Zeitraum von Ostern 1523 bis August 1524, also auf Müntzers Allstedter Zeit. Dieser chronologischen Darstellung folgt eine hervorzuhebende systematisierte Übersicht zu Müntzers Obrigkeitsverhältnis in neun Punkten. Wegen ihrer Wichtigkeit für die weitere Erforschung Müntzers sollen die wesentlichen Gedanken hier erwähnt werden. Nach Vogler geht Müntzer von der grundsätzlichen Gottberufenheit der weltlichen Obrigkeit aus (1.), aus der Sicht auf die realen Zustände seiner Zeit resultiere jedoch Müntzers Vorwurf des Machtmißbrauchs der Obrigkeit (2.), besonders verwerflich in Form der Verfolgung des Evangeliums (3.); hier sehe Müntzer die Menschenfurcht an Stelle der Gottesfurcht getreten (4.). Ferner erwähnt Vogler Müntzers Beurteilung des 'Tyrannenverhaltens' als Verstoß gegen das Naturrecht (5.). Vogler schließt hier auf eine grundsätzliche Differenziertheit des Obrigkeitsverhältnisses Müntzers (6. + 7.) und wertet Müntzers Forderung „Die Gewalt soll gegeben werden dem gemeinen Volk!“ als lediglich auf die Auserwählten bezogen (8. + 9.). Gerade dieser letzterwähnte Interpretationsansatz ist hervorzuheben. Da in der bisherigen marxistischen Interpretationslinie Müntzers Ausspruch immer wieder als Ausdruck politisch-revolutionärer Intentionen gewertet wurde und die theologische Einbettung dieser Müntzerschen Forderung dabei außer acht gelassen wurde, kann Voglers hier vorgelegte Interpretation als Annäherung der bisher verhärteten Fronten in der wissenschaftlichen Erforschung Müntzers beurteilt werden.

Einen ausgesprochen differenzierten und weiterführenden Beitrag hat H. Junghans, Theologe in Leipzig, in dem von ihm mit herausgegebenen Sammelband publiziert (Junghans 1989b). Ein informationstheoretischer Ansatz dient dabei als Folie für die Frage nach der aktuellen Relevanz von Müntzers Denken, Wollen und Wirken. Junghans differenziert zu Beginn der Ausführungen zunächst den Humanismusbegriff, er weist darauf hin, daß Müntzer insbesondere durch den 'Bibelhumanismus' geprägt worden sei. Es werde überdies oft übersehen, daß in der Müntzerschen Kritik am scholastischen Schriftverständnis eine zentrale Übereinstimmung mit der Theologie Luthers gesehen werden kann. Die partielle Nähe beider Reformatoren sieht Junghans parallel zu Gritsch (s.o.) in Müntzers Jüterboger Auftreten als Lutheraner bestätigt. Die faktische spätere Feindschaft zwischen Luther und Müntzer wird als Resultat einer mangelnden Selbstbescheidung Müntzers und fehlender Zurückhaltung bewertet. Dies habe in den Augen der Wittenberger zur Distanzierung geführt.
Neben diesem Aufsatz ist von Junghans noch ein Forschungsbericht zum Müntzerbild der DDR von 1951/52–1989 zu erwähnen (Junghans 1989a). Hier werden überblickartig Forschungspositionen in ihren Analogien und Divergenzen aufgezeigt. Ob die isolierte Betrachtung der DDR-Wissenschaft angesichts

des gerade für die Erforschung Müntzers wichtigen Wissenschaftsdualismus von Ost und West sinnvoll ist, bleibt fraglich.

Der Münchener Theologe R. Schwarz behandelt in seinem Beitrag zum Sammelband „Der Theologe Thomas Müntzer" das Verhältnis Müntzers zur Mystik (Schwarz 1989a). Schwarz beurteilt Sprache hier als wichtiges Transportmedium mystischer Ideen, so daß im Rahmen seiner Ausführungen der Analyse sprachlicher Gegebenheiten eine besondere Bedeutung zukommt. Die genauen Untersuchungen zu Einzelworten sind auch für die linguistische Müntzer-Forschung von Interesse. Auf dem Hintergrund der Analysen firmiert Schwarz seine bereits in früheren Publikationen (vgl. Schwarz 1977) vertretene apokalyptisch-chiliastische Müntzer-Interpretation.
Zu Thomas Müntzers hermeneutischem Prinzip der Schriftvergleichung hat Schwarz einen Aufsatz vorgelegt, in dem insbesondere auf Müntzers Kritik an der selektiven Ausbeutung der Bibel durch die 'Schriftgelerten' hingewiesen wird (Schwarz 1989b). Die polemische Anklage einer solchen Bibelbeschäftigung bei Müntzer, die sich vornehmlich auf die Erasmianer beziehe, lenkt das Erkenntnisinteresse Schwarz' auf Müntzers eigene Methodik der Schriftauslegung. Schwarz konstatiert bei Müntzer ein hohes Maß an kontextbezogener Hermeneutik und zeigt die gesamtbiblische Ausrichtung dieser theologischen Methodik auf. Der Hinweis auf die Verknüpfung dieses Schriftverständnisses mit der Müntzerschen Theologie der unmittelbaren Geisterfahrung und der daraus resultierenden charakteristischen Trennung in Gottlose und Auserwählte macht den Aufsatz zu einem wichtigen Beitrag der theologischen Forschung.

Der letzte aus dem Sammelband „Der Theologe Thomas Müntzer" hier erwähnte Aufsatz ist S. Hoyers Beitrag zu Müntzers Beziehungen nach Böhmen (Hoyer 1989c). Der Leipziger Historiker kommt hier vornehmlich dem biographischen Interesse an Müntzer nach. Es wird beispielsweise aufgezeigt, daß Müntzer die Hussiten besser bewertete als die verfallene Kirche seiner Zeit. Die vielen dunklen Flecken zu Müntzers Prager Zeit werden aber nicht lückenlos aufgehellt. Unverständlich ist, daß Hoyer nicht auf das knapp 20-seitige gleichnamige Kapitel aus Steinmetz' jüngstem Müntzerbuch (Steinmetz 1988b, 150–168) eingeht.
Eine differenziertere Untersuchung legt Hoyer mit seinem Aufsatz zu Müntzers Tätigkeit in Zwickau vor (Hoyer 1989b). Hier werden in der Darstellung insbesondere die individuellen Entwicklungsumstände Müntzers mit den gesellschaftlichen Einflüssen verknüpft. Dieser Ansatz, der sich in fast allen biographischen Studien über Müntzer findet – zu verstehen als theoretisch-methodologische Orientierung, die Persönlichkeits- und Sozialstruktur in ihren gegen-

seitigen Bedingungen aufzeigt – ist bei Hoyer durch die genaue Belegung von Zahlen und Fakten ausgesprochen informativ. Daneben wird vor dem Hintergrund des bei Hoyer marxistisch determinierten Interesses Müntzers Einstellung zu der Laienfrömmigkeit der Zwickauer Tuchmacher hoch eingeschätzt, Müntzers Wechsel an die Katharinenkirche habe zum Gedanken des Laien „als Vermittler von Glaubensfragen" geführt.

Ein weiteres Sammelwerk zu Thomas Müntzer ist vom Rektor der Friedrich-Schiller-Universität Jena H. SCHMIGALLA zum Müntzer-Jubiläum herausgegeben worden (Rektor der Friedrich-Schiller-Universität Jena 1989). Der Band ist Ergebnis multidisziplinärer Arbeit von Historikern, Theologen, Rechtswissenschaftlern, Literaturwissenschaftlern und Sprachwissenschaftlern, die ihre Forschungsergebnisse hier ebenso publiziert haben wie Philosophen und Pädagogen. Dabei verbindet die Aufsätze neben der gelegentlichen Akzentuierung regionalgeschichtlicher Aspekte das grundsätzlich marxistisch-leninistische Geschichtsverständnis. Der Sammelband ist durch seine fachliche Spannweite in der Vielseitigkeit ohne Konkurrenz. Die 21 Aufsätze werden hier im einzelnen jedoch nicht besprochen, da sich einerseits die Mehrzahl der Autoren mit der Rezeption und Wirkung Müntzers insbesondere auf die Arbeiterbewegung und die Geschichte der DDR beschäftigt, andererseits die Autoren, bis auf Endermann, in der Müntzer-Forschung bisher kaum hervorgetreten sind. Der Sammelband ist nicht zuletzt als Beitrag der Schiller-Universität zum Müntzer-Jubiläum und laut Vorwort als *„Präsent der Autoren zum 40. Jahrestag [des] ... sozialistischen Staates"* DDR zu verstehen. Daß der politischen Interpretation Müntzers dabei ein ebenso großer Stellenwert zukommt wie einem vorangestellten Rede-Auszug Erich Honneckers, verwundert nicht. Der Hinweis auf die knapp 30-seitige Publikation soll in diesem Zusammenhang ausreichen.

Eine wichtige Stellung im Rahmen der wissenschaftlichen Beiträge zur offiziellen Müntzer-Ehrung der DDR nehmen die von einer interdisziplinären Arbeitsgruppe der Akademie der Wissenschaften der DDR unter der Leitung von Adolf Laube erarbeiteten Thesen ein (Thesen über Thomas Müntzer 1988). Da diese Thesen bereits um die Jahreswende 1986/87 erarbeitet wurden und die marxistische Historiographie im Ganzen zu diesem Zeitpunkt noch nicht um ein mehrdimensioniertes Müntzer-Bild bemüht war, wird Müntzer hier noch vornehmlich als Theologe der Revolution interpretiert. Die Einordnung Müntzers in eine Traditionslinie, die bis zur Arbeiterbewegung des 19. und 20. Jahrhunderts führt, ist dabei unverkennbare Intention der Autoren. Ausdruck dessen ist eine für den Nicht-Marxisten nur schwer nachvollziehbare politische Interpretation der Gestalt Thomas Müntzers, die teilweise auf recht ungenauer Quellenauswertung basiert. Der Beitrag reiht additiv im Sinne von Thesen Ergebnisse der Forschung aneinander, so daß die Argumentationszusammenhänge der Aussagen nicht immer durchsichtig sind. Daß etwa die lebendige Offenbarung Gottes bei Müntzer eine praktisch-politische und soziale Bedeutung habe, ist ebenso zu bezweifeln wie die Ansicht, Müntzer habe die Apokalyptik revolutionär interpretiert. Es verwundert nicht, daß Steinmetz bereits 1987 darauf hingewiesen hat, daß die Thesen „die schon seit Jahr und Tag vorliegen, sehr leicht mit den Ergebnissen der neuesten Forschung“ in Widerspruch geraten könnten (Steinmetz 1988a, 42). Die kritisch-distanzierende Würdigung der Thesen hat also keinesfalls erst durch westliche Wissenschaftler eingesetzt.

Als Erläuterung zu den Thesen über Thomas Müntzer ist ein Vortrag Laubes zu den Problemen des Müntzerbildes gemeint (Laube 1988a). Laube gelingt es hier, die plakativen Aussagen der Thesen näher zu begründen und im einzelnen auch wesentlich zu modifizieren. So wird davon gesprochen, Müntzer sei als genuiner Theologe zu verstehen, die falsche Front Luther-Müntzer sei ebenso überholt wie der Fehler einer retrospektiven, von der geschichtlichen Gegenwart der DDR ausgehenden interpretierenden Biographik. Laubes Tribut an die Theologie, diese sei in marxistischen Arbeiten über Müntzer zu oft „vordergründig als ideologischer Reflex auf die jeweiligen Klassenauseinandersetzungen“ (LAUBE 1988a, 10) verstanden worden, ist ebenso hervorzuheben, wie die theologische Interpretation der Müntzerschen Aussage 'Aber am Volk zweifle ich nicht'. Laubes Beitrag macht deutlich, daß die Thesen keineswegs das in den letzten Jahren in Bewegung geratene Müntzer-Bild der DDR spiegeln, sondern den Interpretationsneuerungen vielmehr hinterher hinken, sich sogar auf einen neu formierenden Interpretationsansatz zu Müntzer hinderlich ausgewirkt haben. Ausdruck einer solchen Beurteilung sind auch die beigefügten Diskussionsbeiträge in der von H. Stiller herausgegebenen Publikation des Vortrags von Laube (Stiller 1988).

Laube vertritt keinen veralteten marxistischen Standpunkt, was bestätigt wird durch einen Aufsatz aus dem Jahr 1990, in dem bereits zu Beginn Müntzer als Theologe manifestiert wird (Laube 1990). Diese Feststellung ist Ausgangspunkt der Frage nach der gesellschaftlichen Abhängigkeit der Müntzerschen Theologie, von Laube als Faktum unangezweifelt. So tendiert der Autor beispielsweise zu einer sozialen Interpretation des Begriffs der Auserwählten. Die Ausführungen bezüglich Müntzers Stellung zur Gewalt beziehen jedoch die theologischen Theoreme Müntzers kaum ein, die Ergebnisse werden in Zukunft sicher noch differenziert. Hervorzuheben ist Laubes Beurteilung, Müntzer sei es mit seinen reformatorischen Bestrebungen nicht um die Umgestaltung äußerer Verhältnisse gegangen, sondern um das Reich Gottes. Hier wird der seit Jahrzehnten vertretene marxistisch-leninistische Interpretationsstandpunkt eindeutig verlassen. Der anschließende Versuch, Müntzers Theologie dann doch wieder politisch zu interpretieren, ändert nichts an der grundsätzlichen Wende der marxistischen Historie hin zu einem Müntzer-Bild, das seit längerer Zeit von westlichen Müntzer-Forschern vertreten wird.

M. Kobuch, der zusammen mit S. Bräuer im Rahmen der Erarbeitung einer neuen historisch-kritischen Müntzer-Gesamtausgabe an der Herausgabe des Briefwechsels arbeitet, gibt in einem Aufsatz zu Müntzers Frühzeit (Kobuch 1990) einen Einblick in die paläographisch-editorischen Methoden biographischer Detailforschungen. Ausgehend von der erneuten Überprüfung bereits bekannter Quellen und der Auswertung bisher nicht berücksichtigter Archivalien werden Einzelinformationen zum Müntzerschen Lebensweg in Aschersleben und Frose gegeben. Der Aufsatz, dessen ausführliche Analyse und Argumentation hier nicht nachgezeichnet werden kann, wendet sich an einen mit der gegenwärtigen Müntzer-Forschung gut vertrauten Rezipientenkreis.

Einer der herausragenden Repräsentanten der westlichen Müntzer-Forschung ist Abraham Friesen. In einem von drei thematisch zusammengehörenden Aufsätzen beschäftigt er sich mit der intellektuellen Entwicklung Thomas Müntzers (Friesen 1989). Müntzers Rezeption der Taulerschen Predigten und der 'Theologia deutsch' wird dabei besondere Bedeutung beigemessen. In einem zweiten Aufsatz setzt sich Friesen mit dem Verhältnis Müntzer-Luther (Friesen 1988) auseinander; auch hier wird die Rezeption Taulers für das Verhältnis der beiden Theologen als ausgesprochen wichtig bewertet.

Michael G. Baylors überarbeitete Fassung eines Vortrags vom Mai 1986 untersucht Müntzers Idee der Erwählung und wertet sie als politisch determiniert (Baylor 1988). Nach Baylor erwächst hieraus bei Müntzer die politisch-gesellschaftliche Konsequenz vom Zusammenhang der Erwählten mit dem Gedanken der sozialen Schichtung. Im Sinne dieser Interpretation spricht Baylor von „revolutionary politics“.

Ein Aufsatz, der die Bedeutung der Heiligen Schrift für die Reformation des 16. Jahrhunderts im allgemeinen und für Thomas Müntzer im besonderen untersucht, ist von Karl-Heinz zur Mühlen vorgelegt worden (Mühlen 1989). Es handelt sich auch hier um einen Vortrag, gehalten auf dem Pastoralkolleg des Bundes der evangelischen Kirchen der DDR zum 500. Geburtstag Müntzers 1988. Mühlen skizziert Müntzers Schriftverständnis vor dem Hintergrund einer sich verändernden Bewertung der heiligen Schrift. Angelpunkt sei hier Müntzers Gedanke der Unmittelbarkeit des Wortes Gottes. Mühlen wertet die Trennung des Zeugnisses der Bibel von der lebendigen Rede Gottes im Seelengrund als zentrale Differenz der Müntzerschen zur Lutherischen Theologie. Trägt Mühlen mit seinem Aufsatz auch keine grundlegend neuen Gedanken zur Müntzer-Forschung bei, so ist die Bewertung, Müntzer habe trotz des Primats einer Unmittelbarkeit des Wortes Gottes an der Autorität der Heiligen Schrift festgehalten, wichtig; dies wird in der allgemeinen Forschung oft übersehen.

Der DDR-Germanist Werner LENK untersucht die Spiegelung von Müntzer und Bauernkrieg in Literatur und Kunst (Lenk 1989b). Das vertretene Müntzer-Bild ist hier jedoch antiquiert und wird von marxistischen Müntzerkennern seit längerem nicht mehr vertreten. Den von Lenk beschriebenen Bewertungsdualismus von Armen und Reichen als lediglich sozialkritischen Faktor findet man bei Müntzer wohl ebensowenig wie den politischen Gedanken der Mitbestimmung. Daß Kunst und Literatur geschichtsdeutend und geschichtsbildend seien, ist ein nachvollziehbarer Interpretationsansatz; für den literarischen Stoff 'Müntzer' fehlt dazu eine näher bestimmende Analyse, eine objektivierende und quellendeutende Untersuchung. Die für Lenks Ausführungen herangezogenen literarischen Texte können von einem nicht-marxistischen Standpunkt aus als akzidentell angesehen werden.

Wenngleich nicht als wissenschaftlicher Beitrag zur Erforschung Thomas Müntzers gedacht, so ist der Katalog zur Thomas-Müntzer-Ausstellung „Ich, Thomas Müntzer, eyn knecht gottes“ des Museums für Deutsche Geschichte in Ost-Berlin 1989/90 doch eine wichtige Publikation zur offiziellen Müntzer-Ehrung der DDR (Historisch-biographische Ausstellung 1989). Der Titel der Ausstellung spiegelt unmittelbar das bereits in diesem Forschungsbericht mehrfach erwähnte Interesse der ehemaligen DDR-Forschung, das Müntzer-Bild in bezug auf den Theologen zu spezifizieren. Der Katalog vereinigt Aufsätze der prominenten Müntzer-Forschung der DDR mit solchen von bisher in diesem Zusammenhang noch nicht bekannten Wissenschaftlern. Im Sinn eines Kataloges verstehen sich die Beiträge als instruktive Hinführungen zu jeweiligen Sachgebieten, wie zur Sprache oder Theologie Müntzers und zur Wirkung und Rezeption Müntzers in der Arbeiterbewegung. Die inhaltliche Qualität des Kataloges sichert einen wichtigen Platz im Rahmen der Publikationen zur offiziellen Müntzer-Ehrung der DDR 1989.

Daß das Interesse an Thomas Müntzer in den vergangenen Jahren auch im Westen über die Grenzen der wissenschaftlichen Beschäftigung hinausgegangen ist, zeigen zwei Publikationen, in denen das Leben Müntzers einem breiten Rezipientenkreis zugänglich gemacht werden soll. Frank PAULIS Arbeit „Müntzer, Stationen einer Empörung" (Pauli 1989) versteht sich nicht als exakt beschreibende Biographie, sondern als „literarische Darstellung eines fast Vergessenen", was angesichts der Publikationsfülle zu Müntzer jedoch kaum zutrifft. Pauli wählt zur Darstellung Müntzers ein kontrastives Vorgehen zu Beschreibungen der DDR. Die Kapitel sind nach Müntzers Aufenthaltsorten gegliedert und werden mit Beschreibungen gegenwärtiger Landschaften und Bauten der ehemaligen DDR verbunden. Hat Paulis Publikation keine Relevanz für die Müntzer-Forschung, so kann sie doch als Ausdruck eines allgemein steigenden Interesses an Müntzer gelesen werden.

Der westdeutsche Religionslehrer Arnulf ZITELMANN unternimmt den Versuch, Müntzer Jugendlichen näher zu bringen und wählt für seine Müntzer-Biographie den programmatischen Titel „Ich will donnern über sie!" (Zitelmann 1989). Zitelmann legt hier eine Biographie ohne den Anspruch einer Relevanz für die Wissenschaft vor. Die Problematik dieser populären Veröffentlichung liegt darin, daß der Autor ausgehend von einem veralteten Müntzer-Bild seine implizit eingearbeitete Interpretation entfaltet; die neueren Erkenntnisse der Müntzer-Forschung sind nicht eingearbeitet. Insofern kann es als fraglich gelten, ob Paulis und Zitelmanns Darstellungen zu einem der historischen Wirklichkeit adäquaten Bild der Gestalt Müntzers beitragen.

2. Sprachwissenschaftliche Veröffentlichungen

Einen Sonderstatus innerhalb der wissenschaftlichen Erforschung Thomas Müntzers nimmt die Linguistik ein. Sowohl die früheren Publikationen als auch die neuesten Beiträge zum Müntzer-Jubiläum machen deutlich, daß sich die germanistische Linguistik bisher nicht ausreichend am wissenschaftlichen Diskurs zu Thomas Müntzer beteiligt hat. Die linguistischen Publikationen sind weit weniger als Beiträge zu einer interdisziplinären Müntzer-Forschung zu bewerten, als es bei Ergebnissen theologischer und historischer Analysen der Fall ist. Eine Ursache ist darin zu sehen, daß die sprachwissenschaftlichen Veröffentlichungen vorrangig isolierte fachwissenschaftliche Fragestellungen formulieren. So berücksichtigen etwa die auf allgemeine Aussagen zielenden Schlußfolgerungen aus linguistischen Analyseeregebnissen nur in wenigen Veröffentlichungen die neueren Forschungsergebnisse anderer Disziplinen. Daß die maßgeblichen Sammelbände zu Müntzer keine Beiträge von Sprachwissenschaftlern enthalten und daß z.B. ein Müntzer-Kenner wie Goertz sich gegen eine „pedantische Satzexegese" (Goertz 1989a, 9) wendet, ist ebenso eine Folge dieser separaten Stellung der Sprachwissenschaft wie das Fehlen eines Linguisten bei dem international angelegten Müntzer-Symposium in Böblingen (November 1990). Die an Müntzer interessierte Linguistik wird offensichtlich von anderen Disziplinen als weniger relevant bewertet, was sie sich zum Teil selber zuzuschreiben hat. Dies gilt jedoch in erster Linie für die ehemalige DDR-Sprachwissenschaft, da sich die westliche Germanistik der Erforschung der Sprache Müntzers bisher nur ausgesprochen unzureichend zugewendet hat. Neben Spillmanns Dissertation von 1971 liegen keine weiteren maßgeblichen Ergebnisse westlicher linguistischer Müntzer-Forschung vor. Die Problematik der DDR-Linguistik in bezug auf die Untersuchung der Müntzerschen Sprache liegt in zwei Bereichen: Einerseits basieren auch die neuesten Aufsätze oft auf einem veralteten Müntzer-Bild, das in seiner marxistisch determinierten Ausschließlichkeit selbst von der DDR-Historie seit einigen Jahren überholt ist; ganz offensichtlich sind die Aussagen der „Thesen…" hier von der DDR-Linguistik nicht selten als normativ verstanden worden. Folgt aus der mangelnden Rezeption neuerer Forschungen bereits die Erschwerung des wissenschaftlichen Diskurses mit anderen Disziplinen, so scheint es andererseits, als habe die östliche linguistische Müntzerforschung den Kontakt mit Theologie und Historiographie in einigen Fällen sogar bewußt vermieden.

Die neueste Publikation des Zentralinstituts für Sprachwissenschaft der Akademie der Wissenschaften Berlin vom Herbst 1990, ein Sammelband zur Sprache Thomas Müntzers (Peilicke/Schildt 1990), beinhaltet einige Aufsätze, die eine Modifikation dieses Urteils erlauben, doch im Gesamtblick steht auch hier das fachwissenschaftliche Interesse im Vordergrund; sprachwissenschaftliche Ergebnisse, die für die interdisziplinäre Gesamtinterpretation Müntzers von Interesse sind, finden sich nur vereinzelt. Der von Roswitha PEILICKE und Joachim SCHILDT herausgegebene Band gehört dennoch zu den vorrangig zu nennenden Publikationen im Umkreis des Müntzer-Jubiläums. In dem als Arbeitsbericht veröffentlichten Beitrag sind die Referate der internationalen sprachwissenschaftlichen Konferenz zum Thema „Thomas Müntzers deutsches Sprachschaffen" (Berlin, 23.–24.10.1989) zusammengefaßt. Trotz des internationalen Anspruchs des Tagungsbandes stammt die Mehrzahl der 17 Aufsätze von ehemaligen DDR-Wissenschaftlern mit 11 Beiträgen. Als verbindendes Merkmal aller Aufsätze muß die Referatform hervorgehoben werden. Ausführliche Analysen können in einem Tagungsband nicht erwartet werden, obgleich der Theoriebezug mancher Referate durchaus zwecks besserer wissenschaftlicher Weiterverarbeitung deutlicher und umfänglicher dargelegt sein könnte. Der wichtige Beitrag des sprachwissenschaftlichen Sammelbandes zu Thomas Müntzer liegt damit nicht in der Fülle detaillierter Analyseergebnisse, sondern in der Vielseitigkeit der linguistischen Näherungen an die Sprache Müntzers. Ein Schwerpunkt besteht dabei im Bereich lexikalisch-semantischer Untersuchungen, die für Historiker und Theologen zugleich die interessantesten sein werden.

Brigitte DÖRING befaßt sich auf einer knapp umrissenen „Grundlage der modernen Semantiktheorie" mit Wortgebrauch und Wortbedeutung bei Müntzer (Döring 1990). Herauszuheben ist dabei die Berücksichtigung des mittelalterlichen Universalienstreites bei der Einordnung des Müntzerschen Verständnisses vom „Wort".
Holger THIELE kommt mit seinem Beitrag den Analysen der hier vorliegenden „Linguistischen Beiträge zur Müntzer-Forschung" recht nahe, obgleich sowohl in methodischer Hinsicht als auch in bezug auf die Ausführlichkeit Unterschiede nicht zu übersehen sind (Thiele 1990). Thiele untersucht in Hinblick auf den Einfluß der Mystik in den Schriften Müntzers die Wortschatzausschnitte 'Seelengrund', 'Furcht Gottes' und 'Wille' unter Berücksichtigung der semantischen Dependenzen von Johannes Tauler.
Die Ergebnisse einer merkmalsemantisch orientierten Analyse zum Lexem 'Auserwählte' liegt von Kurt Erich SCHÖNDORF vor (Schöndorf 1990). Präsentiert werden hier sieben semantische Merkmale, die durch Textbeispiele belegt sind.
Ilpo Tapani PIIRAINEN bezeichnet seinen Beitrag zu Thomas Müntzer und den Münsterer Wiedertäufern auch als lexikalisch-semantische Untersuchung zur Wiedertäuferschrift „Restitution rechter und gesunder christlicher Lehre" des Bernhard Rothmann [1534], eine semantisch orientierte Analyse ist jedoch nicht zu finden (Piirainen 1990).
Neben den lexikalisch-semantischen Untersuchungen sind die syntaktischen Ergebnisse von Natalja SEMENJUK und Gisela BRANDT hervorzuheben. N. Semenjuk untersucht die Sprache Müntzers und Karlstadts in einem kontrastiven Verfahren, wobei jedoch die im Beitrag aufgeworfene Frage nach dem Verhältnis von Autorenpersönlichkeit und ihrer „Widerspiegelung" (sic!) in der Individualsprache theoretisch nicht fundiert ist (Semenjuk 1990). Der Beitrag von G. Brandt gehört zu den inhaltsreichsten Referaten des Sammelbandes. Die Autorin erschließt in einem dargelegten analytischen Verfahren unter Rückgriff auf ein breit gestreutes Corpus die anonyme Müntzer-Textrezeption in evangelischen Kirchengesangsbüchern des 16.–18. Jahrhunderts. Die tabellarisch ausgewerteten vergleichenden Untersuchungen liefern evidente Ergebnisse zur Thematik (Brandt 1990).

Rudolf BENTZINGER ordnet seinen Beitrag zur Sprache Müntzers als Instrument

des reformatorischen Handelns der Sprachwirkungsforschung zu. Dabei ist der Überblick zu den Wortschatzbereichen des Müntzerschen Idiolektes insbesondere wegen der vielen Belegangaben zu erwähnen (Bentzinger 1990).
Das Referat von Andrea KNOCHE versucht am Beispiel der Sprache Müntzers einen Beitrag zur theoretisch-methodischen Fundierung der historischen Phraseologieforschung zu leisten (Knoche 1990). Die Ausführungen sind jedoch so knapp gehalten, daß weitere Veröffentlichungen zu diesem Bereich der Sprachwissenschaft das angestrebte Ziel erst erreichen werden.
Untersuchungen zur Rhetorik Müntzers sind von Natalja BABENKO zur Schrift „Protestation oder Erbietung" (Babenko 1990) und von Regine METZLER zu den Briefen der Jahre 1523/24 (Metzler 1990) ebenso im Tagungsband enthalten, wie eine Untersuchung zur Vertextungsstrategie reformatorischer Polemiken (Wolf 1990), eine erste auflistende Analyse zu Personenbezeichnungen und Personennamen bei Thomas Müntzer (Naumann 1990) und ein Beitrag zu Müntzers „Deutsch evangelischer Messe" als Beispiel zur literatursprachlichen Gestaltung auf dem Weg zu einer nationalen Literatursprache und neuhochdeutschen Gemeinsprache (Fendel 1990).
Emil SKÁLAS Referat befaßt sich mit den Stadtsprachen in Böhmen zwischen Hus und Müntzer, wobei der linguistischen Erforschung Müntzers nur wenig Raum beigemessen wird (Skála 1990).
Den Rahmen eines linguistischen Tagungsberichtes verläßt der an erster Stelle stehende Beitrag des ehemaligen DDR-Germanisten Werner LENK zu Thomas Müntzers revolutionärem Denken (Lenk 1990). Kaum durch Textbelege gestützt, ordnet der Verfasser Müntzer in „Ideenfelder" des frühen 16. Jahrhunderts ein und formuliert in bekanntem marxistischen Duktus Thomas Müntzers Denken und Tun als sozial-politische Revolution.
Joachim SCHILDTS Aufsatz in dem von ihm mit herausgegebenen Sammelband zur Sprache Müntzers (Schildt 1990) braucht hier nicht besprochen zu werden, da er bis auf ein fehlendes kurzes Fazit ohne Hinweis textgleich mit einem bereits publizierten Aufsatz (Schildt 1989a) ist. Dieser wird ebenso wie der wichtige und erstmals veröffentlichte Beitrag von Heinz ENDERMANN im Zusammenhang der folgenden Ausführungen zu einzelnen, verstreut publizierten Aufsätzen erwähnt.

An wichtiger Position der linguistischen Müntzer-Forschung in der DDR steht, wie im Rahmen der Ausführungen zum sprachwissenschaftlichen Sammelband bereits deutlich wurde, die Rostocker Germanistin Gisela BRANDT. Ihr Interesse gilt vornehmlich den Analysen syntaktischer Strukturen, die sie in ihrem Beitrag von 1989 (Brandt 1989) in der Verknüpfung mit einem Forschungsbericht zusammenfassend publiziert hat. Zuvor veröffentlichte Ergebnisse (vgl. Brandt

1988) sind mit ihren wesentlichen Aussagen hier enthalten. Von Interesse sind bei dieser ersten, nur auf die linguistische Müntzer-Forschung bezogenen Literaturübersicht insbesondere die eigenen Untersuchungsergebnisse G. Brandts, die detailliert dargelegt werden. Die Relevanz der Aussagen für die Erforschung der historischen Persönlichkeit Thomas Müntzers bleibt jedoch unklar. Da G. Brandt sowohl eine Auseinandersetzung mit der Frage einer humanistischen Prägung Müntzers und seiner Verwendung rhetorischer Stilfiguren, als auch eine Einordnung in die wissenschaftliche Gesamtinterpretation Müntzers ausspart, ist das Ergebnis, Müntzer habe mit seiner Sprache einen Beitrag zur „politischen Massenagitation und Massenpropaganda" geleistet, zu scharf und ist in dieser Form durch eine Analyse der lexikalischen Strukturen nicht zu bestätigen.
Der Gedanke der Massenpropaganda – im Verständnis des Marxismus–Leninismus die Vermittlung weniger Ideen für Viele im Sinne der Agitation – wird von G. Brandt auch in einem Aufsatz von 1987 (Brandt 1987) vertreten. Hier wird auf die sprachnormbildende Wirkung der liturgischen Schriften Müntzers hingewiesen, wobei diese aus „massenpropagandistischer Motivation" erwachsen sein sollen. Die über die sprachwissenschaftlichen Untersuchungen hinausgehenden Schlußfolgerungen wirken in beiden angeführten Publikationen auf die Untersuchungsergebnisse 'aufgesetzt', da sie nicht in einen ausführlicher begründenden Zusammenhang gestellt sind.

Einen von der übrigen Müntzer-Forschung inhaltlich weniger isolierten Standpunkt nimmt der Jenaer Germanist Heinz ENDERMANN ein, der in einem seiner Aufsätze von 1989 (Endermann 1989b) den Beitrag Müntzers zur Entwicklung der deutschen Sprache behandelt. Dabei beschränkt Endermann sein Interesse insbesondere auf die Entwicklungsprozesse der deutschen Sprache um 1500 und beschreibt den Beitrag Thomas Müntzers. Er geht dabei methodisch vom Gedanken des Funktionierens der Sprache auf dem Hintergrund eines dialektischen Zusammenhangs zwischen gesellschaftlichen und sprachgeschichtlichen Entwicklungen aus. Untersuchungsgegenstand ist die Sakralsprache, mit der Müntzer unter anderem einen wichtigen Platz in der deutschen Sprachgeschichte einnehme. Die Ausführungen zu Zentralbegriffen des Müntzerschen Wortschatzes sowie die Beschreibung der Nachwirkungen der Schriften Müntzers zeigen die Notwendigkeit und den Sinn weiterer germanistischer Auseinandersetzung mit Müntzer deutlich auf. Endermanns Aufsatz kann für die westliche germanistische Linguistik eine Aufforderung zu eingehenderer Beschäftigung darstellen und zeigt die Wichtigkeit sprachhistorischer Aussagen für die gesamtwissenschaftliche Beschäftigung mit Müntzer in Ansätzen auf. Positiv zu vermerken ist Endermanns Verzicht auf eine komprimierte Gesamtinterpretation.

Ein weiterer Aufsatz Endermanns (Endermann 1989c) beschreibt Phänomene der Müntzerschen Sprache auf dem Hintergrund einer Einordnung in die Geschichte der deutschen Sprache. Dabei greift Endermann auf Ergebnisse seiner Dissertation (Endermann 1980) zurück. Unter Berücksichtigung der sprachlichen Großlandschaften zu Beginn des 16. Jahrhunderts werden die Ausgleichstendenzen insbesondere im Bereich der lautlichen Neuerungen des Frühneuhochdeutschen beschrieben und Müntzers Sprache dem Ostmitteldeutschen zugeordnet. Hierzu sind nachvollziehbare Beispiele aufgeführt. Der Aufsatz richtet sich ganz offensichtlich nicht an linguistische Fachkreise, sondern versucht Ergebnisse einer jahrelangen Beschäftigung mit der Sprache Müntzers einer breiteren Öffentlichkeit zugänglich zu machen.
Die Rezeption der liturgischen Schriften Müntzers durch den Historiker Gottfried Arnold ist Gegenstand des im Tagungsband zur sprachwissenschaftlichen Müntzerkonferenz enthaltenen Aufsatzes von Endermann (Endermann 1990). Gottfried Arnold, der in seiner „Unpartheyischen Kirchen- und Ketzerhistorie" von 1699/1700 zwei Müntzerschriften abgedruckt hat, ist nach Auffassung Endermanns der erste Historiker, der Müntzer ernst nahm. Endermann vergleicht in seinem Aufsatz unter sprachhistorischer Perspektive die sprachliche Form der Müntzer-Schrift „Von dem getichten glauben" bei Arnold und bei Franz (Kritische Gesamtausgabe). Dabei wird die Graphematik ebenso berücksichtigt wie Fragen der Sinnänderung und der Umgang mit schwer verständlichen Wörtern. Ein Exkurs zur sprachgeschichtlichen Bedeutung Gottfried Arnolds schließt den Aufsatz.

Der Germanist Joachim Schildt – Mitglied der Akademie der Wissenschaften Berlin – hat zum Müntzer-Jubiläum zwei Aufsätze vorgelegt, die als Anregungen zu weitergehenden Beschäftigungen verstanden werden können. Ebenso wie Endermann befaßt sich Schildt mit dem Thema „Thomas Müntzer und die deutsche Sprache" (Schildt 1989a), wobei er zunächst ausgehend von der sprachlichen Situation des 15. und 16. Jahrhundert die dialektal geprägten großräumigen Schriftsprachen erwähnt, die keine Massenkommunikationsmittel gewesen seien. Die Lutherischen Thesen werden hingegen als ein solches Massenkommunikationsmittel beurteilt und als grundlegender Anstoß zur Veränderung der sprachlichen Situation eingeordnet. Müntzer wird dem „bäuerlich-plebejischen Lager" zugerechnet, was jedoch bei Kenntnis seiner Sprachstrukturen nicht nachvollziehbar ist. Von Relevanz sind Schildts Beurteilungen zu den Entwicklungselementen der Müntzerschen Sprache, bezogen auf das Entstehen des Gemeindeutschen. Explizit wird u.a. auf die Veränderungen im Müntzerschen Wortschatz hingewiesen, auf den dialogischen Stil Müntzers und auf die Rhetorik. Der Gedanke einer pragmatischen Komponente der Müntzerschen Sprache wird hier nur angedeutet, jedoch in einem weiteren Aufsatz zum „Modalwortgebrauch bei Thomas Müntzer“ näher untermauert (Schildt 1989c). Schildt arbeitet hier – wenn auch ausgesprochen knapp – die kommunikativ-pragmatische Komponente der Müntzerschen Sprache aus.

Diesem Ansatz folgt auch die ehemalige DDR-Linguistin Maria DAMASCHKE. Doch im Gegensatz zu dem begründenden Verfahren Schildts verzichtet M. Damaschke auf die Darlegung ihres Argumentationszusammenhanges, so daß lediglich die unterschiedlichsten Hypothesen zur Sprache Müntzers in einem Querschnitt aneinandergereiht sind (Damaschke 1989). Ausgehend von einer isolierten marxistischen Interpretationslinie, die so auch zur Zeit der Veröffentlichung des Aufsatzes in der DDR nicht mehr allgemein geteilt wurde, – zitiert wird ausschließlich Müntzer-Literatur der ehemaligen DDR-Wissenschaft – fordert die Autorin zwar ein behutsames und um emprische Exaktheit bemühtes Vorgehen bei der Sprachanalyse Müntzers, doch diesem Ansinnen kommt sie in ihrem eigenen Beitrag nicht nach. Hierin unterscheidet sich auch nicht ein weiterer Beitrag M. Damaschkes zum Wortgebrauch Müntzers aus dem Jahr 1988 (Damaschke 1988).

Ein ebenso allgemein gehaltener und auf empirische Analysen verzichtender Beitrag ist von der ehemaligen DDR-Germanistin Anneliese ABRAMOWSKI veröffentlicht worden (Abramowski 1989b). In diesem Aufsatz finden sich ebenso viele Anregungen für die Forschung wie offenbleibende Fragestellungen. Ausgehend von einem Zitat aus Müntzers „Außgetrückter emplössung“ wird zunächst die Aktualität der Müntzerschen Sprachverwendung für die heutige Textlinguistik unterstrichen, da hier Müntzers besondere Aufmerksamkeit für den Rezipienten deutlich werde. Dabei wird die theologische Einbettung des Zitates – bei Müntzer wird der Text als Bibelzitat eingeschoben – außer Acht gelassen. Bei der Berücksichtigung des Kontextes läßt sich Müntzers Bibelzitat wohl nicht als Ausdruck einer empfängerorientierten Informationsvermittlungsstrategie verstehen. Ist die pragmatische Funktion Müntzerscher Texte ein anerkannter Sachverhalt, so überzeugt die Argumentation A. Abramowskis dennoch nicht. Im Weiteren weist A. Abramowski auf das Desiderat umfänglicher linguistischer Müntzer-Literatur hin. Eine eigene Analyse legt die Autorin jedoch zu keiner der formulierten Fragestellungen vor, so daß der Aufsatz keinen direkten Fortschritt für die sprachwissenschaftliche Erforschung Müntzers bringt. Daran ändert auch der bewußt allgemein gehaltene Katalog-Beitrag zur Müntzer-Ausstellung in Ost-Berlin zum Thema „Müntzer und die deutsche Sprache“ nichts (Abramowski 1989a).

Die innerdeutschen politischen Umwandlungen der Gegenwart werden auch für die sprachwissenschaftliche Erforschung folgenreich sein. Die bisher häufige obligatorische Einbettung der DDR-Linguistik in das marxistisch-leninistische Gesellschaftsverständnis ist gegenstandslos geworden, und die Kommunikation zwischen östlicher und westlicher Germanistik ist uneingeschränkt möglich. Angesichts der bisher nur vereinzelten Aufsätze der germanistischen Linguistik bleibt so zu wünschen, daß die Sprachwissenschaft in Zukunft am Diskurs der Müntzer-Forschung stärker teilnimmt. Die hiermit vorgelegten „Linguistischen Beiträge zur Müntzer-Forschung" werden hierzu genauso beitragen wie folgende noch in Vorbereitung befindliche oder geplante Publikationen von G. Brandt: „Rostock als Vermittler von Müntzer-Texten nach Skandinavien". in: Niederdeutsch in Skandinavien III, Beih. der Zeitschrift für deutsche Philologie 1991? / „Müntzer-Texttradition in Norddeutschland".

Wenn auch nach dem Jubiläum die Zahl der Publikationen bereits deutlich abgenommen hat und die zeitgeschichtliche Situation zunächst zu einer Irritation der bisherigen DDR-Forschung führt, so ist doch anzunehmen, daß im Sinne einer Verarbeitung der so zahlreich vorgelegten Ergebnisse, Thesen und Interpretationsansätze, in Zukunft zumindest qualitativ mit einem Publikationsreichtum zu rechnen ist.

Britta Hufeisen

GOTTES GERICHT ODER WELTLICHES RECHT?

Zum Wortschatz der Gerichtsbarkeit in den deutschen Briefen

1. Einleitung

Wen meint Müntzer, als er im April 1525 an die Allstedter schreibt:
... der meyster will spiel machen, die boͤßwichter mussen dran! (454,13f.) ?
Müntzers Denken zentriert sich auf die Trennung der Gottlosen von den Auserwählten. Die Gottlosen müssen vernichtet und zerschlagen werden, damit die wahre Herrschaft Gottes auf Erden einziehen kann. Die Entscheidung, wer ein Gottloser ist, kann nur Gott fällen oder ein Auserwählter bzw. die Auserwählten – gewissermaßen in Vertretung. Auserwählt ist, wer durch die Erleidung des Kreuzes Christi „im Zerbrochensein den Heiligen Geist" (Lohmann 1931, 15) erfahren hat, durch die Offenbarung die Wahrheit erkennt und das „innere Wort hört im Abgrund der Seele" (Iserloh 1972, 288).

Diesen Entscheidungen kommt die Rolle des „letzten Gerichts" (Maron 1978, 349) zu; das jüngste Gericht wird hier und jetzt von den Auserwählten, wenn es sein muß, mit Gewalt, vorweggenommen. Alle, die nicht im Recht sind, die nicht durch das Leiden zur wahren Erkenntnis gelangt sind, müssen sich diesem Gericht stellen. Ob Müntzers 'Rechtsauffassung' vor dem Hintergrund einer apokalyptischen Gerichtstheologie, wie sie in diesen Thesen zum Ausdruck kommt, zu interpretieren ist, oder ob es sich hier vielmehr um die Äußerungen eines politischen Revolutionärs[1)] handelt, soll die folgende Analyse zeigen.

In seinen Untersuchungen zu den deutschen Schriften stellt Spillmann fest:

> Der Umfang dieser Abteilung, die hohen Indizes vieler Grundlexeme sowie die absolute Häufigkeit einiger Wortformen zeigen an, daß die Sphäre des Rechts und Gerichts für den Wortschatz Thomas Müntzers von großer Bedeutung ist. (Spillmann 1971, 27)

Dieses auf die deutschen Schriften bezogene Ergebnis trifft auch auf die Deutschen Briefe zu, so daß es sich anbietet, die Lexeme dieses Sinnbezirks zu untersuchen.
Maron merkt dazu an: „Von einem präzisen und gleichbleibenden Wortge-

brauch kann gar keine Rede sein." (MARON 1978, 339)[2] Trotz dieser zutreffenden Aussage lassen sich viele Lexeme, die fast durchgängig ein und denselben Sachverhalt charakterisieren, kategorisieren. Die Einordnung und Interpretation der zum Sinnbezirk des Rechts und Gerichts gehörigen Elemente soll – unter Diskussion der verschiedenen Forschungspositionen – im folgenden dargestellt werden.[3]

Müntzer

> zieht nur die Folgerung, daß die Gewalt d e m g e m e i n e n Volk zurückgegeben werden müsse. Er meint dies im Sinne einer Wiederherstellung altgermanischen Rechts. (HOLL 1932, 455; vgl. auch LINGELBACH 1989)

Im Folgenden soll diese These überprüft werden.
Vor dem Hintergrund der unterschiedlichen Rechtsvorstellungen[4], die auf drei Formen des aufgeschriebenen (dabei nicht festgelegten) Rechts, nämlich

1. Urkunde
2. Volksrecht
3. Rechtsbuch

zurückgehen, ist nun Müntzers Rechtsauffassung zu prüfen. Versteht er unter Recht

- das alte germanische Recht,
- das aus altem germanischen Recht erwachsene weltliche Recht, oder
- hat er eine ganz eigene Deutung?

Wer verfügt für Müntzer über das Recht: Gott oder der Mensch?

2. Die Untersuchungen

2.1. Gesetz

2.1.1. Gesetz

Zu den zentralen Lexemen im Sinnbezirk des Rechts und Gerichts gehört neben 'Recht' und 'Gericht' auch 'Gesetz', welches allein in den Deutschen Briefen elfmal vorkommt. Im folgenden wird untersucht, welches Gesetz Müntzer meint, wenn er sich dieses Lexems bedient. Bezieht er sich auf eines der damals gültigen Gesetze oder hat er eine ganz eigene Vorstellung von diesem Begriff, wenn ja, wie füllt er ihn mit Bedeutung?

Bei einigen Belegen wird die Deutung erheblich erleichtert, da sie mit klärenden Zusätzen verbunden sind:

– nach gottlichem Gesetze (366, 25)
– Gottes werk ym gesetz (402, 9)
– das gesetze Gottes (403, 28)
– gesetz der propheten und evangelisten (426, 23)
– das gesetz wird die gottlosen umbstuͤrzen (449, 16).

Es scheint, als habe Müntzer zumindest bei den obigen Äußerungen an kein weltliches Gesetz gedacht. Zur Erhellung sollen die Belegstellen einzeln untersucht und dann in einen größeren Zusammenhang gesetzt werden.

Der erste Beleg findet sich in Müntzers Brief an den Bürgermeister und Rat von Neustadt vom 17. Januar 1521. Dieser Brief beschäftigt sich mit dem Problem der Eheschließung. In diesem Falle herrscht Unklarheit darüber, welchem der beiden in Frage kommenden Heiratskandidaten Dorotheen Normbergerin zuzusprechen ist. Obwohl Müntzer von dieser Angelegenheit gar nicht direkt betroffen ist, nimmt er die Gelegenheit wahr, seine Auffassung über die Ehe darzulegen. Er fordert, daß

> *in der warheyt nach gottlichem gesetze Philipp Romer sye haben (366, 24f.)*

muß

> *auch so yr eyns zehen jhar mit einem andern in elichem stand gelebt hette, so muste doch das erste geloͤbte vorgehen und gehalten seyn. (366, 25–27)*

Müntzer verlangt also, daß die zweite Verbindung, eine schon vollzogene Ehe, annulliert werde und stattdessen die erste als gültig anzusehen sei. Dieses beruht auf seiner Ansicht, daß die Lebensgemeinschaft der Menschen nach göttlichem Gesetz in bindender Gültigkeit geordnet sei,

> die weder mit Rücksicht auf persönliche Interessenkonflikte noch durch irgendwelche Interpretationskünste einer manipulierten kirchlichen Rechtssprechung beeinträchtigt werden darf. (ELLIGER 1976, 116)

Der zweite Beleg steht zusammen mit einigen anderen wichtigen Schlüsselbegriffen, die Müntzers Denken abbilden:

> *Da wird euch durch den heyligen geyst angesagt, wie yhr must lernen durch das leyden Gottes werk ym gesetz erklert euch zum ersten die augen eroffnet werden mussen. (402, 8–10)*

Das Gesetz, welches er hier anspricht, ist offensichtlich kein im Gesetzbuch nachzulesendes, sondern ist ein von Gott gegebenes. Ohne weiteres läßt es sich allerdings nicht befolgen, weil es nicht als selbstverständlich bekannt vorausgesetzt werden kann: Die Augen müssen erst geöffnet werden. Dieses geschieht erst, wenn die Auserwählten durch den Heiligen Geist Gottes Werk durchlitten haben und ihnen das Gesetz offenbart worden ist.

Wie sieht diese „Gesetzestheorie“ im einzelnen aus? In seinem Brief an Christoph Meinhart (30. Mai 1524) stellt Müntzer die Notwendigkeit der „Erfüllung des göttlichen Gesetzes“ (Elliger 1875, 57; Gritsch 1989, 165) besonders nachdrücklich fest: Bedingung für die Erkenntnis göttlichen Gesetzes sind Leiden, Strafe, „tiefe Erschütterung, Betrübtheit des Herzens und tiefste Verzweiflung“ (Bondzio 1976, 30):

> *yn der nacht, wan dye trubsalikeit am hochsten ist (425, 10).*

Diese daraus resultierende Gottesfurcht (z. B. 403, 30) führt als

> strafende Macht des Geistes ... den Menschen in Verzweiflung und Gottesferne ... und läßt ihn in seinem Unglauben an Gott und sich selbst zerbrechen. Der erfahrbaren Bestrafung durch den heiligen Geist geht die Erkenntnis des Gesetzes vorauf. (Goertz 1967, 39)[6)]

Auf diese Weise wird das Gesetz spiritualisiert und – eine mystische Denkform darstellend – Teil der Theologie Müntzers. (vgl. Goertz 1967, 45; Lohmann 1931, 39) Denen, die diesen Läuterungsprozeß angenommen und durchstanden haben – Müntzer nennt sie die Auserwählten – ist das Gesetz Gottes

> *klar, erleuchtet die augen der ausserweleten, ist ein untadliche lere. (403, 28f.)*

> Aus der Deutung von Gesetz und Strafe als Offenbarung und Kreuz ergibt sich, daß die Erkenntnis des Gesetzes dem Menschen erst nach seiner Läuterung in der Strafe zugänglich ist. Das bedeutet, daß nur dem Auserwählten, der den Zustand der Strafe überwunden hat, das Gesetz eröffnet wird. (Lohmann 1931, 65f.)

Aus dieser Kenntnis des Gesetzes Gottes als die des „Menschen Leben verbindlich gestaltende Norm“ (Elliger 1976, 531) erfährt der Auserwählte seine Funktion als „Werkzeug Gottes“ (Lohmann 1931, 66), d. h. er wird mit der „Errichtung des Gottesreiches“ (Dies., 29) betraut, was ihm mit Gottes Hilfe noch erleichtert wird, denn das

> *gesetze wird die gottlosen umbstuͤrzen. (449, 15f.)*

Es ist aber keineswegs so, daß dieses Gesetz allenthalben anerkannt wird. Müntzer schimpft – an dieser Stelle bezieht er sich besonders auf Luther – und er spricht von *wollustigen schweynen (403, 23 f.)*, die *verschumpiren das gesetze aufs eusserlichste (403, 25f.).*

Sie behaupten sogar,

man konne das werk Gottes nicht erleyden, nicht verstehen (404, 22),

und sie

verleugnen die studierung, die betrachtung des gesetzes (404, 23).

Das Schlimmste aber ist, daß diese Gottlosen sich vor dem Leiden, so scheint es, fürchten, und

darumb tichten sie Christum zu eynem erfuller des gesetzes (404, 10).

Durch diese Art des Denkens erfahren sie aber nie den wahren Glauben; der ihre ist ein erdichteter und aus der Bibel gestohlener (z. B. 399, 25), „anderen nachgesprochen und darum in Wahrheit nur ein Scheinglaube." (HOLL 1932, 427)[7)] Solche Christen aber, die eigentlich keine sind, die sich den Zugang zur Christenheit durch die Taufe, welche Müntzers Meinung nach nicht scharf genug überwacht wird[8)], verschafft haben, stehen der Errichtung des Gottesreiches im Wege und müssen deshalb vernichtet werden *unter der strafe des gesetzes (574, 11)*. Diejenigen jedoch, die sich ganz dem Heiligen Geist öffnen und eine *rechtschaffne forcht Gottes (395, 7)* empfinden – und das ist völlig „unabhängig von jeder Gelehrsamkeit" (LOHMANN 1931, 16)[9)] – können sich auf die „Zusage Christi verlassen". (ISERLOH 1972, 287) Allerdings kann der Mensch den Geistesempfang nicht selbst bestimmen. Trotzdem dürfen „die Eigentätigkeit, das Streben des Menschen bei der Erringung des Heils" (GERICKE 1977/78, 55) und die Bereitwilligkeit zum Leiden[10)] nicht unterschätzt werden, denn ohne sie ist der Geistempfang nicht denkbar. BENSING 1965a und die THESEN 1988 gehen sogar so weit, die Auserwählten „aktive Gestalter ... göttlichen Willens" (BENSING 1965a, 469) zu nennen. Trotz allem läßt aber Gott sich nicht zwingen, daß der Mensch sich durch Bereitung zum Kreuze selbst rechtfertige, GERICKE sieht hinter diesem ganzen Prozeß die pädagogische Aufgabe des Heiligen Geistes, „den Menschen zum rechten Glauben und zum wahren Christen" (GERICKE 1977/78, 52f. und so auch 58) zu erziehen.

Die letzten beiden zu diskutierenden Belege beschäftigen sich mit der Erscheinungsform und der Anwendung des Gesetzes bzw. mit dem Vertrautwerden mit demselben:

das buch des gesetzes (421, 6),
gesetz der propheten und evangelisten (426, 23).

Es herrscht kein Zweifel, daß Müntzer hier die Bibel meint. Er bringt sein seelsorgerisches Anliegen vor und fordert:

> *Ir musth das ampt teglich treyben mit dem geleß des gesetz der propheten und evangelisten (426, 23f.).*

Nur in der sich über längere Zeiträume erstreckenden Übung des Gesetzes und dem Ertragen des äußeren und inneren Leids erschließt sich der wahre Glaube, und

> *wer in solchem ding stetlich geubt wird, der kan alle rede vornemen mit unstrefflichem urteyl. (402, 23f.)*

Müntzer mahnt, diese Vorlesungen und Auslegung – natürlich auf deutsch – so häufig und eindringlich zu gestalten,

> *auff das dye text dem gemeynen manne gleych so leuftig seynt wye dem prediger (426, 23–25).*

Und er ermuntert die Prediger:

> *Es wirt angehen. (426, 25)*

Es wird allerdings im folgenden zu zeigen sein, ob er die Predigten in der Muttersprache fordert, damit die Gemeinde religiös oder politisch (vgl. Brandt 1989, 213 und Thesen 1988, 105) geläutert wird.

In der obigen Analyse ging es um das Lexem ‚Gesetz', das an keiner Stelle mit Inhalten der weltlichen Rechtssprechung gefüllt werden konnte, vielmehr in fast allen Fällen explizit im Zusammenhang mit der in „der 'Ordnung Gottes' gesetzten ordo salutis" (Goertz 1967, 45) als Ausdruck der mystischen Denkform Müntzers steht. Weltliche Gesetze sind für ihn nicht erwähnenswert und auch nicht nötig, da das Gesetz Gottes, sobald es *erkant (387, 22)* worden ist, das christliche Miteinander der wahren Gottesfürchtigen zur Genüge und vollständig regelt, und nur vor dem „'göttlichen gesetz' haben sich die Menschen zu verantworten" (Spillmann 1971, 72): „Müntzer does preach a 'law' rather than a 'gospel'." (Friesen 1974, 38)

2.1.2. Erfüller des Gesetzes

Wie gezeigt, muß der Mensch, ehe er das Gesetz erkennt, auf schmerzvollste Art den Leidensprozeß durchstehen, und es kann die Frage auftauchen, ob nicht Christus dadurch, daß er für die Menschen am Kreuz den Tod erlitt, sie dieser schweren Aufgabe enthoben hat. Müntzer wendet sich dagegen, in vielerlei Äußerungen sehr heftig, und fordert, daß alle einzeln und für sich ganz und gar leiden müssen: „Thomas Müntzer regarded genuine Christianity as an internal experience.“ (STAYER 1981, 104) Ohne diese Pein kann der Mensch laut Müntzer kein wahrer Christ werden. Deshalb schimpft er:

> *Darumb tichten sie Christum zu einem erfuller des gesetzes, auf das sie durch angebung seines creuzes das werk Gottes nicht durfen leyden, (404, 10f.)*

und er höhnt:

> *Christo allein das leiden wirt zugelegt, gleich wie wir nicht dörfen leiden nachdem er fur unser sunde hat gelitten (397, 21–23).*

Es wird dem Christen nicht leicht gemacht, bevor *er salig werdt (399, 23)*. Die aus der mittelalterlichen Kreuzesmystik stammende Grundforderung heißt,

> *Christo Jhesu gleichformig werden (406, 11).*

Ist diese Forderung erfüllt, zerbrechen die natürlichen Menschen: Sie erkennen ihre Sünde und finden so Gnade vor den Augen des Herrn. „Das Gesetz selbst ist Gnade, ist Rechtfertgigung.“ (NIPPERDEY 1975, 57)[11)]
Immer wieder empfiehlt Müntzer:

> *last euch dye erbsaligkeit eyn unterrichtung und ubung und untergang euers unglaubens seyn durch Jesum Christum, der son Gottis, welcher euch bewar, amen, myt euern kindern, weyb etc (400, 16–18),*

und er hält unbekannten Anhängern in Allstedt im März 1525

> *den heyligen Abraham, eyn recht ebenbilde und kunstreich werkgefeß gotlicher ubung ym glauben (450, 26–451, 1)*

vor.

Schlecht aber ergeht es denen, die glauben, sie könnten sich vor dem Leiden, welches nie und nimmer zu umgehen ist, bewahren:

> *Dan wer do nit glechformig wyrd dem sone Gottis, ist eyn morder und bosewicht, der selbyge wyl mit Christo ehe aufstehen, dan sterben (399, 6–8).*

Bevor er mit der Erkenntnis der göttlichen Wahrheit aufsteht, muß

> *eyn yder den alten menschen yn der warheit auszyhen (399, 12),*

er muß sich von seiner Kreatur, der Sünde, dem Abgrund zwischen Gott und dem Menschen, frei machen, um zum wahren, echten Glauben zu gelangen, d. h. ein jeder muß zum Erfüller des Gesetzes werden.

2.2. Beweisen, Bezeugen und Wahrheit

Neben den eben genannten Begriffen stehen ebenso ihre Derivationen und ihre sinnverwandten Lexeme im Mittelpunkt der folgenden Diskussion. Wegen der großen Fülle der jeweiligen Belege werden sie gesondert abgehandelt, so daß dieses Kapitel in drei Teile gegliedert ist.

Der Terminus 'beweisen' (einschließlich 'bewerен', 'nachbrengen' und 'uberweyßen') taucht in Müntzers deutschen Briefen achtzehnmal auf. Was will Müntzer beweisen bzw. was kann er beweisen? Auch hier hilft bei einer ersten Klärung die direkte Umgebung der Belege:

- *Ich wil ... durch dye heyligen bibeln nachbrengen (394, 21f.)*
- *ad Ephesios 5, und 1 Cho. 14 ganz clår beweyseth wirdt (396, 2f.)*
- *und das mit der warheit beweysen aus der scrift (396, 15)*
- *mit aller schrift der biblien beweisen (398, 18)*
- *creftig myt vilfaltiger scrift beweysen (398, 28–399, 1)*
- *beweren mit der heyligen biblien (414, 13)*
- *wie Christus selbern Mat. am 6. durch grundtlich urteyl beweyset (463, 18f.)*

In allen Fällen steht 'beweisen' in unmittelbarem Zusammenhang mit der Heiligen Schrift, der Bibel, und besagt jedesmal, daß mit dem in der Bibel Niedergelegten etwas bewiesen werden kann oder soll. Fungiert hier also die Bibel als Beweismaterialsammlung? „Ein sehr eigenartiges Schriftverständnis" bescheinigt MARON 1978, 351 Müntzer mit dieser Auffassung von der Bibel. Sie erhält „von daher eine ganz merkwürdige Funktion: sie wird für Müntzer zum Buch der Urteile." (DERS., 352). HOLL 1932, 431 wiederum sieht die Schrift als „Zeugnis des Glaubens" an. Ein genauerer Blick auf die einzelnen Belegstellen wird Aufschluß über den Sachverhalt geben.

Der erste Beleg (394, 21f.) findet sich in Müntzers Beschwerdebrief an den Grafen Ernst von Mansfeld vom 22. September 1523, welcher seinen Untertanen den Besuch von Müntzers Gottesdiensten untersagt hat. In diesem – laut HINRICHS 1972, 6 – ersten „politischen Zusammenstoß" der beiden wirft Müntzer dem Grafen vor, er wolle mehr denn Gott gefürchtet werden, denn Furcht sei der

schlussel ..., das man dye leuthe domit regire (394, 15f.).

Der Graf ist es, der diesen Schlüssel

wegnemeth und verbitet den leuthen in dye kirchen zu gehen (394, 20).

Müntzer aber spricht weltlichen Herrschern grundsätzlich das Recht ab, welches „sich jene anmaßen, in geistliche Angelegenheiten einzugreifen". (LOHMANN 1931, 49) Er lehnt die Obrigkeit nicht per se ab, sondern, weil sie in seinen Augen gottlos ist. So steht diese Interpretation in Opposition zu den THESEN 1988, 106, die solchen Äußerungen Müntzers entnehmen, daß er „eine radikale Umkehrung der Gesellschaft im Interesse des ausgebeuteten und geknechteten Volkes" (THESEN 1988, 99) erreichen wollte.

Müntzer akzeptiert aber den Grafen als weltlichen Herrscher (vgl. ELLIGER 1976, 386 und LOHMANN 1931, 50). NIPPERDEY 1975, 61 sieht jedoch dieses Anerkennen nicht als Taktik, während LOHMANN und ELLIGER die Meinung vertreten, mit einer solchen Verhaltensweise bliebe Müntzer die Möglichkeit offen, weltliche Herrscher in den Kreis der Auserwählten aufzunehmen. Müntzer selbst fühlt sich allein Gott verpflichtet und in der vollen „Erkenntnis der göttlichen Wahrheit" (LOHMANN 1931, 28). Aufgrund dieser Überzeugung kann er unter Einsatz seines Lebens (394, 23f.) versuchen, während eines Gottesdienstes, zu dem er den Grafen geladen hat, mit Hilfe der Bibel die rechte christliche Weisheit (394, 17) und die Unrechtmäßigkeit der gräflichen Forderungen (z. B. 394, 19) zu beweisen.

Ebenso rechtfertigt Müntzer seine *deutschen ampter* vor dem Kurfürsten Friedrich dem Weisen am 4. Oktober 1523, indem er unter Angabe des Bibelverses 1. Kor. 14, der „von der Wertlosigkeit eines Gottesdienstes, den die Gemeinde nicht versteht" (FRANZ 1968, 396) handelt, beweist, daß so

dye zeyt nicht vorgebens vorswinde, sunder das volk zu erbauhen (396, 1f.)

sei. Vor dem Fürsten wiederholt Müntzer seine Absicht, – sofern der Graf, der *unordenlich mit myr gehandelt (396, 17)* hat, nicht selbst *erscheyne und brenge nach (396, 12)*, daß seine *lere adder ampt ketzer sey (396, 12f.)* – selbst den Grafen der Ketzerei zu beschuldigen und diese Behauptung mit *der warheit beweysen aus der scrift (396, 15)*.

Er ist sich dessen ganz sicher: So ist es *und nit anderst, wye ich kan nachbrengen (396, 16)*. Hier spiritualisiert Müntzer die Schrift, indem er ihren Geist mit dem Heiligen Geist identifiziert (vgl. GOERTZ 1967, 90 und LOHMANN 1931, 22f.), und zwar in der Form, daß er „der ganzen Schrift die Bedeutung des Gesetzes gibt." (GOERTZ 1967, 75) Dabei stellen für Müntzer die Bibel das äußere Wort und der Heilige Geist das innere Wort dar. (vgl. NIPPERDEY 1975, 41f.)

Trotz allem stehen in der Bibel tote Buchstaben. Diese können den Gläubigen nur verständlich werden, wenn sie selbst, unter der Führung des Heiligen

Geistes, durch Nacht und Verzweiflung zum Heil gelangt sind. Da die Wahrheit der äußeren Schrift ehemals auch von dem Heiligen Geist offenbart worden ist, kann sie jetzt „wohl zu einem Zeugnis werden, um die selbsterfahrenen Erkenntnisse zu stützen und zu bekräftigen". (Goertz 1967, 91) Die Schrift ist zwar „der Maßstab für die Wahrheit allen äußeren Schrifttums" (Lohmann 1931, 27), sie ist jedoch „gegenüber der unmittelbaren Offenbarung des Geistes ... zweitrangig." (Gericke 1977/78, 50). Brendler 1976, 430 und die Thesen 1988, 105 setzen die Stimme Gottes mit dem eigenen Gewissen des Menschen gleich. Das konnte im bisherigen Gang der Diskussion jedoch noch nicht belegt werden. Alleiniger Schrift- und Buchstabenglaube erweist sich bei der Erlangung der göttlichen Wahrheit als trügerisch. Dieser, doch eigentlich *getichte glaube (398, 11)*, da nicht selbst erfahren, hat *doselbst allerͤ buberey stadt gegeben (398, 11f.)*. Müntzer meint damit die *werkheiligen*, die *die werlt nach hocher vergiften mit getichten glauben (398, 2f.)*. Damit greift er besonders die Theologen, die nur schriftgelehrt sind – wie Luther – an. (vgl. Brandt 1989, 187) Aber er wird mit *aller scrift der biblien beweisen (398, 18* und auch *398, 25–399, 1)*, daß nicht *das gestollne wort (399, 25)*, sondern die ganze Schrift in jedem Menschen wahr werden muß, *eh er salig werdt (399, 22f.)*.

Die Betonung Müntzers, stets mit Hilfe der ganzen Schrift seine Behauptungen zu untermauern, läßt sich mit seiner „spirituellen Schriftausdeutung" (Lohmann 1931, 43) erklären. Es sollen nicht einzelne Verse aus ihrem Zusammenhang gerissen werden, denn sie haben keinen „sakralen Eigenwert" (ebd.). Es kommt auf das Erkennen des hinter der Schrift stehenden Sinnes an, der nur aus den gesamten Kapiteln gefiltert werden kann. Müntzer weist allein in seinem Brief an Christoph Meinhard vom 11. Dezember 1523 viermal (398, 28–399, 1; 399, 2; 399, 20 und 399, 23) auf diesen wichtigen Tatbestand hin.

Auch die drei folgenden Belege lassen sich mit Hilfe der vorhergegangenen Diskussion deuten und bedürfen deshalb keiner ausführlichen Darstellung:

> *weys man doch woll und ist zu beweren mit der heyligen biblien, das hern und fursten, wie sie ytzet sich stellen, keine cristen synd (414, 12–15).*

Aus *ytzet* schließt Werner 1962, 612, daß nun das „soziale Wesen des Müntzerschen 'Gottesreiches'" Formen annimmt und nun das Volk eine klassenlose Gesellschaft aufbaut. (vgl. Thesen 1988, 99 und 117). Es lassen sich allerdings weder in o. g. Beleg noch in dem Brief selbst – Empfänger sind die verfolgten Christen in Sangershausen, Juli 1524 – derartige Andeutungen oder Aufforderungen zu einem gewalttätigen Aufstand oder gar einer Revolution finden. Müntzer kalkuliert allenfalls einen Kampf zwischen Gottesfürchtigen und Gottlosen um Glauben oder Unglauben ein, nicht allerdings mit dem Ziel, wirtschaftliche Notstände zu beseitigen, wie die THESEN 1988, 111 feststellen.

Auf Dan. 7, 27 bezieht sich Müntzer, als er am 9. Mai 1525 die Eisenacher anspornt, daß

> *Gott ytzt die ganze welt sonderlich fast bewegt zu erkentnus gottlicher warheit und dieselbige sich beweyset mit aller ernsten eifer uber dye tyrannen (463, 9–11).*

Laut Offb. 11, 15

> *ists angezaygt..., das das reych dieser welt soll Christo zustendigk sein (463, 12f.).*

Aber trotz allem läßt Gott

> *dye widersacher peynigen allein am guthe, durch welchs sie das reich und gerechtigkeit Gottes haben vom anfang vorhindert, wie Christus selbern Mat. am 6. durch grundtlich urteyl beweyset (463, 16–19).*

Es ist richtig, wenn BENSING 1965b, 58 Müntzer bescheinigt, dieser wolle hier und jetzt „das von den Propheten verkündete Gericht" beginnen lassen. Ihn deshalb jedoch mit „revolutionären Kämpfern der Gegenwart" (THESEN 1988, 117) zu vergleichen und „den deutschen Kommunisten als Vorbild des unbeugsamen, der Sache der Revolution treu ergebenen Volksführers" (ebd.) hinzustellen, ist anhand von Müntzers Briefen nicht nachzuvollziehen. Was hier als Klassenkampf deklariert wird, sind mit ISERLOH 1972, 296 eher Kämpfe, „verselbständigt und theologisch ideologisiert als Bekämpfung und Vernichtung der Gottlosen". Diese Gottlosen wiederum sind nicht zu vernichten, weil sie zur Obrigkeit gehören oder weil sie das Volk ausbeuten und knechten (vgl. THESEN 1988, 99 und 106), sondern weil sie dem rechten Glauben im Wege stehen. Auch die linguistische Analyse vermag hinter Müntzers Schreiben nur den „Eiferer für Gottes Sache in der Gewißheit des ihm von Gott gewordenen Auftrages" (ELLIGER 1975, 39) erkennen.

Der Beleg, in dem Rat und Gemeinde zu Allstedt am 7. Juni 1525 Herzog Johann von Sachsen ihre Untertänigkeit versichern, was sie auch in bezug auf die *nonnen sachen zu Newendorff (405, 7)* betonen, steht hier im Sinne von 'Gehorsam zollen' und gehört somit zur Peripherie des diskutierten Sachverhaltes... *so haben wir das selbige auch uber die massen beweiset (405, 6f.).*

Ebenso nicht weiter besprochen werden sollen die auf die vorhergehende Interpretation nicht eindeutig bezogenen Belege (464, 1; 468, 2; 420, 14). Die

Mehrzahl der Fundstellen weisen auf eine Verwendung ausschließlich im geistlichen Bereich hin. Statt ein weltliches Gesetzbuch zu Rate zu ziehen, oder aufgrund von Indizien – was im Zusammenhang mit 'beweisen' zu erwarten wäre – jemanden seiner Schuld oder Unschuld zu überführen, schlägt Müntzer die Bibel auf und spricht mit ihr Recht. MARON vergleicht Müntzers Vorgehensweise mit der englischen Rechtspflege,

> wo auch nicht aus einem kodifizierten Gesetzbuch gerichtet wird, sondern aufgrund gesammelter 'Fälle' und 'Urteile' der Vergangenheit. (MARON 1978, 352)

Also auch hier ergibt sich der Befund einer völlig geistlichen, durch die Spiritualisierung der Schrift mit mystischen Elementen versehene Auffassung von 'beweisen'.

Der zweite Teil dieses Kapitels soll sich mit Belegen um den Sachverhalt 'bezeugen' und 'gezeugnis' beschäftigen. Nur einer der vier Belege des Verbums 'bezeugen' handelt eindeutig einen weltlichen Zusammenhang ab: In seinem Brief an seinen Vater bittet Müntzer diesen um finanzielle Unterstützung und erinnert ihn zugleich daran, daß der Vater ihm diese nicht verwehren soll, denn *vil leuthe zu Stolberk und Quedellingeburgk bezeugen (361, 18)*, daß seine Mutter einst *genunck zu euch bracht (361, 17).*

Die verbleibenden Belege beziehen sich unzweifelhaft auf geistliche Sphären:

- *Duß ist clar und helle bezeugt Joannis 7 (425, 27)*
- *yhr wollet ... ortheyl von mir begeren des gotlichen bezeugten bundes (Esaie 58) (433, 1f.)*
- *Es beczeugen fast alle ortheyl in der schrifft (471, 23)*

Müntzer betritt den Zeugenstand mit der Bibel und hat nur in der Bibel aufzufindende Tatsachen zu bezeugen. Der letzte Beleg soll genauer unter Einbeziehung der weiteren Umgebung untersucht werden:

> *Es beczeugen fast alle ortheyl in der schrifft, das dye creaturn mussen frey werden, sol sunst das reyne wort Gottis aufgehen (471, 22–24).*

Diese Aussage steht zusammen mit dem wohl berühmtesten Ausruf Müntzers (nach Hes. 39, 4, 18f.),

> *das dye gewalt sol gegeben werden dem gemeinen volck. (471, 21f.)*

Damit wird Müntzer für BRENDLER 1975, 34 zum Hauptagitator der „frühbürgerlichen Revolution", wogegen HOLL 1932, 455 betont, daß Müntzer gerade nicht „den S t a a t als solchen beseitigen" will. Müntzer selbst spricht in erster Linie nicht von diesem Machtwechsel, um Klassenunterschiede zu beseitigen. Hier fallen für ihn zwei Tatsachen zusammen:

1. Die Obrigkeit ist trotz wiederholter Aufforderung nicht bereit, das Werk Gottes zu durchleiden, um so zum Kreise der Auserwählten zu gehören. Folglich können und wollen sie nicht helfen, die Gottlosen zu vernichten. Somit zählen sie selbst zu diesen und sind als „gottlose Obrigkeit" abzusetzen. (vgl. auch WOLGAST 1989b, 203)
2. Gemäß seiner Forderung nach Leid, Verzweiflung und Armut glaubt Müntzer, „das Volk sei schon im Gericht und auf dem Weg zum Glauben." (GOERTZ 1967, 146)

So setzt er mit fortschreitender Zeit die Obrigkeit mit „gottlosen Tyrannen" und das Volk mit den „Auserwählten" willkürlich auf eine Stufe und leitet daraus das „Widerstandsrecht des Volkes" (HINRICHS 1972, 35) ab[12]. Vor dieser Erkenntnis dachte Müntzer nicht an die Vernichtung der Fürsten, und das räumt auch BENSING 1965b, 47 ein. Er hätte sonst z. B. den Kurfürsten im Brief vom 4. Oktober 1523 nicht auf die Probe gestellt, um festzustellen, ob er zu den 'Auserwählten' oder den 'Gottlosen' zählt. So droht er ihm ganz offen den Aufstand des Volkes an (z. B. 396, 27–397, 1) und ruft ihn zur Mitwirkung auf: *Euer Churfurstlich Gnade mussen auch hye keke seyn. (397, 15)*

Müntzer wendet sich erst verärgert ab, als seine zahlreichen Werbeversuche als gescheitert gelten können und er sich eine härtere Strategie zur Durchsetzung der stets „religiösen Zielsetzung" (WOHLFEIL 1982, 152) zu eigen macht. Nach wie vor ist er „ein tief religiöser Mensch" (ENDERMANN 1989b, 499), dem das Ziel der „politischen Massenpropaganda und Massenagitation" (BRANDT 1989, 213) im Sinne einer kommunistischen Gesellschaftsumstrukturierung fremd ist. Selbst nach diesen Enttäuschungen sind seine Blicke immer noch auf die Errichtung eines Gottesreiches gerichtet. Seine Wirklichkeit, „die es zu ändern gilt, ist die religiöse des Glaubens" (ISERLOH 1972, 285). So erkennt Müntzer erst im Laufe der Zeit in den Fürsten auch gleichzeitig gottlose Tyrannen.[13] Aus dieser Erkenntnis heraus kann Müntzer mit Fug und Recht fordern, *das dye creaturn mussen frey werden, sol sunst das reyne wort gottis aufgehn (471, 23f.).*

Zweimal verwendet Müntzer *gezeuge (366, 19; 366, 21)* im Sinne von 'Zeuge einer Rechtshandlung'. Zwar bezieht er sich hier auf das Sakrament der Ehe und nicht direkt auf eine weltliche Rechtsprechung. Beide Belege finden sich in Müntzers Brief vom 17. Januar 1521, der sich mit *dye sache den elichen stand betreffende (366, 17)* beschäftigt. Er erwähnt Hyeronimus Thuchscherer und Apel Schnetzinger als *gezeugen und freyer (366, 18f.)* bei der Verlobung

zwischen Philip Romer und Dorotheen Normbergerin. Aber dieser Sachverhalt hat nicht in erster Linie mit seinen Bemühungen um die Errichtung des Gottesreiches mit Hilfe der Auserwählten zu tun.
Im folgenden werden die Belege *gezeugnis* untersucht und wieder unterteilt in die, die aufgrund ihrer unmittelbaren Umgebung sogleich einen Schluß zulassen, und in eine zweite Gruppe, die einer genaueren Untersuchung bedürfen.
Nachstehende Belege tauchen stets zusammen mit eindeutigen Bezügen auf, d. h. von was oder wem sie ein 'gezeugnis' darstellen:

- *das unuberwintliche gezeugnis des heyligen geysts (387, 22f.)*
- *der Herre wil nymant seyne gezeugnuß geben (22, 5f.)*
- *dye getzeugniß Gotes müssen aber die masse glaubhafftig werden (24, 12f.)*
- *Des seint wir durch gezeugnis der heiligen schrift gewis unschuldig (405,19)*
- *Wissen wir doch durch das gezeugnis des heiligen aposteln Pauli (405, 25)*
- *wie ich durch Gottes gezeugnus unbetriglich geweyset bin (407, 9f.)*
- *auf das eyn yder auserwelter muchte dye gezeugnis Gottis mit ganzer sel und herzen bewaren und erkunden (421, 8–10)*
- *lerne erst und erkunde, ab du Gottis gezeugnis in dyr gefunden hast (423, 10f.)*
- *so kunde auch das gezeugnis gottis in den rechten swank numermehr kommen (423, 21f.)*
- *Bedencket vilfeltig, ... welchs ich euch myt dem geczeugnis Gottis alles zuvorn gesagt hab (432, 10–12)*
- *haltet eure bruder alle darzu, das sie gottlichs gezeugnus nicht verspotten, sonst mussen sie alle vorterben (454, 10–12)*

In acht Fällen steht 'gezeugnis' zusammen mit 'Gott', in zweien mit der Bibel und einmal mit dem Heiligen Geist. Ganz offensichtlich bezieht sich Müntzer, wenn er von *gezeugnis* spricht, auf das Verhältnis zwischen Gott und dem Gläubigen einerseits; andererseits auf die Nachweisbarkeit dieses Verhältnisses durch die Bibel.
Müntzer erklärt selbst, was unter dem *gezeugnis Gottis* zu verstehen sei:

> *lerne erst und erkunde, ap du Gottis gezeugnis in dyr befunden hast, ab du steen mugst, gedenk, das der ganze vorrad der kunst Gottis muss gewust und erfaren seyn in die lenge, weyte, breyte und tyefe (423,10–13).*

An anderer Stelle:

> *auf das eyn yder auserwelter mucht dye gezeugnis Gottis mit ganzer sel und herzen bewaren und erkunden (421, 8–10).*

Gottes 'gezeugnis' zu kennen, es inne zu haben, bedingt, Gott 'erkannt' zu haben, und setzt Gottes Offenbarung im Menschen voraus. Der Vorgang der Offenbarung wurde bereits beschrieben, und es sollen lediglich noch einige Erläuterungen zu den entsprechenden Fundstellen hinzugefügt werden.

An unbekannte Anhänger in Halle schreibt Müntzer am 19. Mai 1523 und erklärt ihnen, wie das *unuberwintliche gezeugnuß des heiligen geysts zu schepfen (387, 22f.)* sei:

> *yn solcher anfechtunge wyrt der selen abgrunt gereumeth, auf das er meher und mehr erläutert, erkant werde (387, 21f.).*
> *Es kan nymant Gots barmhertzykeit entfin den, er muß vorlassen seyn (387, 23f.).*

Ehe Gott in des Menschen Herz einziehen kann, muß das Herz von aller kreatürlicher Welt, welche das Hindernis und die Kluft zwischen Gott umd dem Menschen – nach mittelalterlicher mystischer Denkform der Sündenbegriff (vgl. GOERTZ 1974, 32) – sind, leer werden. Ist das Herz von diesem *ancleben disser welt durch iamer und smerzen abgeryschen (419, 10),* kann sich im Menschen der Läuterungsprozeß vollziehen. GERICKE 1977/78, 55f. unterteilt den Erziehungsprozeß des Heiligen Geistes in drei Stufen:

1. „anfängliche Bewegung des Geistes“ mit Furcht und Verzweiflung
2. Geburt der „reinen furcht Gottes“
3. am Ziel ist der Mensch „christförmig“

Dieses Leid ist unumgänglich und auf keinen Fall vermeidbar:

> *dan der Herre wil nymant seyne heylige gezeugnuß geben, ehr habe sich dan zuvorn dorch erbeytet myt syner vorwunderunge (22, 5–7).*

Durch das *gezeugnis* aber ist der Auserwählte *unbetriglich geweyset (407,10).* So können sich Rat und Gemeinde zu Allstedt im Brief an Johann von Sachsen (7. Juni 1524), in dem es um die Plünderung und den Brand der Mallerbacher Kapelle geht, *gewis unschuldig* (405, 19) erklären, können sie doch

> *das selbige vor Gott nit vorantworten, das wir solten Gotes lesterung helfen erhalten und vortedigen (405, 17f.)*

In seinem Brief an unbekannte Anhänger in Allstedt (März 1525) kann Müntzer *Euern fahl und eures gewissens angst (450, 24) durch sicherlich gezeucknuß ermessen (450, 25),* daß die Allstedter „die entscheidende Probe nicht bestanden“ haben. (BENSING 1965a, 466) Er bezieht sich hier auf den Allstedter Bund. Denn er *warnete euch vorm abfalhen in der zeit der heymsuchen Gottes (451, 13f.).* Aber trotz der Vorwürfe versichert er ihnen: *so yr euern falh erkennen wollet, ist euch wol zu helfen (451, 21f.),* denn *yr seyt auch zu trosten durch die forcht Abrahams, Ge 12, und durch die langmutigkeit aller heylgen (451, 23f.).*

Zwar hat die Diskussion ergeben, daß Müntzer sich dreimal auf weltliche Gerichtsbarkeit beruft, wenn er von 'bezeugen' (361, 18) und 'gezeugen' (366, 19 und 21) schreibt, aber dem steht eine Mehrzahl von Belegen gegenüber, die sich ausschließlich auf geistliche Belange beziehen.

Der dritte und letzte Komplex dieses Kapitels untersucht die Fundstellen, die die Lexeme 'Wahrheit', 'wahrhaftig' und 'wahr' als Hauptaussage haben. Das Nomen 'Wahrheit' mit allen seinen orthographischen Varianten findet sich in Müntzers Briefen 28mal, was auf die Wichtigkeit für Müntzer deutet.
Zur Erleichterung der Untersuchung dieser Fülle von Belegen werden sie nach dem Kriterium der Gleichartigkeit ihrer Umgebung in Gruppen zusammengefaßt und gemeinsam diskutiert werden:

1. *meyn emsiger bruder der warheit Gottis (398, 23f.)*
   deyne wahrheit allen leuthen zu sagen (398, 26)
   bey der lybe und warheit Gottis (422, 3)
   erkentnus gottlicher warheit (463, 9f.)
   undergang gottlicher warheyt (473, 10)
   seine gnade lehret uns seine wahrheit (575, 7)
2. *in der warheyt nach gottlichem gesetze (366, 24f.)*
3. *dye biblisse warheit (395, 27f.)*
   das mit der warheit beweysen aus der scrift (396, 15)
4. *mit dem geist der warheit (23, 33)*
5. *der mechtigen warheit (398, 25)*
   das eyn yder den alten menschen yn der warheit auszyhe (399, 11f.)
   eine emsige begyr zur warheyt (402, 4)
   wenn eyn mensche seynen hals fur die warheyt setzet (403, 31)
   das yr nummer zur warheyt kommen werdet (414, 32f.)
   die warheit von herzen lyben (423, 24f.)
   in der warheyt nicht anderst thun mugen (434, 22f.)
   der gemeyn man ... die warheit fast in allen ortern annympt (448, 23f.)
   die warheit mus erfur (450, 20f.)
   warheyt und gerechtigkeit (458, 5)
   daß sichs in der warheit befinde (459, 8f.)
   in warhaftiger warheit (468, 5f.)
   ewren frewdygen wandel zur warheyt (471, 3)
   Habt yhr nun lust zur warheyt (471, 25)
   welche mussen ... in warheyt geurteylt werden (473, 10f.)
   Sol in auch die warheit nicht frei machen (24,2)

ihr vernehmet die warheit und gerechtigkeit (575, 5)
6. *wan ich das in der warheyt wuste (417, 32)*

Der letzte Beleg (Gruppe 6) wird hier nicht weiter beachtet, da dieser Ausdruck für 'tatsächlich', 'sich ganz sicher sein' steht und somit zur Peripherie des Feldes 'Wahrheit' gehört. Auch die Belege der vier ersten Gruppen bedürfen nur der weniger ausführlichen Diskussion, weil voran- oder nachgestellte Nomen und Adjektive wie *Gottis, gottlicher, gottlichen gesetzes* oder *biblisse* gar keinen Zweifel lassen, daß Wahrheit für Müntzer überhaupt nur das ist, was auch Gott als Wahrheit offenbart und was vor Gott als Wahrheit bestehen kann. Wahrheit wird also nicht am weltlich-gerichtlichen Maßstab gemessen, sondern am göttlichen. So paßt sie in das Schema von Müntzers Denken im Sinnbezirk von Recht und Gericht, was bis jetzt herausgearbeitet wurde.

Bevor die scheinbar weniger eindeutigen Belege untersucht werden, soll an einem Beispiel Müntzers Auffassung der 'göttlichen Wahrheit' beschrieben werden. An den Kurfürsten Friedrich den Weisen schreibt Müntzer am 4. Oktober 1523:

> *das man das lauthere reyn wort Gottes erforer thueͤ, abwende den scheffel adder deckel, do es myt vorbergt ist, Matt. 10, und das man offliche handele die biblisse warheit vor aller welt. (395, 25–28)*

„Nur so kann Gottes Wort erhört werden." (HINRICHS 1972, 9) Dieses Bemühen um die rechte „Erkenntnis der bislang zum Schaden des christlichen Volkes unterdrückten Wahrheit" (ELLIGER 1976, 256) sieht Müntzer als eine seiner Aufgaben als Seelsorger an.

Einer anschaulichen Metapher bedient sich Müntzer bei der Beschreibung, wie der Mensch Gottes Gesetz erfüllt, das „darin besteht, das Werk Gottes zu erdulden" (GOERTZ 1967, 124), und zur Wahrheit Gottes gelangt:

> *Er muß mit dem allerhochsten ernste yn aller beherczung ansehen, wye yhn Got von auswendig zupucht und er von tag zu tag zuneme yn der erkentnuß Gotis, auf das eyn yder den alten menschen yn der warheit auszyhe. (399, 9–12)*

Er warnt den Gläubigen, daß er *nicht thue wye dye unvorsuchten schriftgelarten dye eynen neuen fleck auf den alten rock setzen (399, 13f.)*. Diese haben die Wahrheit nicht erkannt und sind auch nicht bereit, die Leiden auf sich zu nehmen, sondern sie

> *stelen eyn spruchleyn adder etlich und vorfassen sye nicht mit der lere, dye aus wahrhaftigem grunde quilt. Das seynt dye leuthe, die do meynen, man*

kunne Gottis kunst ym augenblick uberkommen, sehen abber nicht, wye vil muhe es eynen kostet, Gottis werk zu erdulden ym hochsten grad die forcht Gottis wye dem morder am creutz tragen (399, 14–18).

Da diese *sich mit dem toten buchstaben behelffen ... und leugnen den finger, der in dz hertze schreibet (23, 17ff.)*, erfüllen sie nicht Müntzers „Grundforderung der Kreuzestheologie der mittelalterlichen Mystik“ (ISERLOH 1972, 288), dem Sohne Gottes *glechformig (399, 6)* zu werden und sind für ihn nicht in *warhaftiger warheit (468, 4)* Christen. Stattdessen ist jeder *eyn morder und bosewicht, der selbyge wyl mit Christo ehe aufstehen dan sterben (399, 7f.)!*

Christoph Meinhard bescheinigt Müntzer am 30. Mai 1524 eine *ganz emsige begyr zur warheyt (402, 4)* und lobt ihn *darumb das yhr also manichfaltigen vleys furwendet zu fragen nach dem rechten weg (402, 4f.)*. Müntzer kommt Meinhards Bitte nach und legt ihm anhand des 18. Psalms (402) aus, wie wichtig es ist,

> den von dem wahren und lebendigen Gott abgelenkten Menschen zu einer tief in der Erfahrung wurzelnden Einsicht seiner Schuld und Lage zu bringen (GOERTZ 1967, 123f.),

denn *wer die nacht nicht erlitten hat, kann* [kennt] *nicht die kunst Gottes (402, 12f.)*. Den verfolgten Christen in Sangerhausen schreibt Müntzer im Juli 1524 dazu, daß diese *rechte art des glaubens (412, 8)* mit Sicherheit nicht vorzutäuschen ist. Sie muß auf dem richtigen schmerzvollen Weg erlangt worden sein und darf auch vor den Fürsten nicht verleugnet werden.

> *Werdet yr aber heucheln, so werdet euch Got als engesten, das yr nummer zur warheyt komen werdet und einen grossen schaden euer selligkeit dorann uberkommen. Dann Got kan seyne auserwelten nicht vorlassen (414, 31–35).*

Aus Allstedt flieht er laut HINRICHS 1972, 127 aus Sorge um seine „persönliche Sicherheit“. Er will verhindern, „daß die Gottlosen an ihm dank seiner 'Geduld' ihren Mutwillen an ihm treiben“ (DERS. 1972, 133). Er schreibt an die Allstedter am 15. August 1524 und rechtfertigt seine Haltung, wie schon zuvor in den Briefen an den Schößer Zeiß:

> *Ich hab in der warheyt nicht anderst tun mugen dan widder dye reyssende wolfe bellen, wye eynem rechten knechte Gottis zustet, Jois am 10., Esaie am 50., ps. 76 (434, 22–24).*

Besonders deutlich wird Müntzers auf Gott gerichteter Wahrheits-Begriff in seinem Brief an die Erfurter vom 13. Mai 1525:

Habt yhr nu lust zur warheit, machet euch myt vns an den reygen, den wollen wyr gar eben treten, das wyrs den Gottis lesterer trewlich beczalen, das sye der armen christenheyt myt gespylet haben (471, 24–472, 1).

Da die Erfurter Gottes Wahrheit erkannt haben – das jedenfalls nimmt Müntzer an – und sie diese nun in die Realität umsetzen wollen, kann der *reygen* beginnen: der „revolutionäre Umbruch der bestehenden Herrschafts- und Gesellschaftsordnung“ (Goertz 1967, 146). Für Müntzers mystische und apokalyptisch geprägte Glaubensauffassung bedeutet dies die Vernichtung der Gottlosen durch die Auserwählten. Er denkt nicht an „die schöpferische Rolle der Volksmassen bei der Gestaltung und Umgestaltung des gesellschaftlichen Lebens.“ (Bensing 1965b, 58)

Der Blick auf eine weitere Fundstelle rundet das Bild ab, daß auch die Belege, die nicht unmittelbar mit einem auf das göttliche Prinzip weisenden Zusatz versehen sind, doch genau so anzusehen sind:

das es Got also verfuget hatt, mit allen seynen volzogenen werken, welche mussen nach dem eusserlichen ansehen nit, sondern in warheyt geurteylt werden (473, 11–13).

Auch angesichts des Todes hält Müntzer in seinem Brief an die Mühlhäuser vom 17. Mai 1525 fest, daß nicht das kreatürliche Äußere des Menschen zählt, sondern daß die Urteile in Erkenntnis göttlicher Wahrheit gefällt werden müssen, „daß dem Menschen von sich aus eine Wahrheitsfindung ... ohne Einwirken der Offenbarung Gottes ... nicht möglich ist. (Spillmann 1971, 66)

Zum Abschluß dieses Kapitels seien die Lexeme 'wahr' und 'wahrhaftig' analysiert, um die These der göttlichen Wahrheit weiter zu unterstützen oder ggfs. abzuschwächen.

Es wäre müßig nachzuweisen, wie Müntzer folgende Belege meint:

behefftet myt dem wahrhafftigen geyst Christi (22, 8)
Das warhafftige regiment Gottes geht warhafftig mit freuden an (23, 5)
dye gancze scrift muß yn ydern menschen wahr werden (399, 22)
in warhaftiger erkenthnis gottlichs namens (473, 8)
das Got dye gantze scrift yn yhm warmache (399, 2)
wan Got seyn evanglion yn euch war wyl machen (400, 12f.).

Diesen letzten Beleg, im weiteren *last euch dye erbsalikeit eyn unterrichtung und ubung und untergang eurs unglaubens seyn (400, 16f.)*, interpretiert Brendler dahingehend, hier klinge das Grundmotiv der theologischen Argumentation Müntzers auf. Seine Funktion in den ideologischen Auseinandersetzungen besteht darin, dem Volke Selbstvertrauen in die eigenen Gedanken und Vorstellungen zu geben, indem diese zur Stimme Gottes erklärt werden. (BRENDLER 1975, 31)[14)]

Die Reihenfolge ist vielmehr umgekehrt: Erst muß die Stimme Gottes *yn ydern menschen wahr werden (399,22), eh er salig werd (399,23)*. Müntzers Aussagen widersprechen BRENDLERS Analyse.

Ebenso auf ausschließlich geistig-geistlicher Ebene bewegen sich folgende Belege:

- *Sal er aber zu warhafftiger blosser armut des geystes kommen (22, 27)*[15)]
- *ader warumb das der alchoran nicht also warhafftig sey wie das evangelium (23, 21)*
- *Und ist yn myr wahr worden, das der ynbrunstige eyfer der armen ellenden erbarmlichen Christenheyt mich hat aufgessen (395, 17f.)*

In seinem Brief an Jeori setzt Müntzer den von Gott gegebenen, echten Glauben dem falschen gegenüber, indem er den ersten 'wahrhaftig' und den zweiten *getichtet* nennt:

> *Also hab ich euch geweyset vom getichten glauben, welcher vorm wahrhafftigen muß heergehen und entplossen dye begyr, dye der heylige geyst gepflanzet håt, welche eynen durchbruch thuet durch alle vorzweyflung (425, 3–6).*

Dieser Durchbruch bewirkt, daß *die sonne aus warem ursprung aufgehet nach der langen nacht (402, 11)* und dem Menschen die *lere dye aus warhaftigem grunde quilt (399, 15)*, sich als *Gottis kunst (399, 16)* offenbart.

Mehr ironisch verwendet Müntzer 'wahrhaftig' in seinem Brief an Zeiß am 2. Dezember 1523, denn es verhält sich gerade nicht so,

> *das Cristo allein das leiden wirt zugelegt, gleich wie wir nichts dorfen leiden, nach dem er warhaftig fur unser sunde hat gelitten. (397, 21–23)*

Der Mensch soll nicht nur leiden dürfen, er muß leiden.
Mehr den Charakter von Redewendungen haben folgende Belege:

> *In der maß ist es wahr, das ich wohrhaftig weyß (394, 1f.)*
> *Dann es sicherlich war ist (408,9).*

Sie stehen im Sinne von 'wirklich und wahrhaftig' und 'tatsächlich'. Die Analyse der anderen Belege zeigt, daß 'wahr' ist, was von Gott als 'wahr' gegeben ist.

2.3. Recht, Rechtschaffenheit und Gerechtigkeit

Allein die Fülle von Belegen ('Recht' N. sechsmal; 'recht', Adj. und Adv. 42mal) zeigt die Schlüsselfunktion dieser Lexeme, aber es nimmt wunder, daß Müntzer sich keinmal explizit auf das weltliche Recht seiner Zeit bezieht.
Er bittet den Kurfürsten am 4. Oktober 1523,

> *mich dorch gotlich recht lassen vorhoren, ap ich rechtschaffen sey yn meynem entschuldigen (397, 11).*

Obwohl Müntzer offensichtlich der weltlichen Gerichtsverhandlung des Verhörs zustimmt, in dem er seine Predigt als nicht ketzerisch beweisen will, fühlt er sich dennoch Gott alleine verpflichtet und erwartet die gleiche Haltung vom Kurfürsten.

Ebenso eindeutig bezieht er sich auf die göttliche Quelle seiner Rechtsvorstellung in dem Trost, den er Christoph Meinhard am 11. Dezember 1523 ausspricht:

> *Ich hab euch getrost, das ir ... nach eynhalt der scrift nicht ym afterglaubissen orteil dem gericht und recht gottis befollen seynt. (399, 25–28)*

Müntzer nimmt nicht den Umweg über das alte germanische Recht:

> *Doselbst spricht Cristus der son Gotts die rechte art des glaubens aufs hochste aus (412, 7f.).*

Alle Gläubigen haben für sich individuell zu vernehmen

> *die kunst Gottes, die die nacht verkundiget hat der nacht, nach wilcher erst das recht wort erforer gezeyt wird am hellen tage. (402, 13–15)*

Belege, die als Adjektive direkt mit der *forcht Gotes* oder der *reynen forcht (z.B. 403, 30; 457, 18; 462, 13)* oder als Adverb *(Got recht forchten 408, 18)* stehen, sowie solche, die eine rechte, wahre Christenheit und deren Verhalten charakterisieren (z.B. 394, 17; 419, 9; 433, 27), bedürfen keiner weiteren Erläuterung. Genauso verhält es sich mit Belegen, die sich mit dem rechten Glauben (z.B. 411, 8; 456, 5) beschäftigen, d.h. mit dem Glauben der Auserwählten, welche Christus gleichförmig und nun *ane forcht der menschen (456, 5)* sind.

Im Wissen um diese Tatsache kann Müntzer dem Grafen Ernst von Mansfeld am 22. September 1523 schreiben, daß er *in solchen sachen auch dye ganze welt nit forchte (394, 13).*
Einen *rechten kynder glaub (413, 26)*, der *uber alle vornunft des menschen (413, 28)* geht, nennt er „das durch die Sünde korrumpierte Vermögen des Menschen"

(GOERTZ 1967, 104), welche aber doch „in ihrer positiven Beziehung zur Offenbarung ihr Wesen hat.“ (ebd.) Müntzers Brief an die Eisenacher – eine Unterweisung in der rechten Art des Aufstandes und eine Klage über ihr übles Verhalten den Christen gegenüber – der als eine Mahnung und Warnung zu verstehen ist, endet mit einer Metapher des Lichts, die aus der Mystik stammt:

> *das recht liechte mus finsternus sein, und dye finsternus der aygennutzigen soll das licht sein, welches der Herre von euch wende. (464, 13–15)*

Die Verantwortung für diese Verirrung des richtigen Glaubensverständnisses tragen seiner Meinung nach die *ungetreuen, vorretherischen schrieftgelerten (464, 6f.)*, die durch das *falsche liecht ... zum vorterbnus der welt ane aufhoren (464, 11)* beitragen. An dieser Stelle zeigt sich deutlich, wie Müntzer Adjektive wie 'recht' und 'falsch' gebraucht: 'Recht' ordnet er den Menschen (und deren Verhaltensweisen) zu, die in der echten, erfahrenen Furcht Gottes zu wahren Christen geworden sind und deren Leben sich daraus resultierend gestaltet. DRUMMOND 1981, 104 beschreibt das Phänomen der 'Furcht' als einen Konflikt:

> To serve a master was to fear him: and so the question of fear became a primary question – a conflict between the 'forcht Gottis' and 'menschenforcht'.

Die Belegstellen 'falsch' sollen hier nicht untersucht werden, doch scheint angesichts der Gegenüberstellung 'recht – falsch' der Schluß erlaubt zu sein, daß Müntzer diejenigen 'falsch' nennt, die nicht in der rechten Furcht Gottes und im rechten Glauben an ihn leben. Jeder, der so denkt, *wird widder eyngehen nach ausgehen, eyn schaff der rechten weyde zu seyn (399, 9).*
In der gleichen Weise stellt Müntzer in dem Brief an den Rat von Nordhausen (15. August 1524) 'nicht unrecht' und 'unrecht' einander gegenüber:

- *Die bilde können menschen machen, aber zu geben dem menschen das leben vermag nicht die ganz welt wenn er thut nicht unrecht, der einen götzen, der zur lästerung Gottes steht, zerbricht (574, 30–33).*
- *Aber ihr habt unrecht getan, und habt Gott in sein angesicht geschlagen viel grausamer denn die heiden (574, 34f.).*

So kann er den Rat von Sondershausen am 8. Mai 1525 ermuntern zu tun, *was recht ist (462, 19)*, (in seinem Brief an die Kirche zu Mühlhausen, 22. September 1524) die Auserwählten sind

> *eyn volk, das es mit Got wogen darf. Es wyl recht tun und den teufel mit allen anslegen, tucken und gesprenge disser welt nicht furchten (448, 17–19).*

Zusammen mit 'Prediger' stellt 'recht' eine eindeutige Verbindung dar. Rechte Prediger sind von Gott gesandt (408, 3), können *zeugnis* Gottes (402, 21) geben und sollen von den Fürsten nicht an der Ausübung ihrer Aufgaben gehindert werden. (414, 27; 421, 20). Müntzer versteht die rechten Prediger als die Führer des Volkes, auch wenn er dieses an keiner Stelle explizit zum Ausdruck bringt und sich dem kurhessischen Hof lediglich als Ratgeber (vgl. GOERTZ 1978b, 30) empfiehlt, um nach dem Vorbilde Daniels, der Nebukadnezars Traum vom Untergang der Weltreiche deutete, „die Vorzeichen der Weltveränderung" (ebd.) auszulegen. Die linguistische Analyse kann bei dem jetzigen Stand für diesen Befund keine Belegstellen zitieren.

Auch läßt sich linguistisch nicht genügend nachweisen, ob Müntzer in seinem Brief vom 22. Juli 1524 an den Schößer Zeiß mit der Äußerung

> *Wan der amptman zu Sangerhausen adder aus andern pflegen wurde besuchen Alstedt, so must man dye leuthe ym zu rechte stellen (417, 8–10)*

'zu rechte stellen' im Sinne von 'zur Rechenschaft ziehen' verwendet.
Zwei Belege werden ausgeklammert, weil sie zur Peripherie von 'Recht' gehören: das Volk hat ihn *nicht recht vorstanden (473, 9)* im Sinne von 'nicht richtig', nicht so, wie er es gemeint hatte',
das yr mich wollet abweisen von meynem naturlichen rechte (361, 13). 'Recht' bezieht sich hier auf die weltliche Rechtsprechung. Müntzer meint sein Recht auf sein Erbteil.
Sonst verwendet Müntzer 'Recht' ausschließlich, um das gottgewollter und göttlicher Gerichtsbarkeit Unterworfensein und die gottgefällige Lebensweise auszudrücken.

In der Anrede bzw. dem Gruß steht 'rechtschaffen' stets in direkter Verbindung mit *forcht Gottes (395, 7; 405, 1; 463, 8; 461, 2; 430, 3)*. In seinem Brief vom Juli 1524 an die verfolgten Christen in Sangerhausen rät Müntzer:

> *Nachdem aber yr gerne wollet euer gewyssen bewarn, so ist das ein anfang darzu, das yr reine rechtschaffene furcht Gots vor euch nemet und lernet Gott allein uber alle creaturen in hymmel und auf erden furchten (411, 22–24).*

„The suffering of the fear of God ... was a sign of righteousness." (DRUMMOND 1980, 105)

In seinem Brief an die Sangerhausener Obrigkeit (Juli 1524) tritt Müntzer für den Prediger Tilo Banz ein, denn er will sich

> *des selbygen gewertig seyn, das mich und alle dyner des rechten worts mag uberfallen, und was eynem rechtschaffnen knechte Gottis widerfaren kann. (410, 2f.)*

Müntzer warnt vor dem faulen Kompromißlertum, „das Christenbekenntnis und Christenverfolgung miteinander vereinen zu können wähnt" (ELLIGER 1975, 44), und klagt dem Kurfürsten am 4. Oktober 1523, er sei von den Gottlosen *von eyner stat in dye andern ane rechtschaffne orsachen vortribben (395, 20)* worden.

Eng verbunden ist damit auch Müntzers Feststellung, daß die gottlosen Tyrannen das *reich und gerechtigkeit Gottes haben vom anfang vorhindert (463, 18)*. Dabei sollte es so sein, daß die Obrigkeit *die gerechtigkeit Gottes nicht verhindert und die prediger mit (= nit) verfolget (459, 9f.)*.

Er beschwört den Rat von Nordhausen am 15. August 1524:

> *Durch Gott laßt die gefangenen los, anders ihr seid schuldig an allem blut der gerechten, das je auf erden vergossen ist (574, 36–38).*

Gottes Gerechtigkeit ist denen beschieden, die nach göttlichem Recht und göttlicher Offenbarung leben. So motiviert Müntzer gegenüber Herzog Johann am 13. Juli 1524 seine Aktivität als Prediger, weil

> *merglicher schade entstehen muchte aus weiterm vorzug, nach dem das volg einen unsettlichen hunger nach Gottis gerechtigkeit (407, 16–18)* hat.

Allerdings muß er später erkennen, daß die Allstedter (Fassung A, August 1524)

> *dye gerechtigkeyt Gottis und wege seynen heyligen bundes erkunden wye eyn volk, das grosse lust dazu hette, und yhr wisset dach vil zu guter massen, wye yhr mich aufs creuze hattet dargegeben (433, 3–6).*

In der endgültigen Fassung des Briefes an die Allstedter meint er resignierend:

> *Ich habe solche forcht in euch gesehen nach erinnerung euer eyde und pflicht (435, 9f.).*

Seines Bleibens ist nicht länger in Allstedt, obwohl er den Allstedtern versichert, er lasse sich *Gottis gerechtigkeyt (435, 11f.)* nicht ausreden. Aber auch von anderen Anhängern, z.B. den Eisenachern (9. Mai 1525) wird er enttäuscht:

> *Es hatt der guthe einfaltige haufe sich auf eure prechtige larve vorlassen, nachdem ir solch geschrey von der gerechtigkeit des glaubens ane underlaß gemacht habt (463, 24–26).*

Wie definiert Müntzer 'Gerechtigkeit'? Christoph Meinhard erklärt er, sie *mus unsern unglauben so lange erwurgen, bys das wyr erkennen, das aller lust sunde ist (404, 14)*. Es ist nicht irgendeine Gerechtigkeit. Es ist Gottes Gerechtigkeit (397, 5; 404, 14; 407, 19; 473, 24), durch die *die gotlosen buben sein schon vorzaget (409, 23)*.

Gerechtigkeit ist unmittelbar verbunden mit Recht, und zwar völlig auf geistlicher Ebene, auf der für Müntzer weltliches Recht keine Rolle spielt. SPILLMANN 1971, 71 nennt die Gerechtigkeit das „Wesen des Rechts“. Dieser auf die polemisch-liturgischen Schriften bezogene Befund gilt ebenso auch für die deutschen Briefe.

Zum Abschluß dieses Kapitels sollen solche Belege diskutiert werden, die semantisch zu diesem Komplex gehören. Gott erfahren zu haben, bedeutet, frei zu sein, frei von aller kreatürlichen Lust und Menschlichkeit, frei von obrigkeitlichen Repressalien und frei, um Gott allein zu fürchten: *Das saget yr frey ungeheuchelt, yr werdet stehen, wo yr allein Got forchtet und nicht heucheln werdet (414, 29f.)*, denn das *wort Gotts sey frey und unvorbunden (414, 22)*. Die eine Bedingung bleibt immer bestehen:

> *allein behalt gewyssen frey und ledig und last euch dasselbige mit tyrannischem gebot nit vorstricken (413, 1f.)*

Auch innerhalb des Bundes wird *christliche freyheit zugesaget (459, 6f.)*. Diese Freiheit wird erheblich erschwert, wenn die Fürsten *keine rechten priester in yrem furstthum vorordnen (421, 19f.)*.

Zusammenfassend kann festgestellt werden, daß für Müntzer 'Recht' auf der dahinter liegenden Norm dessen besteht, was kraft göttlicher Offenbarung recht ist, was sich in seiner Gerechtigkeit und Wahrheit zeigt und in seinen Gesetzen manifestiert ist. Gelegentliche Verwendung unter dem Aspekt der weltlichen Gerichtsbarkeit berührt nicht das Problem, das ihm als genuiner Seelsorger am Herzen liegt: die Christianisierung der Menschen bzw. die Absonderung der Gottlosen von den Auserwählten, in deren Hände Gott die Aufgabe dieser Trennung gelegt hat. Auch wenn das alte germanische Recht auf göttlicher Eingebung beruht, so beruft sich Müntzer dennoch nicht auf dieses inzwischen doch schon verweltlichte Recht, sondern für ihn gilt nur jenes, welches in allen Christen neu und individuell kraft göttlicher Offenbarung wahr wird.

2.4. Gericht, Anklage und Verteidigung

Dieses Kapitel beschäftigt sich mit den Lexemen Gericht, Anklage und Verteidigung; getrennt von den folgenden Handlungen des Urteilens und Verurteilens, d.h. des Feststellens der Schuld und des Festlegens der Strafe. Diese Komplexe werden in zwei weiteren Kapiteln abgehandelt. Hier soll geklärt werden, wer anklagt, wer angeklagt wird; wer sich zum Ankläger oder Verteidiger berufen fühlt, und welche Art der Gerichtssituation in Müntzers deutschen Briefen zum Ausdruck kommt.

Den ersten Teil der Analyse bilden die Belege, die sich mit dem Vorgang der Anklage – 'angreifen, beschweren, beschuldigen, klagen' – beschäftigen. Dieser Teil wird durch den des Verhörens – 'verhören' – mit dem Bereich der Verteidigung – 'verteidigen, rechtfertigen, geständig sein' – verbunden. So ergibt sich das Gesamtbild des 'Gerichts', einschließlich seiner Ableitungen 'Richter' und 'richten'.

Durch Verben wie *clagen, besweren* und *angreyfen* werden immer Christen (solche, die es nach Müntzers Maßstäben sind) zu den Klägern, derweil Fürsten, Tyrannen und „unechte" Christen, kurz: Gottlose, die Angeklagten sind. Müntzer fordert in verschiedenen Briefen seine Anhänger auf, sie sollen *allen christgleybigen menschen (394,5)* und *der ganzen welt (410, 27; 412, 32) offenberlich klagen (417, 13)*, d.h. sie sollen *alle die mißhandelung, gebrechen und alle ire bosheit in den druck gehen (448, 3f.)* lassen und publik machen. Anklagenswert sind nach Müntzer, „dem göttlichen Gerichtsboten" (Maron 1978, 347), diejenigen, deren unchristlichen Aktionen böse zu nennen sind und die öffentlich angeprangert werden müssen in Form von gewaltlosem Protest gegen die Vergewaltigung (vgl. Elliger 1975, 70). Noch entschlossener und massiver drückt Müntzer sich an anderen Stellen aus, wenn er vom Angriff spricht: *wyr müssen das nest der adeler ... angryffen (462, 20 – 463, 1).* Dabei ist es *nit allein zum teil zu straffen, wie etlich vormeynen, sonder ganz und gar bey der worzeln anzugreifen (430, 9–11)!* Er meint damit, sie völlig in ihrer Wirkung unschädlich zu machen. Diese Forderung beschränkt sich nicht nur auf die Gottlosen allein, sondern er hält es für unabdingbar, auch *dye andern anzugreyfen, welche solche gotlose vordampte menschen sich uberwinten zu vortadigen (434, 21f.).*

Nur ein einziges Mal ist die Anklagekette in anderer Reihenfolge gemeint: *solte er mich darnach von E.C.F.G. vorklagt haben (396, 21).* Müntzer bezieht sich hier auf das Verbot des Grafen Ernst von Mansfeld gegenüber seinen Untertanen, Müntzers Gottesdienst zu besuchen und Müntzers Beschwerde darüber beim Kurfürsten. Dieser Beleg spiegelt den weltlichen Vorgang der Anklage wider, unterscheidet sich jedoch schon der äußeren Gestalt nach von den Belegen *clagen*, die die Klage im Sinne des nach göttlichen Maßstäben Anzuklagenden behandeln.

Der Anklage folgt das Verhör. Bei den Belegen *vorhoren* ist zum erstenmal festzustellen, daß sowohl das Verb als auch das Nomen durchaus den weltlich-gerichtlichen Vorgang beschreiben. Die meisten Belege stehen im Zusammenhang mit der Disputation mit Luther, in der Müntzer vor den Fürsten predigen soll, um sie von seiner Redlichkeit zu überzeugen. Er weigert sich, allein *den winkel zu meynen vorhoren (431, 8)* aufzusuchen. Einerseits weil er sich Luther laut Hinrichs 1972, 96 „dialektisch unterlegen" fühlt und überdies Luthers Schriftglauben und seinen Erfahrungsglauben für unvereinbar hält. Andererseits, glauben Hinrichs 1972, 98f. und Elliger 1975, 54, gibt es weitere Gründe für Müntzer, das Verhör in der vorgeschlagenen Art abzulehnen: Müntzer befürchtet, von Luther zum Ketzer abgestempelt und der weltlichen Gerichtsbarkeit ausgeliefert zu werden, wenn er allein vor diesem erscheine. So erklärt er:

> *Ich wil das liecht nicht scheuen, ich will vorhort sein umb der unerstattlichen ergernus der auserwelten. Wolt irs haben, ich sol vor den von Wittenberg allein vorhort werden, das bin ich nicht gestendig (407, 20–23).*

Müntzer ist mit diesem Dialog nicht einverstanden und fordert:

> *Darumb wen ich solt vorhoret werden vor der christenheit, so must man empiten, kunt thun und zuschreiben allen nation der menschen, die im glauben unuberwintliche anfechtung erduldet hetten (431, 3–5).*

An anderer Stelle:

> *Ich wil die Romer, Turken, den heyden dobey haben. Dan ich spreche an, ich tadele die unvorstendig cristenheit zu podem, ich weis meyns glaubens ankunft zu verantworten (407, 23–25).*

Bensing sieht hinter dieser Forderung Müntzers Ahnung

> daß sich die Menschen nicht in erster Linie durch ihre Zugehörigkeit zu Kirchen oder Nationen, sondern durch ihre soziale Stellung voneinander unterscheiden. (Bensing 1965b, 59)

Wenn Müntzer den Grafen Ernst von Mansfeld einen *boswicht und schalk und buben, turken und heyden (396, 14f.)* schimpfen will (in seinem Brief an den Kurfürsten am 4. Oktober 1523), dann entstammen seine Schimpfwörter nicht einem Vokabular, das soziale Stellungen bezeichnet. Somit benutzt Müntzer den Ausdruck „Türken" zwar durchaus, um eine negative Konnotation zu unterstreichen. Das zeigt aber zugleich, daß er selbst zu verachtende Heiden und Türken für weniger hoffnungslos verdammt hält und sie dem wahren Christentum gegenüber aufgeschlossener wähnt, als er es von Luther annimmt und zu wissen glaubt. Zumal dieser *unter zweyen eyns (410, 25)* nicht auswählt: *das evangelion annemen adder sich vor heyden bekennen (410, 26f.)*. Aber trotz aller weltlicher Konditionen eines solchen Verhöres bittet Müntzer den Kurfürsten am 4. Oktober 1523, *das yr meyn schreyben wolleth gnedig ansehen und mich durch gotlich recht lassen vorhoren, ap ich rechtschaffen sey (397, 11f.).*

Dem Verhör folgen Geständnis, Rechtfertigung und/oder Verteidigung. Ob sie auch auf den Sektor der weltlichen Rechtsprechung gemünzt sind, wird die folgende Untersuchung zeigen. *Gestendig* stellt sich in drei Fällen (407, 23; 412, 29; 470, 9) als 'zustimmen, zugestehen, zubilligen' dar und einmal (454, 2) als 'zugänglich, aufgeschlossen'. Diese Belege zählen somit zur Peripherie des Sinnbezirks, da sie nur der Gestalt nach, nicht aber semantisch zu demselben gehören:

Anders verhält es sich mit *rechtfertigung*. Müntzer geht es um die

rechtfertigung unseres glaubens (451, 3)
rechtfertigung der christenheit (473, 19)

und um

euer rechtfertigung (448, 2). (Er wendet sich hier an die Kirche zu Mühlhausen am 22. September 1524.)

Eine Ausnahme bildet auch hier *rechtfertigen (366, 23)* in Müntzers Brief vom 17. Januar 1521, *dye sache den elichen stand (366, 17)* betreffend, in dem er Dorothea auffordert, sich in der Angelegenheit vor Gericht zu rechtfertigen.

Die wichtigen und wesentlichen Belege aber sind zweifelsohne mit Gott und dem von ihm offenbarten Glauben in Verbindung zu bringen.
MARON übersetzt

das eyn yder syn eygennutz mehr gesucht dan dye rechtfertigung der christenheyt (473, 20f.)

mit „Säuberung von den Gottlosen" (MARON 1978, 380) und „Bestrafung ... der Gottlosen" (DERS. 1978, 362). Auch SCHILDT 1989b, 86 geht von der Strafe wegen Unglaubens aus. Dabei ist es unerheblich, ob diese Ungläubigen zur Obrigkeit oder zum Volk zählen. NIPPERDEY dagegen hält Rechtfertigung für das Ergebnis des Vorganges von

Bekenntnis und durch Gott gewirkte Verwandlung ... Die iustificatio im Bekenntnis ist auch schon sanctificatio (NIPPERDEY 1975, 49).

Diese Verwandlung des Menschen ist die Erfüllung des Gesetzes, und das Gesetz ist Gnade und Rechtfertigung. (vgl. FRIESEN 1974, 38) ISERLOH deutet obigen Beleg (473, 20f.) als Vorhaben der „Durchsetzung der Gottesherrschaft mit den Gewaltmitteln der Welt." (ISERLOH 1972, 298)

'Rechtfertigung' läßt sich nicht mit einem Wort übersetzen. Dennoch zeigt die linguistische Analyse dieses Lexem als ein Glied, welches seinen Platz in Müntzers Lehre vom wahren Christenglauben und dessen Durchsetzung auf Erden hat, nicht dagegen in der weltlichen Gerichtsbarkeit. Auch die Belege 'verteidigen' und 'Verteidgung' stehen nicht für eine menschlich-weltliche Gerichtssituation mit der Verteidigung der Unschuldigen oder der Angeklagten, wie zu erwarten wäre. Es gilt – parallel zu der Gegenüberstellung: Anklage gegen Gottlose – die wahren Christen zu verteidigen, bzw. eine gottlose Sache nicht zu verteidigen. Von Herzog Johann (7. Juni 1524) *begern wir armen leute doch nit schutz oder grosse vertedigung vor unsern feinden (405, 31–33).*
Rat und Gemeinde von Allstedt versichern dem Herzog ihre Untertänigkeit und erwarten auch keine Hilfe von ihm. Sie bitten ihn jedoch, er solle in der 'Mallerbacher Affäre' nicht zum Kloster halten oder von ihnen erwarten, *das wir solten Gotes lesterung helfen erhalten und vortedigen (405, 18).* Im gleichen Brief zitiert Müntzer Mose:

> *Den Gotlosen salt du nit vortedigen (406, 1f.)*

und appelliert an des Herzogs hoffentlich christliches Gewissen:

> *weil aber nu der ganzen welt kunt ist, das monche und nonnen abgottische menschen seint, wie mugen sie dan von frumen christlichen fursten vortediget werden mit billigkeit (406, 2–4)?*

Müntzer hofft, Herzog Johann so von der Unterstützung der Gegner abraten zu können.
Viel schärfer noch weist Müntzer den Rat von Nordhausen im August 1524 zurecht: *Schämet ihr euch nicht, daß ihr die heiligen vertheigen wollet (574, 14f.)?* Bedeutet es doch, *abgötterei und bilde zu vertheidigen und euch unterwerfet des ewigen todes (574, 5f.)!*
Auch prophezeit er den Eisenachern am 9. Mai 1525:

> *Da wirdt ganz und gar verworfen dye falsche glose der vorteydinger gottlosen tyrannen. (463, 14f.)*

Müntzer erklärt ihnen, daß die Verteidigung Gottloser ohnehin zwecklos sei, da sie, sowohl die Gottlosen selbst als auch ihre Verteidiger, von Gott gestellt und ihrer gerechten Strafe zugeführt würden.

Diese Belege stehen wieder völlig im Licht der geistlichen Rechtsvorstellung und weisen Müntzer als den „Gerichtspropheten" (Maron 1978, 357) aus.

Von der folgenden Untersuchung sind die Belege ausgeschlossen, die 'richten' im Sinne von 'die Gedanken auf etwas richten' (402, 11) und 'sich nach etwas richten' (469, 2) bedeuten und somit zur Peripherie des Sinnbezirks gehören. Zu dem zu analysierenden Kern zählen *richter, richten* und *gericht*. Richter sind in Müntzers Augen solche

> *menschen, die im glauben unuberwintliche anfechtung erduldet hetten, yre vorzweiflung des herzens erfunden und durch dieselben allenthalben erinnert werden (431, 4–7).*

Nur *solche leut mocht ich zu richtern erdulden (431, 7)*. Nur solche Leute können nach seiner Ansicht der Disputation mit Luther – die er im Brief an Friedrich den Weisen am 3. August 1524 anspricht – rechtmäßig beiwohnen und adäquat seine Predigt beurteilen. Die anderen, die Gottes Offenbarung mit allem Leid nicht erfahren haben, sondern glauben, sie der Bibel entnommen (d.h. für Müntzer gestohlen) zu haben, sind folglich gar keine echten Christen und von ihm nicht anzuerkennen.
Dem Schößer Zeiß schreibt er am 22. Juli 1524:

> *wie mich der geyst Gottis treybt, solt ich sye erdulden zu meynen richtern ym christenglauben (417, 29f.)*

Er schränkt jedoch ein, er würde dieses Zugeständnis revidieren, wenn er erführe, daß sie in unchristlicher Manier den Schößer veranlassen, *dye leuthe zu fangen, die umbs evangelion fluchtig werden (417, 30)*.
Überdies fordert Müntzer Zeiß auf, sich auf seine Seite zu stellen und mit ihm im Widerstand „gegen formalistische Gepflogenheiten eines mißbrauchten Ordnungssystems" (ELLIGER 1975, 46) zu kämpfen.

Die Belege 'richten' sind linguistisch nicht ganz eindeutig zu klären. Dem Rat von Sondershausen empfiehlt Müntzer am 8. Mai 1525:

> *yhr solltet den buben richten, nach dem ehr auch ander leute wil strafen, und ist selbern ein offentlich erbrecher (462, 16f.)*

Müntzer sagt nicht, wen er mit *buben* meint, jedoch ist davon auszugehen, daß er sich auf einen gottlosen Fürsten bezieht, der *eygensüchtig (462, 18)* gehandelt hat. Somit muß er nach göttlich-rechtlichen Maßstäben verurteilt werden, zumal er, Müntzer, *diesen boßewichtern keynen befehl (462, 18)* zu solchem Handeln gegeben hat.

In gleicher Weise gedenkt Müntzer mit ungetreuen Bundesgenossen zu verfahren:

> *Wan aber daruber buben und schelk drunter weren, zu mißbrauchen solchs bundes, so sol man sye tyrannen uberantworten ader selbst nach gelegenheit der sache richten (422, 26–28).*

Dies steht in Müntzers Brief an den Schößer Zeiß (vom 25. Juli 1524), in dem er diesem vom Wesen des Bundes und dessen religiöser Ausrichtung berichtet. Er versichert ihm, der Bund sei nicht zur Erreichung wirtschaftlicher Ziele als eine soziale Angelegenheit gegründet worden. BRENDLER bezeichnet diesen Bund als „die Keimzelle einer revolutionären Organisation" (BRENDLER 1975, 32), die laut BENSING die „Reform des kirchlichen, religiösen, politischen und sozialen Lebens" (BENSING 1965a, 461) zur Folge haben soll. Müntzer fordert jedoch auch die Fürsten auf,

> *mit yrem eygen volk pflicht und eyde der heydenschaft vorwandelen in eynen getreulichen bund gotliches willes (422, 14f.).*

Der Bund ist revolutionär insofern, als es noch keinen solchen Zusammenschluß von Gleichgesinnten auf religiöser Ebene gegeben hat. Die Ziele jedoch stellt Müntzer ganz ausdrücklich dar und betont auch, welches nicht seine Ziele sind, nämlich

> *das dye bundgenossen nit dorfen denken, das sye durch das solten gefreyet werden, ihren tyrannen nichts zu geben (422, 29–31),*

oder

> *das wyr uns umb der creaturn willen behalten vorbunden hetten (422, 33f.).*

Das betrifft insbesondere die Zahlung von *zins und zehnd (405, 9)*, die als Teil der weltlichen Ordnung gar keinen Raum für Überlegungen in Müntzers geistlich organisiertem Denken hat. Den Gottesfürchtigen von Sangerhausen schreibt er gar, sie sollen dem Fürsten, wenn er

> *am selbigen schos und zynsen, die wir im jherlich gebn, nicht genugk hat, so nem er all unsere gutter darzu, das wollen wir ym grne gestendig sein (412, 27–29).*

Müntzers Heilslehre lehnt die Beziehung zu weltlichen Dingen ab und sieht den Sinn des Bundes im Schutz der Auserwählten vor den gottlosen Tyrannen,

> *bis das dye auserwelten Gottis kunst und weysheit mit allem gezeugnis yhn zustendig erforschen mugen (422, 38 – 423, 2).*

Wer sich jedoch dem Bund anschließt in der Hoffnung, weltlich-kreatürliche Ziele unter seinem Schutz anstreben zu können, soll von den echten Bundgenossen gerichtet oder gar weltlichen Tyrannen überantwortet werden, was die Verwerflichkeit der Bundzugehörigkeit unter falschen und unaufrichtigen Voraussetzungen noch viel drastischer darstellt. Müntzer beschreibt den Bund ausdrücklich als *eyne nothwere (423, 6)*. Sie ist allerdings als Gegengewalt an sich anzusehen, *welche nymant geweygert wyrt nach dem naturlichen ortheil aller vornunftigen menschen (423, 6f.).*

Diese Darstellung resultiert aus Müntzers Gleichsetzung von Fürsten mit auszurottenden Gottlosen und Volk mit Auserwählten. Das zeigt er auch mit Hilfe von „Gottes Paradoxie" (SCHWAB 1991):

> *Aller unglaube und sunde weisen die außerwelten auff das urteil, psal. 118, dan sie erfinden teglich, das Got nit nach dem urteil der menschen richtet, sondern das die welt vorschmeht, das erhebt Got, was torheit ist, das ist weyßheit etc. (24, 7–10).*

Das Nomen 'Gericht' findet sich in Müntzers deutschen Briefen nur zweimal (366, 18; 399, 27). Zwar ist es im zweiten Falle mit *recht Gottis (399, 27)* verbunden, was wieder zeigt, daß er bei der Verwendung des Lexems 'Gericht' kein weltliches im Sinn hat. Die Fundstellen selbst sind jedoch nicht ergiebig genug, Müntzers Konzept von 'Gericht' zu veranschaulichen. Das sollen die Metaphern für Gericht im folgenden leisten.

Zur ersten theoretischen Klärung soll anhand der Literatur gezeigt werden, daß für Müntzer das göttliche Gericht als logische Folge, als Aburteilung über die Gottlosen, hereinbricht, welche nicht durch Leiden und Strafe gegangen und so nicht gerechtfertigt sind. Dieses Gericht erfolgt hier und jetzt, welches von den Auserwählten als den Vollstreckern des göttlichen Gerichts an den Gottlosen vollzogen wird. Es hat als logische Konsequenz die „baldige Veränderung der Welt" (ELLIGER 1976, 461) zur Folge. Müntzer hatte vorerst die Fürsten dazu auserkoren, an dieser Veränderung aktiv teilzuhaben. „Sind sie aber nicht bereit dazu, dann müssen auch sie beseitigt werden." (SPILLMANN 1971, 74)

Anzustrebendes Ziel der Verwandlung der Welt ist das *regiment Christi (21, 4; 448, 23; 463, 14)*, eine „Errichtung des Gottesstaats auf Erden durch die vom Geist begnadeten Auserwählten" (LOHMANN 1931, 38), eine Gottesherrschaft, die in ihren rechtlich-gerichtlichen Grundlagen auf den von Gott gegebenen Gesetzen fußt. Ungläubige oder Falschgläubige (z.B. die verlogenen Schriftgelehrten) werden nicht als Teil dieses 'Staates' anerkannt und somit dem 'Gericht' unterworfen. Dieser Staat „ist nicht klassenmäßig" (MARON 1978, 367), sondern geistlich bedingt. Das zeigt sich besonders deutlich darin, daß Müntzer anfangs die Fürsten immer noch in seine Glaubensgemeinschaft einlädt und sie erst nach dem Scheitern seiner Bemühungen verdammt. Die Konsequenzen sind dann lebensbedrohend:

> *der lebendige Got macht also scharf seyne sensen yn mir, das ich dar nach dye rothen kornrosen unde blauen blumleyn sneyden muge (388, 4–6).*

Nach deme mich der almechtige Got zum ernsten prediger gemacht hat, so pfleg ich auch dye lautbaren beweglichen posaunen zu blosen, das sye erhallen myt dem eyfer der kunst gottes keynen menschen auf dussen erden zu verschonen, der dem wort Gottes wydder strebt (395, 8–12).
Das unser heylant zur gerechten Gots am tage seyns grimmes (wan er dye schaff selbers weyden wil und vortreben dye wilden thyre von der herde) (397, 5–7).

Diese Metaphern sagen das Jüngste Gericht des Herrn vorher, das aber nicht zugleich das „Ende der Welt“ (ISERLOH 1972, 292) ist, welches Gott über die Gottlosen verhängen wird. So werden sie von den Auserwählten abgesondert, die das göttliche Gericht in sich durch Leid und Strafe vorweggenommen und durchgestanden haben und die eine „weltliche Realisierung des Reiches Gottes“ (BERBIG 1976, 215) vornehmen.[16]
Diese „Verchristlichung der Welt ist ein revolutionäres Ereignis“ (NIPPERDEY 1975, 59), deutet aber keineswegs auf eine „frühbürgerliche Revolution“ (BRENDLER 1975, 32) hin, die mit einer „Volkskirche“ (FRIESEN 1974, 58) als wichtigstes Ziel die Neuordnung der Gesellschaft hat: „Durch die Armen für die Armen sollte das Reich der Gerechtigkeit und Freiheit entstehen.“ (WERNER 1962, 615) In diesem Zusammenhang sei auf SCHWAB 1991 verwiesen, die zeigt, daß für Müntzer Armut nur dann schlimm und veränderungsbedürftig ist, wenn sie geistig-geistlicher Natur ist.

Der Vorgang scheint vielmehr genau umgekehrt zu sein. Die Errichtung der „Erwähltenkirche“ (HOLL 1932, 453) ohne Gottlose zieht gesellschaftliche Veränderungen nach sich. Diese können auch Besitz- und Machtverhältnisse beeinflussen, worüber sich Müntzer jedoch explizit keine Gedanken macht.

Grundlage für die Entscheidung, wer zu den Auserwählten zählt, ist das göttliche Gesetz, und dieses bedingt das Urteil. (vgl. SPILLMANN 1971, 74)

2.5. Urteil, Schuld und Strafe

Das Lexem 'Urteil' kommt 23mal, 'urteilen' und 'verurteilen' kommen je einmal in Müntzers deutschen Briefen vor. MARON hält eine Übersetzung oder eine Erklärung dieser Lexeme mit neuhochdeutschen Mitteln nicht für empfehlenswert, da

> man damit eine typisch Müntzersche Vokabel eliminiert und in gewisser Weise seinem Denken die Spitze abbricht, es verharmlost. (MARON 1978, 340)

Ein Urteil zu haben bedeutet kraft göttlicher Offenbarung, zwischen Auserwählten und Gottlosen unterscheiden zu können und so zu erkennen, welches die Hindernisse auf dem Weg zur Errichtung des Gottesstaates sind. Über ein Urteil verfügen somit die Auserwählten, die den Läuterungsprozeß durchlitten und nun zur rechten Erkenntnis gelangt sind. Müntzer erklärt selbst, welche Erscheinungsformen und Ausdrucksformen diese 'Urteile' annehmen können: Die erste Bedingung ist, *Gottes kunst und seyne ortheyl zurkennen (418, 23f.)*. Auch die Herrscher unterliegen dieser Bedingung:

> *Derhalben kan kein unvorsuchter mensche regiren, er hab dan die lebendige urteil Gottes (24, 10–12).*

Am 15. Juli 1524 erklärt er den Gottesfürchtigen zu Sangerhausen:

> *Last euch die rede Gotts vorgehalten werden in der forcht Gotts (408, 13f.). Do wyrd all euer argwan das unglaubens abfallen, do werdet yr finden, das yr must Gotts urteyl mit solcher weyse gewertig sein in der anweysung und im hynfaren euers herzen. (408, 15–18).*

Die Allstedter bittet er in der Fassung B seines Briefes (August 1524),

> *das yr mit vornunftigen ortheyl unterscheyden wollet die besserung und ergernis kegeneynander (433, 21–23).*

Das Urteil wird zuerst den Menschen von Gott offenbart und ist dann eine Fähigkeit des wahren Christen, Auserwählte und Gottlose voneinander unterscheiden zu können.

Ganz anders und nicht zu akzeptieren ist das *giftige und prechtige urteil der schriftgelehrten (431, 20f.)*, da es nicht *des glaubens ankunft aus zurknyrschten herzen berechnet (431, 22)*.
'Urteil' ist also untrennbar an Gottes Offenbarung gebunden und kann auf keine andere Weise denn über die Erkenntnis gewonnen werden. Darum verdammt Müntzer sowohl die 'Schriftgelehrten', die den Glauben ausschließlich der Bibel entnehmen zu können glauben, als auch die Fürsten „in ihrer unverzeihlichen Passivität“ (Lohmann 1931, 58):

> sie haben positiv wie negativ kein „Urteil“, sie haben weder die Auserwählten ihrer Erwählung gewiß gemacht, noch die Gottlosen verurteilt. (Maron 1978, 343)

Über sie wiederum spricht Gott durch Müntzer Urteil:

> *Es ist das rechte urteyl Gotts, das sie also ganz jemmerlich vorstocket sein, dann Gott wil sie mit der wurzeln ausreufen (409, 1–3).*

Gott spricht stets das letzte verbindliche Urteil:

> *Was aber mit den unerfarnen toten tut, solt yr seynem ortheyl heymstellen (400, 9f.).*

Nur derjenige, *wer yn solchem ding stetlich geubt wird, der kan alle rede vornemen mit unstrefflichem urteyl (402, 23f.)*. Den Schößer Zeiß warnt Müntzer am 22. Juli 1524, *das itzt dye allerferlichste sache, vor den zu handeln, dye Gottis ortheyl vorspotten (418, 20f.)*. Er nimmt jedoch zu dessen Gunsten an, daß *das ortheyl von der eygenschaft des menschen ist wol durch euch begryffen (418, 31f.)*, und erwähnt ihm gegenüber auch *eynen scheyn, ehr betreugt sich aber selbern (418, 34f.)*.

Müntzer ist sich wohl der Tatsache bewußt, daß allerlei widrige Einflüsse auf die Gläubigen einstürmen, wie z.B. der Unglaube,

> *wilcher sich mit dem scheyn der christlichen kirchen bisher beholfen und itzt mit der betriglichen gestalt der fleischlichen und getichten gutickeit (430, 5–7)*

darstellt, oder

> *das falsche liecht, Matt. VI*[10], *welchs sich schwindet durch die falschen diener des worths zum vorterbnus der welt ane aufhoren (464, 10–12).*

Nur der Auserwählte weiß *vorwaer (23, 24)*, das *unser glawb uns nicht betreugt (23, 24)*. Dieser Betrug im Schein eines angenehmen Glaubens läßt viele Menschen sich der Täuschung hingeben und dem falschen Glauben verfallen. Nur wer sich der Täuschung zum Trotz zum wahren Leiden, d.h. zum rechten Glauben 'durchkämpft', kann sich eines wahren Urteils sicher sein. Darum will Müntzer auch nicht das *elnde erbermlich orteil slecht lassen hyngehen (400, 6f.)*, „dem das einfache Volk zum Opfer fällt". (Spillmann 1971, 66) Dessen Urteil mangelt es an Tiefe und Einsicht in die wahre Religion.

Voller Ärger allerdings wendet Müntzer sich an die Allstedter (Fassung A, August 1524), die zwar *ortheyl von mir begeren des gotlichen bezeugten bundes (433, 2)*, aber denen *yre eyde und pflicht, dem armen menschen gethan, yhn vil mehr gelten dan der bund Gottis (433, 12f.)*.
Diejenigen, die sich ablenken und täuschen lassen und sich ein Bild machen, es anbeten oder lieben, um nicht zu leiden (vgl. 573, 27f.), die *sollen unterworfen sein dem urtheil des todes, auch der prophet, der darauf weisen würde (574, 1f.)*.

Daß Urteile, gesammelt und als Beweise göttlicher Offenbarung, in der Bibel zu finden sind (451, 23; 462, 14; 463, 19; 471, 23), wurde bereits angesprochen. Das

Wesen des 'Urteils' ist also eindeutig: Gott und seine Werke müssen *nach dem eusserlichen ansehen nit, sondern in warheyt geurteylt werden (473, 12f.).* Nur diejenigen, die über das sichere, rechte 'Urteil' verfügen und sich auch dazu bekennen, d.h. ihr 'Urteil' in ihre Handlungen einfließen lassen (also nicht wie die Allstedter (Brief vom 18. Juli 1523) zu den *faulen auserwelten (23, 4)* zählen), können die Scheidung der Gottlosen von den wahren Christen vornehmen und den Gottesstaat errichten. Sie wissen, „nach gottes Urteil zu herrschen" (LOHMANN 1931, 39), lassen sich weder von einem *guten scheyn* blenden noch von *schriftgelehrten und getichten glauben* verführen.

Urteil sowie *gericht* stehen als wichtige Größe in Müntzers geistlich zu verstehendem Konzept des zu errichtenden Gottesstaates und finden allenfalls Verwendung für weltlich-kreatürliche Rechtsverhalte, wenn es sich um nebensächliche, periphere Probleme dreht. Sein eigentliches seelsorgerliches Anliegen handelt weltliche Angelegenheiten fast immer negativ ab, da sie – wie bereits erörtert – als Kluft zwischen Mensch und Gott stehen und von rechts wegen gänzlich aus des Menschen Denken verbannt werden müßten. So löst sich MARONS Bemerkung in bezug auf SPILLMANNS Ergebnisse für 'Urteil' auf, er könne nicht zustimmen, daß

> *das 'Urteil' fast ausschließlich in das* sprachliche Feld von Erkennen und Erkenntnis gehört und hier 'vorwiegend zur Bezeichnung des Wissensbesitzes in der Bedeutung „Meinung, Ansicht, Erkenntnis des natürlichen Verstandes"' (62) gebraucht wird. Meiner Meinung nach ist der Begriff primär auf das sprachliche Feld von Recht und Gericht bezogen. (MARON 1978, 370)

Obige Diskussion zeigt, daß dieser scheinbare Widerspruch durch die wechselseitige Beziehung im Begriff des 'Urteils' aufgehoben wird. Natürlich gehört 'Urteil' in den Sinnbezirk des Rechts und Gerichts, bezeichnet aber – wie Müntzer selbst sagt: *Gottes kunst und seyne ortheyl zurkennen (418, 23f.)* – zuallererst die Erkenntnis des göttlichen Willens über alle Unbillen der Täuschung und Verführung hinweg, um dann im wahren Christen zu einem *unstrefflichen urteyl (402, 23f.)*, zu einer Meinungsbildung, der Fähigkeit, eine Sache „richtig" zu beurteilen, heranzureifen:

> Wir sehen, daß dieses Urteilsvermögen im Dienste des letzten Gerichts steht. (MARON 1978, 350)

Was bewirkt nun dieses Urteil? Welche Konsequenzen folgen ihm in bezug auf den Menschen und das anzustrebende *regiment Christi*? Müntzer ist erregt über die gleichgültige Haltung aller, die vom Gericht hier und jetzt nichts wissen wollen und der Bequemlichkeit halber auf das Jüngste Gericht verweisen. So fühlen sie sich bar jeglicher Verantwortung. Luther erdreistet sich gar, „f a l - s c h e Urteile schon jetzt abzugeben“ (MARON 1978, 345), obwohl gerade er nicht über ein von Gott gegebenes Urteil verfügt. Überdies versperrt er anderen, die noch *ungemustert (436, 22)* sind, mit seinen verlogenen Täuschungen den Blick auf den wahren Glauben. Solche Manöver erweisen Schuld und sind demzufolge strafbar.

Strafe ist für Müntzer ein zweischneidiges Schwert:

> Nach seinem 'gesetz' mißt und beurteilt Gott die Menschen. Dabei spielt die Strafe eine bedeutende Rolle, sie ist Ausdruck der absoluten Gerechtigkeit Gottes. Auch den zum Glauben Gelangten straft er. (SPILLMANN 1971, 73)

Wie bereits gezeigt, bedeuten in der mittelalterlichen Kreuzesmystik Leiden, Verzweiflung und *tiefe Nacht* Strafen für die Auserwählten während ihres Heilsprozesses. Hier stellt sich ein ernster, aber freundlicher Gott dar, derweil er seine Strafe über die Gottlosen mit äußerstem Zorn und unnachgiebiger Härte verhängt. Gestraft werden

> die 'Gottlosen', um in dem Zustand der Strafe unterzugehen, die Auserwählen, um in ihr geläutert zu werden. (LOHMANN 1931, 65)

Die Fundstellen veranschaulichen den janusgesichtigen Charakter von Strafe. Auch noch angesichts des Todes hält Müntzer an seiner Theorie fest und kann so den Mühlhäusern am 17. Mai 1525 – und dieser Brief belegt Müntzers unerschütterlichen Glauben – schreiben:

> *Ich habe euch oftmals gewarnet, das dye straffe Gottes nit vormiden kann werden. (474, 1f.)*

So oder so, im Endeffekt erfahren sie alle ihre Strafe. Da sie ganz offensichtlich nicht bereit waren, im Läuterungsprozeß Gottes Strafe, die unter keinen Umständen umgangen werden kann, zu erfahren, wird sie ihnen nun oktroyiert, und zwar durch die sie bekämpfende Obrigkeit. Diese Strafe – dafür, *das eyn yder seyn eygen nutz mehr gesucht dan dye rechtfertigung der christenheyt (473, 20f.)* – ist mit Sicherheit wesentlich schlimmer und schwerer zu ertragen. Vor allem ist sie mit den härteren und aussichtsloseren Konsequenzen als die Strafe im Heilsprozeß verbunden.
Überhaupt ist der Unglaube, der sich mit dem *scheyn der christlichen kirchen (430, 6)* ausgestattet hat und sich mit *der betriglichen gestalt der fleischlichen und getichten gutickeit (430, 7)* darstellt, der, der die arme, zerfallene Christenheit (vgl. 430, 9) verführt hat,

> *nit allein zum teil zu straffen, wie etliche vormeynen, sonder auch ganz und gar bey der worzeln anzugreifen (430, 10f.).*

Unglaube wird unweigerlich mit Vernichtung bestraft, ebenso

> *abgötterei und bilde zu vertheidigen ... sind würdig des todes (574, 5 und 7), derohalben ist es unter der strafe des gesetzes ihn zu steinigen (574, 10f.).*

„Sinnbild und Ursprung aller Tyrannei" (HINRICHS 1972, 66) ist für Müntzer der *erzreuber Fridrich von Witzleben (417, 34)*, da er den *gemeynen fryd aufgehalten hat (417, 35)*. Müntzer prophezeit Zeiß am 22. Juli 1524, daß dieser Friede gänzlich untergeht, *wu er nicht darumb von andern herrn gestrafft wyrt (417, 36 – 418,1)*. Welcher Art diese Strafe sein soll, wird nicht gesagt, zumal es entscheidend davon abhängt, auf wessen Seite die Fürsten stehen. Versäumen die Fürsten die Strafe aber ganz, so ist die „Einheit von Fürsten und Volk nicht zu halten" (HINRICHS 1972, 68):

> *Dan wyrt nu fortan keyn volk seynem eygen herrn gleuben, so kan auch das volk dem herrn und der herr dem volk nicht helfen. Do ist der orthsprung alles totschlahens (418, 1–4).*

Einmal verwendet Müntzer 'strafen' im Sinne von weltlicher Strafe, als er Herzog Johann im Brief vom 13. Juli 1524 auf seine angeblich ketzerische Lehre anspricht. Da er sich aber *durch Gotes gezeugnis unbetriglich geweyset (407, 10)* weiß, kann er fordern:

> *Bin ich aber zu straffen, do erbiete ich mich vor der ganzen welt, das man intimire, angebe aller nacion, dan wil ich sagen und schreiben, was bestendig und verantwurten ist vor allen geschlechten, unangesehen alle schriftgelerten, die den geist Christi offenbarlich leucken (407, 11–14).*

In seinem Brief allerdings an die – abgefallenen – Anhänger in Allstedt (März 1525), reagiert er so verbittert, daß er fragt: *Was sol ich vil orlob bitten, euch zu straffen? (451, 12)* Er hatte sie gewarnt, und sie hatten sich nicht darum gekümmert. Allerdings läßt Müntzer ihnen noch die Möglichkeit des reumütigen Rückzuges:

> *So yr euren falh erkennen wollet, ist euch wol zu helfen (451, 21f.). Die bekomernuß aber sochs valhs muß euch betruben zur buß (451, 26).*

Ähnlich erklärt Müntzer den verfolgten Christen in Sangerhausen im Juli 1524 ihre Lage:

> *Darumb so last sie euch plagen, so lange es ynen got gonnen wil bys yr eure schuld erkennet (413, 10f.).* (Mit 'sie' meint Müntzer die Obrigkeit.)

Die Strafe ist also unmittelbar an die Schuld gebunden, die jedoch nach geistlichen Maßstäben festgelegt wird. Schuld bezeichnet hier kein 'Verbrechen' im weltlichen Sinne, sondern die o.g. 'Schuld' (413, 11) besteht im Abfall vom Glauben. (vgl. Schildt 1989b, 86)

Im Sinne von 'jemandem etwas schulden' bemerkt Müntzer an unbekannte Anhänger in Halle (März 1523):

> *Ich habe zwene gulden von der domina den ganzen winter, do geb ich eynen von der den knaben, den andern byn ich schuldig unde druben (388, 10–12).*

Dies handelt unzweifelhaft einen weltlich-gerichtlichen Tatbestand ab. Die verbleibenden Belege aber zeigen besonders anschaulich, daß 'Schuld' ebenso wie 'Strafe' eine dichotome Verwendung finden. Von Fürsten verwendet bezeichnet 'schuldig' einen Täter (z.B. einen *aufrurer*, der eine *emporung* anzettelt), den Müntzer unschuldig nennen würde (weil diese *emporung* seiner Meinung nach nötig ist). Derweil ist in Müntzers Augen durchaus derjenige eines Vergehens 'schuldig', der sich nach weltlich-rechtlichen Maßstäben vollkommen korrekt verhält (indem er z.B. einen Aufrührer gefangensetzt). Diese aufgestellte Dichotomie kann im folgenden letzten Kapitel durch die Darstellung von 'Vergehen' aus beiden Richtungen (Fürsten, falsche Pastoren, kurz: die kreatürliche Welt auf der einen und Müntzer mit seinen Auserwählten auf der anderen Seite) veranschaulicht und bewiesen werden.

Doch vorerst sollen zum Abschluß dieses Kapitels noch einige Belege angesprochen werden, die sich im direkten Umfeld der Hauptbegriffe 'Urteil, Schuld und Strafe' bewegen. Zurück also zur Beleuchtung der Verwendung von 'Schuld'. An Christoph Meinhard schreibt Müntzer Ende des Jahres 1524:

> *Ich wolt wol ein fein spiel mit den von N angericht haben, wenn ich lust hette aufruhr zu machen, wie mir die luͤgenhaftige welt schuld gibt (450, 12f.).*

Schuld liegt hier auf seiten Müntzers vor, empfunden von den Fürsten, weil zu der Zeit der Aufruhr als Verbrechen angesehen wurde (ausführlicher hierzu im folgenden Kapitel). Müntzer verwandelt diese Schuld in eine Paradoxie durch den Zusatz, die lügenhafte Welt gäbe ihm Schuld. Lügner verfügen wohl kaum über ein Vermögen, Schuld zu erkennen, geschweige denn über ein Recht, Schuld anderen zu bescheinigen.

Ganz anders sieht Müntzer den Bereich der Schuldigkeit in seinem Brief vom 15. August 1524 an den Rat von Nordhausen, in dem er Urteile über Schuld ausspricht. Müntzer weist die Nordhäuser zurecht, weil sie sich durch Pfarrer Lorenz Süße verführen lassen, *abgötterei (574, 5)* zu betreiben, und er verurteilt den Pfarrer:

Darumb ist euer lehrer, ja wenn er ein engel wäre, verflucht und schuldig des todes (574, 7f.).

Im weiteren Verlauf des Briefes bittet er um die Freilassung einiger seiner Anhänger:

Durch Gott laßt die gefangenen los, anders seid ihr schuldig an allem blut der gerechten, das je auf erden vorgossen ist (574, 36–38).

Müntzer spricht die Obrigkeit (hier: den Rat von Nordhausen) schuldig und greift deren Handeln an, das aus weltlich-rechtlicher Sicht doch nur gerechtfertigt erscheint. Laut Müntzer sind jedoch diejenigen die 'Gerechten', die sich nach seiner Norm richtig verhalten, und diejenigen die 'Schuldigen', die sich dieser Norm widersetzen:

er thut nicht unrecht, der einen götzen, der zur lästerung Gottes steht, zerbricht (574, 23f.), aber ihr habt unrecht getan (574, 34)!

Ebenso der weltlichen Norm entgegengesetzt verwendet Müntzer 'unschuldig'. So kann er die nach weltlichen Maßstäben 'Schuldigen' als unschuldig bezeichnen und für sie bitten:

Opfert nicht unschuldig blut, ihr thut Gott keinen dienst daran, wie ihr meinet, sondern thuts ihm selbst (574, 40 – 575, 1).

Mit derselben Konnotation bittet Müntzer in seinem Abschiedsbrief an die Mühlhäuser am 17. Mai 1525, mit der *emporung* innezuhalten, *domit des unschuldigen bluts nit weyter vorgossen werde (474, 20f.).*
Die Katastrophe bei Frankenhausen ist der Sieg der Gottlosen über die Gläubigen, Müntzer rät den Mühlhäusern, die Fürsten um Gnade zu ersuchen,

ir dyeselbigen unschuldigen nicht auch in beswerung, als etzlichen zu Frangkenhaußen gescheen, komen dorfet (474, 13–15).

Aber selbst diese niederschmetternde und vernichtende Unterlegenheit ändert nichts an Müntzers Rechtsverständnis in bezug auf 'unschuldig' (das sind die wahren Gläubigen) und 'schuldig' (das sind die, die Gottes Lehre nicht unterstützen und gar die Verteidiger derselben verfolgen).
Dieser Gegensatz zeigt sich auch in den Lexemen 'unschuldig' und 'verkehrt' in Müntzers erbostem Brief (Fassung A) an die Allstedter (August 1524):

An stadt des grusses wunsch ich, Tomas Muntzer, euch verkarten eynen vorkarten Gott und euch unschuldigen eyne holtsalige und unschuldige forcht Gottis (432, 18–20).

Es wäre müßig, hier nachzuweisen, welche Plätze Müntzer seinen Anhängern und welche den Abtrünnigen zuweist.

So kann er von sich selbst auch sagen: *Ich bin entschuͤldiget (449, 23).* Von dem Grafen Ernst allerdings verlangt er, *Du solt ... dich auch entschuldigen deyner ufferbanlichen tyranney (468, 5 und 7).*
Im großen und ganzen hält aber Müntzer die Gottlosen für hoffnungslos verloren.

> *Sie haben in buͤberey lang gnug getrieben, Gott weiset klerlich, das sie sich nicht werden entschuͤldigen (449, 18f.).*

Mit der Feststellung der Strafe und der Schuld erfolgt das Urteil, welches *gnade* oder *vormanung* nach sich ziehen kann. Müntzer bittet, ermahnt, erinnert, wenn er *vormanen* schreibt. Friedrich dem Weisen gibt er am 4. Oktober 1523 an, er habe vor seiner Gemeinde den Grafen Ernst von Mansfeld *auf offener canzeln ganz erbermlich vormant (396, 10)*, seine ungerechte Anklage zurückzunehmen oder zu beweisen. Während 'vormanen' hier wie neuhochdeutsch 'ermahnen, anweisen' gebraucht wird, erscheint das gleiche Wort etwas später ein zweitesmal – gerichtet an den Kurfürsten – und bezeichnet dort eher 'darum bitten, ersuchen':

> *vormane hochlichen mit angehefftteter bit, das yr meyn screyben wollet gnedig ansehen (397, 11f.).*

Lohmann 1931, 50 und Elliger 1976, 386 deuten diese Stelle als Müntzers Wunsch, er möge weiterhin in der Gunst der Herren stehen.

Einen typischen Ermahnungscharakter zwischen Seelsorger und Gemeinde haben die Belege in dem Brief an die verfolgten Christen in Sangerhausen (Juli 1524):

> *Darumb vormane ich euch, lieber bruder, sehet das ewenbilde aller auserwelter frunde Gotts, wie sich sie zur zeyt der anfechtung gestellt haben (413, 30f.).*

In gleicher Weise mahnt er im Brief an die Kirche zu Mühlhausen (22. September 1524), „sich dem Auftrag dieser Stunde nicht zu entziehen." (Elliger 1975, 70f.)

> *Nochdem euch der almechtige Got also clerlich mit groben buchstaben vorgeschreben hat die gebrechen mishandelung uberteten und manigfeldigen vorfuͤren euer uberkeit, weil sich geboren, das ir mit weyßlich geheymnis solcher mishandelunge zu entdecken und sey bruderlich vormant, das sey um*

zukunftiges ubels willen um Gottes willen solch entsetzen gedulden wulten und euch allen zu fromen tragen (447, 20–26).

Sehr viel strenger und endgültiger fällt diese Ermahnung an den Grafen Ernst (12. Mai 1525) aus, „eine geharnischte Aufforderung, sich zu demütigen und von seinem tyrannischen Wüten abzulassen“ (ELLIGER 1975, 101):

Ich, Thomas Muntzer, ... vormane dich zum uberflussigen anregen, das du umb des lebendigen Gottes nahmen willen deynen tirannischen wutens wolltest mussick sein und nicht lenger der grym Gottis uber dich erbittern (467, 16–19).

Müntzers Selbstbewußtsein, von Gott erwählt und berufen zu sein, zeigt sich in der Hervorhebung seiner Person. So kann er es sich auch erlauben, den *vorlognen (430, 16)* Luther in seinem Brief an den Kurfürsten (3. August 1524) anzuprangern:

do ehr so grymmig und heslich einher platzt als prechtiger tyranne on alle bruderlich vormanung (430, 17f.).

Diese Stelle zeigt gleichzeitig, wie Müntzer positive Dinge beschreibende Adjektive (hier: prächtig) mit negativer Konnotation belegt. Es hat sich gezeigt, daß Ermahnungen ausschließlich zum Zwecke der Verbesserung des christlichen Verhaltens ausgesprochen werden.

Im weiteren werden die Belege *gnade* untersucht, unter Ausschluß derer, die zur Anrede gehören (*gnediger herr*) bzw. derer, in denen 'Gnade' Teil der Grußformen ist (*Gnad und fryd des zarten heylands Jesu Christi zuvorn (398, 23); Gnad und fryd mit der reynen ungetichten furcht Gotts anstatt meynes grusses (411, 2f.)).*
Gnade ist normalerweise von Fürsten und Landesherren zu erwarten. Ein Blick auf Müntzers Verwendung von 'Gnade' soll dies bestätigen oder widerlegen. Die Belege 'Gnade', die unmittelbar mit Gott oder Christus zusammenstehen, spiegeln ebenso wie die vorigen Schlüsselbegriffe Müntzers Glaubenskonzept wider und beweisen zum wiederholten Male, daß Müntzer trotz aller Wortverwendungsvielfalt bzw. -uneinheitlichkeit durchaus über ein klar und eindeutig strukturiertes gedankliches Konzept des Gott-Mensch-Verhältnisses verfügt. Müntzer beschreibt,

wie der mensche maniche stacheln seynes gewissens von Gott zu erklerung der gnaden, ... getrieben wird (404, 2–4).

In der Verzweiflung des Glaubens, in allertiefster Nacht (vgl. z.B. 425, 9ff.) erscheint Christus den Gläubigen und tröstet sie:

> *forcht euch nicht, ich bin es, ich kan euch nicht anderst erleuchten, ich hab keyn andere weyse meyn gnad euch eyn zugyssen (425, 12f.).*

In diesem Läuterungsprozeß geschieht es, daß *seine gnade lehret uns seine wahrheit (575, 7).*
Die Auserwählten, zum Glauben gelangt, haben und sind alles nur durch Gott:

> *Wan das alle auserwelten seynt von gnaden, das ist ehr durch gotlich natur (425, 23f.).*

Auch die Fürsten können sich diesem Anspruch nicht entziehen, *das ehr gnediklich zurbreche die kunige (397, 7).*

So kann sich Müntzer angesichts der Todesstrafe ganz auf Gott verlassen. *Dormit der gnade Christi und seynem geyst befholen (474, 5f.).*

Der Beleg 'gnade' (403, 39) fällt in den Bereich, in dem es um die Heranziehung der Bibel zur Darstellung bestimmter Sachverhalte geht:

> *wan sie nur das 4. capittel Rho. allegirn, wie Abraham umbsunst Gottes gnade uberkommen habe, nemen aber nicht darzu das VX capitel genesis und den 31 psalm „Beati quorum" (403, 38 – 404, 1).*

Dies ist überdies ein Beleg, an dem Müntzers Forderung deutlich wird, stets die ganze Schrift zu Rate zu ziehen.

'Gnade' kommt auch im Zusammenhang mit weltlichen Herrschern vor (z.B. 397, 10), wie z.B. in Müntzers aufmunterndem Brief vom April 1525 an die Allstedter über den *amptman herzog Georgen (455, 4). Die pauern vom Eysfelde seint ir junkers feind worden, kurz, sie wollen ir keyn gnade haben (455, 5f.).* Ebenso in Müntzers Abschiedsbrief vom 17. Mai 1525 an die Mühlhäuser mit der Bitte, sie sollen *umb gnade bey den fursten, dye ich vorhoff ir des furstlchen gemuths finden werdet, euch gnade zu erzeygen, ansuchen (474, 16–18).*
Stehen hier jedoch die Belege 'Gnade' mehr für 'Ein-, Nachsicht', 'nicht grausam, nicht rachsüchtig', so bedeuten sie, in Verbindung mit Gott, 'Anerkenntnis durch Gott, Erfahrung des Glaubens, Gerechtfertigtsein'. In Kongruenz mit den schon besprochenen zentralen Begriffen läßt sich auch Müntzers Lehre darstellen: Die Menschen müssen erst den Läuterungsprozeß erleiden, um dann Gottes Gnade zu erfahren.

Die linguistische Analyse hat gezeigt, daß diese Lehre sich auf geistlicher Ebene, und nur dort, bewegt. Die Konsequenzen für Welt und Kreatur, die aus der scheinbaren Realisierung dieser Lehre erwachsen, sind nicht zu übersehen bzw. wegzuwischen – es hat ja einen Kampf gegeben – aber Müntzer will sie nicht auf eine weltliche Banalität reduziert wissen. Das lehnt er, wie mehrmals gezeigt wurde, ausdrücklich ab.

Das Ende eines Prozesses kann nach abgeschlossener Verhandlung die Gefangennahme und die Einsetzung in das Gefängnis sein. Darum sollen die Belege, die diesen Teil des Sinnbezirks beschreiben, das vorliegende Kapitel beschließen. Tatsächlich beschäftigen sich alle Belege mit dem weltlich-gerichtlichen Akt der Festnahmen; es ist aber zu bemerken, warum diese Festnahmen erfolgen bzw. warum gerade nicht. Rat und Gemeinde zu Allstedt fragen Herzog Johann von Sachsen am 7. Juni 1524 (nach dem Mallerbacher Kapellenbrand):

> *So nur der selbige teufel vorstoret ist durch gutherzige frume leuthe, wie solten wir dan dazu helfen, das solche umb des teufels willen solten angenomen werden und gefenglich gesetzes (405, 22–24)?*

Zwar haben sie, aus weltlicher Sicht betrachtet, ein Delikt verübt – die Kirche geplündert und zerstört – jedoch aus der Sicht derer, die die Gottlosen vernichten wollen, haben sie genau das Richtige getan. Darum gibt es keinen Grund, sie einzusperren.

An anderen Orten sitzen jedoch Müntzers Anhänger im Gefängnis, was Müntzer mit großem Mißmut konstatiert in seinem Brief an die Obrigkeit von Sangerhausen (15. Juli 1524): *vorbittet den leuthen, das sye nit sollen zu myr kommen und habet sye darumb eyngesetz (410, 14f.).*
Den Rat von Nordhausen weist er am 15. August 1524 zurecht, *daß ihr einen menschen gefangen setzest von wegen eines bildes (574, 4).* In Müntzers Augen hat dieser Mensch richtig gehandelt, *einen götzen (574, 32)* zu zerbrechen, und bittet darum, sie sollen nicht *die lebendigen creaturn wollen tödten um ein holz oder bilde (574, 29f.).* Sie sollen die, *die gefangen sind losmachen (574, 28).*

Nach Müntzers Meinung sitzen die Gläubigen zu Unrecht in den *tyrannischen gefengnissen (vgl. z.B. 411, 1)*, denn nach göttlichen Maßstäben sind sie keines Vergehens schuldig. Eine Kirche zu plündern gilt aber dennoch als Verbrechen. Diese verschiedene Sicht von Vergehen wird das folgende und letzte Kapitel behandeln.

2.6. Vergehen

Dieses letzte und den Belegen nach bei weitem am umfangreichste Kapitel trägt als vagen Titel 'Vergehen'. Was ist darunter zu verstehen? *Emporung* ist nach geltendem Recht zu Müntzers Zeit ein nicht statthaftes Vergehen. Müntzer selbst nennt sie aber *fuglich*. Die Pastoren und Fürsten bezeichnet er als *falsche buben* und *bosewichter*, obwohl sie doch nichts Verbrecherisches tun. Im Gegenteil, sie verhalten sich den weltlichen Gesetzen entsprechend. Dieser Gegensatz, der sich, wie später zu zeigen sein wird, nicht nur in einigen Lexemen selbst spiegelt (z.B. einen Gottlosen zu töten ist laut Müntzer durchaus legitim; jedoch einen Auserwählten zu töten oder auch nur gefangen zu setzen, weil er sich am Aufruhr beteiligt, ist ein zu ahndendes Verbrechen!), zeigt sich auch in einem kontrastierenden und sich entgegenstehenden Wortschatz (z.B. Pastoren werden entweder *heuchler (415,15)* und *schantfleck (426,3)* genannt, oder sie sind „Freunde" und „rechte Priester", je nachdem, ob sie Müntzers Lehre verfechten oder nicht.).

Wegen der Fülle der Belege ist dieses Kapitel zweigeteilt; eine nur ungenügende Trennung, da allenthalben die Belege über den ihnen zugewiesenen Teil hinausreichen und durch ihre Doppeldeutigkeit häufig zu beiden Teilen gehören. Trotz allem bietet sich eine Aufspaltung zum Zwecke der Überschaubarkeit an. Der erste Teil (2.6.1. 'Aufruhr und Empörung') behandelt vorzüglich die Arten von Vergehen, die Müntzer für rechtens hält und zu tolerieren gedenkt. Außerdem tauchen die 'Verbrechen' auf, die im Laufe der Zeit ein immer legaleres Ansehen gewinnen, wie *aufruhr*, den er die Stollberger 1523 noch als *unfuglich (22, im Titel)* zu vermeiden bittet, den er später als unabdingbares Mittel zur Durchsetzung seiner Ziele ansieht, in seinem Abschiedsbrief jedoch wieder ablehnt.
Der zweite Teil (2.6.2. 'Bösewicht und Büberei') stellt jene Belege vor, die das Böse an sich, sprich d a s Gottlose, aus Müntzers Sicht betiteln (z.B. *hinterlist, verraten*) und zusammen mit den Belegen aus dem ersten Teil wiederum Müntzers Bild, welches er sich von der Welt macht, charakterisieren.

2.6.1. Aufruhr und Empörung

In beiden Fassungen des Briefes an die Stollberger (18. Juni 1523) ist es Müntzers ausdrückliche Bitte, *unfuglichen auffrur zu meiden (21 oben und 22, 18)*. Lohmann deutet mit diesem Brief Müntzers noch „friedliche Haltung" (Lohmann 1931, 36), mit der er seine Lehre verbreiten will. Die Gedanken an eine Erhebung hegt er allerdings schon.

> *Das rechte regeren Christi mus volzogen werden nach aller entplossung der zyrde der welt, dan kumpt der Herre unde regert unde stösth dye tyrannen zu bodem (21,5–8),*

aber „doch eben um der erstrebten r e n o v a t a e c c l e s i a willen." (Elliger 1976, 247) Müntzer deutet diesen Gedanken allenfalls im vertrauten Kreise an und erwähnt ihn in der Fassung B gar nicht. Noch hat er die Hoffnung, daß die Fürsten sich ihm, d.h. seinem Bund, anschließen und schreibt an Friedrich den Weisen am 3. August 1524:

> *Darumb hab ich eurem herrn bruder die auslegung des evangelion Luce 13 und ein unterricht durch unsern schosser schriftlich gethan, wie man gotlicher weise zukunftigem aufruhr begegnen soll (431, 32–35).*

Er unterstreicht seine Forderung mit dem unterschwelligen Wink, er hoffe, *yr werdet es halten, weil euch die welt nach so ehrlich haldet (431, 35f.)*, und einer Warnung, *auf das an euch nit erfüllet werde Josua am 11 (431, 36)*. Schon einen anderen Tenor bekommt das Lexem in Müntzers Brief an die Allstedter (August 1524, Fassung B): *Nach dem man yren fratzen widderstrebt, sagen sye, man sey aufrurisch (434, 5)*. Müntzer erklärt hier Aufruhr als eine legitime Reaktion der Gläubigen auf die illegitime Aktion der Ungläubigen: *do seynt sye der emporung feynd, dye sye mit allen yren gedanken, worten, werken vororsachen (434, 2–4)*.

Die Herren sind also selbst schuld an der Erhebung der Gläubigen. Der *aufrhur* hat unversehens ein anderes Vorzeichen bekommen. Das wird besonders deutlich, wenn für *leuthe* im folgenden Beleg 'Fürsten' eingesetzt werden könnte:

> *und es wehr sere von nothen, das solche aufrurysche leuthe erst ym heutigen cirkell vorgenommen und hoch bedrawet (462, 3–5).*

Dieser Beleg kann jedoch nicht eindeutig geklärt werden und muß als Hypothese stehen bleiben.

In Müntzers Abschiedsbrief vom 15. Mai 1525 stehen *uffrurisch* und *emporung* wieder mit einer negativen Konnotation, denn Müntzer muß erkennen, daß sein 'Aufruhr' nicht der vieler seiner Anhänger ist. Er tröstet sich, denn er glaubt zu wissen,

> *das euer der merer theyl in Molhausen dysser uffrurischen und eygen nutzigen emporung nihe anhengig gewest (474, 10–12).*

Nicht alle haben nur eine Besserung der persönlichen Lage im Auge gehabt. 'Aufruhr', verwendet im Zusammenhang mit einer Erhebung für Gottes Ziele, ist rechtens und sogar wünschenswert. 'Aufruhr' dagegen ausgeführt von Ungläubigen und solchen, die der Verbesserung ihrer äußerlichen Lebenssituation nachjagen, ist zu verdammen und unbarmherzig niederzuschlagen. ISERLOH 1972, 297 schreibt dem letzten Beleg (474, 10–12) eine Alibifunktion für Müntzer zu. Das widerspricht jedoch der Tatsache, daß Müntzer bis zuletzt seiner Lehre treu bleibt, d.h. für sie stirbt und nicht für das Aufrührertum.

Eine ähnliche Bedeutungsschattierung und -veränderung erfährt auch das Lexem *emporung*,

> unter der er allerdings etwas anderes verstanden wissen will als eine aus kreatürlich-menschlichen Begehren entstandene, eigennützige Rebellion. (ELLIGER 1976, 625)

In Müntzers Brief an Friedrich den Weisen (4. Oktober 1523) taucht es zum ersten Male auf und beschreibt die logische Konsequenz des gräflichen Verbotes über dessen Untertanen, Müntzers Predigten zu hören, *und dadurch dye unsern und dye seynen zur emporung vororsachet (396, 7f.)*. Ebenso *erzreuber Fridrich von Witzleben (417, 34)*, der *aller tyrannen figur und orthsprung aller emporung ist (417, 36f.)*. Überhaupt kann alles gottlose Verhalten der fürsten *eyne emporung geperen (434, 1)*.

Daß eine Empörung nur auf geistlicher Ebene zu verstehen ist, weil sie

> Recht und Unrecht wohl zu unterscheiden vermag, um das Recht nicht durch das Unrecht vergewaltigen zu lassen, (ELLIGER, 1976, 612)

und nicht mit weltlich-kreatürlicher Sozialrevolution zu verwechseln ist, betonen der Rat und die Gemeinde auch in ihrem Brief vom 7. Juni 1524 an Herzog Johann,

> *das wir yn zinse und zehnden on billiche christliche pflicht gegeben haben, uff das wir uns ye yrer on emporung mochten entledigen (405, 9–11).*

Wäre eine Erhebung mit dem Ziele der sozialen Erleichterung der Massen inszeniert, müßte o.g. Tatbestand nicht versichert werden. Daß aber einige „Anhänger" doch die Empörung so verstanden haben, läßt sie wieder auf die negative Seite von Müntzers Denken fallen: *so wolt euch yhe der vorsammlung und emporung nhun nit anhengig machen (474, 15f.)*, und er will *eyner emporung weyter stadt geben (474, 19f.)*.

Im folgenden soll beschrieben werden, was diese Erhebung ausmacht. Es sind dies *streyt, zank* und *rache*. Es geht um den Streit zwischen den Gottlosen und den Auserwählten; ein Streit, von Gott initiiert – *es ist nit euer, sondern des herrn streyt. Ir seyt nit dye da streiten (446, 1f.)!* – und von den Auserwählten ausgefochten: *streytet den streyt des Herrn (454, 10)!* Das Ziel ist, *wydder dye gotloßen boßewychtischen tyrannen myt vns zu streyten. (471, 13f.)* (Er richtet sich hier an die Erfurter am 13. Mai 1525.) Diese Gottlosen sind es, die das *wort Gottes ketzerey schelten (448, 10)*, Müntzers *ketzerische messe (394, 4)* und seine *lere gar lesterlich vorketzern und den leuten vorbitten (410, 13)*, seine Predigten zu besuchen.

Gottlosigkeit ist hier zu bekämpfen. Müntzer läßt von Anfang an niemanden darüber im Unklaren. Dem Grafen Ernst von Mansfeld schreibt er am 22. September 1523:

So ir aber doruber etwas, wye oft beruht, werdet anrichten, solt in gedenken des zukunftigen zanks one ende (394, 26f.).

Daß er auch ursprünglich noch nicht Fürsten mit gottlos bzw. Volk mit auserwählt gleichsetzt, zeigt sein Brief an Zeiß vom 25. Juni 1524.

Dye christenheit ist nach zur zeyt ungeschickt, yhr blut umbs glaubens willen zu vorgissen. ja sye klebet also hart an den creaturn, das sich uber den aller hadder und zank erreget (421, 26–29).

Er erkennt wohl, daß sein Volk nicht ausnahmslos auserwählt ist. Es hat Angst vor dem Leiden, was aber für den Glaubensprozeß nicht zu umgehen ist.

Dieser Streit und der Zank werden motiviert durch die Rache; Gottes Rache an den Gottlosen durch die Auserwählten. Müntzer selbst ist ein solches ausübendes Organ, und *so muß ich ihm umb seynes namens willen dye rache geben uber dye bosen zur innerung der guten (435, 35f.).*
Anfangs hält Müntzer auch die Fürsten für Rächer in Gottes Namen, die ihre Stellung und Funktion durch eben diese Aufgabe innehaben:

Wissen wir doch durch das gezeugnis des heiligen aposteln Pauli, das Euern Gnaden das schwert zur rache der ubelteter und gottlosen gegeben ist (405, 25–27).

Wo Auserwählte in Bedrängnis geraten, hilft Gott ihnen, schreibt Müntzer an die verfolgten Christen in Sangerhausen im Juli 1524.

Geschieht euch was zu leyde, so wyrd er euch beystehen und die rache thun (414, 31f.), aber er thuet die rache zu rechter zeyt (414, 35).

Müntzer selbst wird zum Rächer, wenn es um Angelegenheiten wie Luthers Schriftglaube geht: *wo ich ym sein lestermaul vorgelten sollt (430, 20).*

Trotz aller Rachebefugnisse haben die Auserwählten auch auf weltlicher Ebene allerlei Leid durchzustehen und für ihren Glauben Verfolgung oder sogar den Tod zu erdulden.

Mussen wir doch alle augenblick in fahr des todes gewertig sein unser feynde zukunft, welche uns dan mechtig umb des evangelion willen mit hessigem grymm verfolgen. (405, 34–36)

In demselben Tenor steht die Warnung an Graf Günther von Schwarzburg (4.

Mai 1525), die Gerechtigkeit Gottes nicht zu verhindern und die rechten Prediger nicht zu verfolgen (vgl. 459, 9f.).

Ganz anders dagegen nehmen sich folgende Belege aus. Müntzer droht, seinen Feinden das Leben schwer zu machen,

> *wye David hat seynen gotlosen vorfolgern, ps. 17. Ich hab gesag, ich wyl meine feynde vorfolgen, ich wyl sye erwuchsen, ich wyl nit aufhoren, bys das sye zu sunden und schanden werden (410, 8–10).*

Auch dem Grafen Ernst von Mansfeld droht er am 2. Mai 1525 an: *Das soltu verfolgt und ausgereutet werden (468, 13).* Alle Gottlosen sind des Todes, *so muß man sye erwurgen wye dye hunde (417, 13), (auch 420, 12).* Müntzer warnt die Obrigkeit, *den besten um des geringen [willen] umzubringen (573, 22), (auch 455, 5)*, oder schlimmer, solche Aktionen unter die Fahne des Evangeliums zu setzen:

> *das sie sich werden dungken lassen, wenn sie euch wurgen, sye haben Got eynen dynst doran gethan (411, 11f.),*

> *auf das dye gotlose an myr ... yren mutwillen treyben, und darnach wolten sye sagen, sye hetten eynen Sathanam erwurget (435, 5–7).*

Sie sind die Gottlosesten von allen und haben nichts als den elendigen Tod verdient, denn die

> Zeit des faulen Kompromißlertums, das Christenbekenntnis und Christenverfolgung miteinander zu vereinen zu können wähnt, ist vorbei. (ELLIGER 1975, 37)

Wer wahre Christen verfolgt, kann selbst keiner sein und muß demzufolge selbst verfolgt werden. Diese Forderung jedoch bleibt zunächst lediglich Drohung und Theorie. Die Opfer sind nach wie vor die Auserwählten, *dye umbs christenglaubens willen leyden wolten, also ganz gemmerlich auf dye fleischbank opfern (416, 29f.), (auch 420, 3; 434, 27).*

Müntzer wird der Vorwurf gemacht, daß er diese Schuld – seine Anhänger wegen ihm und seiner Lehre leiden zu lassen – auf sich laden könne. Dieser ist darüber aufgebracht, weiß er doch, daß die Obrigkeit falsch handelt, *das Christenblut dem Belial zu opfern (573, 16).* Es ist das Schlimmste, einen Bildergott anzubeten und darüber hinaus die wahren Gläubigen, die den lebendigen Gott in sich verehren, zu quälen. Müntzer bettet gerade diese die Auserwählten beherrschende Obrigkeit in seinen Heilsprozeß ein:

Darumb laßt sie euch plagen, so lange es ynen Got gonen will und bys yr euer schuld erkennet (413, 10f.).

„Als Zuchtrute Gottes" (GOERTZ 1967, 140) soll das Handeln der Obrigkeit die Auserwählten zwingen, ihre Schuld und Sünde zu erkennen. So wird die weltliche Macht begrenzt mit dem Ziel „to overcome the fear of man" (DRUMMOND 1980, 110) im „suffering of the fear of God" (DERS. 1980, 105). Also warnt Müntzer die Allstedter im April 1525:

Thuet irs nicht, so ist das opfer, euer herzbetreubetes herzeleyd umbsunst (454, 5f.).

Habt yr aber dieselbige, sowerdet yr vor allen tyrannen den sigk behalten (411, 31f.).

Darum sollen die Auserwählten auch nicht die Fürsten fürchten, *dye euch den leip todten (413, 3f.)*, denn sie vermögen es nicht, auch die christliche Seele zu vernichten. Das kann allein Gott:

Wenn er den leip hat getottet, so hat er auch macht, die sele ins hellische feuer zu stoßen; den, den solt yr forchten (413, 6f.)!

Die linguistische Analyse hat gezeigt, daß hier teilweise für dieselbe Art von Vergehen (z.B. töten) zwei verschiedene Arten von Rechtsmaßstäben angesetzt werden. Sobald Müntzer, der rechtmäßige *verstorer der unglaubigen (394, 36)* im Namen Gottes, oder seine Anhänger, die auserwählt sind, ein Verbrechen begehen, das nach weltlichen Rechtsvorstellungen zu verurteilen ist, so sind sie durch die von Gott zugeteilte Aufgabe – Vernichtung der Gottlosen, Errichtung des Gottesreiches – gerechtfertigt, sie tun Recht. Machen sich Fürsten, die mit fortschreitender Zeit mit gottlos gleichgesetzt werden, desselben Vergehens schuldig – auch wenn die weltliche Gerichtsbarkeit es ihnen befiehlt, z.B. die Plünderer der Mallerbacher Kapelle zu bestrafen – so steht ihnen das nach Müntzer nicht nur nicht zu, sondern sie sind für diese nicht gerechtfertigte Handlung und für ihre so ganz gottlose Existenz zu beseitigen.

2.6.2. Bösewicht und Büberei

Für alles Gottlose, egal welcher Herkunft oder welcher Art, hat Müntzer ein unerschöpfliches Repertoire an Bezeichnungen. Die ungläubigen *leuthe*, Fürsten und *ungetreue, verretherische schrieftgelerten (464, 6)* sind *morder, bosewichte, reuber, schelk, widersacher, buben, ebrecher, dybe.* Sie machen sich schuldig der *buberey, bosheit, hinterlist, mishandelung*, des Diebstahls und des *schads.* Alle ihre Handlungen werden mit negativen Verben belegt: *leugnen, verschumpiren, anrichten, verraten, vergiften, stelen (berauben, entwenden, wegknemen), mißbrauchen* und heucheln. Kurz, sie verkörpern das *bose*, was allerdings nicht unbedingt identisch ist mit dem, was aus weltlich-gerichtlicher Sicht als 'böse' bezeichnet werden würde. Wie Müntzers Wortfeld des 'Bösen' sich darstellt, soll an einigen Beispielen gezeigt werden.

Inbegriff des Gottlosen und des Bösen ist für Müntzer Graf Ernst von Mansfeld, wie er am 4. Oktober im Brief an den Kurfürsten schreibt. Er will

> *yhn vor eynen bosewicht und schalk und buben, turken und heyden achten (396, 14f.)* und
> *vor eynen ketzerischen schalgk und schintfessel (393, 22 – 394, 1)* halten.

Auf der anderen Seite ist sich Müntzer durchaus der Tatsache bewußt, daß die Auserwählten

> *vor den gotloßen ein ketzer, ein schalk und bube, oder wie sie es erdenken mugen, gehalten werden (411, 16f.).*

Das ändert jedoch nichts daran, daß im Endeffekt die Fronten zugunsten der Gläubigen geklärt werden, denn die *gotlosen buben sein schon vorzaget durch Gotts gerechtigkeyt (409, 22f.).*
Auch Müntzers Anhänger müssen sich einen Schimpfruf gefallen lassen:

> *Wan aber buben und schelk darunter were, zu mißbrauchen solchs bundes, so sol man sye tyrannen uberantworten ader selbst nach gelegenheit der sache richten (422, 26–28).*

Besonders in acht nehmen sollen sich die Gläubigen vor dem Angebot der kreatürlichen Annehmlichkeiten.

> *Der teufel ist ein gar listiger schalk und leget dem menschen stets die narung und das leben vor augen, dann er weyß, das fleischliche menschen das lyp haben (413, 19–21).*

(Bemerkenswert ist hier wieder der negative Gebrauch von 'listig', ein Adjektiv, das durchaus etwas Positives bezeichnen kann.) Da aber Müntzer weiß, wie groß die Verführung sein kann, mahnt er die verfolgten Christen in Sangerhausen im Juli 1524:

> *Darumb mussen sie umb des willen Gotts vorleugknen (413, 21f.)*

Häufig tauchen auch die Lexeme 'böse' (N., Pl.) und 'Bösewicht' auf. Sie werden fast ausschließlich synonym für 'Gottlose/r' gebraucht, z.B. die *gottloßen bößwichter (455, 13), heydenischer boswicht (468, 8)*, wobei sich diese Synonymik mit der Zeit immer mehr auf die Obrigkeit erstreckt, z.B. am 12. Mai 1525 im Brief an den Grafen Ernst Albrecht von Mansfeld spricht Müntzer von der *boͤßwichtischen oberkeit (469, 9f.)*. Erwähnenswert scheint hier, daß das Schimpfwort 'Bösewicht' besonders häufig ab April 1525 auftaucht und somit das Lexem 'Böse' ablöst, welches nach dieser Zeit nicht mehr verwendet wird. Anfangs stellt sich das Böse als Versuchung den Gläubigen dar: *Der zweyfel ist das wasser, dye bewegung zum guten und bosen (418, 27)*. Müntzer spielt hier wieder auf die Notwendigkeit des Leidens und Zweifelns an. Diese Verzweiflung äußert sich in der Metapher des Wassers, dessen „grausames Brausen über den Menschen kommen und über ihm zusammenschlagen" (Goertz 1967, 62) wird, und in ihm die Hinwendung zu Gott, dem Guten, oder zum kreatürlichen Leben, dem Bösen, bewirkt. Ist diese Anfechtung durchlebt, hat das Gute gesiegt, so hat der Gläubige gewonnen. Er hat das Urteil, und *der mag myt sicherm gewyssen vil fuglicher gute tage dan bose erwelen (419, 12f.)*. Der Auserwählte hat sich *vom anbeten der gezirten bosewichter abgewendet mit gemuthe und kreften (433, 28f.)* und *schmeychelt nit lenger den vorkarten fantasten, den gottloßen boswichtern (454, 9)*.

Diese zum Glauben Gelangten schließen sich im Bund zusammen, um ihren Glauben unter dessen Schutz ausüben zu können, ihn gegen Feinde desselben zu verteidigen und um durch ihn diese Feinde zu zerschlagen. Müntzer wiederholt, daß

> *bose menschen dorfen nit gedenken, das wyr umb der creaturn willen zu behalten uns vorbinden (422, 32).*

Ap wol dye bosen auch drunner sein (423, 3), d.h. die, die den Bund für wirtschaftliche und soziale Ziele mißbrauchen, so werden *solche bosewichter ganz ernst in dye vorhaft (463, 2)* genommen. Als für die göttliche Gemeinde untragbar erweisen sich auch die Fürsten, die *dye bosen beschutzen (421, 20)*, anstatt sie *nach Gottis allerlybsten willen (421, 21)* zu vernichten.

Im Mai 1525 stellt Müntzer fest, Gott habe das Signal zum Aufstand gegeben. Die Gottlosen müssen nun die Konsequenzen ihres Tuns tragen: *der meyster will spiel machen, die boͤßwichter mussen dran (454, 13f.)*. Müntzer spornt seine Verbündeten an: *Nuhn dran, dran, dran, es ist zeyt, die boßwichter synt frey vorzagt wie die hund (454, 20f.)*. Diese *boßwichter* sind die *morder (z.B. 399, 7)*, *die wydersacher (409, 6)* des wahren Christentums, die eine Versuchung – und hier insbesondere die 'betrügerischen Schriftgelehrten' – für die Gläubigen sind. Müntzer schreibt warnend an Jeori: *Solche leuthe seynt auch alle eure widdersacher. Sehet euch vor (426, 32f.)*. Müntzer fühlt sich seinen Opponenten gegenüber sicher, wie *Aber ich wil alle meine widersacher wol mit worten so feig machen (450, 15)* zeigt.

Müntzers Rechtsbegriff ist also, was Vergehen anbetrifft, nicht deckungsgleich mit dem weltlich-gerichtlichen. 'Echte' Vergehen spielen – sofern sie nur einen banalen weltlichen Sachverhalt beschreiben und seine Lehre nicht berühren – in seinem Denken keine Rolle. Sie werden erwähnt, wie z.B. in seinem Mahnbrief an die Eisenacher am 9. Mai 1525:

> *Der ursach halben, lieben bruder, soltet ir unser mitgesellen nit also untreulich beraubt haben, yren geltkasten und heuptmann ihnen entwant (463, 22–24).*

Hier wird jedoch der Zwischenfall lediglich angesprochen, weil er in direktem Zusammenhang mit Müntzers augenblicklichem Anliegen, der Stärkung der Verbündeten im Kampfe gegen die Gottlosen, steht. Müntzer tadelt die Adressaten, weil sie noch in weltlichen Kategorien denken und sich am *geltkasten* eines Verbündeten vergreifen.

Mehr Gewicht haben die Belege aus der Sphäre des Diebstahls, die metaphorisch zu verstehen sind. Müntzer beschwert sich über den Grafen Ernst von Mansfeld am 22. September 1523 und über alle, *dye do wegk nemen den schlussel der kunst Gottes (394, 14f.)*. Die Furcht Gottes ist dieser Schlüssel, mit dem man das Volk *regire (394, 16)*. Der Graf maßt sich das Recht an, mehr als Gott gefürchtet sein zu wollen, wie sein Verbot, Müntzers Messe zu besuchen, beweist. Er wird so – wie der *nackpauer zu Schonewerde (417, 16)* – zum *reuber seyner eygnen untersassen (417, 16)*.

Als *morder und dybe, welche yhr sichtygklich anbetet (433, 1)* beschimpft Müntzer die Allstedter (Fassung A, August 1524), die sich gar zu schnell verführen und vom rechten Glauben abbringen lassen. Von den Schriftgelehrten sagt er, sie

> *stelen eyn spruchleyn adder etliche und vorfassen sye nicht mit der lere, dye aus wahrhaftigem grunde quilt (399, 14f.), (so auch 404, 8).*

Im vorhergehenden stehen die Nomina agentis[17] im Mittelpunkt der Analyse. Im folgenden soll die Untersuchung der Nomina actionis (incl. acti, instrumenti und qualitatis) die These erhärten, daß in Müntzers deutschen Briefen Vergehen danach beurteilt werden, ob sie im Dienste der Errichtung des Gottesreiches stehen oder nicht.

Für Müntzer zeichnet sich *boßheit (448, 9)* der Gottlosen dadurch aus,

> *das sey das wort Gottes ketzerey schelten und gedenken, das nicht anzunemmen und die diener des wortes aufs crutz opfern (448, 10f.).*

Diese *buberey der gotlosen (423, 21)* muß nunmehr entdeckt und zugrunde gerichtet werden; umso erboster schleudert Müntzer dem Grafen Ernst von Mansfeld am 12. Mai 1525 die schlimmsten Anklagen entgegen, weil er sich als christliche Obrigkeit über Christen aufspielen will:

> *Du hast die christen angefangen zu martern, du hast den heiligen christen glauben eyn buberey geschulten, du hast die christen undirstanden zu vertilgen (467, 20 – 468, 1).*

Müntzers Anklagen und Beschwerden, einschließlich der daraus resultierenden Forderungen, sind eindeutig „theologisch motiviert" (ISERLOH 1972, 296).

Mechtig hinterlistig (404, 17) sind die *heymlichen luste (404, 17)* des Menschen,

> *zu verwüsten in den herzen der gläubigen, welches die rechte art des hinterlistigen teufels ist (573, 22f.).*

Diese rechte Art ('recht' hier natürlich negativ-ironisch verwendet) der Hinterlist schleicht sich in das Herz der Gläubigen und bringt sie so vom Wege zu Gott ab auf den zur kreatürlichen Welt. Darum fordert Müntzer: *Die larve der hinterlistigen welt sol untergehen (450, 8).*
Den Nonnen zu Mallerbach bescheinigt Müntzer eine *hinterlist unfuglicher ursache (405, 13)*, und über den Diebstahl des *geldkastens* seufzt er:

> *Wahrlich diese that an unseren brudern volzogen beweyset eure hinterlist (464, 1).*

Solche Äußerungen zeigen laut ELLIGER 1976, 728, wie hoch Müntzers Verantwortungsbewußtsein einzuschätzen ist. In dem vorliegenden Beleg zeigt sich, daß er nicht nur gottlose Feinde anprangert, sondern daß er auch innerhalb seiner eigenen Reihen Unrechtmäßigkeiten tadelt.

Hinterlist, *buberey* und *bosheit* sind *ubel* und verursachen *schuld*. Müntzer droht dem Grafen Albrecht von Mansfeld am 12. Mai 1525: *Forcht und zittern sey yedern, der ubel thut (469, 8)*. Der Kirche zu Mühlhausen gibt er den Rat, alle unrechtmäßigen Taten in bezug auf die christliche Religion an die Öffentlichkeit zu bringen und

> *clagen der ganzen welt ober solche widderspenstige kopfe und vorlegen und vorwerfen in ubel widder sey, domit ir sey uberweyßen kundet (448, 5f.).*

Das Lexem *schad* taucht siebzehnmal in Müntzers deutschen Briefen auf, im Plural und als Adjektiv je einmal und scheint aufgrund der Häufigkeit seines Vorkommens nach ein wichtiger Begriff in Müntzers Denken zu sein. 'Schaden' im Sinne finanzieller, d.h. weltlicher, Art findet sich dreimal, z.B. im Brief vom 7. Juni 1524, der die Mallerbacher Affäre behandelt. Müntzer versucht, das ganze Geschehen zu relativieren:

> *Weil aber durch die unsern nit sonderlicher schaden, der dem gemeynen nutz vorhinderlich, gescheen ist, ... (405, 27f.).*

Gleich dreimal läßt sich 'Schaden' im Brief an die Eisenacher feststellen. (Dieser Brief wird in dem vorliegenden Kapitel auffallend häufig zitiert, was den Verwarnungscharakter noch betont.) Es geht um den bereits erwähnten Diebstahl des *geltkastens*; Müntzer schreibt noch *freuntlich, solchen schaden widder zu erstatten. Kurz umb, ir schad ist unser aller schad (464, 2f.).*

In bezug auf die Verbreitung seiner Lehre bedeutet 'Schaden' für Müntzer etwas anderes, z.B. wenn er an Herzog Johann am 13. Juli 1524 schreibt, daß

> *merglicher schade erstehen muchte aus weiterm vorzug, nach dem das volg einen unersettlichen hunger hat nach Gottis gerechtickeit (407, 16–18).*

Das willige Volk soll nicht weiter an seiner freien Glaubensausübung gehindert werden. Ein Aufhalten könne negative Folgen nach sich ziehen. Allerdings macht Müntzer sich ebenso Sorgen um das Volk.

> *Allein das ist meyn sorg, das dye nerrischen menschen sich vorwilligen in eine falschen vortrag, darumb das sie den schaden nach nit erkennen (454, 16–18).*

Müntzer fürchtet, daß die Fürsten – scheinbar nachgebend – einen für die Gläubigen nachteiligen Vertrag vorschlagen, dem diese gar zu leicht zustimmen könnten. Somit würde die ganze Bewegung ins Stocken geraten.

In massive Beschuldigungen und Anklagen ist 'Schaden' eingebettet in Müntzers Brief an Graf Ernst von Mansfeld (12. Mai 1525): Du *bist der christenheit nichts nutze, du bist ein schadlicher staubbesen der freunde Gottis (468, 27f.)!* Müntzer spricht Urteil über den Grafen:

> *Sey es Got ummer geclagit, das die welt deine grobe, puffel, wutende tyranney nicht ehe erkant, wie hastu doch solichen merklichen unerstatlichen schaden than, wie mack man sich anderst dann Gott selbern ubir dir erbarmen (468, 18–21)?*

An solchen Fundstellen zeigt sich deutlich der ernste Prediger, der trotz aller demagogisch-agitatorischer Elemente in seinen Äußerungen überzeugt ist, „allein den Anspruch und Zuspruch Gottes zu verkünden" (ELLIGER 1975, 103).

In diese Interpretation der gewaltsamen Durchsetzung des Gottesreiches auf Erden unter Zuhilfenahme von Mitteln wie *emporung* und *aufruhr* lassen sich die Belege 'Schaden', wie schon zuvor andere Lexeme aus Müntzers letztem Brief an die Mühlhäuser (17. Mai 1525), nicht integrieren. Er rät ihnen:

> *Darumb haltet guten unterscheydt und nempt euer sachen eben wahr, das ir nit weyter vorursacht ewren schaden (473, 21–23).*

Die Mühlhäuser sollen gewissenhaft abwägen (das Adjektiv 'guten' als Wertlexem[18]) wird hier von Müntzer positiv verwendet.) und richtig darüber urteilen, ob die Erhebung für eigennützige Zwecke gerechtfertigt ist und nicht nur Schaden anrichtet. Es kommt darauf an, *das man erkenne den schaden. Welcher alzeyt erkennet den schaden meyden (474, 2f.).* Dieser Schaden resultiert aus *eygen nutz (474, 5)*, der für zu viele Triebfeder für die *emporung* gewesen ist. Das *erbittert dye oberkeyt (474, 41).* „Müntzer konnte nicht sehen, daß er die Volksmassen" (BENSING 1965b, 90) mit seinen Plänen überforderte. Müntzers Ruf nach der „renovata ecclesia apostolica" (ELLIGER 1976, 247) läßt sich mit Hilfe der linguistischen Analyse der deutschen Briefe nicht in Einklang bringen mit dem aus Müntzers Schriften interpretierten Plan der Errichtung einer „sozialistischen Gesellschaft" (BENSING 1965b, 90).[19]) Müntzers Vorstellung der *communia* bezieht sich auf die Gemeinschaft der *auserwelten*, wie er selbst allenthalben betont (siehe besonders die Briefe, in denen er sich über das Wesen des Bundes äußert). Diese Gemeinschaft ist nicht aufs Geratewohl gleichzusetzen mit dem Volk.

Die Untersuchung der Verben, die mit Vergehen in Zusammenhang stehen, sollen dieses Kapitel beenden und die gefundenen Ergebnisse abrunden.
Eine ergiebige Fundstelle hierfür bietet Müntzers Brief an die Allstedter (Fassung A, August 1524).

> *Und ich werde es nach der ganzen christenheyt auffinbar machen, wye mich der erzjudas Ischariothis Nicel Rugkert, Hans Bosse und Hans Reychart vorraten hat und dem fursten zun heyligen gesworn, mich umb den hals zu brengen, und sich desselbygen nit geschempt auffm schlosz vor meinem angesicht zu bekennen (433, 6–19).*

Müntzer sieht diesen weltlichen Akt des Verhörs, der Gerichtsverhandlung, vor dem Hintergrund seiner göttlichen Mission und ist außer sich über derartige, in seinen Augen absolut verwerfliche Aussagen. Es geht nicht nur um diesen Verrat und das Bekenntnis, sondern insbesondere darum, daß Verrat an Gott betrieben wird, indem sie seinen *heyligen nahmen aufs hochste vorleugknen (413, 16)*. Für Müntzer wird hier ein Meineid geleistet, und so droht er den Allstedtern: *Ja, ich solte yhn auch dye leuthe vorrathen, nach dem sye des vorratens gewont seint (433, 13f.)!* Das wäre eine adäquate Reaktion Müntzers auf ihr Verhalten.

Der Bereich der Lüge wird bei Müntzer ebenfalls häufig thematisiert und bezieht sich fast ausschließlich auf das Verhalten und die Taten *unangesehen aller schriftgelehrten, die den geist Cristi offenbarlich leucken (407, 15)*. Besonders rigoros und heftig urteilt Müntzer über den *vorlognen Luther (430, 16)*. Sie alle leugnen das wahre, lebendige Wort Gottes und stehlen es stattdessen aus der Heiligen Schrift.

> *Es ist aber freilich der satan selbst, daß er euch von Gott weiset auf das werk der menschen hände, und von der reinen lehre und die lügen (574, 8–10).*

Müntzer warnt vor dieser Verführung. Er ist sich allerdings der Tatsache bewußt, daß noch andere Gegner seiner Lehre es seinen Anhängern schwer machen:

> *dye tyrannen christliches glaubens, dye unterm deckel des regiment dye leuthe stocken und blochen, das evangelion zu vorleuknen (434, 18–20).*

Die Fürsten versuchen durch Druck, die Gläubigen von ihrem Glauben abzubringen. Überdies muß Müntzer feststellen,

> *das yhr eure eygne prediger also ganz lesterlich vorleumen, grubet und nemet euren tulpel zum schande decker, wye man es nit solle merken, das yr anbetter des menschen syt (410, 15–18).*

Er wirft dies der Obrigkeit von Sangerhausen (15. Juli 1524) vor.

In seinem Brief an die Allstedter (7. August 1524) betont Müntzer noch einmal die Pflicht der Gläubigen:

> *Bedencket vilfeltig, was euch nach Gottis willen zu thun ist (432, 10f.), darinnen euch Gott der almechtige nach seynem allerlybsten willen wyrt hochlich erleuchten, so yhr syner nicht verleugknen werdet (432, 12–14).*

Metaphorisch, deshalb nicht minder verdammenswert, sind die folgenden Verben des Vergehens zu verstehen, wie z.B. in Äußerungen, daß

> *die werkheiligen (398, 2) die werlt nach hocher vergiften mit getichtem glauben dan die andern mit tolpelischen werken (398, 2–4).*

Müntzer meint die Päpstler einerseits und die Lutheraner andererseits und spricht ihnen ihre Funktion als *selwarter (398, 5)* ab, *darumb das in guts unter-*

schiets gebriecht, seint sie noch neophiti, das seint unversuchte menschen (498, 4). Sie haben den lebendigen Gott nicht erfahren und müssen sich den Vorwurf gefallen lassen, *ungetreue schriftgelarten (421, 24), werkheilige (398, 2), heuchler und anbetter der menschen (414, 15), falsche propheten (449, 24), papistisse bosheit (399, 29), fleischliche schriftgelerte (398, 10)* genannt zu werden. Müntzers Repertoire zur Bezeichnung seiner Gegner ist unerschöpflich.

Dabei ist es vonnöten, daß *yr allein Got forchtet und nicht heucheln werdet (414, 30).* Nur die, die die rechte Furcht Gottes empfinden, können sich als wahre Mitglieder des zu errichtenden *regimentes Christi (21, 4)* ansehen. Nur sie können gegen die *boͤsen (450, 6)* angehen. Wie bereits gezeigt, glaubt Müntzer anfangs, auch die Fürsten für sein Vorhaben gewinnen zu können, als Anführer und ausführende Organe (siehe besonders die „Schwert-Zitate", z.B. 396, 28ff.). Er betont dies am 3. August 1524 gegenüber Friedrich dem Weisen, daß *das volk grosses vorhoffens zu euch ist (431, 28),* warnt ihn jedoch auch eindringlich vor der kreatürlichen Entscheidung gegen Gott:

> *Wo yr der aber wurdet hiran misbrauchen, so wurd von euch gesagt werden: Sih, dieser mensch ist, der Got nit hat wollen zum schutz haben, sondern er hat sich auch weltliche uppickeit vorlassen (431, 29–32).*

Obwohl dieser Brief laut HINRICHS 1972, 100 offensichtlich der Zensur vorgelegt werden sollte, verzichtet Müntzer nicht auf diese unverdeckte und ganz eindeutige Warnung. Diese Haltung zeigt Müntzers Bewußtsein, in der göttlichen Mission richtig zu handeln. So kann er auch voller Überzeugung im August 1524 (Fassung B) an die Allstedter schreiben:

> *wisset yhr doch wol, das meyn sreyben widder keine herrschaft angericht, allein widder dye unverschempte tyranney (434, 13),*
> sie sind es, die *sich befleiss(en) den christenglauben zu vortilgen (416, 24f.).*

Daß sich die Gläubigen dagegen wehren, erscheint Müntzer nicht nur verständlich, sondern notwendig und allein in einer *emporung* realisierbar. Eine solche „Emporung" entsteht jedoch, wie betont und gezeigt wurde, vor dem Hintergrund der Forderung nach christlicher Freiheit und hat nichts mit der dem Eigennutz entsprungenen zu tun. Dieser verhängnisvolle, tragische Gegensatz in Müntzers Denken hat sich auf rein geistig-geistlicher Ebene entwickelt. Seine Forderungen, auf die weltliche Ebene transponiert und mit dem *unflat der umligden emporung (416, 21)* auf das folgenschwerste vermischt, ließ Deutschland doch *lesterlich zur mordgrube (463, 4)* werden mit unermeßlichem *blutvorgissen (474, 10).* Das mußte Müntzer bitter erkennen, als er seinen Abschiedsbrief an die Mühlhäuser am 17. Mai 1525 schrieb. Daß aber auch nicht zu diesem Zeitpunkt an der „Lauterkeit und Aufrichtigkeit seines genuin religiösen Anliegens nur der geringste Zweifel“ (ELLIGER 1976, 256) gehegt werden kann, zeigt seine heftige Kritik an den Bauern. Er verurteilt sie scharf, unter dem religiösen Deckmantel ihre eigenen, völlig unchristlichen Ziele verfolgt zu haben. (vgl. dazu auch WOLGAST 1989b, 210)

Es ist Gott, der agiert. Es ist Gott, der die Ziele festlegt:

> *der meyster will spiel machen, die boͤßewichter mussen dran (454, 13f.).*

3. Zusammenfassung

Die Analyse des Wortschatzes im Sinnbezirk des Rechts und Gerichts kommt zu dem Resultat, daß die überwiegende Mehrzahl der Lexeme sich auf geistig-geistliche Gerichtsbarkeit, von Gott den gläubigen Auserwählten gegeben und offenbart, und von diesen zu befolgen und zu verbreiten, bezieht.

Die einzelnen Kapitel beschäftigen sich jeweils mit verschiedenen Schlüsselbegriffen dieser Gerichtstheologie, die durch Müntzer als eine Art 'Lehre' in seinen Predigten, Schriften und Briefen dargelegt wird. Untersuchungsgegenstand sind hier die deutschen Briefe Müntzers, die diese Haltung Müntzers in seiner Rolle als Gottesknecht widerspiegeln. Während die Briefe, die bis etwa Anfang Mai 1525 geschrieben wurden, vorrangig die Darstellung und Verbreitung der 'Kunst Gottes' (z.B. 402, 2; 407, 9) sind, d.h. dort in erster Linie Belege wie *gesetz, urteil, beczeugen, recht, gerechtigkeit* abgehandelt werden, finden sich solche Belege, die sich mit Inhalten, die Konsequenz einer Nichteinhaltung von Gottes Willen betreffend, beschäftigen, wie z.B. *schuld, strafe, buberey,* verstärkt in den Briefen ab Mai 1525. Müntzer schlägt schärfere Töne an, weil er feststellen muß, daß eine friedliche, bloß verbale Durchsetzung des Reiches Gottes – sein oberster von Gott gegebener Auftrag – nicht möglich ist. Überdies bleiben ihm alle Hilfen, die er sich von seiten der herrschenden Obrigkeit erhofft hatte, versagt.

Die Inhalte seiner Briefe müssen nun in zwei Richtungen zielen: die Verbreitung von Gottes Lehre (z.B. 411, 33; 399, 14) und die Verdammung aller, die nicht helfen, eine Realisierung des Gottesreiches anzustreben. Müntzers Ausrufe also, die Fürsten mit Gewalt von ihrem Stuhl zu stoßen (z.B. 499, 15; 468, 26) resultieren nicht aus der Tatsache, daß sie das Volk ausbeuten, sondern daß sie dem Glauben im Wege stehen.

Nicht nur die Briefe, sondern die Belege selbst bergen häufig zwei gegensätzliche Inhalte in sich, wie z.B. 'Strafe' oder 'Schuld'. Sie gelten einmal den Auserwählten und meinen Bestandteile des Heilsprozesses. Das ist der leidvolle Weg vom Menschen, der an der Kreatur hängt, zum wahren Christen (z.B. 387, 21ff.; 21, 3f.; 22, 22ff.; 425, 9ff.). Andererseits beziehen sie sich auf die ausgemachten Gottlosen, die eben wegen ihrer Gottlosigkeit schuldig gegen Christus und zu bestrafen sind. Laut Müntzer wollen sie nicht durch Leid und Qual Christus 'gleichförmig' werden bzw. fürchten sich davor.

Alle diese Belege sind vor dem Hintergrund des theologisch-apokalyptischen Gedankens des Jüngsten Gerichtes verwendet. Es gibt durchaus nicht wenige Belege, die sich auf die weltliche Jurisdiktion beziehen, wie z.B. *v orhoren* und *bekennen*. Sie treten jedoch in Kontexten auf, in denen ganz grundsätzlich banale weltliche Sachverhalte abgehandelt werden. Diese stehen zwar tatsächlich mit Müntzers Tätigkeit als Seelsorger in Zusammenhang, sind jedoch nicht mit den Ausführungen über seine Theologie zu vermischen.

So bittet Müntzer z.B. die Obrigkeit, seine Anhänger aus den Gefängnissen freizulassen und ihnen zu gestatten, seine Predigten zu hören. Die Fortführung seines begonnenen Werkes wird durch solche weltlichen Äußerungen jedoch nicht beeinflußt. Ebenso wenig liegt ihm etwas an der Verbesserung der Lebenssituation der 'armen' Leute – wie SCHWAB 1991 darlegt –, allenfalls, wenn dies eine Verbesserung ihrer Glaubensausübung zur Folge hätte. Diese allgemeine Ablehnung kommt besonders in seinem letzten Brief zum Ausdruck. Dieser Brief fällt in gewisser Hinsicht aus der Gesamtinterpretation heraus, weil er aus einem völlig neuen Blickwinkel geschrieben wird. Hier verwendet Müntzer *unfugliche emporung* im weltlich-abscheulichsten Sinne des Wortes, aber nicht, weil er als gescheiterter Revolutionär angesichts der drohenden Todesstrafe seine Haut retten will, sondern weil ihm klar geworden ist, daß sein heiliger Aufruhr mit dem göttlichen Ziel für die meisten seiner Anhänger Mittel zum Zweck – nämlich der Verbesserung ihrer persönlichen Lebenssituation – war und so aufs Schändlichste mißbraucht worden ist.

Aus der Empörung als einem Streit des Herrn ist eine weltliche, kreatürliche Erhebung geworden, die Müntzer nicht akzeptieren kann. Müntzers Blickwinkel ist zu diesem Zeitpunkt also dahingehend verschoben, daß ihm die erschreckenden Tatsachen die Brille, durch die er seine Anhänger betrachtet hatte, von den Augen reißen, und er erkennt: Er hat Seite an Seite mit Menschen gekämpft, die ganz niedere, eigensüchtige Ziele haben.

Grund- und Ausgangsbegriff von Müntzers Theologie ist das *Gesetz*, und zwar Gottes Gesetz. Dieses Gesetz Gottes ist der Vorgang und beschreibt denselben

zugleich, wie die Gläubigen durch den Geist und die Furcht Gottes seinen Willen erfahren. Durch diese Offenbarung ist der wahre Gläubige auserwählt, nach dem göttlichen Gesetz zu handeln, vermöge dessen eine *emporung* für Gottes Sache gerechtfertigt ist. Das Gesetz als Bestandteil des Heilsprozesses wird von Müntzer ohne Kompromisse und in Ablehnung aller weltlicher Freude gepredigt. Aus diesem Grunde gibt es auch keine Möglichkeit, dieses Leiden zu umgehen mit dem Hinweis, Christus habe das Gesetz erfüllt. Alle Gläubigen müssen für sich diese Probe bestehen. Müntzer nennt dieses Durchleiden des Heilsprozesses 'Christus gleichförmig werden'.
Die hier genannten Lexeme beinhalten ausschließlich theologische und geistige Komponenten, während die Belege 'beweisen, bezeugen' und 'Wahrheit' sich ebenfalls auf geistliche Zusammenhänge beziehen. Die göttliche Wahrheit des göttlichen Gesetzes müssen zwar alle für sich erfahren, aber Müntzer kann die Bibel – quasi als Dokument historischer „Fälle" – heranziehen. Während allerdings die Funktion des Heiligen Geistes die ist, die Auserwählten durch das Gericht zur Gnade Gottes zu bringen, sind in der Bibel Gericht und Gnade strukturell getrennt. Gnade kann nur persönlich empfangen und nicht in der Bibel nachgelesen werden. Das wäre ein 'Schriftglaube', einer der Hauptangriffspunkte Müntzers gegen Luther.

Bei den Belegen *recht, rechtschaffenheit* und *gerechtigkeit* war nach Müntzers Rechtsauffassung gefragt worden. Obwohl sich das mittelalterliche Recht außer auf Tradition auch auf Gottes Verfügung („gutes, altes Recht") stützt, konnte die linguistische Analyse nicht beweisen, daß Müntzer auch darauf rekurriert. Vielmehr betont er immer wieder, es sei nötig, daß alle Gläubigen für sich lernen, Recht zu erkennen und zu tun. Gott schreibt ihnen im Läuterungsprozeß, dessen Elemente ihre Wurzeln aus der mittelalterlichen Kreuzesmystik ziehen, seinen Willen ins Herz und leitet ihn zu erkennen, was Recht ist.

Mit dem Erwerb der Gnade Gottes und der Kenntnis des göttlichen Willens sind künftige Taten Auserwählter als rechtschaffen zu qualifizieren. Hier zeigt sich die Diskrepanz zwischen Müntzer und dem weltlichen Rechtsverständnis besonders deutlich: Nach der weltlichen Gerichtsbarkeit sind Verhaltensweisen wie Aufwiegelung des Volkes und Anführung eines Aufruhrs zu verurteilen. Gerade diese 'Vergehen' aber versteht Müntzer, der sie zum Zwecke der Durchsetzung des göttlichen Willens sieht, als absolut gerechtfertigt. Er will sie mit aller von Gott gegebenen Gewalt zum Erfolg führen. Sein radikal 'nebenreformatorischer' Standpunkt (vgl. Berbig 1976, 216) entsteht aus seinem Bewußtsein der durch Gottes Gerechtigkeit motivierten Taten. Die daraus resultierenden folgenden – aus weltlicher Sicht durchaus als 'revolutionär' zu beurteilenden

– Aktionen initiiert Müntzer allein als Theologe (vgl. ENDERMANN 1989b, 499), nicht als Revolutionär im Dienste des ausgebeuteten Volkes. Die Rechtschaffenheit einer Person wird gemessen an seiner Aufrichtigkeit gegenüber Gott, nicht anhand festgesetzter irdisch-ethischer Grundsätze.

Im Rahmen der Belege, die die Gerichtssituation umschreiben, bezieht Müntzer sich mit der Verwendung des Lexems *vorhoren* auf den Justizakt im eigentlichen Sinne des Wortes. Grund eines solchen Verhöres und Hintergrund, vor welchem ein Verhör stattfinden soll, sind stets Müntzers Mission und das göttliche Recht. Sein Auftrag ist, die Herrschaft Gottes auf Erden aufzurichten, über die Gottlosen zu richten und das Urteil zu vollstrecken. Die Auserwählten selbst haben dieses Gericht – als eine Art Vorwegnahme des Jüngsten Gerichts – im Läuterungsprozeß überstanden, und nur solche Gläubigen akzeptiert Müntzer als *richter*.

Gottlosigkeit ist der Hauptanklagepunkt und soll mit Vernichtung geahndet werden, um den Weg für das 'Herrschaft Christi' zu bahnen. Dabei sind nicht nur die Gottlosen zu verdammen, sondern auch die, die dem Auftrage Gottes indifferent gegenüber stehen. Mit dieser Klage meint Müntzer in erster Linie die völlig passiven Sachsenfürsten und diejenigen, die Gottlose verteidigen.

Urteil, wer gottlos ist und wer nicht, kann derjenige sprechen, dem sich Gott offenbart hat. Urteile werden auf zwei Ebenen gefällt: Gott offenbart sich den Auserwählten und urteilt so unterscheidend über wahre und falsche Christen. Die Auserwählten können nun die Differenzierung von gottlos und gläubig vornehmen.

Daraus resultieren wiederum Schuld und Strafe auf zwei Stufen: Den Auserwählten werden ihre Schuld, ihre Sünde und ihre Kreatürlichkeit vor Augen geführt. Die folgende Strafe ist die Strenge des göttlichen Gesetzes, die zugleich freundlich und gnädig ist. Anders sieht der Urteilsspruch über die Gottlosen aus. Ihre Schuld, d.h. ihre Gottlosigkeit ist erwiesen; die Strafe lautet Vernichtung. Müntzer wütet mit Worten und droht den Scheingläubigen die entsetzlichsten Strafen an – auf geistig-geistlicher Ebene. Echte Handgreiflichkeiten treten erst ab Mai 1525 auf, nehmen die Form des Streits und des Zanks für Gott und in seinem Auftrage an.

Die Termini *aufruhr, emporung, streit* und *zank* sind von zwei Seiten zu betrachten: Was aus der Sicht der Fürsten eine *unfugliche emporung* der Untertanen ist, empfindet Müntzer als gerechtfertigten Kampf um die Glaubensfreiheit und die Durchsetzung des Reiches Gottes auf Erden. Zu dieser Einstellung gelangt er allerdings erst im Laufe der Zeit. In der friedlichen Phase von

Müntzers Wirken, die sich mehr mit der Verbreitung seiner Lehre beschäftigt, bezeichnet er noch Aufruhr als *unfuglich* (z.B. in den Briefen an die Stollberger). Je klarer Müntzer jedoch wird, daß sein Auftrag sich nicht ohne weiteres realisieren läßt, je mehr er die widerspenstige Haltung von Herrschern und auch Geistlichen spürt, um so häufiger greift er zu radikaleren Durchsetzungsmitteln. Seine Briefe werden heftiger, beleidigender und angriffslustiger. Er glaubt, so leichter seine Anhänger mit sich reißen und für seine Ziele gewinnen zu können.

Für Müntzer sind die Voraussetzungen erfüllt, einen Aufstand, von den Landesherren durch ihr Verhalten mehr oder weniger selbst initiiert, als gerechtfertigt anzusehen. Allerdings sind die Ziele dieses Aufstandes verschieden: Müntzer streitet für Gott und in dessen Auftrag, derweil die Bauern, wie Müntzer erbost und enttäuscht feststellt, aus eigennützigen Bedürfnissen heraus kämpfen. Mit dem Erkennen dieser Diskrepanz schlägt auch Müntzers Verständnis von *aufruhr* wieder um. Wer um der Kreatur willen, des *wollustigen* Lebens wegen aufbegehrt, ist nicht mehr im Recht. Müntzer distanziert sich von denen, die er einst seine Verbündeten nannte, und muß sie folglich zu jenen zählen, die gottlos sind.

So weicht der letzte Brief vom 17. Mai 1525, in dem diese Wandlung festzustellen ist, rein semantisch insofern von den vorhergehenden Briefen der 'zweiten Phase' ab (zu der Aufgabe der Verbreitung seiner Lehre tritt die der Predigt gegen seine Opponenten), als er *aufruhr*, unter dem er offensichtlich etwas anderes versteht als seine 'Anhänger', wieder mit einer negativen Konnotation belegt. Sich selbst, seiner Lehre und vor allem Gott bleibt er jedoch bis zum letzten Atemzug treu: Der Aufstand, von ihm durchschaut als eine Durchsetzung weltlicher Ziele, kann nur *unfuglich* und ablehnungswürdig sein.

Müntzer, in den Augen seiner Gegner sicher ein die Menschen aufwiegelnder *boßewicht*, kann in seinen Aktionen nichts Falsches sehen, denn er handelt nach göttlichen Richtlinien, die er sicher zu kennen weiß, und muß allen, die Gottes Willen zuwider handeln, und allem, was nicht dem Zwecke der Errichtung des Gottesreiches dient, das Siegel des Vergehens anheften. Seine Aktionen sind Vergehen im weltlichen Sinne, nicht im theologischen.

Müntzers Lehre bleibt über alle Hürden hinweg religiös motiviert, und Müntzer verwandelt sich nicht in einen Politiker, denn die Loslösung von der Theologie liegt ihm ferner als irgendetwas anderes. Die Welt und die Wirklichkeit sind für ihn durch und durch religiös konzipiert. „Müntzer could not call it 'revolutionary' or 'political', for he spoke the language of 'theology'" (DRUMMOND 1980, 280):

Man habe Müntzer nach der Entdeckung zu Herzog Georg gebracht, der ihn gefragt habe, 'was uhrsache ihn bewegt, daß er die viere am vergangenen sonnabende hatte köpfen laßen' ... Hat er gesagt: Lieber bruder, ich sage E.L., daß ich solches nicht getan, sondern das göttliche recht. (ELLIGER 1976, 764; vgl. auch GOERTZ 1989a, 153–156).

4. Anmerkungen

Folgende Literaturangaben gehen über die Bibliografie im Anhang hinaus:

FRIESEN, Abraham (1974), Reformation and Utopia. Wiesbaden
HOLL, Karl (1932), Gesammelte Aufsätze zur Kirchengeschichte. Bd. 1: Luther. Tübingen, 6. Aufl.
KERN, Fritz (1958), Recht und Verfassung im Mittelalter. Darmstadt
LOHMANN, Annemarie (1931), Zur geistigen Entwicklung Thomas Müntzers. Leipzig und Berlin
ULRICH, Winfried (1975), Linguistische Grundbegriffe. Kiel
WOHLFEIL, Rainer (1982), Einführung in die Geschichte der deutschen Reformation. München

1) Wie ihn noch BRANDT 1989, 187 und die THESEN 1988, 99 und 117 nennen.
2) Vgl. jüngere Untersuchungen zur Sprache Müntzers, z.B. BRANDT 1989, 213; ENDERMANN 1989b, 505 und SCHILDT 1989b, 84.
3) Zur Kategorisierung vgl. SPILLMANN 1971.
4) Vgl. hierzu z.B. KERN (1958).
5) LOHMANN 1931, 65 bringt das Gesetz, wie es in das Herz geschrieben wird, auf den Begriff „Offenbarung Christi" und Strafe auf den der „Bezeichnung der Furcht Gottes oder das Kreuz.".
6) Vgl. auch LOHMANN 1931, 39; ELLIGER 1975, 58; NIPPERDEY 1975, 57.
7) So auch ISERLOH 1972, 287 und BRANDT 1989, 187.
8) Vgl. GOERTZ 1967, 135; GERICKE 1977/8, 59; FRIESEN 1974, 39 und 59; MARON 1978, 342.
9) Vgl. auch BRENDLER 1976, 428; HOLL 1932, 431; HINRICHS 1972, 95.
10) So sehen es GOERTZ 1967, 115 und LOHMANN 1931, 26, wogegen NIPPERDEY 1975, 52 diese Bereitschaft zum Glauben nicht als eigene Leistung des Menschen ansieht.
11) Zum Komplex 'Christ gleichförmig werden' vgl. HOLL 1932, 427ff.; ISERLOH 1972, 288; FRIESEN 1974, 59; NIPPERDEY 1975, 48 und 50; GERICKE 1977/8, 52, 55 und 57; ELLIGER 1978, 66f. und 70; STAYER 1981, 104; ENDERMANN 1989b, 505.
12) Zu den verschiedenen Ausdeutungen des Widerstandsrechts vgl. auch LOHMANN 1931, 50, 55 und 67; GOERTZ 1967, 139 und 144; ISERLOH 1972, 294; STEINMETZ 1975, 579.
13) Obwohl hier kein Raum für Spekulationen ist, wäre es interessant zu konstruieren, wie Müntzer einen Regenten behandelt hätte, der sich seiner Lehre angeschlossen hätte.
14) Noch 1988 wird in den THESEN 1988, 105 so in bezug auf die deutsche Sprache argumentiert: Alle sollen wissen, was sie glauben.
15) Wie SCHWAB 1991, in der Untersuchung im Sinnbezirk der Bedürftigkeit gezeigt hat.
16) „He rejected (Luther's doctrine of the two realms) because they did not fit into his pattern of the Kingdom of God on Earth." (FRIESEN 1974, 62).
17) Vgl. ULRICH 1975, 97. Er klassifiziert nach semantischen Gesichtspunkten.
18) Zur semantischen Klassifizierung (nach Brinkmann) von Adjektiven vgl. ULRICH 1975, 11.
19) Das gedankliche Konzept für diesen Terminus entwickelte sich erst im Laufe des 19. Jahrhunderts und wurde, wie BENSING schreibt, von Marx theoretisiert und verbalisiert.

Gertraud Schwab

MATERIELLER MANGEL ODER SPIRITUELLE ARMUT
– Zum Wortschatz der Bedürftigkeit in den deutschen Briefen –

1. Einleitung

Vielfache Annäherungsversuche an das Phänomen Thomas Müntzer wurden von unterschiedlichsten Prämissen aus mit höchst konträren Resultaten unternommen. Die Wichtigkeit des Problems der Armut und generell der Bedürftigkeit für Müntzer wird allgemein konzidiert; strittig ist die Interpretation der Qualität dieser Bedürftigkeit.
Die vorliegende Untersuchung will aus linguistischer Perspektive einen Beitrag zu dieser Diskussion leisten, der sich auf die Analyse eines kleinen Teils von Müntzers Wortschatz beschränkt. Hierbei sind dennoch Aussagen von Relevanz für die Positionen anderer Disziplinen zu erwarten, da es sich bei Müntzers Wortschatz im Sinnbezirk der Bedürftigkeit, wie wir ihn in seinen deutschen Briefen vorfinden, um zentrales Vokabular handelt, was sich in der Anzahl der zu untersuchenden Belege manifestiert und wie ein Blick in die Müntzer-Literatur gleich welcher Provenienz belegt.
Bei dem heuristisch ermittelten Corpus (vgl. Hoberg 1973, 68) stellt das Numerische allein kein Auswahlkriterium dar. Einige Lexeme verwendet Müntzer sehr selten, andere dagegen auffallend oft. Berücksichtigt werden Lexeme, die Bedürftigkeit in allen Aspekten, d.h. sowohl materielle als auch spirituelle (geistige und geistliche) bezeichnen. Einbezogen in das Corpus sind neben den deutschen Briefen auch der Brief des Rates zu Allstedt an Herzog Johann von Sachsen, dessen Verfasser nach Franz (1968, 404, Anm. 1) unverkennbar Thomas Müntzer ist, sowie der Sendbrief an die Brüder zu Stolberg.
Außer den Begriffen des Mangels zählen zu dem untersuchten nominalen Wortschatz auch die Gegenbegriffe, die Überfluß bezeichnen, und solche, die für die Eliminierung oder Reduktion von Mangel und Überfluß stehen. Die Kontrastierung von Begriffen mit ihren Gegenbegriffen erhellt gegenseitig deren Bedeutung und trägt zur Abgrenzung der Inhalte bei.
Adjektive, die lediglich der Wertung eines Substantivs dienen – z.B. *ym geringsten harbreit* (399, 29), *kreftige gewalt* (468, 21–22), *in den geringsten meytheln* (448, 8), *geringe bekommernis* (448, 28), *starke vorgleychung* (399, 20) – bleiben ebenso unberücksichtigt wie Adverbien – z.B. *creftig* (398, 28),

jämmerlich (409, 2; 411, 33), *gemmerlich* (416, 30; 422, 17; 434, 26) oder *erbermlich* (u.a. 398, 10; 418, 4).

Die Untersuchung befaßt sich mit Lexemen um die Zentren 'Armut', 'Elend und Überfluß', 'Gut und Geld', 'Hunger und Nahrung', 'Schwäche und Stärke', 'Weisheit und Torheit' und 'Auserwählte und Gottlose', um die sich Lexeme ähnlicher Bedeutung gruppieren, sowie mit 'Mystischen Begriffen der Bedürftigkeit'.

2. Die Untersuchungen

2.1.1. Armut

Im Zentrum des Wortschatzes der Bedürftigkeit stehen *Armut* und seine Ableitungen. Numerisch nimmt diese Gruppe in Müntzers Briefen eine hervorragende Stellung ein. Der Ostberliner Historiker Max STEINMETZ und seine Schüler interpretieren die Armut in älteren Publikationen als eine rein materielle. So schreibt STEINMETZ:

> Seit dem Bruch mit den Fürsten von Sachsen wird zwangsläufig das Volk für ihn [Müntzer] zur einzigen Kraft, die das göttliche Gesetz verwirklichen kann. Denn dieses Volk trägt sein Kreuz das Leben lang, kennt Not und Leid, wird ausgebeutet von den großen Hansen, den Knechten des Baues und der Üppigkeit. Dieses Volk ist berufen, den ungetreuen Fürsten das Schwert zu nehmen, um es im Sinne Gottes zu gebrauchen. Damit geht parallel eine wachsende Einsicht in die konkrete soziale Lage der Massen: jetzt sieht er die armen, elenden Bauern, das arme, grobe, gemeine Volk (STEINMETZ 1974, 442).

Die lexikologische Analyse muß erklären, welche Bedeutung die einzelnen Belege tragen, inwieweit sie für materielle oder spirituelle Bedürftigkeit stehen und ob sich STEINMETZ' Aussagen von linguistischer Seite her verifizieren lassen.

Angesichts des von marxistischer Seite stets untermauerten und propagierten Bildes von Müntzer als eines „revolutionären Kämpfers für Frieden und soziale Gerechtigkeit" (GÜNTHER 1974, 1) überrascht es, daß das Nomen *armut* in Müntzers deutschen Briefen nur fünfmal vorkommt, wobei es ausschließlich immer und explizit mit dem Zusatz *geist* versehen ist.
Im Sendbrief an die Brüder zu Stolberg verwendet Müntzer *armuth des geysts*

im Entwurf einmal, in der endgültigen Fassung des Schreibens zweimal. In diesem Sendbrief wirft Müntzer den Menschen vor, sie erwarteten naiv, daß sich Gott handgreiflich für sie einsetze. Dagegen argumentiert er: *So dach nymant eyleth zum leyden, dan wu keyn armuth des geysts ist, do kan auch das regiment Christi nyt auffgehen* (21, 3–5). Zuerst müssen sich demnach die Menschen ändern, bevor Gottes Herrschaft auf Erden realisiert werden kann.
Wie in Fassung A stellt Müntzer auch in Fassung B in der Einleitung die geistige Armut als unabdingbare Voraussetzung für den Geistempfang in den Vordergrund: *Wer die armut seines geistes nicht vorsucht, ist nicht werd, das in Got regire* (22, 23–24), stellt er fest und weiter unten:

> *Sal er aber zu warhafftiger blosser armut des geystes kommen, so muß in Gott (nach menschen geduncken) auch vorlassen, unde der armgeistiger mensche muß alles trostes aller creaturn sich eußeren* (22, 27–29).

Die Veränderung des Menschen besteht für Müntzer in einem Loslassen der Welt und einem Sich-Öffnen für Gottes Botschaft, was mit hohen Anforderungen verbunden ist, denn der Mensch wird (scheinbar) von Gott und (oft tatsächlich) von den Mitmenschen verlassen, wie durch die Wiederholung von '*alles*' in der Wendung *alles trostes aller creaturn* (22, 29) eindringlich betont wird. Der Weg der Vorbereitung auf Gott erfolgt, wie Annemarie LOHMANN (1972, 37f.) ausführt, über einen mystischen Läuterungsprozeß.[1)]
Jakob Gottfried FEDERER, der seiner Arbeit explizit vorausschickt, daß er Müntzer als eine politische Figur betrachte und daß seine Arbeit bewußt parteilich sei, sieht dagegen die *armut des geistes* als eine politische Forderung an:

> Die Armut des Geistes, die er jetzt ins Zentrum seiner Lehre stellt, besitzt durchaus den Charakter des Widerstands, hat in sich ein Element, das auf Veränderung, ja auf Umsturz angelegt ist (FEDERER 1976, 78).

Dieser Interpretation widerspricht das Ergebnis der linguistischen Untersuchung des Kontextes, das nahelegt, daß nicht politische Ziele mit Hilfe von religiös-theologisch verbrämter Sprache verfolgt werden sollen, zudem da die Stolberger ausdrücklich aufgefordert werden, *unfuglichen auffrur zu meiden* (22, 17–18). Die Konzeption von der Armut des Geistes, die notwendig ist, um sich ganz auf Gott vorzubereiten, ist theologischer Natur und bezeugt, daß Müntzer Ideen der Mystik übernimmt.
Dieses Gedankengut liegt auch dem Brief an Christoph Meinhard zugrunde. Dort heißt es:

> *Christus ist nit kommen, das ehr also uns erloset hat, das wyr nicht sollten erleyden (durch entsetzung all unser entgetzlykeit) den armut unsers geyst (399, 2–4).*

Die Befreiung des Menschen von irdischen Gedanken, die Erfahrung der Armut des Geistes ist sehr schmerzhaft, erfordert Bereitschaft und viel Mühe, was sich auch im Brief an Jeori niederschlägt, in dem Müntzer die Grundfesten seiner Lehre skizziert und fragt: *O wu ist unser armut des geysts, so wyr nicht darvon reden kunnen von wegen unser tregen ubung* (426, 7–8). Müntzer muß für seine Zeit bedauernd feststellen, daß die Menschen noch weit von der *armut des geysts* entfernt sind, weil sie zu sehr an der Welt haften, statt das irdische Leben zu nutzen als Vorbereitung auf das ewige, das für ihn eigentliche Leben nach dem Tod.
Zu diesem Ergebnis (zumindest für das 'Prager Manifest') gelangt auch Ernst WERNER: „1521 verstand er darunter [Müntzer unter dem Begriff 'armut'] eindeutig *geistiges* Elend, das Fehlen des Offenbarungsglaubens, nicht jedoch *soziale* Not des Volkes." (WERNER 1962, 607; Hervorhebungen von WERNER). Einschränkend fügt er hinzu:

> Allerdings sprach er damit bei seinen tschechischen Zuhörern die soziale Seite an, und zwar bewußt, um sich eine entsprechende Resonanz zu sichern (WERNER 1962, 607).

Diese auf ein beschränkendes Verständnis des Lexems *Armut* rekurrierende Resonanz wurde über die Jahrhunderte bis heute tradiert. Die Belege ergeben jedoch, daß das Nomen *armut*, da es immer in der Verbindung mit *geist* gebraucht wird, eindeutig in den geistlich-theologischen Bereich verweist. Dagegen stellt SPILLMANN fest, daß das nur einmal in den von ihm untersuchten Schriften vorkommende Nomen *armut* dort soziales Elend bezeichnet (SPILLMANN 1971, 76–77).

Der Befund für *armut des geistes* in den Briefen trifft auch für *armgeistig* und *arm im geiste* zu, da diese Ableitungen im selben Kontext stehen wie das Nomen. *Ahrm im geyste* und *der armgeistiger mensche* finden sich beide in Fassung B des Briefes an die Stolberger. Die Belegstellen dazu – *... so doch nimandt sich darnach seneth ader hefftig ist, jm leiden unde vorharren ahrm jm geyste zu werden* (22, 22–23) und *der armgeistiger mensche muß alles trostes aller creaturn sich eußeren* (22, 28–29) – lassen keinen Zweifel an der Zugehörigkeit zum geistlichen Bereich, was diese Lexeme von Anfang an nahelegen. Damit bestätigt sich in den Briefen der Befund für die Schriften:

> 'Armgeistig' (...) sind die, welche Gottes Geist empfangen möchten, aber noch nicht fähig dazu sind, die aber 'iren unglauben erkennen' (318, 36). Ihnen wird der heilige Geist geschenkt (SPILLMANN 1971, 41).

Dieses Ergebnis gilt auch für die *armen*, die zweimal belegt sind. Im einen Fall zitiert Müntzer die Bibel: *Der geyst des Herrn ist uber mich, dy armen zu trosten und dy vorlaßnen und kranken gesunt zu machen* (366, 7–8). Lukas, aus dessen Evangelium das Zitat stammt, wird von Müntzer dahingehend ausgelegt, daß *dy armen* gleichzusetzen sind mit den *armen gewissen*, die des kirchlichen Trostes bedürfen.
Im anderen Fall heißt es: *Es ist seyn eynigs ampt, das dye armen sollen alleyn getrost werden und dye unvorsuchten dem peyniger überantwort* (399, 4–6). Die Trostbedürftigen sind keine materiell Notleidenden, was der gesamte Kon-text dieses Briefes an Christoph Meinhard ausschließt, sondern sie sind die, die durch die Verkündigung des Evangeliums Trost erfahren.
Es wäre müßig, nachzuweisen, daß es sich bei den *armen gewissen* in 366, 10 und 366, 14 um spirituellen Mangel handelt, unter dem die Menschen leiden. Im unmittelbaren Kontext beider Belegstellen werden die *prelathen* bzw. die *pryester* angeführt, so daß der theologische Bezugsrahmen evident ist. Den Prälaten wird vorgeworfen, daß sie *nichts dan störmen kunnen und dye armen gewissen beschweren* (366, 13–14). Mit den *armen gewissen* können nur die Gläubigen gemeint sein, die theologisch ungebildet und zudem vielleicht von ihren Hirten zu einem *getichten* Glauben verführt worden sind, so daß ihnen sogar der unverfälschte Trost des Evangeliums nicht zugänglich ist. Wenige Zeilen vorher schreibt Müntzer:

> *Darumb byn ich gesant, gleich wye Christus vom vatter gesant wart, also seyndt wyr pryester von Got gesant, Joannis am 20. cap., auf das wyr dye armen gewissen trosten mugen (366, 8–11).*[2]

Wie Luther klagt Müntzer die Prediger an, daß sie die Mitschuld an der Unkenntnis des einfachen Mannes über den wahren Glauben tragen, weil sie eher auf ihr eigenes Wohlergehen bedacht sind (366, 11f.) als auf die Vermittlung der reinen Glaubenswahrheiten.
Mit Annemarie LOHMANN, die das Resümee aufgrund ihrer Untersuchung des 'Prager Manifests' zieht, kann man sagen:

> Aus jedem einzelnen Beispiel ist die eigentliche Bedeutung dieser 'Armut' aber klar ersichtlich. Es ist geistiges Elend, 'Armgeistigkeit' oder das Fehlen des Offenbarungsglaubens, von dem die Pfaffen nicht gekündet haben, und nicht etwa die soziale Not der unteren Volksschichten, die Müntzer beklagt (LOHMANN 1972, 20).

Dem widerspricht FEDERER, indem er gegen LOHMANN betont,

> daß Müntzers Sozialkritik in der Wortkritik impliziert ist. Durch seine interessebedingte Verwendung wird das Wort verfälscht. Die Kritik am getichten Wort ist damit zugleich Kritik an den sozialen Zuständen (FEDERER 1976, 135, Anm. 53).

Müntzer habe dadurch den „Code der Herrschaft" entdeckt, wie FEDERER (1976, 32) sich ausdrückt. Für die Endphase von Müntzers Wirken gelangt LOHMANN ebenfalls zu der Ansicht, daß er „den 'armen Mann' aus seiner materiellen Not zu befreien" suche (LOHMANN 1972, 68).
In seinen späteren Briefen gebraucht Müntzer die Wendung *armut des geistes* nicht mehr und verwendet auch das Adjektiv seltener, so daß sich eine Interpretation, wie sie FEDERER und LOHMANN vertreten, nur aus der Abwesenheit dieser Wendung begründen ließe, nicht aber aus expliziten Äußerungen. Der linguistische Befund, daß *armut des geistes, armgeistig* und *arme gewissen* eindeutig nicht in den materiellen Bereich des Mangels gehören, kann nicht in Frage gestellt werden.

Diffiziler wird die Interpretation der anderen durch *arm* näher bestimmten Nomen, weil die relativ hohe Anzahl von Belegen für das Adjektiv *arm* zu dem Schluß verführt, daß es sich um materielle Armut handeln könnte. So ist für HINRICHS der „arme Haufen" die „Masse der Besitzlosen" (HINRICHS 1952, 106), und für STEINMETZ sind die *armen* die materiell Notleidenden und politisch Unterdrückten, die Müntzer zur Führung des Schwertes und zur Übernahme der Gewalt aufrufe (STEINMETZ 1975a, 676), um „den armen Mann aus unwürdiger Knechtschaft zur Freiheit" zu führen (STEINMETZ 1975, 683). Und er präzisiert:

> Freilich sind (sic!) zu große Armut ebenso hinderlich wie zu großer Reichtum: beide hindern den Geistempfang; wobei die Armen belehrt, aus ihrer Dumpfheit im Lebenskampf und aus Existenznot befreit werden müssen, den verhärteten Reichen aber nicht zu helfen ist (STEINMETZ 1975, 678–679).

Die Christenheit wird ebenfalls oft als *arm* bezeichnet, z.T. wird das Epitheton noch gesteigert und dramatisiert durch *elend* und *erbärmlich*. Müntzer spricht von der *armen christenheyt* als einer, der die Gotteslästerer böse mitgespielt haben (472, 1). In einem Brief an Friedrich den Weisen vom 3. August 1524 begründet Müntzer seinen Einsatz für das Seelenheil der Menschen mit einer göttlichen Verfügung: *... ist durch Got vorfuget, mich vorzulegen, wie Ezechiel saget, vor ein mauren der armen zurfallenden christenheit* (430, 8–9). Die *arme christenheit* ist dabei nicht in erster Linie die materiell mittellose, sondern die des geistlichen Zuspruchs und der geistlichen Hilfe bedürftige, damit sie vor ihren Widersachern, hier sind es die unterschiedlichen, einander bekämpfenden reformatorischen Bewegungen und die sich manifestierende Kirchenspaltung,

bestehen kann. Müntzer vergleicht sich selbst mit einem Propheten des Alten Testaments und fühlt sich wie dieser zum spirituellen Beistand der Gläubigen berufen, denen *zu frumen [er] ... predigen und ... schreiben* will, *zu vormeiden ander ferlickeit, die durch die christenheit mocht widder benanten Luther vorgewant werden* (430, 25–27). In diesem Zusammenhang distanziert er sich gegenüber Friedrich dem Weisen offen von Luthers Art der Reformation, gleichzeitig aber bittet er darum, weiterhin öffentlich seine Tätigkeit ausüben zu dürfen, um so Ausschreitungen gegen Luther zu unterbinden, die eine spätere Wiedervereinigung der evangelischen Gruppen verhindern könnten. Hier spricht er sich noch 1524 explizit gegen verbale wie tätliche Gewalt aus.
Bereits in einem früheren Brief an Friedrich bekundet Müntzer: *Und ist yn myr wahr worden, das der ynbrunstige eyfer der armen ellenden erbarmlichen christenheyt hat mych aufgessen* (395, 17–18). In der Kollokation von *arm, elend* und *erbärmlich* mit *christenheit* wird deutlich, daß die Not der Menschen und speziell die der Christen spiritueller Natur ist. Darüber hinaus paraphrasiert Müntzer Bibelstellen als Verdeutlichung seiner eigenen Situation. Allein die Sorge um das geistliche Wohlergehen seiner ihm Anvertrauten belastet ihn schwer und zwingt ihn unausweichlich zu seinem Vorgehen.
Das Bewußtsein göttlicher Sendung kommt auch im Brief vom 13. Juli 1524 an Herzog Johann zum Ausdruck: *Ich gedenk Gottis kunst und glauben der armen elenden cristenheit also furzutragen, wie ich durch Gottes gezeugnus unbetriglich geweyset bin* (407, 8–10). Wie bei den oben zitierten Stellen handelt es sich nicht um materielle Bedürftigkeit, sondern um geistliche, wobei diese Interpretation auch durch die jeweils enge Verknüpfung mit Bibelzitaten nahegelegt wird.
Im Brief an Friedrich den Weisen vom 4. Oktober 1523 rechtfertigt Müntzer sein Verhalten und seine Lehre mit der Bibel. Er fühlt sich als ein von Gott Gesandter, um *dye lautbaren beweglichen pasaunen zu blosen* (395, 9–10). Sein Name klingt den *weltklugen*[3)] (395, 13–14) schrecklich, gegen die er die auf ihr Seelenheil Bedachten absetzt:

> *Er ist abber dem armen durftigen heuflin eyn susser geroch des lebens und den wollustigen menschen eyn misfallender greuel des swynden vorterbens, 2 Chorin. 2 (395, 15–17).*

Müntzer unterscheidet zwischen den *weltklugen*, dem *durftigen heuflin* und den *wollustigen*. Das *arme durftige heuflin* steht zwischen und ethisch über den beiden anderen Gruppen. Erstens ist es nicht darauf aus, vor der Welt klug zu erscheinen, sondern nur darum, bemüht, sich Gottes Weisheit zu nähern; zweitens strebt es nicht irdisches, vergängliches Wohlergehen an, sondern

bereitet sich auf das kommende Leben vor. *Arm* und *durftig* ist es wegen seines numerischen Anteils an der Bevölkerung, die mehrheitlich profanen Idealen huldigt; andererseits spiegelt diese Bezeichnung die Einschätzung der weltlich Orientierten wider, so daß die Lexeme *arm* und *durftig* deren verächtlichen Unterton aufnehmen und aus der Sicht der Weltklugen und der Wollustigen dahingehend verstanden werden müssen, daß diejenigen Menschen dumm und töricht sind, die sich irdisches Vergnügen entgehen lassen.
Im Brief an die Gottesfürchtigen zu Sangerhausen greift Müntzer die verzagten Pfaffen an und rät den Gläubigen:

> *Darumb last euch die herzenhaftigen prediger nit nehmen, werdet yr daruber eynen armen, elenden, jemmerlichen pulversagk Gotte vorsetzen und euern leyp, gut und ehre umb Gotts willen nicht aufsetzen, so werdet yrs alles umbs teufels willen vorliren (409, 10–14).*

Die Prediger sind unverzichtbare Bindeglieder zwischen Gott und den Menschen, weil sie den Glauben schon erfahren haben und das Volk auf diesen Weg führen sollen. Müntzer unterscheidet zwischen den mutigen Priestern, die selbst den wahren Glauben vertreten, wie ihn Müntzer versteht, und die ihrer Gemeinde die Praktizierung des Glaubens auch gegen den Einspruch und die Einschüchterungsversuche der weltlichen Obrigkeit ermöglichen. Mit den pejorativen Epitheta *arm, durftig, jemmerlich* werden dagegen die Prediger bedacht und zudem noch mit einem Schimpfwort tituliert, die gegen die Einmischung der weltlichen Herren in theologische Angelegenheiten keinen Widerstand leisten oder sich sogar noch zu deren willigen Handlangern machen.
Die linguistische Analyse kommt für die Nomen und für die bisher untersuchten Adjektive eindeutig zu dem Ergebnis, daß mit dem Lexem *armut* einzig und allein spirituelle Armut gemeint ist. Das Adjektiv *arm* wird entweder im Sinne von *armselig* gebraucht (vgl. SPILLMANN 1971, 78, Anm. 165) oder drückt Mangel an Gotteserkenntnis aus, nicht jedoch materielle Not. Schuld an diesem desolaten Zustand der theologischen Bildung sind für Müntzer die verzagten und gottlosen Prediger.

Es ist anzunehmen, daß auch die *armen leute* und die *armen menschen* als geistlich Bedürftige bedauert wrden, nicht aber als materiell Notleidende.
Von der marxistischen Geschichtswissenschaft (vgl. u.a. STEINMETZ 1974, 442) wurde das *arme Volk* im wesentlichen als das materiell bedürftige, von den großen Hansen ausgebeutete und unterdrückte Volk gesehen. So vertritt BENSING die Ansicht:

> Die Herrschaft der Auserwählten Gottes, wie sie Müntzer erstrebt, war mit der schreienden sozialen Ungerechtigkeit und mit einem sich über das Volk erhebenden obrigkeitlichen Zwangsapparat unvereinbar (BENSING 1965, 47).

Und Gerhard BRENDLER umschreibt die Aufgabe des 'armen Volkes' folgendermaßen:

> Es soll ... auf das innere Wort achten, das Gott mit seinem Finger in die Herzen der Gläubigen schreibt und ihnen so offenbart, was sein Wille ist und was rechtens (sic!) sei. Damit klingt ein Grundmotiv der theologischen Argumentation Müntzers auf. Seine Funktion in den ideologischen Auseinandersetzungen besteht darin, dem Volke Selbstvertrauen in die eigenen Gedanken und Vorstellungen zu geben, indem diese zur Stimme Gottes erklärt werden (BRENDLER 1975, 31).

Arm ist das Volk demnach, weil es ihm an Selbstvertrauen in die eigenen Möglichkeiten fehlt, speziell zur „Beseitigung der Fürstenherrschaft", zur „Errichtung der Macht des gemeinen Volkes" (BRENDLER 1975, 32) und zur Verwirklichung einer klassenlosen Gesellschaft, wobei die theologische Argumentation als Deckmantel sozialer und politischer Ziele angesehen wird (BENSING 1966, 251; BRENDLER 1976, 430 u. 436). Müntzer geht es jedoch „nicht um bessere Tage, sondern um das Ende aller Tage", wie es NIPPERDEY (1975, 63) ausdrückt und wie es zustimmend von SCHMID (1965, 262) bestätigt wird.
Müntzer selbst spricht in seinen deutschen Briefen *nie* vom 'armen volk', sondern immer nur von den *armen leuten* (s.u.) und vom *gemeinen volk* (417, 25; 464, 12; 471, 22) oder vom *gemeinen Mann* (422, 25; 426, 24; 448, 23; 463, 20), so daß eine Gleichsetzung der Müntzerschen *armen leute* mit dem 'armen Volk' einer, wenn auch nur in Nuancen verfälschenden, aber ideologisch einseitig leicht vereinnahmbaren Interpretation von Müntzers Aussage Vorschub leistet.
Die frühesten Belege für *arme leute* in den Briefen finden sich im Schreiben des Rates und der Gemeinde zu Allstedt an Herzog Johann von Sachsen vom 7. Juni 1525.[4)] Die *armen leute* (405, 2), die allein dort fünfmal zur Argumentation herangezogen werden, bekunden ihre Loyalität und stellen fest, daß *wir das selbige auch uber die massen beweiset in der nonnen sachen zu Newendorff* (405, 6–7). Obwohl sie durch die damit verbundenen und ihnen auferlegten Zinsen und Zehnten materiell und finanziell schwer belastet worden sind, haben sie es doch als ihre christliche Pflicht erachtet, diese Abgaben zu leisten. Im Zusammenhang mit den steuerlichen Belastungen kann wohl darauf geschlossen werden, daß sich die *armen leute* als materiell unbegünstigt darstellen, um dadurch die Tatsache, daß sie trotzdem Abgaben leisten, in ein um so helleres Licht zu stellen.

An ihrem Gehorsam und ihrer Pflichterfüllung darf Herzog Johann aufgrund dieser Feststellungen nicht zweifeln, wiewohl sie ihm klar zu verstehen geben, daß sie ihre Leistungen an dieses Kloster aus religiösen Bedenken nicht als gerecht empfinden. Nach der Beschwerde der Nonnen

> *seint wir armen leute des selbigen hoch beschwert und mugen das selbige vor Got nit vorantworten, das wir solten Gotes lesterung helfen erhalten und vortedigen (405, 16–18).*

Die Gläubigen sind beunruhigt und aufgebracht darüber, denn sie können das unsittliche Treiben in Mallerbach auf keinen Fall gutheißen und vor Gott verantworten. Sie beschweren sich nicht über die ihnen auferlegten Lasten, obwohl es für Herzog Johann diesen Anschein erwecken mag. Die Nonnensache bedrückt sie eben nicht vor allem materiell, sondern verursacht ihnen schwerwiegende theologische Bedenken:

> *Dan es offentlich und kunt ist, das die armen leute aus unvorstand zur zeit unbewust den teufel zu Mallerbach unter dem namen Marie geehret und angebett haben (405, 20–22).*

Es sind Menschen, die noch nicht zur rechten Erkenntnis Gottes gelangt sind, Unverständige, denen der Geist Gottes noch nicht gegeben ist. Nachdem sie festgestellt haben, daß durch den Sturm der Kapelle dem Gemeinwohl kein sonderlicher Schaden entstanden sei, beschreiben sie ihre eigene Position:

> *... begern wir armen leute doch nit schutz oder grosse vortedigung vor unsern feinden, so wollen wir armen leute auch Euer Gnaden noch des loblichen churfursten in keynen teyl beschweren (405, 31–34).*

Mit dieser Formulierung bekunden sie ihre politische Demut und halten damit die Staatsmacht auf Distanz, indem sie erklären, weder Schutz anzufordern noch Gründe für ein Einschreiten zu liefern. Bewußt stellen sich die Allstedter als unbedeutender dar, als sie tatsächlich sind. In diesem Schreiben wird rhetorisch geschickt mit den Nuancen von *arm* gespielt, um so einen breiten Interpretationsraum zu haben und um eine möglichst große Wirkung zu erzielen. Neben der Bedeutung der materiellen Armut – diesen Aspekt wird der Herzog in erster Linie sehen – wird besonders der Aspekt des Unwissendseins und des in Glaubensfragen Noch-nicht-Erfahrenen betont, der dennoch fähig ist, mit seinem Glauben unvereinbare Geschehnisse zu erkennen, und mutig seinen Glauben bekennt.
Als politisch-sozial interpretiert Gerhard GÜNTHER Müntzers Engagement:

> Müntzer betrachtete die bestehende gesellschaftliche Ordnung als ungerecht und forderte eine grundlegende Umgestaltung zugunsten der unterdrückten und ausgebeuteten Massen des Volkes. Diese Parteinahmen für das arme Volk ziehen sich durch alle seine überlieferten Schriften und Briefe (GÜNTHER 1974, 717).

In der Tat nimmt Müntzer Partei für die *armen leute*, was besonders in den Briefen an Zeiß vom 22. Juli 1524 offensichtlich wird; doch ist es in erster Linie das geistlich bedürftige Volk, nicht das materiell notleidende, das Müntzers Unterstützung findet, wie die obige Analyse zeigt.
In den eben erwähnten Briefen beklagt sich Müntzer über die Behandlung der Sanderhäuser und anderer Flüchtlinge, die in Allstedt Zuflucht suchten und die auf Verlangen jederzeit an ihre Heimatdörfer ausgeliefert werden können, wie Johannes Reychart den *armen vortribnen leuthen* (416, 26) zur Antwort gab. In nichtreligiöser Sicht erweist sich ihre Not damit als materieller Mangel, da sich die Vertriebenen in einer bedauerlichen und finanziell prekären Situation befinden ohne Gewißheit darüber, wo sie bleiben können und was weiter mit ihnen geschehen soll. Als der Brief verfaßt wird, droht ihnen die Auslieferung, doch Müntzer steht auf ihrer Seite und fragt: *sollen wyr uns dye tyrannen zu freunden machen myt dem geschrey der armen leuthe?* (417, 19–20). Dies könnte verstanden werden als Klage über Ausbeutung und Unterdrückung, wie es oft auch geschieht. Doch angesichts der Theologie Müntzers wiegt diese materielle Komponente nichts im Vergleich zu der spirituellen Not, die sich durch das Verbot des Gottesdienstbesuchs und die Folgen von dessen Mißachtung für die Leute aufgetan haben. Ihr Hunger nach der Botschaft Gottes ist so groß, daß selbst Repressalien sie nicht abschrecken können, ihre spirituellen Bedürfnisse zu befriedigen. Müntzers Stellungnahme gegen die Tyrannen erfolgt aus Sorge um das Heil der Gläubigen.
In einem späteren Brief präzisiert er, was er unter Tyrannen versteht: es sind die *gotlosen regenten*, die die Leute *stocken und blochen ... umbs evangelions willen* (421, 22–24). Ihre Freundschaft ist Müntzer nichts wert, und er will sie aufgrund religiöser Skrupel nicht erkaufen mit dem *geschrey der armen leuthe*. Müntzer strebt die Verwirklichung der Gerechtigkeit Gottes an, wie ISERLOH schreibt, „in der man die Leute zu Feinden haben muß, wenn man 'Gott anders nicht zum Freund haben'" kann (ISERLOH 1972, 296). Die linguistischen Befunde unterstützen die These, daß Müntzer die Leute nicht wegen ihrer materiellen Deprivation als *arm* ansieht, sondern wegen ihres Bedürfnisses nach geistlichem Trost und Zuspruch.
Im zweiten, wesentlich sachlicher gehaltenen Schreiben an Zeiß vom selben Tag wird Müntzers Verständnis von Armut deutlicher. Gleich zu Anfang stellt er den

Zweck klar: *Dye sach myt den armen leuthen* [den aus Sangerhausen Vertriebenen] *hat sich also begeben* (419, 26). Die andere Belegstelle lautet: *Ich wyl dye armen leuthe nicht dar zu halten, das sye uns alhye aufm halse lygen und dye feynde vorbittern* (420, 18–19). Ohne Berücksichtigung des weiteren Briefkontexts tritt hier scheinbar noch deutlicher als im ersten Brief, besonders im zweiten Zitat, die materielle Komponente hervor. Doch charakterisiert Müntzer im ersten Brief an Zeiß die *feynde* als *feynde des christenglaubens* (420, 13–14) und als *offenbarliche lebendige teufel* (420, 15), die den Glauben ausrotten wollen. Deshalb nun müssen die Geflüchteten so viel Leid und Armut erdulden. Daraus ist zu schließen, daß für Müntzer die Menschen in erster Linie arm sind, weil ihnen der Zugang zur geistlichen Nahrung erschwert oder verwehrt wird, und erst in zweiter Linie, weil sie materielle Deprivationen erleiden müssen. Aufgrund dieser Sichtweise ergibt sich, daß die Bezeichnung *arme leute* ambivalent ist und je nach Interpretationsabsicht materielle oder spirituelle Bedürftigkeit meint.

In der Bedeutung 'armselig, schwach' wird *arm* gebraucht, wenn Müntzer über seine Anhänger klagt, weil sie *vor dem anbeten eynes armen elenden menschens widder horen noch sehen* wollen (432, 20–21), und er fragt:

> *Solte ich nhun solchen abgefallen christen dye geheymnis des bundes eroffnen, nach dem yre eyde und pflicht, dem armen menschen gethan, yhn vil mehr gelten dan der bund Gottis? (433, 11–13).*

In beiden Fällen bezieht sich die Bezeichnung *armer mensch* nach Franz (1968, 432, Anm. 2; 433, Anm. 9) auf Herzog Johann, der bekanntermaßen weltliche Macht und Güter besaß, so daß diese Charakterisierung auf spirituellen Mangel hinweist, wobei in der Formulierung Müntzers ein bedauernder Unterton mitschwingt.

Die Untersuchung für Lexeme wie *armut, die armen* und *arm* kommt zu dem Ergebnis, daß damit im wesentlichen geistliche Bedürftigkeit gemeint ist. Bei der überwiegenden Mehrzahl der Belege wird die nicht-materielle Bedeutung allein schon durch Zusätze und Verbindungen mit *geist* und *geistig* offensichtlich. In schwierigeren Fällen kann durch Beachtung der konkreten historischen Fakten, durch die Einbeziehung des Kontextes und mit Hilfe von Präzisierungen, die Müntzer selbst gibt, die Bedeutung geklärt werden. Für Müntzers deutsche Schriften gelangt Spillmann zu folgendem Resultat: „Die Untersuchung des sprachlichen Feldes der 'Armut' hat ergeben, daß das Elend der Menschen vorwiegend geistlicher Natur ist“ (Spillmann 1971, 82). Die deutschen Briefe bieten das gleiche Bild. Armut wird gefordert, aber in erster Linie ist das die theologische Armut des Geistes, die nach Müntzers Meinung nur erreicht werden kann durch Loslösung von der Welt,[5)] was ganz und gar nicht bedeutet, daß zu große materielle Armut etwa der Armut des Geistes förderlich wäre. Dies bestätigt Erwin ISERLOH:

> Der Reichtum ist gefährlich, weil er den Menschen auf die Zwecke dieser Welt fixiert und so dem lebendigen Glauben im Wege steht (...). Die materielle Armut wird andererseits beklagt, insofern sie den Christen so sehr an die Notdurft dieser Welt bindet, daß er vor lauter 'Bekümmernis der Nahrung' (...) nicht einmal lesen lernen kann, geschweige denn, daß ihm Muße zur Betrachtung der hl. Schrift bleibt (ISERLOH 1972, 286).

GOERTZ sieht *arm* sowohl auf materielle als auch auf spirituelle Armut bezogen und begründet es damit, „daß das Volk in seiner äußeren Armut auch der 'Armut des Geistes' weitaus näher stand als die auf Reichtum und Eigennutz bedachte herrschende Schicht“ (GOERTZ 1967, 145–146).

Armut des geistes, armgeistig und *die armen gewissen* lassen sich ohne Zweifel als immaterielle Bedürftigkeit erkennen. Für *die armen* trifft dies ebenfalls zu, denn dieser Begriff wird innerhalb eines biblischen Kontextes verwendet. Die *arme christenheit* sieht Müntzer als geistlich bedürftig, ebenso auch das *arme durftige heuflin*.
Das Adjektiv *arm* kennzeichnet sowohl materielle als auch spirituelle Bedürftigkeit, wobei zu berücksichtigen ist, daß im Brief vom 7. Juni 1524 die Allstedter die Intention verfolgen, ihre Fürsten von ihrer Harmlosigkeit zu überzeugen und möglichst auch eine Senkung der Abgabenlast herbeizuführen. Letztlich geht es Müntzer aber um die spirituelle Armut.
Im Brief an Zeiß vom 22. Juli 1524 beklagt sich Müntzer über die Lage der *armen leute*, die zunächst einmal als wirtschaftlich schlecht, also weltbezogen verstanden wird. Dann aber – und das entspricht der eigentlichen Intention Müntzers sehr viel eher – werden sie als zu bedauernde Christen gesehen, die ihres Glaubens wegen leiden müssen und damit der geistlichen Hilfe bedürfen. Auf Herzog Johann oder einen verzagten Prediger angewandt, verweist *arm* nicht auf materielles Vermögen, sondern stellt eine scharfe Verurteilung der Betreffenden dar.
Damit kann zusammenfassend festgestellt werden, daß das Lexem *armut* mit seinen verschiedenen Ableitungen in der überwiegenden Mehrzahl der Belege spirituellen, genauer: geistlichen Mangel bezeichnet.

2.1.2 Elend und Überfluß

Ein zweiter großer Bereich in Müntzers Wortschatz der Bedürftigkeit umfaßt Lexeme wie *elend, not, wolgehen, sauß* und von ihnen abgeleitete Adjektive. *Mangel* tritt nur einmal in der Verbindung *keynen mangel haben* (421, 25) auf. Das Subjekt des Satzes ist *dye sache* und meint die Sache Gottes bzw. konkret die Schwierigkeiten und Leiden, die die Fürsten dem gläubigen Volk bereiten, indem sie es *stocken und blochen ... umbs evangelions willen* (421, 23–24). Dieses einmalige Vorkommen des Lexems *mangel* ist ein interessanter Befund, wenn man bedenkt, daß viele Wissenschaftler Müntzer als einen Sozialrevolutionär ansehen, wie es z.B. Max STEINMETZ tut:

> Auf der Höhe seiner Entwicklung durchbrach Müntzer die Schranken der christlichen Theologie traditioneller Prägung und stieß zu sozialrevolutionären Konsequenzen vor (STEINMETZ 1974, 442).

BONDZIO hält die „Veränderung der Welt" für einen Zentralbegriff Müntzers: „Eine theoretische Leistung Th. Müntzers besteht darin, daß er diesem Begriff der Veränderung einen bestimmten sozialen Inhalt gibt" (BONDZIO 1976, 29).

Wieder und wieder wird in der Literatur, besonders in der marxistischen, auf eine von Müntzer intendierte soziale Revolution hingewiesen, auf eine „Umwälzung des gesamten irdischen Lebens" (BENSING 1965, 460).[6] Die Ansicht, daß Müntzer vornehmlich die gesellschaftlichen Bedingungen seiner Zeit ändern und politische und soziale Vorstellungen realisieren will –

> denn die Kämpfe, die sich entsponnen hatten, waren ja kein beliebiges Theologengezänk, sondern ernste soziale Auseinandersetzungen, die in religiöser Form ausgetragen wurden (MEUSEL 1952, 142)

– kann durch die linguistische Analyse des Feldes um *armut* nicht bestätigt werden. Auch Begriffe wie *elend* und *not* beziehen sich im wesentlichen nicht auf den materiellen Aspekt.
Müntzer schließt in einem Brief an unbekannte Anhänger in Halle mit den Worten: *gegeben ym elende meyns vortreybens* (388, 13). Nach GÖTZE (1976) kann *elend* 'Ausland, Verbannung' bedeuten. Diese Bedeutung trifft sicher auf Müntzers Situation zu, da er Halle verlassen mußte. Mit dem Zitat aus Mt. 10,10 in diesem Brief lenkt er selbst direkt auf seine Notlage und bittet um materielle Unterstützung. Für Müntzer kann das *elend* auch bedeuten, daß er wieder einmal gezwungen ist, seine Wirkungsstätte zu verlassen und seine Arbeit dort nicht fortsetzen zu können. Angesichts dessen ist *elend* ambivalent und kann entweder materielle oder spirituelle Bedürftigkeit oder auch beides meinen.

Vier Belege für das Adjektiv *elend*, nämlich 395, 18; 407, 9; 409, 12 und 432, 20, werden bereits weiter oben im Zusammenhang mit *arm* diskutiert und als Mangel geistlicher Natur bzw. als Abwertung des folgenden Lexems eingestuft. Darüber hinaus finden sich zwei weitere Stellen: *Meyne lere kan und mag der elenden erbermlichen orteil nit also slecht lassen hyngehen, ps. 68 (400, 6–7).*[7] Müntzer bezieht sich auf das Urteil der unerfahrenen Gläubigen, die *wyssen von der gerechtykeit yn glauben zum glauben keyne meylen zu berechnen* (400, 3–4), also auf ein Urteil bezüglich der rechten Glaubenswahrheiten. Die Epitheta *elend* und *erbermlich* beschreiben, welchen geringen Wert Müntzer diesem Urteil zumißt, dem es an Tiefe und Einsicht fehlt und das den Mangel an Verständnis der wahren Religion bezeugt, so daß Müntzers Mission als Sprachrohr Gottes und seine Entscheidung, sich zum durch Gott berufenen Führer der einfachen Leute zu machen, legitimiert werden durch die großen theologischen Defizite der Gläubigen.
Als Ausdruck der Verachtung, die Müntzer für Graf Ernst empfindet, dient *elend* in der Beschimpfung *du elender dorftiger madensack* (468, 2). In beiden hier analysierten Belegen bewirkt das Adjektiv eine Abwertung der Nomen, die es näher bestimmt.

Not bezeichnet ebenfalls keine materielle Bedürftigkeit: *Nachdem die not aufs allerhoechst foddert, allem unglauben vorzukommen und zu begegnen* (430, 4–5), fühlt sich Müntzer als Streiter von und für Gott berufen. Er ist besorgt über den Lauf, den die Dinge genommen haben, besonders und verschärft nach Luthers *schantbrief* (430, 16) an die sächsischen Herzöge. Die äußere Bedrängnis erfordert es also, dem Unglauben, unbezweifelbar also der inneren Not, zuvorzukommen.[8]

Dreimal ist *jammer* belegt. Da heißt es: *Dan das herz muß von dem ancleben disser welt durch iamer und smerzen abgeryschen werden, bys das eyner dissem leben ganz und gar feyndt wyrt* (419, 10–12). Hier zeigt sich wieder deutlich, daß sich Müntzer mit der Mystik beschäftigt hat. *Iamer und smerzen* bezeichnen die innere Not, die der Mensch durchleiden muß, um sein Herz loszureißen von *dem ancleben disser welt.* „Die Überwindung der Welt innen", schreibt GOERTZ, „bedeutet gleichzeitig und in einem Prozeß die Überwindung der Welt außen" (GOERTZ 1967, 143). Der Sachkontext schließt den Bezug auf materielles Leid wie auch im folgenden Beleg aus:

> *[Es] ist mir auch nicht fast wunder, das ich so sehr fur der welt stinke zum schmach der guttfürchtigen und zum unwiderrufflichen jamer und schmach der sanftlebenden brůder von leisetrettern (449, 11–13).*

Er bereitet nicht nur den Gottesfürchtigen Schmach und beschämt sie, indem er offensiv den weltlichen Verlockungen gegenüber die Priorität des Seelenheils verteidigt, sondern er wirkt als Mahnfinger Gottes ebenso auf seine theologischen Kollegen, die die Reformation in eine andere Richtung als er lenken wollen. *Iamer* bezeichnet also den seelischen Kummer, die Gewissensbisse, die Müntzer den *leisetrettern* bereitet, die nicht willens sind, sich vorbehaltlos und ohne Rücksicht auf potentielle negative Folgen für sich selbst der Sache Gottes zur Verfügung zu stellen.
Der dritte Beleg für *jamer* stammt aus dem Brief an die Allstedter vom April 1525. Die Verstockten versuchen die Verteidiger des Glaubens mit allen Mitteln umzustimmen. In dieser Situation rät Müntzer:

> *Sehet nit an den jhammer der gottloßen. Sie werden euch also freuntlich bitten, greynen, flehen wie dye kinder. Lasset euch nit erbarmen, wie Gott durch Moßen bevolen hat, deutro. 7 (454, 24–27).*

Das Klagen und das Wehgeschrei der Gottlosen soll keinen Rechtgläubigen zum Einlenken und Nachgeben bringen. Diese gnadenlose Haltung begründet Müntzer mit parallelen Vorgängen in der Bibel. Jammern werden die Gottlosen nach Müntzer, weil nun die neue Innerlichkeit des Glaubens oberflächliche Retuschen nicht mehr zuläßt, so daß das Jammern inneres Leid und nicht das Klagen über materielle Verluste und Veränderungen in der ökonomischen Struktur ausdrückt. Die Realisation des wahren Glaubens fordert einen Wandel des inneren Wesens, was Goertz (1967, 143 u. 147) und Elliger bestätigen:

> Die angekündigte 'Veränderung der Welt' ist mehr und etwas anderes noch als bloß eine 'soziale Revolution'; sie weist auf eine das innere Wesen wie die äußere Lebensform der Menschen an Gottes Willen ausrichtende gerechte Gestaltung der christlichen Gemeinschaftsordnung hin (Elliger 1975, 586).

Das Nomen *der dorftige* tritt zweimal auf. Im Brief an Friedrich den Weisen vom 4. Oktober 1523 heißt es: *Aus dussem allen hab ich hin und her gedacht, ps. 1, wye ich mich vorwerfen mochte zur eysernen mauren der dorftigen* (395, 22–23). In diesem Bibelzitat stehen die *dorftigen* für die geistlich noch nicht gefestigten und deshalb schutzbedürftigen sowie die bedrohten Christen. Dagegen interpretiert Federer (1976, 84 u. 85) die *dorftigen* als materiell Notleidende, was die direkte Referenz auf die Bibel jedoch ausschließt.
Müntzer warnt Friedrich in Anlehnung an das alttestamentliche Buch Josua vor einer schonungslosen Vernichtung dessen, der den *rath des dorftigen* (432, 1) verachtet. Der *dorftige, des trost doch Got selbs ist* (432, 1), ist der, dessen Bedürftigkeit sich auf den Hunger seiner Seele nach Gottes Weisheit und Erleuchtung bezieht, der frei von irdischen Wünschen ist, dem die weltlichen Güter nichts bedeuten.

Für das Adjektiv *dürftig* bieten die deutschen Briefe drei Belege. Zwei davon, nämlich *elender dorftiger madensack* (468, 2) und *dem armen durftigen heuflin* (395, 15) werden oben bereits untersucht mit dem Ergebnis, daß *elend* im ersten Fall eine Abwertung des Nomens bewirkt und im zweiten Fall spirituelle Bedürftigkeit bezeichnet.
Der dritte Beleg zitiert aus der Bibel eine nach FRANZ (1968, 458, Anm. 5) nicht feststellbare Stelle. Dort heißt es: *Der mund des Herrn saget: Sich die sterke meines dorftigen volkes sol sich vormeren, wehr wyl sich an dye meinen machen?* (458, 1–3). Angesichts der Folgerung, die Müntzer selbst aus dieser Bibelstelle zieht – *Drumb seyt keck und vorlasset euch allein auf Got, so wyrt ehr euch ym kleynen haufen mehr sterk geben, dan yhr gleuben kunnet* (458, 3–5) –, ist es legitim, die Dürftigkeit durchaus als spirituelle zu verstehen, also als Mangel an Gottvertrauen und Gotterkenntnis, was HOLL bestätigt, wenn er schreibt,

> die Errettung besteht *nicht* darin, daß die *äußeren Umstände*, unter denen der Mensch leidet, verändert werden, sondern daß ihm *ein Mut, ein Gottvertrauen* geschenkt wird, vermöge dessen er auch das Unmögliche bestehen kann (HOLL 1932, 434; Hervorhebungen von HOLL).

Begriffen des Mangels stehen – allerdings in signifikant geringerer Anzahl – Lexeme des Überflusses gegenüber. Wer sich auf *weltlich uppickeit* (431, 31–32) verläßt, entscheidet sich gegen Gott. Das wird bestätigt und bekräftigt, wenn Müntzer an unbekannte Anhänger in Allstedt schreibt,

> *das wir nicht dorfen gedenken, das uns Got wil ym sauß, ym rohen leben lassen lenger unsunnig toben mit dem glanzenden scheine unsers gedichten glaubens Got und den seinen zur lesterung (451, 4–6).*

Das *rohe leben* ist nur ein äußerliches, auf die Welt bezogenes, zu dessen Rechtfertigung der Glauben oftmals zurechtgebogen wird. Dagegen wird Abkehr von der Welt und vom Streben nach weltlichem Wohlergehen gefordert als unabdingbare Voraussetzung für ein eindeutig gottgefälliges Leben, um so vom Schein zum Sein des Glaubens zu gelangen. Dazu müssen die Menschen ihren gedichteten Glauben aufgeben, der ihnen die billigen Ausreden liefert, die sie den Forderungen des wahren Glaubens entgegenhalten, um diese, da sie unangenehm und lästig sind, zu umgehen.
Auch an anderer Stelle wird das Wohlergehen nach menschlichen Maßstäben angeprangert: *Derhalben muß es jm auch wolgehen nach seinem synne, wie ers vornymbt* (22, 26–27). Dieses irdische *wolgehen* liegt weit außerhalb von Müntzers Gesichtskreis. *Wolgehen, luste* (24, 22; 404, 15; 404, 17; 404, 19; 404, 21; 419, 2; 419, 5) und *schlemmerey* (24, 21) lenken nur ab vom rechten Weg zu Gott

und erschweren es, zur letzten und höchsten Erkenntnis zu gelangen, weswegen Müntzer sie ablehnen muß.
Die *wolfart der gottis lesterer* steht nach Müntzer *aufm getychten fegfeur* (399, 30), woraus hervorgeht, daß er diese Art der Wohlfahrt als auf keinem festen Grunde stehend ansieht und sie verwirft, denn nur in Gott Begründetes hat für ihn Bestand und Wert. Das Fegefeuer als Ort, an dem der Mensch nach seinem Tod – nach der Lehre der katholischen Kirche – solange verbleibt, bis er seine zeitlichen Sünden gebüßt hat, entlarvt Müntzer als von Menschen erfundene, von Gott selbst nicht verkündete Möglichkeit, um begangenen Frevel zu sühnen, so daß dadurch trotz irdischer Vergehen gegen Gottes Gebot das ewige Leben zugänglich bleibt. Damit spricht er eine für seine Zeitgenossen beunruhigende und wahrscheinlich wirkungsvolle Drohung aus, da die Autorität der Kirche auch in weltlichen und wissenschaftlichen Fragen zu dieser Zeit im Volk noch außer Frage stand.
Über die Landesfürsten schreibt Müntzer: *Das volk sicht wol, das sye mit großer ferlikeit yren namen und weltlichen preis auf den wilden wog gesatzt und gestellet haben* (421, 15–17). Statt auf Gott zu bauen, seinen Willen auszuführen und dadurch nicht nur für ihr seelisches Wohl, sondern auch für ihr weltliches Ansehen etwas getan zu haben, verspielten die Landesfürsten ihre Chancen und gingen unkalkulierbare Risiken ein.
Weltliches Denken und Streben steht, wie wir gesehen haben, dem wahren Glauben im Wege. Reichtum bindet an die Welt oder erschwert zumindest den Zugang zu Gott: „Habsucht und Reichtum, Üppigkeit und Genußsucht als Lebensinhalt sind demnach das Kennzeichen des Verworfenen", stellt Hinrichs fest und fügt einschränkend hinzu, daß damit noch keineswegs gesagt sei, „daß die Armen ohne weiteres zu den Auserwählten gehören" (Hinrichs 1952, 117). Thomas Nipperdey vertritt die Meinung, daß, „weil seine [Müntzers] Kreuzestheologie nicht das Alltagsleiden, sondern das Leiden an der Selbstverfehlung meint, ... aus ihr die Kritik der Armut entspringen" könne (Nipperdey 1975, 60).

Die Ablehnung der Welt wird auch in der Verwendung von *prechtig* deutlich: *Forcht dich nicht, du kleyns heufleyn, dan es gefelt dem starken Got von Sabaoth, seynen namen eyn mall lassen vor der prechtygen welt sehen* (426, 18–20). In der *prechtygen* Welt zählen Ruhm, Geld und Titel – alles Dinge, um die sich die Gläubigen nicht kümmern sollen. Statt dessen sollen sie ihre zeitliche Freiheit nutzen zur Förderung des Evangeliums und nicht zur Unterstützung weltlicher Bestrebungen. Auf den 'Glanz der Welt', wie es die Mystik ausdrückt, den Schein von Wichtigkeit und Bedeutung sollen sie nichts geben.
Luther wird als *prechtiger tyranne* (430, 18) tituliert und als der Verfasser des *schantbriefs* in eine Reihe mit den gottlosen, der Welt und ihren Freuden

ergebenen Fürsten gestellt. *Prechtig* lautet auch das Verdikt über die Urteile der Schriftgelehrten, die damit abqualifiziert werden (431, 21). Einigen seiner Anhänger muß Müntzer vorwerfen, daß sie durch ihre *prechtige larve* (463, 25), dem *einfaltige[n] haufe[n]* falsche Tatsachen vorgespielt und ihn getäuscht hätten. Alle vier Belege sind stark pejorativ konnotiert, so daß der ursprünglich positive Wert des Adjektivs in sein Gegenteil verkehrt wird und nur eine blendende, aufgesetzte Fassade beschreibt, die die Menschen zu Handlungen verführen soll, die sich gegen Gott und seine Gebote richten.
Als *hoffertig* wird das *gemuthe* der Mühlhausener Obrigkeit eingestuft, weil sie eigensüchtig *iren vormeynten fromen und ere gemeynem nutz wollen vorsetzen* (448, 1). Egoistisches Verhalten, das nur profanen Zielen dient, wird als ebenso negativ betrachtet wie die prächtigen, auf die Welt bezogenen Menschen und Dinge, die Vergängliches repräsentieren und oft nur als Maske dienen.

Die Analyse der Wörter um *elend, not, mangel* kommt zu demselben Ergebnis wie die Untersuchung von *armut*, daß es sich nämlich im wesentlichen um geistlichen Mangel handelt.
Nipperdey bestätigt, daß Müntzer eine „Verchristlichung der Welt" angestrebt habe, wobei diese „Veränderung nicht in ein unbestimmtes Jenseits zu vertagen [ist], sondern sie ist jetzt und hier zu realisieren" (Nipperdey 1975, 59). Diese Sichtweise und Wahrnehmung der Welt unter theologischen Kriterien wird durch die linguistische Analyse bestätigt und erklärt, warum selbst Begriffe wie die hier untersuchten nicht weltbezogen verstanden werden, sondern Zustände aus der Welt des Glaubens werten.
Elend, das in den Briefen nur ein einziges Mal verwendet wird, bezieht sich auf Müntzers Situation nach seiner Vertreibung aus Halle. In Anbetracht seiner im Brief angesprochenen finanziellen Misere beschreibt er eher einen materiellen als einen spirituellen Mangel, doch bleibt es ambivalent, während das Adjektiv *elend* eindeutig geistlichen Mangel charakterisiert, wenn es nicht zur Verstärkung und Abwertung bei Schimpfwörtern dient.
Bei dem einzigen Beleg für *not* handelt es sich um die Bedrängung der Gottesfürchtigen durch die Ungläubigen, folglich um eine theologische Zwangslage. Auch *jammer* beschreibt geistlich-seelisches Elend, das durchlitten werden muß, wenn sich der Mensch – freiwillig oder durch äußeren Zwang – von der Welt löst.
Unter *dürftig* versteht Müntzer theologische Bedürftigkeit, Mangel an Gottvertrauen und Gotterkenntnis. Der *dorftige*, zu dessen Schutz sich Müntzer berufen wähnt, hat sich bereits von der Kreatur frei gemacht; es bedarf aber noch eines langen Weges, bis er zur Weisheit Gottes gelangen kann.

Das Leben im *sauß* wird verworfen, weil es auf weltlichen Genuß gerichtet ist und auf *weltlichen preis.* Die *wolfart des gottis lesterer* wird erkauft mit dem ewigen Verderben ihrer Seelen. *Prechtig* ist die Welt und steht damit mit ihrer Äußerlichkeit in Opposition zu der Innerlichkeit, die die *armut des geistes* fordert. Dadurch werden Adjektive wie *prechtig* und *hoffertig* mit negativen Konnotationen versehen, die Müntzers Verachtung profaner Dinge Ausdruck verleihen und seine Forderung, sich um Gottes willen von der Welt und der Kreatur zu lösen, illustrieren.

2.1.3 Gut und Geld

Materielle Bedürftigkeit wird durch den Besitz von Gut und Geld verhindert. Im vorigen Kapitel wird bereits festgestellt, was Müntzer über weltlichen Besitz denkt: Er hält ihn für ein Hindernis auf dem Weg zum wahren Glauben und damit für verwerflich. In seinen Briefen verwendet er des öfteren Begriffe, die weltlichen Besitz bezeichnen. Seine Einstellung dazu soll im folgenden untersucht werden.

Das *gut* wird in der Tat immer gesehen als weltlicher Besitz. Im materiellen Sinn, aber ohne Wertung ist *gut* im folgenden Beleg verwendet: *Wye kan ich wyssen, was Got adder teufel sey, eygen adder fromdt gut sey, es sey dan, das ich myr entworden byn* (426, 4–6). Mit *leib und gute – gute* dient hier zur emphatischen Verstärkung der Ernsthaftigkeit der Versicherung – geloben die Allstedter dem Kurfürsten, alles zu tun, *das uns billich aufgeleget wirt* (406, 5–6), womit sie sich zur Abgabe rechtmäßiger Zinsen und Zehnten bereiterklären.
Den verfolgten Christen in Sangerhausen rät Müntzer, ihren Fürsten vorzuwerfen,

> *Habet yr doch vorhyn nicht geweret, do eyn yderman zu Sant Jacob und zum teufel gen Heckenbach hat gelaufen, witwen und weyßen gemacht, gut und gelt aus dem lande getragen (414, 23–25),*

Eindeutig stehen hier *gut* und *gelt* für materiellen Besitz, den die Gläubigen für Wallfahrten und als Geschenke an Klöster zu geben bereit waren und die Müntzer als Götzendienst ablehnt, da sie nur persönliches Unglück für die Betroffenen in Form von Todesfällen oder materiellen Nachteil zur Folge haben. Dagegen fordert er das Aufgeben allen Gutes und Besitzes um Gottes willen. So heißt es: *... werdet yr daruber ... euern leyp, gut und ehre umb Gotts willen nicht aufsetzen, so werdet yrs alles umbs teufels willen vorliren* (409, 11–14).

Deutlich unterscheidet Müntzer Möglichkeiten, um sich von irdischem Gut zu trennen. Als falsch verwirft er die Unterstützung von den Reformatoren allgemein kritisierter Praktiken, wie sie etwa die oben genannten Wallfahrten und die Unterhaltung von Klöstern darstellen. Beispielhaft dagegen ist der bewußte Verzicht auf irdisches Gut, wenn man dies als Maßnahme unternimmt, um sich dadurch Gott zuzuwenden.

> *Nu leret aber die furcht Gotts wie ein frommer mensch sol gelassen stehen umb Gotts willen und sich erwegen seyns leybs, gutts, hauß und hoff, kynder und weyber, vater und mutter sampt der ganzen welt (411, 33–36).*
> *Ja so yr nicht gleubet, das Got so geweldig sey, wenn yr euer gut und leybs narung sampt euerm leben umb Gotts willen woget ader vorlasset, das er euch andere narung geben magk und meher dann vorhyn, wie wollt ir dann glauben, das er euch das ewig leben geben kann? (413, 22–26)*

Beide Stellen belegen unzweifelhaft, daß Müntzer der Auffassung ist, das weltliche Gut müsse freiwillig aufgegeben werden, um das höchste Gut, nämlich Gott, zu gewinnen.[9)] Diese Forderung und damit die Möglichkeit, das höchste Gut zu finden, ist realisierbar, denn *wir haben auch an dem gräuel und grundsuppen*[10)] *gehangen, aber durch seine gnade lehret uns seine wahrheit, und zu suchen das höchste gut* (575, 6–8).
Dieses erstrebenswerteste aller Dinge überhaupt kann jedoch nur erreicht werden, wenn sich der Mensch von der Kreatur in sich befreit und radikal seinem kreatürlichen Ich absagt, wie es ELLIGER (1978, 60) ausdrückt. Müntzer selbst nennt diesen Prozeß, mystisches Vokabular aufgreifend, *Sich-Entwerden* (426, 6). Nur so kann der Mensch seine höchste Erfüllung finden, die im Ewigen besteht, in einem geistigen Erfülltsein von der Wahrheit und Weisheit Gottes. Das Verhaftetsein an irdischem Gut ist eine Schwachstelle im Menschen, genauer: im gottlosen Menschen, denn der wahrhaft Gläubige hat sich ja von dieser Abhängigkeit gelöst. Die größte Niederlage bedeutet es für die Gottlosen deshalb, wenn sie materielle Verluste erleiden müssen. Und genau das ist die Strafe, die Gott ihnen durch die kämpfenden Gläubigen zugedacht hat:

> *Ists dach am hellen tag, das Gott die seinen also freuntlich lest dye widersacher peynigen allein am guthe, durch welchs sie das reich und gerechtigkeit Gottes haben vom anfang vorhindert (463, 16–18).*

Während BENSING diese Stelle als Beleg dafür annimmt, „daß die Unwissenheit und soziale Not des Volkes einzig aus den sozialen Unterschieden“ resultiere (BENSING 1965, 469–470), meint ELLIGER, daß Müntzer diese Feststellung verstehe „von Matthäus 6,24 her als helfende Nötigung zur Überwindung der gottentfremdenden Hörigkeit gegenüber 'dem Mammon'“ (ELLIGER 1975, 727).

Eindeutig zu letzterem Ergebnis gelangt auch die linguistische Analyse.
Aber nicht nur der Wohlhabende, auch der einfache Mann haftet am Gut, denn er muß mehr als jeder Reiche um sein tägliches Brot kämpfen mit der Konsequenz, daß ihm deshalb die Zeit fehlt, um sich Gott zu widmen, was Müntzer beklagt:

> *wie ist es umer mehr muglich, das der gemeine mann solte bey solchen sorgen der zeitlichen guether halben das reine wort Gottes mit gutem herzen mugen empfangen? (463, 19–22).*

Müntzer verfaßt diesen Brief an die Eisenacher vom 9. Mai 1525 aus einem konkreten Anlaß, denn einige von Müntzers Anhängern und Kampfgenossen haben sich am *geltkasten* (463, 24) ihrer *mitgesellen* vergriffen. Müntzer erkennt die Ursache dieses Fehltritts in der materiellen Notlage, tadelt aber trotzdem die Missetäter, die das Vertrauen ihrer Brüder mißbraucht und damit allen Gleichgesinnten Schaden zugefügt haben und durch ihr Verhalten zeigen, daß sie weltlichem Denken verhaftet, den Verlockungen des Mammons verfallen und dadurch moralisch um nichts besser sind als die von ihnen verachteten Fürsten. Schlimm ist dieser Diebstahl besonders deshalb, weil zum einen Brüder bestohlen wurden, die zum anderen wie die Täter selbst nicht zu den Bemittelten gehören. Müntzer geht im Brief nochmals auf ihr falsches Verhalten ein:

> *Sollen wir unsern bruder den houptman und ire guether mit der gewalt langen, solt ir wol innen werden, ab der Herre auch nach lebet, der euch errege und erleuchte, zu erkennen das falsche liecht, Matt. VI (464, 7–10).*

Die weltlichen Güter, die genommen werden soll, dürfen nicht aus eigennützigen Motiven entwendet werden, sondern nur um Gottes willen, denn Müntzer will ja gerade, daß das rechte Licht, das Licht der Gerechtigkeit Gottes leuchten soll.
Die unterschiedliche 'Zuständigkeit' über weltliche und geistliche Güter stellt für die Gläubigen eine wichtige Hilfe im Alltag dar: *Ein furst und landesherre ist uber zeytliche gutter dargestellt zu regieren, und sein gewalt erstregkt sich auch nicht weyter* (412, 23–24). Damit respektiert Müntzer explizit die weltliche Macht der Fürsten über die materiellen Dinge, solange „die Obrigkeit der Ausbreitung göttlicher Wahrheit, d.h. der Müntzerschen Predigt, keine ernsten Hindernisse entgegensetzten (sic!)“, wie Bensing (1965, 470) beipflichtet. Sonst könnte Müntzer auch nicht den Sangerhäusern zu sagen anraten:

> *Lieber herre, lieber her hauptman. So unser herr der furst am selbigen schos und zynsen, die wir im jherlich gebn, nicht genugk hat, so nem er all unsere gutter darzu, das wollen wir ym gerne gestendig sein (412, 26–29)*

und

> ... *so wyrd sie* [die ganze Welt] *doch sehen und horen, warumb wyr leyden, wollen wir doch an zeytlichen dyngen thuen und lassen alles, was euern augen wol gefellet (412, 33–35).*

Hier klingt zugleich wieder die Forderung Müntzers auf, von weltlichen Gütern abzulassen, sie denen zu überlassen, für die sie von Wert sind, die diesem 'falschen Licht' zuneigen. Den Fürsten werden Befugnisse über die zeitlichen Güter zugestanden, die ihnen die Gläubigen in hohem Maße freiwillig zu geben bereit sind. Nur in Glaubenssachen wird den weltlichen Herrschern jeder Einspruch verwehrt. Dazu ist Gott allein berechtigt, und seinen Geboten muß Folge geleistet werden, nicht dem, was die Fürsten in theologischen Fragen vorschreiben.

Das Aufgeben der weltlichen Güter stellt einen wichtigen Schritt auf dem Weg zu Gott dar. Denen, die ihre *gutter* lieben (413, 32), stellt Müntzer als überzeugendes Beispiel eines gottgefälligen Menschen Hiob entgegen, der, nachdem *alle seyne kynder mit allen seynen guttern weren umbkommen (413, 35–36)*, gelassen und gläubig geblieben sei.

Genausowenig wie Hiob liegt Müntzer selbst an weltlichem Besitz: Er will alle seine theologischen Aussagen mit der Bibel beweisen, und wo er das nicht vermag, *wil ich leyb und leben und solichs alhir gewertig seyn verliren* (394, 24). Sein Leben setzt er als Pfand für das reine Wort Gottes und bürgt darüber hinaus mit all seinem Hab und Gut, was auf den Grafen Ernst von Mansfeld einen überzeugenden Eindruck machen muß.

Dem, der sich Gottes Worten verschließt, ergeht es schlecht, wenn nun die Auserwählten den Kampf des Herrn streiten und sein Reich auf Erden verwirklichen:

> *Do werden dann eynem ytzlichen seyne gutter, die er vorhyn um Gotts wyllen nicht hat wollen wagen, genohmen werden umb des teufels willen on seynen dank, das weys ich vorwar (414, 9–11).*

Immer wieder spricht Müntzer von den weltlichen Gütern, die den Mächtigen genommen werden sollen. Die Mächtigen sind zu stürzen, „nicht weil sie das Volk ausbeuten, sondern weil sie dem Glauben im Wege stehen", wie ISERLOH (1972, 291) bestätigt. Nur darin sieht Müntzer seine Lösung, wie er die der Welt Dienenden aus den materiellen Fesseln befreien und hinführen kann zu einer Ordnung, in der sie mit ihrem Schwert für die Gerechtigkeit Gottes einstehen. BENSING (1965, 471) sieht in dieser Prophezeiung sozialrevolutionäre Forderungen hinsichtlich einer klassenlosen Gesellschaft, ohne den Grund *umb Gotts wyllen* einzig als theologisches Argument gelten zu lassen.

Alle bisherigen Belege für *gut* und *guether* tragen negative Konnotationen, abgesehen vom *höchsten gut*. Neutral ist der letzte Beleg, wo Müntzer die Mühlhäuser bittet,

> *ir wollet meynem weybe dye guther, so ich gehapth, volgen lassen als bucher und kleyder, was dasselbig ist und sye nichts umb Gottes willen lassen entgelden (473, 16–18).*

Müntzer selbst war kein reicher Mann, sondern hat nur das an materiellen Dingen besessen, was für ihn lebensnotwendig war. Seine Sorge kurz vor der Hinrichtung gilt einmal der materiellen Absicherung seiner Frau nach seinem Tod und zum anderen der für ihn beunruhigenden Möglichkeit, daß seine Widersacher nun seine Frau für das bestrafen, was er nach dem Rechtsspruch der Gerichte verbrochen hat und wofür er schon mit dem Tode bezahlt.

Sucht nohr keyn gelt, keynen rhum, aufprust euch nicht des selbygen! (426, 25–26), fordert Müntzer Jeori und seine Glaubensbrüder auf. Erneut artikuliert er seine Ablehnung allen weltlichen Besitzes und allen profanen Strebens als Lebensziel. „Die herrschende Sozialordnung“, schreibt Hinrichs,

> ist also ein inneres und äußeres Widerspiel und Hemmnis der echten Glaubenserfahrung. Während sich die Gottlosen 'aufbrüsten und hoch aufmutzen', 'versinkt' der Auserwählte in seinem Glaubenskampf (Hinrichs 1952, 121).

Müntzer selbst predigt nicht nur das Ideal auch der irdischen Armut – das jedoch nach Hinrichs (1952, 119) nicht mißzuverstehen ist als das Ideal der freiwilligen Armut, wie es die franziskanische Mystik kennt –, sondern lebt es auch, wie er an die Allstedter schreibt: *Wye yhr wollet, ich hab euch umb geldes willen nicht geprediget, sundern Gottis namen zu suchen* (436, 9–10). Müntzers Motive entspringen nach seinen eigenen Worten nicht kreatürlichem, materialistischem Verlangen, sondern liegen in seiner Sendung als *knecht Gottis* (436, 13) begründet. Geld und materielle Güter spielen nur insofern eine Rolle, als sie zur Befriedigung der Grundbedürfnisse unentbehrlich sind. Was darüber hinausgeht, verstellt der Erkenntnis des wahren Glaubens den Weg.
Wer auf Geld aus ist, wird mit dem Teufel gleichgesetzt, wie es Müntzer mit den tyrannischen Fürsten praktiziert: *Wollen sie euch aber um gelt buessen, so gebet dem teufel ummer hyn, was er haben wyl, allein behalt gewyssen frey und ledig* (412, 38–413, 1). Über die weltlichen Güter dürfen die Fürsten frei verfügen, weltlichen Gehorsam ist man ihnen schuldig, aber sie müssen jedem einzelnen die Freiheit des Gewissens und die Ausübung der Religion lassen. Solange sie das tun, akzeptiert sie Müntzer; erst als sie sich seiner Meinung nach gegen die Ausübung des Glaubens ausgesprochen haben, wendet Müntzer Gegengewalt[11] an.

Kleinere Beträge der Zahlungsmittel *gulden* und *heller* werden neutral gewertet, weil sie lebensnotwendig sind. Nach seiner Vertreibung aus Halle erwähnt Müntzer in einem Brief an seine Anhänger: *Ich habe zwene gulden uvon der domina*[12] *den ganzen winter, do geb ich eynen von vor den knaben, den anderen byn ich schuldig unde druber* (388, 10–12). Der Bitte um eine Zehrung von Christoph Meinhard fügt Müntzer einschränkend hinzu: *Aber wenn ir euch daran ergern soltet, wil ich keinen heller haben* (450, 3–4).
Auf *schos und zynsen* (412, 27) wird oben bereits eingegangen. Sie stellen selbstverständlich materielle Abgaben dar, was auch für den folgenden Beleg gilt:

> *Wiewol durch die selbigen hoechlich beschwert* [durch die Abgaben an das Kloster Naundorf], *doch haben wir seyn churf.g. uns lassen dohin weysen, das wir yn zinse und zehnden on billiche christliche pflicht gegeben haben (405, 7–10).*

Von ihrem Standpunkt als Rechtgläubige aus dürften sie eigentlich nicht dem Kloster, in dem Gotteslästerung getrieben wird, weiterhin Abgaben leisten. Doch ihrer Pflicht als Untertanen der weltlichen Macht, die ihnen diese Steuern auferlegt, müssen sie – im Einklang mit Aussagen des Neuen Testaments – nachkommen. Von einer Aufforderung, diese Abgaben zu verweigern, findet sich keine Spur. Im Gegenteil: Müntzer betont, daß er solche Absichten nicht verfolgt:

> *Auch muste das sunderlich der fronden halben ym bunde hoch vorfasset werden, das dye bundgenossen nit dorfen denken, das sye durch das solten gefreyet werden, yren tyrannen nichts zu geben, sundern sollen sich halten, wye der son Gottis mit Petro than hat, Matth. am 17., auf das etliche bose menschen nit dorfen gedenken, das wyr uns umb der creaturn willen zu behalten vorbunden hetten (422, 28–34).*

Zu *fronden* merkt FRANZ (1968, 422, Anm. 8) an, daß es „Fronen, Dienste" heißen kann, „mit Rücksicht auf Mt 17,26 wohl aber Fremden". Ob es nun 'Fronen' oder 'Fremden' heißt, eindeutig wird darin jedenfalls die Abgabenpflicht der Christen bestätigt, wie sie von LOHMANN (1972, 58) bereits behauptet wird.
Die Aufforderung, weiterhin Fronen zu zahlen, sieht BRENDLER (1976, 433) als taktischen Schachzug an, wohingegen A. LOHMANN die Überzeugung vertritt, daß Müntzer

> soziale Bestrebungen, welche äußere Not und Armut lindern könnten, ablehnen muß, zumindest nicht für sie eintreten kann, da er auch in den äußeren Leiden eine Seite des von Gott verhängten Kreuzes erkennt, dem sich der Mensch zu unterwerfen hat (LOHMANN 1972, 45).

Die Untersuchung zum Wortschatz im Sinnbezirk der Bedürftigkeit bestätigt, daß Müntzer theologisch denkt und argumentiert und daß seine Reformation „genuin religiösen Charakters“ (Berbig 1976, 214) ist. Es erscheint daher als eine gewaltsame Interpretation, Müntzers theologisches Denksystem als Bemäntelung von sozialpolitischen Absichten zu sehen.
Burde und last – auf den ersten Blick materielle Belastungen bezeichnend – spezifiziert Müntzer in seinem Abschiedsbrief[13] und grenzt es auf seine Seele ein: *Das wil ich itzt in meynem abschied, dormit ich dye burde und last von meyner sele abwende, vormeldt haben, keyner emporung weyter stadt geben* (474, 18–20).

Gegen den Eigennutz schreibt Müntzer an mehreren Stellen in seinen Briefen. Auf die *aygennutzigen* (464, 14) wird oben bereits eingegangen. Der Eigennutz, der in den politisch-polemischen Schriften nach Spillmann (1971, 161) nur einmal erwähnt wird, zeugt vom Denken in weltlichen Kategorien und verhindert die Ermöglichung der göttlichen Gerechtigkeit. *Wyr haben solchen eygensüchtigen böſsewichtern keynen befehl geben* (462, 17–18), schreibt Müntzer am 8. Mai 1525 nach Sondershausen und distanziert sich dadurch nachdrücklich von Aufrührern, die wie Achan im Alten Testament *getummel im volk gottis* (462, 15–16) anrichten. *Eygensuchtigk[es]* Verhalten entspringt einem *hoffertigen gemuthe* (447, 27) und stellt *vormeynten fromen und ere* über den *gemeynen nutz* (448, 1), so daß man die Missetaten der Obrigkeit in einer Veröffentlichung kundtun dürfe und solle, wie Müntzer der Kirche zu Mühlhausen erklärt.
Signifikant häufig beschuldigt Müntzer in seinem Abschiedsbrief die mit ihm Kämpfenden des eigennützigen Vorgehens und Handelns. Dreimal wirft er seinen Anhängern *eygen nutz* vor, einmal beklagt er die *eygennutzige emporung*. Dem Volk hält er vor, es habe *alleyne angesehen eygen nutz, der zum undergang gottlicher warheyt gelanget* (473, 9–10) und *das eyn yder seyn eygen nutz mehr gesucht dan dye rechtfertigung der christenheyt* (473, 20–21). Das Volk habe ihn nicht recht verstanden und, statt den göttlichen Willen in der Tat umzusetzen, irdische Vorstellungen verwirklichen wollen.
„Diese Worte beweisen erneut unsere These“, schreibt Iserloh,

> daß Müntzer nicht die Abstellung der Beschwerden und Lasten des kleinen Mannes, nicht die soziale Revolution im Sinne des Klassenkampfes bzw. in der Sorge um die Dinge dieser Welt geplant, initiiert oder mitgetragen hat. Es ging ihm um die 'Rechtfertigung der Christenheit', um die Durchsetzung der Gottesherrschaft mit den Gewaltmitteln dieser Welt (Iserloh 1972, 298).

In der marxistischen Literatur wurde *eygennutz* häufig als „subjektives Unvermögen des einfachen Volkes“ interpretiert, so daß Müntzer zu der Erkenntnis

gekommen sei, „daß die Umgestaltung des äußeren Lebens nur über die 'innere Läuterung' des Menschen möglich sei" (Bensing 1965, 80). Das Volk sei nicht wie Müntzer „zum Bewußtsein der historischen Latenz gelangt" (Federer 1976, 9), es habe noch „mangelndes Bewußtsein" (Federer 1976, 127) gehabt, denn: „Frühproletarisches Bewußtsein war erst embryonal entwickelt" (Bensing 1965, 470).
Diese und ähnliche Ansichten verdeutlichen, daß Müntzers theologische Motive als sekundäre verkannt und durch sozialreformerische ersetzt oder sogar nur als Ausflucht Müntzers interpretiert werden, die einem Eingeständnis seines Versagens gleichkommt mit gleichzeitiger Schuldzuweisung an seine Mitkämpfenden. Maron jedoch wird durch die Ergebnisse der linguistischen Analyse des Begriffs von 'Eigennutz' bestätigt:

> Das kann doch nur heißen: Es ist Müntzer nicht gelungen, die Aufständischen von der 'Kreatur' frei zu machen, wirklich geistlich zu formen, ihnen den Kampf als Kampf gegen die Gottlosen und nicht als Kampf für ihr Recht und ihren Nutzen verständlich zu mahen (Maron 1972, 222).

Deshalb fordert Müntzer seine Anhänger auf: *erbittert dye oberkeyt nit mehr, wye vhil durch eygen nutz gethan haben* (474, 4–5). Müntzer muß am Ende einsehen, daß es nicht nur Ungläubige unter den Herrschenden, sondern auch unter den Beherrschten (Maron 1972, 223) gibt. Bei dem größten Teil seiner Mitstreiter ist er allerdings sicher, daß er nicht aus egoistischen Gründen in den Kampf gezogen ist, sondern um Gottes willen:

> *Dan ich weyß, das euer der mehrer theyl in Molhausen dysser uffrurischen und eygennutzigen emporung nihe anhengig gewest, sondern das allewege gerne gewerth und vorkomen (474, 10–13).*

Doch einige wenige haben sich die Stimmung zunutze gemacht und das Volk für ihre eigenen profanen Ziele mißbraucht. Der Satan wollte – im Gegensatz zu Gott – *den gemeynen nutz vorhynderen* (462, 2–3), *die unsern* auf der anderen Seite tun nichts, was *dem gemeynen nutz vorhinderlich* (405, 28) wäre, wie Müntzer an Herzog Johann schreibt. Friesen konzidiert, daß Müntzer eine soziale Revolution angestrebt habe „to establish the Kingdom of God", schreibt aber über Müntzer und die Aufständischen:

> The two groups had nearly been at cross purposes, however, for while Müntzer had aspired to an egalitarian social order for the sake of the Gospel, the mass of his followers had aspired to such an order for material reasons. (Friesen 1974, 213).

Friesen wird durch die Ergebnisse der linguistischen Untersuchung unterstützt,

die für die überwiegende Mehrzahl der Begriffe feststellt, daß damit keine substantiellen Dinge gemeint sind, sondern alles in theologischen Relationen gesehen wird.
In enger Verbindung mit dem *eygen nutz* steht die *wuchersucht*. Die Gottesfürchtigen in Sangehausen warnt Müntzer: *Habt achtung dorauf, das yr euch nicht mit der nassen lasset rumerfuren mit vorgebnen drauworten und mit der hynderlyst der wuchersuchtigen* (408, 7–9). Die Wuchersüchtigen sind ganz auf weltliches Wohlergehen aus, dem die Forderung nach der 'Armut des Geistes' entgegensteht. Die *feynde gotlichs bundes* stellen *alle yhre besserung ... auf allen wuchersuchtigen wandel* (433, 24–25). Dies impliziert, daß die Sorge um weltliche Güter ihr Denken beherrscht und daß sie gerade da am empfindlichsten von der Forderung Gottes getroffen werden, das Denken und Wirken von den zeitlichen Gütern weg auf das höchste Gut zu verlagern.
Wuchersucht, Geschäftsdenken und Geiz stehen in engem Zusammenhang. Alle drei sind auf den Erwerb und die Akkumulation materieller Güter konzentriert. Dieses Denken greift Müntzer hart an, weil es den Menschen an die Kreatur bindet, statt ihn von ihr zu befreien.
Selbst die Prälaten, die doch eigentlich Exempel gottgefälliger Lebensweise sein sollten, tun Dinge, um *yren geyz darmit zu sterken* (366, 15). Dann nimmt es auch nicht weiter wunder, *daß der geyz der menschen itzt ym hochsten swanke geht* (422, 13).
Viele richten ihr Denken und Handeln nur auf weltliche, materielle Güter und vergessen darüber ihre Seele. Nur einige wenige sind diesem Denken nicht anheimgefallen. Sonst könnte Müntzer dem Schösser nicht ans Herz legen, er möge *gotforchtige, getrewe leute zu rate nemen, dye dye forcht Gottis haben, dye dem geyz feynd seyn* (423, 23–24). In diesen Belegen kommt zum Ausdruck, daß Müntzers Sinnen und Trachten allein auf Gott gerichtet ist, keinesfalls auf eine Umwälzung der sozialen Ordnung und der Besitzverhältnisse als primärem Ziel. Eine solche Veränderung ist seiner Lehre insofern inhärent, als die Realisation der Gebote Gottes automatisch eine Änderung der Weltverhältnisse nach theologischen Kriterien mit sich bringt.

Gut und *geld* repräsentieren materielle Dinge, die in ausreichendem Maße vorhanden sein müssen, um die Subsistenz zu gewährleisten. Alles, was über diese Basis hinausgeht, wirkt dem Glauben entgegen und muß deshalb aufgegeben werden. Die Gottlosen lieben ihren weltlichen Besitz und werden durch dessen Verlust am härtesten bestraft. Die weltlichen Güter stehen als zeitliche Güter dem höchsten, dem ewigen Gut gegenüber. Über die ersteren dürfen die Fürsten bestimmen und Abgaben verlangen, wohingegen über letztere nur Gott verfügt.

Geld und der Teufel werden nahe beieinander gesehen. Wer dem Mammon dient, kann nicht zugleich Gott dienen. Wie die meist als zeitlich bezeichneten Güter fördert und stärkt Reichtum die Weltbezogenheit, die von Gott ablenkt, und eben deswegen muß der Mensch alles daran setzen, um sich von der Kreatur zu lösen. Den weltlichen Herren müssen die Abgaben geleistet werden, doch dafür müssen diese die Freiheit des Gewissens und der Religion garantieren, wenn sie sich schon nicht mit dem Schwert verteidigen wollen. Auch der von Müntzer gegründete Bund setzt sich nicht für die völlige Abschaffung der Fronen ein, denn er wurde nicht *umb der creaturn willen* (422, 33) gegründet, sondern als ein Bündnis sich gegenseitig im Glauben Unterstützender.
Burde und last bezieht Müntzer selbst explizit auf seine Seele, und er bekämpft *eygen nutz* und *eigensucht* als profane, auf materielle Vorteile bedachte Bestrebungen, die eng mit Wuchersucht, Geschäftsdenken und Geiz verknüpft sind. Diese Eigenschaften begrenzen den menschlichen Geist auf die Welt und verhindern, daß sich die Menschen auf ihre Seelen und damit auf Gott und seine Ordnung konzentrieren.

2.1.4 Hunger und Nahrung

Wie die vorigen Kapitel zeigen, bedeuten *armut, elend, not* usw. im wesentlichen spirituellen Mangel, und Müntzer spricht sich dafür aus, die zeitlichen Güter nicht über das höchste Gut zu stellen. Die Sorge um zeitliche Güter halte die Menschen davon ab, daß der *gemeine mann ... das reine wort Gottes mit gutem herzen* (463, 20–21) empfangen könne.
Nahrung stellt ein lebensnotwendiges weltliches Gut dar, *Hunger* dessen Fehlen oder unzureichendes Vorhandensein. Im täglichen Existenzkampf spielen beide eine eminent wichtige Rolle. Eine Änderung der gesellschaftlichen Verhältnisse im marxistischen Sinn, sollte sie Müntzer auch nur andeutungsweise erstrebt haben, müßte sich um eine gerechte Verteilung der Nahrungsmittel und um eine Beseitigung des Hungers bemühen. Erstaunlicherweise verwendet Müntzer das Nomen *hunger* nur ein einziges Mal,[14)] und da bezieht er es explizit auf spirituelle Bedürftigkeit, wenn er schreibt, es könnte Schaden entstehen *aus weiterm vorzug, nach dem das volg einen unsettlichen hunger hat nach Gottis gerechtickeit, mehr dan ich sagen mag, Mathei 5* (407, 16–18). Der Hunger besteht für Müntzer nicht wegen eines Defizits an Lebensmitteln, sondern im Mangel an geistlicher Nahrung, was auch im folgenden Beleg der Fall ist: *Die leute sind hungerig, sie müssen und wollen essen, wie Amos sagt, auch Matt. 5* (450, 21–22). Was Spillmann für die Schriften feststellt, nämlich daß „Müntzer das

Verlangen und Streben der Seele mit körperlichen Bedürfnissen" (SPILLMANN 1971, 42) charakterisiert, trifft auch für die Briefe zu.

Torstlich ist ebenfalls nicht wörtlich als 'durstig' zu verstehen. Müntzer fordert den Grafen Ernst von Mansfeld auf, seinen Glauben darzulegen und anzusagen, *wer dich doch also torstlich gemacht, das du allen christen zu nachteil unterm christlichen namen wilt ein solicher heydenischer boswicht sein* (468, 8–10). Das Wort steht hier für die Härte, mit der der Graf die Christen verfolgt, die Müntzers Gottesdienste besuchen und seiner Lehre anhängen.
Auch der zweite Beleg verwendet *durstig* metaphorisch:

> *Es ist für uns kommen, ..., eine unmenschliche gewalt Belials, welcher sich gar durstig und mit freveler gewalt ohn alles recht unter euch aufgeworfen, das christenblut dem Belial zu opfern (573, 13–16).*

Im Zusammenhang mit Gewalt verweist *durstig* auf die Begier nach Inbesitznahme, auf Schrankenlosigkeit und Gesetzlosigkeit der Handlungen und auf die willkürliche Verfolgung der Christen.
Damit ergibt die Analyse der vier Belege für *hunger, hungerig* und *durstig*, daß es sich in allen Fällen um metaphorische Verwendung handelt, z.T. mit eindeutiger theologischer Referenz, und daß es nicht um die Befriedigung von Grundbedürfnissen durch Nahrungsmittel geht.

Das Lexem *nahrung* selbst ist achtmal belegt, wobei Beleg 459, 11 unberücksichtigt bleibt, da *narung* nach FRANZ (1968, 459, Anm. 3) wahrscheinlich zu „karung, Schadenersatz" zu verbessern ist. Die numerische Anzahl der Belege scheint denen recht zu geben, die in Müntzer einen Sozialrevolutionär sehen. Für die „Plebejer" stellt BRENDLER fest:

> Sie bewegten sich ... mit Notwendigkeit ideologisch im Rahmen des rein kreatürlichen Rufes nach Brot und Erlösung von allem Übel, die ihren beredtesten Ausdruck in Müntzers Idee vom Reiche Gottes fanden (sic!) (BRENDLER 1976a, 436).

In einem Brief vom 19. März 1523 wendet sich Müntzer an seine Anhänger in Halle mit der Bitte um materielle Unterstützung, indem er Mt. 10,10 zitiert. Er selbst weist darauf hin, daß jeder mit dem zufrieden sein muß, was er hat: *Es wehr besser sterben, dan dye ehr Gots myt ergernus zu tatelen in der narung* (388, 9–10). Das kann doch nur heißen, daß Müntzer, zumindest zu dieser Zeit, nichts an einer Veränderung der materiellen Bedingungen liegt. Die leibliche Nahrung ist zwar lebensnotwendig, aber Müntzer schätzt die geistliche Nahrung weit höher ein als die banalen alltäglichen Bedürfnisse. In diesem abwertenden Sinne stuft er Nahrung als zentrales Anliegen auch ein im Schreiben an die verfolgten

Christen in Sangerhausen:

> *O das ist aber ein mechtiger greuel den fleischlichen menschen, die yr leben langk alle yr vornunft dorauf erstregkt han, das sie mochten narung erwerben, und nicht weyter gedacht (411, 36 – 412, 2).*

Im selben Brief geißelt er die Sorge des Menschen um Materielles sehr heftig:

> *Und ist ein anbetterey der menschen, ..., wie sich die menschen vor herren und fursten furchten, das sie mussen umb der schendlichen narung willen und umbs bauchs willen Gotts worts und seynen heyligen nahmen aufs hochste vorleugken (413, 12–16).*

Dieses etwas längere Zitat bringt deutlich Müntzers Verachtung des Materialismus zum Ausdruck, der zur Folge hat, daß die Kreaturenfurcht über die Gottesfurcht gestellt wird. Der Mensch muß sich vom *thier des bauchs* (413, 17) – das nur der Befriedigung seiner kreatürlichen Bedürfnisse lebt – aufschwingen zu einem für Gott bereiten Gläubigen, damit er nicht mehr dem Teufel unterliegt, der *dem menschen stets die narung und das leben vor augen* (413, 19–20) legt und in ihm profane Wünsche und Zielvorstellungen wachruft.
Nahrung ganz anderer Art dagegen gibt Gott. Doch die Nahrung müssen sich die Menschen erst verdienen, indem

> *yr eur gut und leybs narung sampt euerm leben umb Gotts willen woget ader vorlasset, das er euch andere narung geben magk und meher dan vorhyn* (413, 23–25).

Die *andere narung* stellt Müntzer in Opposition zu Lebensmitteln und gebraucht sie damit als Metapher für das, was Gott geben kann. Rational kann man das nicht fassen. Was an eigentlichem Glauben fehlt, ist an naivem Gottvertrauen vorhanden, wenn es um Bequemlichkeit geht, so daß Müntzer es als *rechten kynder glaub* anprangert, *Got die narung zu vortrauen* (413, 26–27), die im täglichen Brot besteht. Dagegen ist es ein *ubernaturlicher glaub, uber alle vornunft des menschen* (413, 28), darauf zu vertrauen, daß Gott das *ewig leben* (413, 27) zu geben vermag. Erst dieser Glaube jedoch ist der wahre und gottgefällige, erfordert aber wesentlich mehr Einsicht in die Glaubenswahrheiten als der *kynder glaub*.
BENSING sieht durchaus soziale Forderungen in Müntzers Schriften und Briefen:

> Müntzer predigte keineswegs soziale Askese, Enthaltsamkeit, dauernde Armut des Volkes. Aber ausreichende Nahrung für alle konnte nur das Ergebnis der entscheidenen Auseinandersetzung mit den Obrigkeiten sein (BENSING 1965b, 48).

Die Bezeichnung *narung* wird von Müntzer tatsächlich auch in der Bedeutung von 'Lebensmitteln und Essen' gebraucht, doch meistens können diese Begriffe aus dem Kontext gar nicht wörtlich verstanden werden, denn für Müntzer sind die Menschen *toll und töricht* gerade **weil** sie alle ihre Kraft nur zur Befriedigung irdischer Bedürfnisse einsetzen und darüber Gott vergessen. Zu dieser Interpretation stimmt auch die Warnung Müntzers: *Huͤt euch vor schlemmerey* (24, 21), die die Überbetonung und Übertreibung des Materiellen verwirft.
413, 24 hat durch die Präzisierung *andere narung* eindeutig nur die Bedeutung der geistlichen Nahrung. Die anderen sechs Belege gebrauchen *narung* im materiellen Sinne, aber Müntzer bringt bei allen diesen Belegen dezidiert seine Verachtung der Menschen zum Ausdruck, die nur um die Befriedigung ihrer kreatürlichen Bedürfnisse besorgt sind.

Im Gegensatz zu *narung*, das in der Mehrzahl der Belege für materielle Dinge steht, dort aber immer negativ konnotiert ist, haftet eine solche Abwertung dem Lexem *zerung* nicht an. Eindeutig bezeichnet es die materiellen Grundbedürfnisse, die der Mensch zur Erhaltung seines Lebens befriedigen muß. In zwei Briefen bittet Müntzer um eine *zerung*, einmal für sich: ... *helft mir mit einer zerung* (450, 3), das andere Mal für seine Frau: *Ich pit, das yhr eyne kleyne zerung meynem weybe wollet geben* (436, 8). Die Stellen zeigen, daß sich Müntzer in finanziellen Schwierigkeiten befindet, doch verzichtet er dann auf Unterstützung, wenn sie nicht freiwillig geleistet wird.
Die Legitimität und Notwendigkeit der Befriedigung der Grundbedürfnisse steht für Müntzer außer Frage. Was er anprangert, ist das Streben nach mehr Wohlstand als nötig. Reichtum verwirft er nicht etwa, weil die soziale Kluft zu den Armen zu groß wäre, sondern weil der Reiche sein Denken auf materielle Dinge richtet und ihm dadurch für Gott keine Zeit bleibt. Hinrichs urteilt:

> Die Pfaffen auf der einen Seite, das 'Geschäft der Nahrung', d.h. die Not des Broterwerbs auf der anderen Seite, verhindert das Volk, seinen Unglauben zu erkennen und 'in sein Herz zu kommen' (Hinrichs 1952, 118).

Bei den bisherigen Belegen dieses Kapitels haben wir gesehen, daß damit entweder ein spirituelles Bedürfnis gemeint ist oder ein materielles, das aber – mit Ausnahme von *zerung* – durchweg als verwerflich eingestuft wird. Bei den einzeln genannten Lebensmitteln *brot*, *fleisch*, *grutz*, *suppe*, *bier* und *bermusth* sieht es ähnlich aus.
Auf das ich mein brot nicht mit sunden esse, werde ich vorursacht, euch zu rathen und auf das allerfleyssigst zu dienen (447, 18–19). Diese Bedeutung von *brot* als Metonym für vitalen Lebensunterhalt, dem wie *zerung* kein pejorativer Nebensinn anhaftet, hat auch *broeth* im unvollendet gebliebenen Brief Müntzers an

seinen Vater, worin er über seine Mutter schreibt: *Sye hat oehr broeth wol drey-fechtigk vordyneth* (361, 18).
Fleisch tritt meistens als pars pro toto für den kreatürlichen Menschen auf. Da heißt es: *Man mus alle augenblick yn der ertodtung des fleysches wandelen, sonderlich das unser name den gottlosen haßlich stinke* (402, 16–18). Das *Fleisch* als Synonym für Kreatürlichkeit ist auch gemeint, wenn Müntzer schreibt:

> *Dan wer yn Got glaubt, lesset sich oft bedunken, also ferne das flaisch noch yn ym lebet, das iczige sach keinen bestand haben mugen vorm toben der tyrannen (451, 8–11).*

Den Kaiser und Herzog Johann setzt er als *fleiß* (Fleisch; 426, 31) gegen den beständigen Gott ab und impliziert damit ihren früheren oder späteren Untergang. In Briefen an Graf Albrecht von Mansfeld und an die Erfurter zitiert Müntzer den Propheten Hesekiel:

> *Yhr vogel des hymels kompt vnd fresset das fleysch der fursten vnd yhr wylden thyre sauffet das bluth des grossen Henße (471, 19–21; indirekt zitiert in 470, 1–3).*

Mit dem *fleysch* ist eindeutig das Leben der Fürsten gemeint, die allerdings nicht wegen etwaiger politischer Unterdrückung ihrer Untertanen ausgerottet werden sollen. Viel schwerer wiegt für Müntzer ihre Gottlosigkeit, was er wenige Zeilen später so ausdrückt:

> *Habt yhr nhu lust zur warheyt, machet euch myt vnß an den reygen, den wollen wyr gar eben treten, das wyrs den Gottis lesterer trewlich beczalen, das sye der armen christenheyt myt gespylet haben (471, 25 – 472, 1).*

Ebenfalls nicht materieller Art ist die Bedeutung von *fleisch* im Hosea-Zitat, wo die Anbetung von Bildern verglichen wird mit Ehebruch:

> *... gleich als der mensch seine ehe äußerlich bricht an seinem nächsten mit dem glied der geburt an seinem fleisch, also geschieht auch innerlich im geiste (574, 21–23).*

Der letzte Beleg spielt auf das Johannes-Evangelium an:

> *Der ungehorsam der creaturn wirt widerbracht durch den gehorsam des worts, welchs fleisch geworden in natur wie unser fleischliche natur zum teil nach des glaubens wirkung muß ym teil abnemen (397, 26–28).*

Christus ist Fleisch, also Mensch, geworden, ohne jedoch *unser fleischliche natur* übernommen zu haben. Damit ergibt sich, daß *fleisch* nie in der Bedeu-

tung 'Nahrungsmittel' verwendet wird. Es bezeichnet vielmehr den physischen, kreatürlichen Menschen, der im Gegensatz steht zum geistigen, Gott allein lebenden.
Diese Opposition bringt auch das Adjektiv *fleischlich* zum Ausdruck. Dreimal werden die Menschen als *fleischlich* bezeichnet, einmal davon noch mit dem Zusatz *frech* (412, 1; 413, 20; 423, 13–14); außerdem verwendet Müntzer *unser fleischliche natur* (s.o.). Die Schriftgelehrten gelten ihm ebenfalls als *fleischlich* (398, 10), weil sie nicht die eigentliche Botschaft Christi verkünden und nach ihr leben, sondern weil sie sich auf die Seite der Weltmächtigen geschlagen und damit ihre göttliche Berufung verraten haben. An anderer Stelle brandmarkt Müntzer die *betrigliche gestalt der fleischlichen und getichten gutickeit* (430, 7), beklagt den *furwitz der ungleubigen natur fleischlichs vorstands* (408, 19–20) und ist erzürnt über die Menschen, die *dye heylig scrifft nutzen wye eyns fleyslichen dings adder wye der heyden bucher* (425, 18–19).
Die Sorge des Menschen um weltliche Vorteile und seine Angst vor Drohungen der weltlichen Macht werden im folgenden Zitat beklagt: *Aber des bedauens halben, welchs yhr sere fleyßleich aufnomet auf schloͤß, dorft yhr euch nichts besorgen* (435, 27–28).

Grutz und *suppe* treten nur in der Bedeutung von Schimpfwörtern auf, wenn Müntzer den Grafen Albrecht fragt:

> *Hastu yn deyner lutherischen grutz und yn deyner Wittembergischen suppen nicht muͤgen finden, was Ezechiel an seynem 37. capitel weyssagt?* (469, 16–18).

Das Kompositum *grundsuppe* (575, 6) bedeutet nach GOETZE (1971) 'Bodensatz' und gehört daher nicht in den Bereich der Nahrungsmittel. Zweifellos ein Schimpfwort ist die Bezeichnung *dye Lutheryschen breyfresser* (471, 5), von denen Müntzer befürchtet, daß sie die Erfurter schon *myt yhrer beschmyrten barmhertzygkeyt weych gemacht hetten* (471, 5–6).
Als negative Metapher wird auch *bier* in der drastischen Aufforderung gebraucht: *Ruret, lyben herren, lasset den dreck wol stincken. Ich hoff, yhr werdet eyn feyn bier draus brauen, yhr sauft doch gerne den unflat, ps. 74* (433, 14–16). Das trifft auch auf *bermusth* zu: *Wollen eure herrn screyben, lasset den bermusth auszgehn, ehr wirt wol getrunken* (434, 13–14).
Die Analyse aller Begriffe, die Nahrungsmittel bezeichnen, führt zu dem Ergebnis, daß sie ohne Ausnahme metaphorisch verwendet werden, zudem noch im negativen, abwertenden Sinn, sobald es sich nicht um Christus handelt und mit Ausnahme von *brot*, das für die zum Leben notwendigen Dinge steht. Die auf den Menschen bezogenen Begriffe tragen immer pejorative Bedeutungen, was

sich besonders bei ihrer Verwendung als Schimpfwörter zeigt.

Im Zusammenhang mit *hunger* und *narung* steht der *vorrat*, der verhindern soll, daß in ungünstigen Zeiten Mangel entsteht. Wie die überragende Mehrzahl der bisher behandelten Begriffe bezeichnet auch der *vorrat* das Vorhandensein geistlicher Güter. Schon der früheste Beleg verweist auf den übertragenen Aspekt:

> *Darzu sal euch bewegen gotliche guthe, die ytzt solchen reichlichen vorrat hat, das meher dann 30 anschlege und vorbundnis der auserwelten gemacht sein (408, 20–22).*[15]

Der *reichliche vorrat* steht im Relativsatz, der sich auf *gotliche guthe* bezieht. Er stellt also ausdrücklich keinen Vorrat an materiellen Gütern dar, sondern umschreibt metaphorisch die von Müntzer verkündete Gewißheit, daß Gott diesen Kampf gegen die Gottlosen will und auf der Seite seiner Auserwählten steht. Auch der zweite Beleg bezeugt, daß *vorrat* nichts Materielles bezeichnet: ... *gedenk, das der ganze vorrad der kunst Gottis muss gewust und erfaren seyn in dye lenge, weyte, breyte und tyefe, Ephesiis tercio (423, 11–13).*

Vorrad wird eindeutig Gott zugeordnet und keineswegs auf die Welt bezogen. Die adverbiale Ergänzung verdeutlicht, daß es nicht einfach ist, die *kunst Gottis* in all ihren Dimensionen zu verstehen, bis man zur Erkenntnis der Weisheit Gottes gelangt.
Am 22. Juli 1524 faßt Müntzer sein Anliegen in folgende Worte: *Ich habe heute wollen vorkommen dem unflat der umligden emporung und an euch lassen tragen zukunftigen vorradt* (416, 20–22). Der Kontext legt nahe, daß *vorradt* hier offensichtlich als 'Vor-Rat' zu lesen ist, als präventive Warnung vor einer Empörung. In dieser Bedeutung gehört es nicht zum Sinnbezirk der Bedürftigkeit, während die beiden anderen Belege *vorrat* an geistlichen Gütern bedeuten, da sie in beiden Fällen durch den unmittelbaren Kontext auf Gott referieren.

Insgesamt läßt sich sagen, daß *hunger* und *narung* mit den entsprechenden Adjektiven im Zusammenhang mit Bedürftigkeit nach geistlichen Gütern gebraucht werden. Die übertriebene Sorge um profane Nahrung wird abgelehnt, da sie den Menschen an die Welt bindet. Dagegen wird auf die Erkenntnis Gottes gerichteter Hunger nach geistlicher Nahrung äußerst positiv bewertet. *Zerung* wird als gerade ausreichend zur Subsistenz ebenfalls positiv gesehen. Die einzelnen Nahrungsmittel werden als Metaphern verwendet und stehen, z.T. als Schimpfwörter, für die kreatürliche Gebundenheit an die Welt, die der Mensch nicht lösen will oder kann. Allein *brot* wird mit positivem Vorzeichen gebraucht.

Selbst die Bezeichnung *vorrat*, die im alltäglichen Sprachgebrauch im wesentlichen auf materielle Dinge angewendet wird, steht für den 'Vorrat an spirituellen Gütern', und es wird dadurch ausgeschlossen, daß es sich um Materielles handeln könnte.

2.1.5 Schwäche und Stärke

Die bisher untersuchten Lexeme zeigen, daß es sich bei der Bedürftigkeit, die Müntzer beklagt, um geistigen, meistens speziell um geistlichen Mangel handelt. Müntzers Augenmerk ist auf die Seele und den Glauben des Menschen gerichtet. Aus diesem Blickwinkel sieht er auch die hier untersuchten Begriffe *schwäche, sterke, kraft* und *vermogen*, wie die Analyse ergibt.
Swacheyth verwendet Müntzer nur ein einziges Mal, und zwar in den Vorarbeiten zum 'Sendbrief an die Stolberger':

> *Nach der swacheyth, dye dye auserwelten menschen yn der gelassenheyt haben, gibt er yhn unde zeuth sye mit der sterke, dye von ym apgehet. Er schurtzet den myt seyner krafft, der myt zurknursten lenden erharret des Herrens von der hochzeyth (21, 9–12).*

Die *swacheyth* wird eindeutig in mystischem Sinne verwendet und gehört damit ebenso wie *schwach*, das zwar in den Briefen nicht vorkommt, nach Spillmann (1971, 77) aber in den Schriften, in den theologischen Bereich. Gottes *sterke* und *krafft* werden durch sein Wort und die Erfahrung des Glaubens dem Menschen spürbar.
Der immaterielle Aspekt wird in dem Wunsch *Gott gebe euch den gayst der sterke* (461, 21–22) besonders deutlich. Dasselbe trifft auch für die Anrede des Briefes zu, in der Müntzer der Gemeinde von Frankenhausen den *geyst der rechten reynen forcht und der kecken sterk gottes* wünscht (457, 19). Ähnliche Anreden verwendet er auch in 421, 2 (*Dye sterke und kraft des heylygen geystes sey mit euch*), 462, 13 (*Sterk und die rechte reyne forcht Gottes sey myt euch*) und 471, 2(*Sterck vnd trost in Christo Jesu*). In einem Briefschluß wünscht er *den gayst der sterke* (461, 22). Um eindeutig geistige Stärke handelt es sich auch bei der *stercke, wan wir der krafft Gottes ym durchgang gewar werden* (23, 28–29). Müntzer zitiert eine nach Franz (1968, 458, Anm. 5) nicht identifizierbare Bibelstelle, wo es heißt: *Sich die sterke meines dorftigen volkes sol sich vormeren, wehr wyl sich an dye meinen machen?* (458, 1–3). *Sterke* scheint hier ambivalent zu sein. Liest man nicht weiter, kann es sich sowohl um physische wie um geistig-seelische Kraft handeln. In Anbetracht der Tatsache, daß die

anderen Belege für *sterke* 'geistliche Kraft' bedeuten und unter Berücksichtigung der Quelle dieses Zitats sowie des Kontexts, wo es heißt, daß Gott *ym kleynen haufen mehr sterk geben* [wird], *dan yhr gleuben kunnet* (458, 4–5), kann darauf geschlossen werden, daß auch hier diese spirituelle Bedeutung gemeint ist.

Die Belege für *dye kraft Gottis* (471, 9), für *die gestrackt kraft, feste forcht Gottis* (467, 15) und für den *starken Got von Sabaoth* (426, 19) bedürfen keiner näheren Erläuterung, da jeweils durch Zusätze gesichert ist, daß es sich um keine physische Kraft handelt.
Den Charakter von Redewendungen haben die Belege *Ich sag myt aufnem maul, mit allen creften widder alle unvorsuchte scriftgelarte, das dye gancze scrift muß yn ydern menschen wahr werden (399, 20–22)* und ... *wollet gleychwol ortheyl von mir begeren des gotlichen bezeugten bundes (Esaie 58), welchem yhr aus allen kreften entkegen seyt (433, 1–3).*

In einer verstärkenden Formel tritt *krefte* auf, wenn Müntzer davon spricht, daß sich die *feynde gotlichs bundes*

> *aufs allereußerlichste ergern* [werden] *an der rechten besserung, welche geschicht, wan sich dye heylige christenheyt vom anbeten der gezirten bosewichter abwendet mit allem gemuthe und kreften (433, 27–29).*

Gemuthe rekurriert dabei eher auf die nach innen gerichtete Haltung, während *krefte* Aktivität signalisieren.
Euch sey zu wissen, das wir mit allem vormogen und kreften euch zu hulfe und schirme kommen wollen (461, 2–4). Der Brief, in dem Müntzer das verspricht, stammt aus der Zeit, als sich die Bauern bereits im Aufstand befinden und als Müntzer sich für den offenen Kampf gegen die Gottlosen entschlossen hat. Den militärisch mangelhaft ausgestatten Bauernhaufen stehen gut ausgerüstete Heere mit Berufssoldaten gegenüber. Die Hilfe, die begehrt und zugesagt wird, besteht offensichtlich in materieller Unterstützung durch Menschen und Waffen.
Die Allstedter versichern Herzog Johann und Kurfürst Friedrich ihres Gehorsams *und gedengken auch nu fortan das selbige in massen wie geburlich zu volfuren mit allem unserm vormugen* (405, 5–6). Die Allstedter versprechen also, alles in ihrer Kraft Stehende zu unternehmen, um auch weiterhin ihren Pflichten nachzukommen. *Vermögen* im Sinne von *Geld* wird nicht angesprochen.
Die Analyse führt zu dem Ergebnis, daß der überwiegende Teil der Belege für *krefte, sterke* etc. für nicht-physische Bedürftigkeit bzw. Stärke steht. Ergänzend sei hinzugefügt, daß die materiellen Kräfte im Kampf gegen die Gottlosen ein-

gesetzt werden, um „a holy war for holy ends“ (FRIESEN 1974, 44) gewinnen zu können.[16]

Mehrfach zitiert Müntzer den Evangelisten Lukas mit dem Satz *Die gewaltigen hat er vom stuel gestossen und die niddrigen (...) erhaben* (469, 15–16) entweder wörtlich oder sinngemäß wie in 464, 5, wo er *dye schwachen* statt *die niddrigen* setzt, und er redet von *gewaltigen* außer im Beleg 469, 15 in 403, 1–2 und 464, 6. Diese Bibelzitate belegen einmal mehr die Paradoxie Gottes. Diejenigen, die für die Menschen gewaltig und machtvoll sind, werden von ihm verworfen, denn sie repräsentieren nur profanes Streben, wohingegen die Niedrigen und die Schwachen in seinen Augen die Auserwählten sind, die *myt zurknursten lenden* (21, 11–12) auf den Herrn harren. Angesichts der Tendenz, die sich bisher durch die Untersuchung abzeichnet, daß Müntzer nämlich seinen Lexemen keinen sozialrevolutionären Inhalt gibt, kann angenommen werden, daß diese Begriffe auch hier im religiösen Sinne gebraucht werden. Anders dagegen interpretiert A. LOHMANN die 'Niedrigen' und setzt sie mit den „unteren Schichten“ gleich. Müntzer jedoch geht es nicht um die Beschreibung irdischer Macht- und Besitzverhältnisse, sondern um den Zustand der Seelen der Gläubigen. Die Gewaltigen verschließen ihre Herzen gegen Gott und unterdrücken zudem noch diejenigen, die sich Gott zuwenden und ein Leben nach seinen Geboten führen.

Was für die 'Niedrigen' gilt, trifft auch auf die *cleynen* als Bezeichnung für die Gottesfürchtigen in Müntzers Prophezeiung zu:

> *Wirstu* [Graf Ernst] *dich nicht demutigen fur den cleynen, so wird dir ein ewige schande fur der ganzen christenheit auf den hals fallen (468, 22–24).*

Die *cleynen* sind mit deutlicher Anspielung auf das Neue Testament wiederum nicht die materiell Bedürftigen, sondern sie dienen demütig Gott, der sie deshalb als Auserwählte berufen hat, für ihn den Kampf zu bestehen. HINRICHS führt dazu aus:

> Das innerliche Kleinwerden vor den Forderungen des göttlichen Gesetzes macht den Menschen in Wahrheit groß, nämlich zum Auserwählten vor dem Gottlosen, den Reichen und Großen, die sich Gottes Gesetz nicht beugen und sich nicht demütigen wollen (HINRICHS 1952, 121–122).

Die *biblisse warheit* ist für jedermann ohne Unterschied der Person da, und sie soll *dem kleynen und dem grossen* verkündigt werden (395, 28–29). Do *sicht er an die nydrigen ding und verwirft die hohen* (402, 29–30), zitiert Müntzer Psalm 113. Erneut wird die für die menschlichen Begriffe unfaßbare Paradoxie von der anderen Bewertung der Dinge durch Gott verbalisiert.

Geistlichen Trost will Müntzer den Armen, den Verlassenen und den Kranken spenden, wenn er mit Lukas spricht: *Der geyst des Herrn ist uber mich, dy armen zu trosten und dy vorlaßnen und kranken gesunt zu machen* (366, 7–8).
Gegen die Anbetung von Bildnissen spricht sich Müntzer aus, wenn er schreibt, daß es

> *die rechte art ist des hinterlistigen teufels den besten um des geringen [willen] umzubringen, nämlich einen Menschen der da lebet um eines hölzernen klotzes oder bildes wegen (573, 21–24).*

Darin drückt sich Müntzers hohe Meinung vom Gläubigen aus. Er selbst präzisiert das *geringe* als hölzernen Klotz, während er den Gläubigen mit dem Epitheton der *beste* charakterisiert und davor warnt, *sich abzukehren von dem schöpfer zu den creaturen, welches der ewige Tod ist* (573, 25–26).

Die Lexeme um *kraft* und *sterke* beziehen sich, wie wir gesehen haben, i.a. auf spirituelle Fähigkeiten. *Swacheyth* wird in seiner von der Mystik bestimmten Bedeutung verwendet. *Sterke* und *kraft* stehen für die Fähigkeit Gottes, den Menschen mit seiner göttlichen Kraft zu erfüllen, so daß er befähigt wird, die göttlichen Weisungen und Offenbarungen zu erkennen und entsprechend zu handeln. *Vermugen* bezeichnet zunächst neutral die Möglichkeit oder Fähigkeit, etwas zu tun, und wird erst im Verwendungszusammenhang näher bestimmt. Es bezeichnet dann materielle Möglichkeiten, die aber letzten Endes für Gott eingesetzt werden.
Bei Lexemen wie *die gewaltigen* und *die niedrigen* geht es um das dem Menschen unverständliche Paradoxon von der anderen Bewertung der Dinge nach göttlichem Maßstab. Auch wenn es scheint, als seien durch diese Begriffe sozialrevolutionäre Prophezeiungen ausgesprochen, handelt es sich um den Zustand der Seele, die in ihrem Verhältnis zu Gott beschrieben wird. Dadurch werden die in der Welt Mächtigen in religiösen Dimensionen zu den Hochmütigen, zu denen, die den rechten Glauben nicht besitzen, die ihn sogar unterdrükken und deswegen von den Gottesfürchtigen gestürzt werden müssen.
Diese Ergebnisse bestätigen und bekräftigen die bisher in allen Bereichen festgestellten Resultate, daß sich Müntzer nicht als Sozialrevolutionär begreift, sondern vielmehr als einen Mann, der sich im Besitz der reinen und lauteren theologischen Wahrheiten weiß.[17)] Seine Auslegung der Schrift und sein Glaubensverständnis fordert den aktiven, nicht den passiven Christen, und so leuchtet es ein, daß dieser Ansatz leicht profanisiert und als Aufforderung zum tatkräftigen Einschreiten gegen die weltlichen Tyrannen interpretiert werden kann.

2.1.6 Weisheit und Torheit

Lexeme wie *Weisheit, Vernunft* und *Unvernunft* beschreiben den Mangel bzw. das Vorhandensein intellektueller Kräfte. Die hohe Anzahl der in den Briefen gefundenen Belege aus diesem Sinnbezirk läßt erkennen, daß Müntzer dieses Thema für eminent wichtig hält. Grundsätzlich bezeichnen diese Lexeme das Vorhandensein oder Nichtvorhandensein intellektueller Fähigkeiten bzw. verschiedene Nuancen. Im Rahmen dieser Untersuchung interessiert, mit welcher Bedeutung Müntzer diese Lexeme verwendet, d.h., daß nicht in erster Linie der Mangel oder das Vorhandensein dieser Fähigkeiten als intellektuelle Kräfte im Mittelpunkt steht, sondern wie Müntzer sie im Hinblick auf materielle und spirituelle Bedürftigkeit interpretiert, wen und was er als *weise* oder *töricht* bezeichnet.

Für *weisheit* finden sich elf Belege, von denen in neun Fällen die *weisheit* Gott zugeordnet wird. Der Beleg *des buchs der weisheit* (574, 17) bezeichnet den Titel eines Lehrbuchs des Alten Testaments, und damit bezeichnet *weisheit* ein Gott attribuiertes Charakteristikum.
In einem Brief an den Bürgermeister und den Rat von Neustadt a.d. Orla vom 17.Januar 1521 verwendet Müntzer *weisheit* bzw. *weyse* signifikant häufig, weshalb alle Belege des Briefes an dieser Stelle erörtert werden. Inhaltlich läßt sich Müntzer über eine Eherechtsfrage aus, zu der er eine dezidierte Stellung einnimmt, die er den Behörden auseinandersetzt und von der er die politischen Gremien überzeugen will. Diese Intention determiniert entscheidend die Wortwahl. Von der sonst offen gezeigten Radikalität Müntzers, mit der er nicht nur verbal seine Ziele zu erreichen sucht, ist in diesem Brief nichts zu spüren. Müntzer verhält sich hier als loyaler Untertan, der die Obrigkeit als legitim anerkennt und der nur einen gutgemeinten Rat geben will. In Wahrheit will er selbstverständlich die Politiker von seiner Meinung überzeugen, doch verhält er sich demütig und stellt die Hierarchie nicht in Frage. Diese Haltung dient dazu, sich die Behörden durch Schmeicheleien geneigt zu machen und sie – ganz im Gegensatz zu seinem sonstigen Umgang mit ihnen – als ihm übergeordnete Institution scheinbar anzuerkennen.
Schon bei der Nennung des Adressaten wird diese Intention durch eine Akkumulation positiver Adjektive deutlich: *dem erbarn weyßen und ganz getreuen burgermeyster und radt der stadt Nawstadt meynen gunstigen und christlichen herrn* (366, 1–2). Geschickt verknüpft Müntzer hier zwei Ebenen: Einerseits attribuiert er den Adressaten positive, schmeichelhafte Tugenden, auf die jeder stolz sein kann, nämlich Ehrbarkeit, Weisheit und Treue, wodurch er sich den

Rat gewogen zu machen hofft; andererseits unterstellt er von vorneherein, daß die politisch Verantwortlichen ihm zugetan und darüber hinaus auch christlich sind. Gerade Letzteres verpflichtet sie implizit, sich Müntzers Meinung anzuschließen, um sich der antizipierten Titulierung würdig zu erweisen.
In der Anrede verwendet Müntzer gleich noch einmal das Lexem *weyse* (366, 3) und erkennt mit der Wahl des Nomens *herrn* ausdrücklich die Legitimität der Funktion und der Mandatsträger an. Gleichzeitig weist er wieder auf eine positive Beziehung zwischen sich und den Adressaten hin, doch diesmal auf einer persönlichen Ebene, indem er freundschaftliche Verbundenheit betont.
Nachdem er so den emotionalen Boden bereitet hat, kommt er auf sein Anliegen zu sprechen. Auch hier adressiert er die Politiker als *weyßsheyten* (366, 16) und gibt damit weiterhin seiner Hochachtung vor ihrem Urteilsvermögen und seiner unterwürfigen Haltung Ausdruck.
Nach der Darlegung seiner Ansichten schließt er damit, daß er nur dann die Bezeichnung, daß sie weise seien, aufrechterhalten kann, wenn sie in seinem Sinne entscheiden. Ohne es ausdrücklich zu erwähnen, setzt er stillschweigend die Übereinstimmung der Meinungen voraus, so daß sie nicht *kegen* [ihre] *wyssheyt* (367, 1–2), also ihre bessere Überzeugung, die durch den Brief nachhaltig von Müntzer beeinflußt wird, handeln könnten.
Vordergründig gesteht Müntzer den Adressaten herausragende Intelligenz und Umsicht zu. Bei genauerem Hinsehen wird diese oft genannte Weisheit als nicht vorhandene entlarvt. Wenn Müntzer sie dem Rat zuspricht, so dient dies lediglich als geschickt gewähltes rhetorisches Mittel, um ihn um so offener und zugänglicher für seine Einflußnahme zu machen. Diese massive Manipulation der Meinung ist nötig, weil die weltlichen Herren einem Verhalten Vorschub leisten, das die Bibel nicht erlaubt und das Müntzer folglich als nicht hinnehmbar ablehnen und bekämpfen muß. Die Maßstäbe der Obrigkeit sind nach Müntzer nicht der Bibel entlehnt, die eine eindeutige Stellung zu der in Frage stehenden Eherechtsproblematik bezieht, sondern auf die Welt gerichtetem Verstand entsprungen und damit nicht akzeptabel.
Bei den anderen Belegen für *weisheit* stellen Nomen oder Adjektive den Bezug auf Gott her. Zweimal gebraucht Müntzer dieses Lexem in der Briefadresse und wünscht seinen Lesern *den geyst der weysheyt und die erkentnis Gottes kunst* (402, 2), und *den unuberwintlichen geist gotlicher weisheit* (430, 3–4).
Die verfolgten Christen in Sangerhausen lehrt er: *Dann eyn anfank der weyßheyt Gotts ist dye forcht Gotts* (411, 26–27). Inhaltlich identisch schreibt er dies auch an Graf Ernst: *Dan eyn anfangk der rechten christlichen weysheyt ist dye forcht des herrn* (394, 17–18).
Weisheit ist für Müntzer ein Synonym für vollkommene Erkenntnis Gottes und

vollkommenen Glauben, also ausschließlich auf die religiöse Dimension bezogen, nie jedoch ein durch Lebenserfahrung und Wissen erworbener Zustand. Diese Interpretation des Lexems wird unterstützt durch die Bedingung, die Müntzer für den Erwerb von *weisheit* stellt: es ist die *forcht Gotts* (411, 26–27), die *forcht des herrn* (394, 17–18). Hier wie an vielen anderen Stellen verweist Müntzer auf die Bereitschaft des Menschen, Gottes Wort zu vernehmen, auf die Öffnung des Herzens, die dafür unabdingbar ist. Die Voraussetzungen dafür, weise im Sinne der Müntzerschen Definition zu werden, sind unabhängig vom Besitz, vom Ansehen und von der Position des Menschen in der Welt. Weisheit steht jedem offen, der für die Botschaft Gottes bereit ist.
So kann er der Kirche zu Mühlhausen auf das alttestamentarische Buch der Sprüche anspielend nahelegen: *Sehet zu, das ir den rat der weyßheit gotliches wortes nicht voracht* (448, 26). Jeder Gläubige ist imstande, Gottes Wort zu erkennen und seine Botschaft als für das tägliche Leben hilfreiche umzusetzen. Manchen Menschen gelingt es jedoch nicht, ohne Hilfe, Anleitung und Schutz gegen andere den rechten Weg zu finden. Und so gründet Müntzer einen Bund, der, wie er dem Schösser Zeiß 1524 erklärt, ein Mittel sei, um den Gottlosen Einhalt zu gebieten, *bis das dye auserwelten Gottis kunst und weysheit mit allem gezeugnis yhn zustendig erforschen mugen* (422, 38 – 423, 2).
Dieses Studium der Weisheit Gottes nennt Müntzer immer wieder als eine elementare Aufgabe des Gläubigen, um ihn für die Auseinandersetzung mit den Gottlosen zu rüsten, denn bei Gott, so schreibt Müntzer nach Sangerhausen, *werdet ir weysheit genugk fynden, welcher aller wydersacher nicht konnen widerstreben* (409, 5–6). Strategisches Denken und Taktieren im militärischen Kampf oder auf diplomatischer Ebene, um in weltlichen Dingen den Sieg davonzutragen, wie es marxistische Historiker Müntzer unterstellen, wenn sie ihn als frühbürgerlichen Revolutionär bezeichnen, umfaßt das Lexem *weisheit* im Müntzerschen Sinne nicht. Er versteht die *wydersacher* und *feinde* ausschließlich im theologischen Sinne als Gegenkräfte zu Gott und den Gläubigen. Auf die nach menschlichen Maßstäben unbegreifliche Paradoxie des göttlichen Urteils weist Müntzer in seinem *ernsten sendebrief an seine lieben bruder zu Stolberg, unfuglichen auffrur zu meiden* vom 18. Juli 1523:

> *Aller unglaube unde sunde weisen die außerwelten auff das urteil, psal. 118, dan sie erfinden teglich, das Got nicht nach dem urteil der menschen richtet, sondern was die welt vorschmeht, das erhebt Got, was torheit ist, das ist weyßheit etc. (24, 7–10).*

Die Zitate sprechen für sich selbst und zeigen mit ihrer expliziten Referenz auf Gott, daß nur er über Weisheit verfügt; die Menschen müssen ihr Leben lang

danach streben, diese Weisheit zu ergründen, doch werden sie die vollkommene Weisheit nie erreichen. Müntzer deutet immer wieder an, daß alle Menschen mit intellektuellen Fähigkeiten begabt sind, doch schätzt er diese nur dann, wenn man sie nutzt, um Gott näherzukommen. Jeder anderweitige, also weltliche Gebrauch der Vernunft ist nach Müntzers strikter Meinung nicht zu rechtfertigen, da er die religiöse Vervollkommnung als einzige Pflicht und Lebensaufgabe des Menschen ansieht und weltliches Streben verwirft. Der Sieg der Weisheit Gottes steht für Müntzer völlig außer Frage.
Für die Belege in den Briefen trifft damit die Feststellung Spillmanns in bezug auf die Schriften zu:

> 'Weisheit' in umfassendem Sinn ist für Müntzer nur bei Gott.... Beim Menschen bezeichnet 'weisheit' die höchste Stufe der Erkenntnis, und zwar der Erkenntnis göttlicher Offenbarung und göttlichen Willens (Spillmann 1971, 56).

Um den einfachen Menschen Hoffnung und Gewißheit zu geben, trotz aller Widerwärtigkeiten der Welt und der eigenen Unzulänglichkeiten in bezug auf den Glauben und seine Forderungen nicht der ewigen Verdammnis verfallen zu sein, tröstet Müntzer sie, daß *dye unwisnen, nach eynhalt der scrift, nicht ym afterglaubissen orteil dem gericht und recht Gottis befollen seynt* (399, 26–28), denn solange sich der Gläubige nach seinen Kräften um den wahren Glauben bemühe, erkenne Gott dieses Streben an.
Torheit wird in Beleg 24, 10 als das Gegenteil von *weyßheit* bezeichnet. In Analogie zu der Bedeutung seines Gegenteils bezeichnet es nach Spillmann (1971, 61) „die totale Unzulänglichkeit" des Wissens, jedoch nicht das „Nicht-Wissen".
Dies bestätigt sich im ersten Satz der Vorarbeiten zum Sendbrief an die Stolberger. *Merckliche grosse torheith* (21, 2) wird konstatiert, die im Kinderglauben, einer unzulässigen Verflachung und damit in einem „Nicht-richtig-Wissen" (vgl. Spillmann 1971, 61) besteht.
In der veröffentlichten Fassung spricht Müntzer von der *uberschwencklichen torheit* (22, 19–20) im selben Sinne. Es geht dabei also nicht vor allem um intellektuelle Bedürftigkeit, sondern um einen Mangel an der Fähigkeit, zwischen göttlichem Willen und eigenem Wollen oder Wünschen zu differenzieren. Von daher erklärt sich dann das Paradox, daß für Menschen weise ist, was Gott als töricht ansieht.
Auch der letzte Beleg für *torheit* weist in die Richtung 'Mangel an theologischem Verständnis'. *Aber eure thorheit erkennet wohl, daß es götzen sind* (574, 15). Damit bescheinigt Müntzer seinen Brüdern in Christo, daß sie zumindest die Grundlage des Glaubens begriffen haben, wenn es ihnen auch noch an der vollen

Erkenntnis gebricht.
Der Obrigkeit von Sangerhausen wirft Müntzer vor, sie verdecke mit ihrer Narrheit, wie FRANZ (1968, 410, Anm. 9) das Lexem *tulpel* erklärt, ihre auf die Menschen gerichteten Interessen:

> *... und ich sals nhu ansehen, das yhr eure eygne prediger also ganz lesterlich vorleumen, grubet und nemet euren tulpel zum schande decker, wye man es nit solle merken, das yr anbeter des menschen seyt (410, 15–18).*

Ihre Narrheit besteht in dem von Müntzer gegeißelten Versuch, einander widerstrebende Interessen unter dem Deckmantel des Christentums zu vertuschen, ein erneuter Beweis für die Tatsache, daß sie die Grundfesten des Glaubens noch nicht verstehen.

An Adjektiven aus dem Sinnbezirk der 'Weisheit' kommt eine ganze Reihe vor, die sich im alltäglichen Sprachgebrauch auf intellektuelle Fähigkeiten beziehen, bei Müntzer aber Stufen im Sinne des Glaubens bezeichnen.
Tolpelische werke, die zwar guten Willen, aber keine überzeugenden oder beispielgebenden Resultate zeigen, richten weniger Schaden an als der *getichte glauben*, wie Müntzer dem Schösser Hans Zeiß darlegt, da sie immerhin ohne böse Hintergedanken und nach bestem Wissen um die Umsetzung des Glaubens in die Tat verrichtet werden:

> *Wir alle muͤssen den fußstapfen Cristi nachfolgen, mit solchen gedangken geruͤstet sein, do hilft kein gloße zu der menschen, die mit synlicher weiße die werkheiligen uberwinden nach yren bedunken, so sie die werlt nach hocher vergiften mit getichtem glauben dan die andern mit tolpelischen werken (397, 34 – 398, 4).*

Im Brief an die Stolberger fragt Müntzer resigniert: *Was wissen dy torhafftigen menschen, was sie doch beweget, christen und nicht heiden zu sein?* (23, 19–20). Der zweite Teil der Frage hilft bei der Bestimmung der *torhafftigen menschen: warumb das der alchoran nicht also warhafftig sey wie das evangelium* (23, 20–21). Daraus folgt, daß es den Menschen nicht an Intelligenz mangelt, sondern an rechtem Glaubensverständnis und theologischem Wissen. Unzweifelhaft ist ihr Mangel also ein spiritueller.
Mit *toll und toricht* (412, 4) charakterisiert Müntzer die Welt, die sich bewußt gegen Gott stellt. Nach SPILLMANN zeigt *toll* das „allgemeine Fehlen der Vernunft" an (SPILLMANN 1971, 51), während *toricht* und *torheit* das „Beharren auf diesem weltklugen Verstand, der den Menschen von der Wahrheit in Gottes Offenbarung ausschließt", bezeichnet (SPILLMANN 1971, 61). Die Formel *toll und toricht* umfaßt diese beiden Haltungen und verdeutlicht damit um so mehr die in Müntzers Augen unvernünftige Haltung der Welt.

In einer Apposition werden die *gewaltigen* als *die nerrischen leuthe* bezeichnet, die von den *schwachen* vom Stuhle gestoßen werden sollen (464, 5–6). Die Gewaltigen sind die Gottlosen, die nun als *nerrisch* bezeichnet werden, das nicht für eine mentale Fähigkeit steht, sondern die Dürftigkeit hinsichtlich des Glaubens kennzeichnet. Das gilt auch für den folgenden Beleg:

> *Allein ist das meyn sorg, das dye nerrischen menschen sich vorwilligen in einen falschen vortrag, darumb das sie den schaden nach nit erkennen* (454, 16–18).

Betrachtet man das Zitat isoliert, ohne die bisherigen Befunde zu berücksichtigen, scheint es so, als ob Müntzer an den intellektuellen Fähigkeiten der Menschen zweifle, weil er befürchtet, sie könnten einem für sie nachteiligen Vertrag zustimmen. So sieht das jedenfalls BENSING, der Müntzer als den politischen Kopf einschätzt,

> der die Lage annähernd übersah und auf tatsächliche Gefahren richtig reagierte. Müntzer genügte mit seinem Programm den an einen erfolgversprechenden antifeudalen Kampf zu stellenden Forderungen: ... und sah in falschen Verträgen mit dem Feinde, in der Gutgläubigkeit und Vertrauensseligkeit des Volkes die hauptsächlichen Gefahrenquellen (BENSING 1965b, 79).

Die Angst Müntzers vor falschen Verträgen liegt dagegen für ISERLOH in seiner Theologie begründet:

> Bei ihm ist der Krieg dermaßen verselbständigt und theologisch ideologisiert als Bekämpfung und Vernichtung der Gottlosen, daß er ein Nachgeben der Fürsten und einen Kompromiß der Bauern mit ihnen fürchten muß (ISERLOH 1972a, 296).

Wie die linguistische Analyse zeigt, vertritt Müntzer die Überzeugung, daß die Menschen den Geist der Lehre Gottes noch nicht begriffen haben, und so sind die Leute *nerrisch*, die noch am Anfang ihres Verständnisses des wahren Glaubens stehen. Sie können die mögliche Tragweite von Verträgen mit den **Feinden Gottes** nicht einschätzen. Antifeudale Ziele, wie sie BENSING unterstellt, lassen sich nicht erkennen, denn *nerrisch* gehört in den Bereich geistlichen Mangels und hat nichts zu tun mit politischem Bewußtsein und taktischem Denken.

Zu diesem Ergebnis stimmt der Beleg, daß *Gott dye nerrischen dinge erwehlen und dye clugen vorwerfen will* (461, 17). Was vor der materiell eingestellten Welt töricht erscheint, wird Gott erhöhen, was aber der Welt klug dünkt, wird er verwerfen. Auch an dieser Stelle zeigt sich die Unterscheidung, die Müntzer

zwischen geistlichen und geistigen Fähigkeiten trifft, wobei er das geistige Vermögen als dem Glauben hinderlich darstellt, da es oft ausschließlich nur auf die Welt gerichtet ist, die lediglich die Befriedigung der Kreatürlichkeit als Ziel des Menschen zum Inhalt hat.
In der Synthese von *klug* mit *welt* erhält die Kollokation einen äußerst negativen Wert: *Darumb muß meyn name (wye billich) von noth wegen den weltklugen gar grausam heslich und untuchtig seyn* (395, 13–14). Die diskreditierten *weltklugen* stehen implizit in Opposition zu den *weisen*, den wahrhaft Klugen, deren höchstes Ziel in Gott liegt.
Ähnlich werden auch die *gotlosen gelerten* (430, 12) und die *gelerten leuthe* (396, 19) abqualifiziert. Als Berater in den Diensten des gottlosen Grafen Ernst von Mansfeld, der *seyn gelert leuthe* mitbringen solle, um Müntzers Lehre als falsch und ketzerisch zu überführen, wie Müntzer an Friedrich den Weisen schreibt, können diese Personen, wenigstens nach Müntzers Meinung, nicht im Besitz der reinen Glaubenswahrheiten sein. Ihr Gelehrtsein und ihre Autorität gründen nicht auf dem *erfahrenen* Glauben und gelten dem wahrhaft Gläubigen nichts.
Dagegen werden exemplarisch der *kluge schiffman* (24, 6) und *dye gelerten schiffleuth*, die die *bulge* [= Welle] *nicht flygen, sundern meysterlich brechen* (22, 4–5), als nachahmenswerte Vorbilder hingestellt, da sie ihre Sache meisterhaft beherrschen, indem sie ihre geistigen Fähigkeiten gekonnt und gezielt einsetzen, um den Unbilden der Natur Paroli zu bieten. So wie sie soll der Gläubige den Kampf gegen sein eigenes Unwissen um die tiefen Wahrheiten Gottes und die religiösen Lehren aufnehmen und durch ständiges Bemühen seine Kenntnis der göttlichen Weisheit, dem „Wissen um Gott", wie SPILLMANN interpretiert (in: FRANZ 1968, Glossar, 585), erweitern.

Wahnsinnig bezeichnet immer das Verhaftetsein des Menschen an weltlichen Dingen und das Vertrauen des Menschen auf seine eigene Kraft. So schreibt Müntzer an Zeiß im Anhang zu seiner Schrift *Von dem getichten glawben*: *Ditz mein schreiben ist nach unbequem der wansinnigen werlt zu entdecken* (398, 8–9). Es sind die Leute, die nach SPILLMANN (1971, 51) „vermessen, die eigenen Fähigkeiten vollkommen überschätzend, größenwahnsinnig" sind und sich damit Gott entgegenstellen.
Wahnsinnig ist nicht nur die Welt, sondern das sind auch die gottlosen Tyrannen. So charakterisiert Müntzer jedenfalls die über Sangerhausen gebietenden Fürsten:

> *Nu ich aber durch etliche fromme menschen vorstendiget byn, wie yr aufs hochste betrubet seyt und doch angelobet den tollen wansynnigen menschen*

und tyrannen, euch wider einzustellen ins gefenknis und dorzu meins raths zu brauchen begert, kan ich euch aus cristlicher pflicht nit wegern (411, 17–21).

Den *tollen wansynnigen tyrannen* geht es nur um ihre weltliche Macht, die sie durch die Gottesfürchtigen, die sich aktiv für die Realisierung des Wortes Gottes auf Erden engagieren und eine Theokratie errichten wollen, gefährdet sehen, da sie sich nicht für Gott einsetzen und ihre Position als in der Welt Mächtige nicht für die Verbreitung und den Schutz des Glaubens nutzen, sondern nur ihrem eigenen Wohlergehen frönen.
Als *dye wansynnigen scrift gelerten* bezeichnet Müntzer die Pfaffen, *dye ire dinge nach liphaben der welt anzeygen* (426, 2–3), die Gottes Wort nicht um seiner selbst willen und, wenn notwendig, auch gegen Widerstände verkünden, sondern nur das herausstellen, was die Welt hören will. Unverhüllt lehnt er eine derartige Verkündigung des Evangeliums ab, weil sie nicht die ganze Wahrheit umfaßt, sondern das selektiert, was für einzelne bequem ist und ihre einseitige Exegese zu ihren eigenen Gunsten scheinbar legitimiert. Deshalb ist es auch an der Zeit, daß *disse unsinnige kluge christenheyt vil mehr geergert werden* muß (435, 21). Die Christenheit dünkt sich selbst klug, aber sie beweist immer wieder von neuem, daß sie, wie Spillmann (1971, 51) ausführt, „Gottes Offenbarung ablehnt oder verfälscht" und daher zu ihrem – von Müntzer definierten – Glück gezwungen werden muß.
Unsinnig wie die Gewalt der Gottlosen (402, 26), die nach Müntzer letztendlich Gottes Macht auch über sich eines Tages werden anerkennen müssen, und das Toben im *glanzenden scheine unsers gedichten glaubens* (451, 5–6), den Müntzer an vielen Stellen verwirft, weil er, auch wenn man sich noch so sehr für seinen *gedichten glauben* engagiert, von Gott ablenkt, statt zu ihm hinzuführen, ist auch das Gottesdienstverbot des Grafen Ernst (394, 7). Es ist ebenso sinnlos und zeugt von wenig Verständnis vom Geist der Lehre Gottes wie die – weltbezogene – Klugheit der Christen.

Nach bespottet das [die Wahrscheinlichkeit einer Empörung] *dye unsinnige welt, sye meynet, es sey nach das alte leben, sye geht ummer yn yhrem traum dohyn, byß das yhr das wasser uberm kopf zusammen schleth (418, 5–8).*

So klärt Müntzer den Schösser darüber auf, daß er die Zeichen der Zeit nicht erkannt habe, und warnt vor einer weiteren Verfolgung der Christen, die sich nun aktiv für Gottes Wort einsetzen und denen der Sieg gewiß sei. Die Welt jedoch erkennt nicht, was es für sie bedeutet, wenn die Gerechtigkeit und Ordnung Gottes auf Erden verwirklicht werden.
Einen Menschen, der mit Verboten gegen den Glauben vorzugehen versucht,

kann Müntzer eben nur *eyn verryssen unwitzigen menschen schelten* (394, 11),dem es völlig an Einsicht in die tieferen Zusammenhänge des Glaubens und seiner Bedeutung für die Welt mangelt, wie SPILLMANNS (1971, 53) Ergebnis bestätigt.

Eine Gefahr entsteht für den Glauben offensichtlich durch zu große Rationalität und geistige Fähigkeiten, wie Müntzer wiederholt bekräftigt. Daher empfindet er es als eine weise Vorrichtung, daß die Leute in Mühlhausen langsam im Begreifen sind,

> *wye dan allenthalben das volck ungemustert ist, nicht ane merktliche orsache von Gotte, auf das der natur witze dem evangelio denn wegk nicht vorhaue* (436, 22–24).

Der Glaube ist etwas Übernatürliches, Nicht-Erklärbares, zu dessen Zugang der Verstand eher hinderlich als förderlich sein kann. Dieses Volk ist zwar roh und unwissend, aber noch nicht durch den Einfluß des Verstandes auf den Glauben verbildet, wie BENSING (1965a, 466) und ELLIGER (1978, 574) es bestätigen. Müntzer erkennt Gottes Weisheit eben auch darin, daß er die Menschen nicht gleichmäßig mit überragenden intellektuellen Fähigkeiten ausgestattet hat. Drastisch beschreibt er das Weltverhaftetsein der gottlosen Regenten:

> *Ja sye klebet also hart an den creaturn, das sich uber den aller hadder und zank erreget, und das eyn yder alle seyne witz vorzeret hat, das er auch ist wye eyn eychenbloch, wan yhm von Gotte gesaget wyrt (421, 28–30).*

Materielle und profane Sorgen beschäftigen den Menschen und speziell die Regenten so sehr, daß sie für Gott keinen Gedanken mehr erübrigen wollen. *Witz* wird hier durch den Verwendungszusammenhang und beim oben untersuchten Beleg durch das Attribut *der natur* als negativ charakterisiert und der Welt zugeordnet.

Nicht nur dem einfachen, (theologisch) ungebildeten Menschen, auch Thomas Müntzer selbst fällt seine Aufgabe schwer, wie er den christlichen Brüdern in Schmalkalden gesteht:

> *Ich wolt sonderlich von Gott begeren, umbzugehen und euch zu rathen und zu helfen und desselbigen mit beswerung viel lieber pflegen dan mit unwitzigen zu volzyhen vorneuen* (461, 14–16).

Er würde viel lieber bei ihnen arbeiten, als mit Uneinsichtigen völlig neu anzufangen, die sich dem Evangelium, das rational nicht begreifbar ist, aufgrund ihrer intellektuellen Fähigkeiten verschließen. Die eigene Frustration und ihre Überwindung stellt Müntzer als nachahmenswertes Beispiel für seine Anhänger hin. Die implizite Botschaft an seine Mitstreiter besagt, daß auch Müntzer, der unerschrockene und unermüdliche Knecht Gottes, gegen eigene menschliche Schwächen und Wünsche nach einer leichteren Aufgabe kämpfen muß, wenn er die Erfahrung macht, wie anstrengend es ist, denjenigen Gottes Botschaft zu verkünden, die sich bewußt völlig dagegenstellen und ihre Herzen verschließen, weil es ihnen an jeglicher Bereitschaft zur Aufnahme der Heilsbotschaft fehlt. Leichter gestaltet sich die Arbeit mit denen, die bereitwillig offen sind für das Evangelium, auch wenn die Verkündigung unter erschwerten Bedingungen stattfinden müßte.

Neben der Kategorie der bewußt gegen Gott Handelnden gibt es diejenigen, die für ihren Mangel an theologischem Wissen nicht selbst verantwortlich sind. Auf diesen Mangel an Erkenntnis der Lehre Gottes weist auch nach SPILLMANN (1971, 55) *unvorstand*, mit dem die armen Leute *zur zeit unbewust den teufel zu Mallerbach unter dem namen Marie geehret und angebett haben* (405, 20–22). Damit entschuldigt Müntzer das Verhalten der Mallerbacher, indem er ihnen zubilligt, die Häresie ihres Tuns auch nur in Ansätzen nicht zu begreifen.

Deshalb wünscht Müntzer den Allstedtern – und übertragen nicht nur ihnen – mit der Anredeformel *Der vorstand gotlichs willen myt der ganzen kunst Gottis sey myt euch, lyben bruder* (434, 16–17), daß sie Gottes Wege erkennen und entsprechend handeln können. SPILLMANN kommt für *verstand* zu folgendem Ergebnis:

> 'verstand' bezeichnet sowohl die intellektuelle Kraft, die diese Einsicht in Bereiche ermöglicht, die außerhalb der durch die Vernunft erreichbaren liegen, als auch die Betätigung dieser Kraft, das Verstehen, das Verständnis (SPILLMANN 1971, 53).

Das Lexem *kunst*, das Müntzer oft in der Kollokation mit Gott gebraucht, hat nichts mit seiner heutigen Bedeutung gemein, sondern beschreibt deutlich die hohe Anspruchsebene, auf der sich Gottes Weisheit bewegt, und damit implizit auch die Anstrengung, die der Gläubige unternehmen muß, um die Botschaft Gottes zu verstehen. Doch der auf Irdisches bezogene Verstand verhindert den Glauben und die Furcht Gottes, weswegen Müntzer die Sangerhäuser lehrt: *Solt yr aber Got recht forchten, so muß das mit ferligkeit der ding gescheen, die wir auf erden forchten durch den furwitz der ungleubigen natur fleischlichs vorstands (408, 18–20).*

Wiederum verweist Müntzer darauf, daß kreatürliches Denken abgelegt werden muß, bevor der Mensch zum reinen Glauben gelangen kann. Die auf die Welt gerichteten intellektuellen Fähigkeiten werden deklassiert mit dem Lexem *furwitz*, das ähnlich wie *der natur witze* (436, 23) in Opposition zur göttlichen Weisheit steht.

Im Abschiedsbrief an die Mühlhäuser schreibt Müntzer wenige Tage vor seiner Hinrichtung: *Dorumb solt ir euch meynes todes nit ergern, welcher zur forderung den guthen und unvorstendigen gescheen ist* (473, 13–15). Die *unvorstendigen* sind die, die Gottes Wort nicht verstanden und ungerechtfertigterweise auf eigene, egoistische Art interpretiert und zu ihrem eigenen Nutzen ausgelegt haben. Dies wird von SPILLMANN bestätigt: 'unverstendig' sind die Menschen, die nur mit dem 'natürlichen' Verstand begabt und damit ganz im Weltlichen befangen sind (SPILLMANN 1971, 55). *Unvorstendig* (407, 24) ist die *Cristenheit*, aber auch das Volk (469, 12), das erst in der wahren Lehre unterrichtet werden muß, damit es verständig wird, d.h. damit es den Glauben versteht. Hoffnung dazu besteht, und Müntzer belegt mit dem fünften Buch Mose, daß es einmal über das Volk heißen wird: *Sich, ditz ist eyn weysse volk, es ist eyn verstendig volk* (448, 16–17). *Weise* und *verstendig* ist das Volk nur, wenn es sein Leben nach Gottes Lehre ausrichtet.
Mangel an höherem – auch theologischem – Verständnis führt die Menschen leicht in die Irre und macht sie leichtgläubig: *Es hatt der guthe einfaltige haufe sich auf euere prechtige larve vorlassen* (463, 24–25). Einfältige Menschen – der Begriff wurde von der Mystik geprägt – werden zwar von Müntzer als verstandesmäßig nicht besonders begabt eingestuft, so daß sie ihre Verführung nicht erkennen, aber das Adjektiv *gut* charakterisiert sie dennoch positiv. Wie SPILLMANN schreibt,

> ist es doch gerade die Eingleisigkeit eines solchen Verstandes und geistigen Wesens, die den Menschen auszeichnet und ihn zum Glauben befähigt (SPILLMANN 1971, 58–59).

Vernunft bezeichnet die rationalen Fähigkeiten des Menschen, die die Erkenntnis der Zusammenhänge der Welt erlauben (vgl. SPILLMANN 1971, 47).
Alle yr vornunft (412, 1) vergeuden die *fleischlichen* Menschen jedoch, indem sie sie lediglich dazu einsetzen, um Nahrung zu erwerben, aber über diesen beschränkten Bereich hinaus brachliegen lassen. Daß Gott das ewige Leben geben kann, *ist ein ubernaturlicher glaub, uber alle vornunft des menschen* (413, 27–28).
Auch hier zeigt sich wieder, daß *vernunft* wie *witz* und *verstand* abqualifiziert wird, wenn sie auf die Kreatur bezogen ist. Dagegen gilt es Müntzer als ein positives Zeichen, wenn die geistigen Kräfte zur Erkenntnis Gottes eingesetzt werden. Deutlich zeigt sich das bei den Adjektiven *vernünftig* und *unvernünftig*, die beide die dem Glauben hinderliche Ratio kennzeichnen.
Seine eigene Sache vergleicht Müntzer mit dem Weizenkorn,

> *welchs die vernuͤnftigen menschen pflegen zu lieben, wenn es in irer gewalt*

ist, aber wens in die erden geworfen, so scheinet es inen nicht anders, denn wie es nimermehr auf gehen würde, Johan. 12 (449, 4–7).

Mit diesem Vergleich verweist Müntzer darauf, daß die Menschen sehr viel eher auf die sichtbaren, greifbaren und dadurch für sie begreifbaren Dinge ansprechen als auf die Dinge und Vorgänge, die sich im Verborgenen abspielen, die deshalb jedoch nicht weniger wichtig sind. Selbst den mit Verstand begabten Menschen – Müntzer sagt: gerade ihnen – mangelt es an Glauben und Vertrauen auf Gott und an Vorstellungskraft für das, was Gott bewirkt.
Wenn es um Urteile bezüglich des Glaubens geht, beruft sich Müntzer auf den gesunden Menschenverstand, der dadurch bei ihm eine positive Qualität erhält. So bittet Müntzer die Allstedter im Entwurf B eines Briefes, daß *yhr mit vornunftigem ortheyl unterscheyden wollet dye besserung und ergernis kegeneynander* (433, 21–23).
Dem Schösser legt Müntzer den Defensivcharakter des Bundes dar, über den sich u.a. auch Maron (1972, 220), Elliger (1975, 490) und Günther (1974, 722) auslassen: *Es ist der bund nicht anderst den eyne nothwere, welche nymant geweygert wyrt nach dem naturlichen ortheil aller vornunftigen menschen* (423, 5–7). Keiner, der sich im vollen Besitz seiner Verstandeskräfte befindet, kann es den Christen verwehren, eine Vereinigung gegen die Gottlosen zu gründen.
Beide Belege in den deutschen Briefen sowie die Befunde Spillmanns für die Schriften (Spillmann 1971, 47–48) ergeben, daß die *vernunft*, die zur Durchsetzung göttlicher Ziele eingesetzt wird und somit im Dienste des Glaubens steht, positiv gewertet wird.
Die Tiere werden, was nicht weiter überrascht, als *unvernunftige thier* (470, 2) bezeichnet. Daß es sich bei dem Lexem *unvernunftig* in bezug auf Tiere um das Fehlen jeglicher Verstandeskräfte handelt, braucht nicht näher erläutert zu werden.

Die Klage über den Mangel an Glaubensverständnis, der gewollt oder ungewollt zustande kommt, durchzieht Müntzers schriftliche Äußerungen. Eine dem einzelnen Menschen anzulastende Ursache sieht er in der bewußten Ablehnung der göttlichen Botschaft aufgrund von 'Verstocktheit'.
Im Brief an die Stolberger klagt Müntzer mit Paulus:

Ach, des grossen, hochverstockten unglaubens, der sich mit dem toten buchstabe behelffen wil unde leugnet den finger, der in dz hertze schreibet, 2. Cor. 3 (23, 16–19).

Gott redet nach Müntzers Meinung, wie sie sich aus seinen Briefen und Schriften[18] ersehen läßt, immer noch zu den Menschen – auch hier zeigt sich

wieder der Einfluß mystischen Gedankengutes –, doch diese verschließen ihre Herzen, so daß sie nicht hören, daß er zu ihnen spricht und welche Botschaft er ihnen übermittelt. In dieser Beziehung handeln sie absichtsvoll töricht und erweisen sich daher als gottlos.
Einen wichtigen Grund der Verstockung sieht Müntzer in den Lüsten, und deshalb muß der Mensch die Lust als Sünde erkennen und *wie wyr durch die luste zu vorteydingen also hoch vertocket werden* (404, 15–16). Der erste Schritt zu Gott wäre demnach die Einsicht des am Kreatürlichen Verhafteten in die Sündhaftigkeit seines Tuns, die Abkehr von der *zyrde der werlt* (21, 8), um damit seinen Geist für die Erkenntnis höherer Werte zu öffnen. Müntzer fordert diese Loslösung für sofort, denn er warnt: *Dann ich sage euch vorware, es ist dye zeyt vorhanden, das ein blutvorgyssen uber die verstogkte welt sol ergehen umb yres unglaubens willen* (414, 7–9).
In dieser Warnung bringt Müntzer explizit zum Ausdruck, daß er den Kampf nicht wegen sozialer Forderungen führt, sondern allein des Unglaubens wegen, den er als ein Knecht Gottes und daher mit göttlicher Legitimation auszurotten gedenkt, um die in ihrem Unglauben befangene Welt zum wahren Glauben zu führen. Für die Opferung von Christenblut für Belial sieht Müntzer konsequenterweise die Ursache nicht in der auf dem Anspruch, daß er und seine Anhänger allein Gottes Wort richtig verstehen und ausführen, basierenden Aggression, sondern er nimmt eine Umkehrung der Schuldzuweisung vor, indem er in *dem hasse und der blindheit der verstockten herzen* (573, 17–18) den Anlaß zum rettenden Eingreifen seinerseits findet.
Als *verstockt* sieht Müntzer auch die *verkarten*:

> *An stadt des grusses wunsch ich, Tomas Muntzer, euch verkarten eynen vorkarten Gott und euch unschuldigen eyne holtsalige und unschuldige forcht Gottis, ps. 17 (432, 18–20).*

Die *unschuldigen* stehen den *verkarten* gegenüber, die das Evangelium nicht erkennen oder erkennen wollen, weil sie weltliche Herren über Gott setzen und den *vorkarten fantasten, den gottloßen boßwichtern* (454, 9–10) schmeicheln. Diese Leute sehen den Bund der Auserwählten als feindlich an und arbeiten gegen ihn und damit gegen das Licht göttlicher Wahrheit, wie es Müntzer an anderer Stelle ausdrückt: *der mund der vorkorten wirt vorstopfet werden, dan sie forchten das liecht, Jois. 3* (407, 19–20). Diese bösen Menschen verleumden die Ziele des Bundes, indem sie ihn für eine Vereinigung *umb der creaturn willen* (422, 33) halten, was Müntzer entschieden abstreitet.
Umb seynes [Gottes] *namens willen* (435, 35) muß Müntzer *dye rache geben uber dye bosen zur innerung der guten* (435, 35–36). Die Bösen müssen im

Ernstfall vernichtet werden, um die Guten dadurch zu beschützen, um ihnen Raum und Muße zu verschaffen für das Studium der Bibel und sie gleichzeitig zu warnen und ihnen vor Augen zu führen, was mit den Abtrünnigen und mit den Gottesleugnern geschieht. Doch Aufruhr weist Müntzer weit von sich:

> *Ich wolt wol ein fein spiel mit den von N. angericht haben, wenn ich lust hette aufrhur zu machen, wie mir die lůgenhaftige welt schuld gibt* (450, 12–13).

Für die Welt wäre das ein willkommener Anlaß, gegen Müntzer und die Verbreitung göttlicher Wahrheit einzuschreiten.

Zusammenfassen lassen sich die Ergebnisse der Untersuchung der Lexeme um 'Weisheit' dahingehend, daß Müntzer sie je nach dem Zweck, für den die geistigen Fähigkeiten eingesetzt werden, positiv oder negativ bewertet. *Weisheit* mit positiver Konnotation findet sich allein bei Gott bzw. bei denen, die sich um den Zugang zu Gott bemühen, während sie mit negativer Konnotation auf die der Welt und ihren Geschäften verhafteten Menschen bezogen wird. Weisheit ist nichts mit menschlichem Vermögen Erwerbbares oder von den intellektuellen Fähigkeiten Abhängiges, sondern wird durch Gottes Gnade den Menschen verliehen, die sich in rechter christlicher Weise um einen Zugang zu Gott bemühen, die Gottes Botschaft erkennen wollen und die Gott allein leben und handeln.
Die Gegenbezeichnung *Torheit* hat in der überwiegenden Mehrzahl der Belege nichts zu tun mit einem Mangel an geistigen Fähigkeiten – dies trifft nur für wenige Belege zu –, sondern sie bezeichnet den 'Mangel an Wissen um Gott und seine Wege'. *Verstand* und *Unverstand* beschreiben das von Müntzer abgelehnte auf die Welt gerichtete Denken. Folglich gelten die als *weise* und *verständig*, die Gottes Willen ausführen; dagegen sind die *unverständigen* und die *unwisnen* diejenigen, die sich noch im Zustand des *unverstands* befinden. Der *natur witze* und der *furwitz der ungleubigen natur fleischlichen vorstands* stehen der Erkenntnis Gottes im Wege, da der Glaube über die Vernunft nicht zu begreifen ist, diese im Gegenteil der Erfassung des Glaubens im Wege steht. Die Welt ist *toll und töricht*, denn sie will sich nicht von der Kreatur lösen, sondern verstockt sich gegen die Erfahrung göttlicher Offenbarung.
Es folgt daraus, daß alles auf die Welt und ihre Geschäfte bezogene Denken und die geistigen Kräfte, die dafür eingesetzt werden, als nicht gottgefällig verworfen werden, während alleine das um Gott bemühte Streben positiv bewertet wird. Der Mensch, der sich von der Kreatur löst und sich anstrengt, Gottes Stimme zu erkennen, wird mit Adjektiven charakterisiert, die die verschiedenen Nuancen in der Erkenntnis des Glaubens beschreiben, also z.B. noch völlig unverständig, verständig oder schon weise. Gerade das letztgenannte Lexem zeigt, wie wichtig es ist, den jeweiligen Kontext heranzuziehen. Müntzers Intentionen bestimmen,

was besonders bei seinen Briefen an die Obrigkeiten zu sehen ist, nicht nur seine Wortwahl, sondern auch seine – scheinbare – Demutshaltung, so daß *weise* auf hierarchisch Höhergestellte bezogen lediglich eine Schmeichelei bedeutet. Wenn aber ein Gläubiger weise handelt, dann hat er die Inhalte des christlichen Glaubens gänzlich erkannt und setzt sie nach Müntzers Gebrauch des Lexems in vollkommener Weise um. Weisheit ist allein bei Gott zu finden; weltliche Weisheit existiert für Müntzer nicht.

Selbst die geistliche Bedürftigkeit derjenigen, die sich schon auf dem Weg zu Gott befinden, ist noch unverhältnismäßig groß, und es bedarf noch vieler Mühen, um die Menschen völlig von der Kreatur in ihnen zu befreien. Von den Menschen wird gefordert, daß sie sich auf Gott besinnen und sich für die Erfahrung des Glaubens öffnen sollen, statt ihre Vernunft auf die Welt zu richten und den weltlichen Verstand zu gebrauchen und Gott abzulehnen als etwas, das man mit Hilfe der Ratio nicht begreifen kann.

Als *weise* wird nur der tituliert, der sich in höchstem Maße dem Ideal Gott annähert, sich parallel dazu von den Kleinlichkeiten der Welt lossagt und sich ganz für die Etablierung des Reiches Gottes auf Erden engagiert. *Töricht* ist der, der sich der von Gott gewollten und von ihm unterstützten Bewegung widersetzt; er wird nach Müntzer in der nahen Zukunft auf schmerzliche Weise die Folgen seines Tuns erfahren, wenn das Reich Gottes – durchaus auch mit Gewaltanwendung, wenn die Welt nach Müntzers Einschätzung nicht von allein und freiwillig zum wahren Glauben findet – realisiert wird.

Weisheit und *Torheit* als Bezeichnungen für die intellektuellen Fähigkeiten des Menschen werden von Müntzer nie im Kontext einer Analyse der gesellschaftlichen Situation der Zeit gesehen. Weise ist nicht der, der die ökonomischen und politischen Gegebenheiten optimal zu seinem Vorteil ausnutzt; umgekehrt ist nicht der töricht, der zu solchen Erkenntnissen und deren praktischen Umsetzung nicht befähigt ist. *Weisheit* und *Torheit* und anderen Lexemen in diesem Sinnbezirk fehlt der pragmatische Bezug zur tatsächlichen historischen Situation völlig. Folglich liefert die Untersuchung dieser beiden Lexeme keinerlei Hinweise für eine politische Agitation von seiten Müntzers. Ganz im Gegenteil legt auch hier die lexikologische Analyse die Schlußfolgerung nahe, daß Müntzer nicht an einem revolutionären Aufbegehren und einer Änderung der gesellschaftlichen Verhältnisse – dazu noch im Sinne einer frühbürgerlichen Revolution – gelegen war, sondern ausschließlich an einer Intensivierung des Glaubens und der Förderung der Einsichten in den Glauben auf der Seite der schon Glaubenden und einer allgemeinen Durchsetzung und strikten Befolgung der göttlichen Gebote durch ausnahmslos alle Menschen auf der anderen Seite.

2.1.7 Auserwählte und Gottlose

Wenn hier Lexeme aus dem Sinnbereich 'Auserwählte und Gottlose' untersucht werden, dient dies der Absicherung der oben gefundenen Resultate durch eine Art Gegenprobe. Wie aus den vorigen Kapiteln hervorgeht, drückt der Wortschatz im Sinnbezirk der Bedürftigkeit im wesentlichen – von wenigen Ausnahmen abgesehen – spirituellen Mangel aus, mangelndes theologisches Verständnis. Demnach besteht für Müntzer die Bedürftigkeit nicht im Hinblick auf Materielles, sondern im Hinblick auf den wahren Glauben.
Diese Ansicht wird von der hohen Anzahl von Quellenbelegen unterstützt, die zwischen den *frommen, auserwählten* und ähnlichen auf der einen Seite und *gottlosen, heiden* u.a. auf der anderen Seite unterscheiden. Alle Fundstellen eingehend zu analysieren, ist an dieser Stelle nicht möglich und nicht nötig. Exemplarisch seien einige Belege unter der Fragestellung diskutiert, was sie zu dem Aspekt 'Bedürftigkeit' beitragen.[19)]
Wer ist auserwählt im Müntzerschen Sinn? Dieser Status ist nicht abhängig von der Intelligenz der Menschen, denn Gottes Gebote sind für jeden verständlich, der sie nur verstehen will. Es sind keine Orakelsprüche für Sophisten und Spezialisten, niemand braucht eine besondere Ausbildung, um eine Exegese leisten zu können. *Das gesetze Gottes ist klar, erleuchtet die augen des ausserweleten, macht starblint die gottlosen* (403, 28–29).
Hier wie an anderen Stellen wendet sich Müntzer gegen die Amtskirche seiner Zeit, plädiert für die Einfalt des Herzens und verweist auf die bestehende Möglichkeit des direkten Zugangs jedes einzelnen Menschen zu Gott, ohne daß die institutionelle Vermittlung der Kirche und ihrer Repräsentanten benötigt wird. GOERTZ schreibt: „Das Reich Christi erwächst ... aus den Herzen der Auserwählten und überkommt diese 'Welt' in der revolutionären cooperatio der Gläubigen“ (GOERTZ 1967, 147).
Eindeutige Aussagen über die Auserwählten machen die Zuordnungen in Kollokationen wie: *die auserwelten menschen* (411, 7; 21, 9), *das ewenbilde aller ausserwelten frunde Gotts* (413, 30–31), *von allen ausserwelten freunden Gots* (21, 2–3), *vil der außerwelten freunde Gotes* (22, 20). Auserwählt ist demnach nur derjenige, der in Beziehung zu Gott steht. Mit dem Vergleich *wie von eynem auserwelten volke* (448, 15–16) spielt Müntzer auf das Alte Testament an, das das jüdische als das auserwählte Volk Gottes bezeichnet.
Schon diese wenigen Belege verweisen auf den theologischen Inhalt des Lexems *auserwählt* und seines Gegenstückes *gottlos*. Allein damit wird BENSING widerlegt, der Müntzers Unterscheidung dieser zwei klar getrennten Gruppen als eine Erkenntnis interpretiert, die Müntzer „näher an spätere Auffassungen vom Klas-

senkampf" heranrückt, denn er habe geahnt und mit dieser Bezeichnung zum Ausdruck gebracht, „daß sich die Menschen vor allem durch ihre soziale Stellung voneinander unterscheiden" (BENSING 1966, 252).
Nichts davon findet sich auch bei der Analyse weiterer Belege. Auserwählt sein bedeutet für Müntzer keine passive Haltung, die von jeglicher Eigeninitiative befreit und quasi ein Geschenk darstellt. Wer die Existenz Gottes nicht leugnet, hat den ersten Schritt in diesen Kreis getan. Müntzer fordert den eigenverantwortlichen Christen, der sich von sich aus freiwillig für Gott öffnet und aktiv um seinen Glauben ringt. Erschwert wird der innere Kampf um den Glauben durch die widrigen Bedingungen der äußeren Welt. Niemand ist prädestiniert,[20)] jeder muß sich in seinem Glauben bewähren. MARON macht darauf aufmerksam, „daß sich bei Müntzer keinerlei ausgeführte *Prädestinations*lehre findet, auch nicht in Ansätzen" (MARON 1972, 196, Anm. 8; Hervorhebung dort). Wer sich nun also Gott zugewendet hat, muß auch weiterhin seinen Glauben vertiefen und sich für ihn einsetzen, denn *das lon und die außbeuthe der faulen außerwelten ist schier gleich dem teil der vordampten* (23, 3–5). Diese *vordampten leyden nicht die wirkung Gottes* (404, 9), wie Müntzer an anderer Stelle schreibt. Auch hier wird deutlich, daß für Müntzer nur die religiöse Dimension die eigentliche Wirklichkeit ist und nicht seine zeitgenössischen politischen oder sozialen Gegebenheiten. Die Differenzierung zwischen den fleißigen und den faulen Auserwählten, wie Müntzer sie selbst trifft und betont, stellt ein wichtiges Indiz dafür dar, daß er den aktiven Einsatz für den Glauben fordert, nicht jedoch den Einsatz für Klasseninteressen.
Da der Weg zum wahren Glauben und zu seiner Umsetzung in die aktuelle Wirklichkeit kein leichtes Unterfangen ist und nicht von heute auf morgen geschehen kann, muß der suchende Gläubige geschützt werden gegen das Wüten der Gottlosen (422, 38). Diesen Schutz bietet der von Müntzer gegründete Bund, denn Müntzer ist sich, wie BONDZIO schreibt,

> im klaren darüber, daß die von ihm angestrebte totale Veränderung dieser seiner Welt nur durch Menschen mit völlig anderen, neuen ethisch-moralischen Qualitäten errungen werden kann (BONDZIO 1976, 30).

Zwischenzeitlich mag es so aussehen, als ob das Reich Gottes auf Erden nicht realisiert werden könnte, weil Gott seine Auserwählten im Stich lasse, doch Müntzer interpretiert dies eher als Prüfung des Gläubigen, denn *Got kann seyne auserwelten nicht vorlassen, ob er sich wol zu zeyten also stellet* (414, 34–35). Wenn die Gläubigen ganz von Gottes Kraft erfüllt und zum wahren Glauben gelangt sind, dann wird Müntzers Utopie verwirklicht sein, dann

> *wirt erst der umbkreiß der erden bestetiget zu der vorsamlung der außerwel-*

ten, dz er ein christlich regiment gewinnet, welches von keinem pulversacke umbgestossen mag werden (23, 30–32).

Gegenstück der gläubigen Auserwählten sind die Gottlosen. SPILLMANN stellt für das Adjektiv *gottlos* fest:

> Das Wort ist stehende Charakterisierung für alle Kräfte, die sich Gottes Wirken widersetzen, hauptsächlich also für die Pfaffen und die Schriftgelehrten (SPILLMANN 1971, 116).

Und FRIESEN konzidiert:

> Für Müntzer waren natürlich alle Gegner seiner Lehre 'gottlos'; denn sie hinderten die Auserwählten daran, die Stimme Gottes im Innern ihrer Seele wahrzunehmen (FRIESEN 1978a, 400, Anm. 21).

Müntzer argumentiert, daß Gott den Herrschern das Schwert nicht gegeben habe, damit sie ihren Machthunger damit stillen können, sondern um den Glauben zu schützen:

> *Wissen wir dich durch das gezeugnis des heiligen aposteln Pauli, das Euern Gnaden* [= Herzog Johann] *das schwert zur rache der ubelteter und gotlosen gegeben ist und zur ehre und schutz der frumen (405, 25–27).*

Doch diesem göttlichen Auftrag kommen die Fürsten, die *vorkarten fantasten* und *gottloßen boßwichter* (454, 9–10) nicht nach; sie verkehren im Gegenteil ihre Aufgabe und richten ihre Macht im Grunde gegen Gott und die Gläubigen, doch die *fursten seyn den frummen nicht erschrecklich* (396, 27). NIPPERDEYS Behauptung, daß Müntzers „Begriff der Obrigkeit allein aus seinem theologischen Ansatz stammt" (NIPPERDEY 1975, 61), bestätigt sich. Wenn sich jedoch das Verhalten der Fürsten nicht ändern sollte, droht Müntzer ihnen, *wirt das swert yhn genommen werden und wirt dem ynbrunstigen volke gegeben werden zum untergange der gotlosen* (396, 28 – 397, 1). Deren Untergang und den Sieg Gottes über sie belegt Müntzer mit dem Psalm 78: *Es scheynt, wie die gottlosen ewig solten das regiment behalten, aber der breutgam kummet aus der schlaffkamer wie ein gewaltiger* (402, 31 – 403, 2).
Thomas Muntzer, eyn knecht Gottes wider dye gottloßen (456, 7), ruft die Erfurter *von wegen der gemeinen christenheyt* (472, 6) auf, *czu helffen wydder dye gotloßen boßewychtischen tyrannen myt vnß zustreyten* (471, 13–14), gegen die Tyrannen, die *dye bosen beschutzen* (421, 20). Dazu führt ELLIGER aus:

> Es ging ihm um die Entmachung dieser 'Gottlosen' durch die Auserwählten, die ... die baldige Veränderung der Welt als die Vollstrecker des göttlichen Gerichtes herbeiführen werden (ELLIGER 1975, 461).

Primär gehe es Müntzer nicht um „eine Bereinigung sozialen Unrechtes nur im Interesse des Menschen. Ihm ging es zuerst um Gott, um den Einsatz des Gläubigen für Gott" (Elliger 1975, 715). Siegesgewiß verkündet Müntzer: *Das gesetze wird die gottlosen umbstuͤrzen, es hilft sie ir geschrey gar nichts* (449, 15–16), denn für ihn ist es sicher, daß Christus den Untergang der Gottlosen beschlossen und prophezeit hat,

> *wie es sich begeben solt, wie sich die wollustige welt sampt den wuthrichen wurde stellen, so die auserwelten menschen wurden den gekreuzigitten cristum anfahn zu erkennen (411, 6–8).*

Die *wollustigen menschen* bedienen sich der *gestalt der gute*, unter der sie ihre kreatürlichen, Gott entgegengesetzten Interessen verbergen (471, 7–8). Auch die weiteren Belege für *wollustig* [*den wollustigen menschen* (395, 16), *den wollustigen schweynen* (403, 23–24), *die wollustige welt* (411, 6), und: *Es werden die leute wollustig seyn* (404, 21)] qualifizieren die Wollust als eine dem christlichen Ethos entgegengesetzte Kraft, die der gottlosen Welt zugeordnet wird.
Wer sich christlich nennt, ist es noch lange nicht, denn es kommt nicht auf Äußerlichkeiten an, sondern auf das Verhalten. Und so verdammt Müntzer die *tyrannen christlichs glaubens* (434, 18–19). Er greift die Obrigkeit nicht wegen ihres unsozialen, die unteren Schichten unterdrückenden Gebarens an, sondern wegen der Kluft zwischen ihrem christlichen Anspruch einerseits und ihrem aktuellen (heidnischen, unchristlichen) Tun andererseits, das auch dem Gott suchenden Gläubigen den Weg verstellt.
Die Belege zeigen, daß Müntzers Blick nach innen auf den Glauben gerichtet ist, nicht auf die soziale Lage. Seine Sorge gilt denjenigen, die sich zu Gott bekennen wollen und von den Regenten deswegen unterdrückt werden. „So erscheint ihm eine Reform, eine Umwälzung nötig", schreibt Brandt,

> aber er begründet sie nie rein sozialistisch, daß die Lage der unteren Klassen unerträglich geworden sei, sondern damit, daß der Zugang zum Evangelium versperrt sei (Brandt 1933, 32).

Friesen meint, daß

> those who hinder the elect from following God, the oppressive princes, the false Catholic and Lutheran prophets, must be uprooted from society before the elect of God can realize their potential and form the new apostolic church (Friesen 1974, 59).

Doch unter den Fürsten gibt es nicht nur *wutriche des rechten glaubens* (421, 11), denn Müntzer hält den Schösser Zeiß offensichtlich für einen gottesfürchtigen

Mann, der zu Unrecht den Zorn des christlichen Volkes über sich ergehen lassen mußte, was Müntzer bedauert.

> *Das ich aber frume amptleut solte mit der ynbrunst des gemeynen volkes uberladen, das sol weyt von myr seyn. Hab ich doch yn allen predigen gesagt, das nach frume dyner Gottis zu herrnhoffe seynt etc. (420, 15–18).*

Zeiß bezeichnet er auch als einen *frumen regenten* (423, 18) und schlägt ihm vor,

> *es muß eyn beschydner bund gemacht werden yn solcher gestalt, das sich der gemeine man mit frummen amptleuten vorbinde alleyne umbs evangelio willen (422, 24–26).*

Während Brendler in diesem Zusammenschluß für Müntzer die Möglichkeit sieht, „die bisherige Ordnung samt ihren Gesetzen" aufzuheben, was „eine systematische Zersetzung und Untergrabung des fürstlichen Machtapparates" bedeutete (Brendler 1976a, 432), gelangen Iserloh (1972a, 294) und Maron zu der von der lexikologischen Analyse bestätigten Einsicht: „Das rechte Regiment Christi ... ist also nicht klassenmäßig, sondern geistlich bedingt" (Maron 1972, 222).

Müntzers religiöse Sicht der Welt wird belegt durch die Art der Argumentation gegen die Obrigkeit, die sich auf der theologischen Ebene bewegt. So hält Müntzer auch die Obrigkeit von Sangerhausen für antichristlich eingestellt: *Ich weiß, das keyne abgottischer menschen ym lande seyn dan yhr* (410, 18–19). Menschenfurcht soll nicht der neue *abgot* werden (412, 18), und *neben dem lebendigen Got* soll kein *abgot* angebetet werden (412, 12). dem Rat von Nordhausen stellt Müntzer klar, daß er durch sein Handeln *abgötterei und bilde zu vertheidigen* an den Tag lege (574, 5), sich also gegen die Realisierung des wahren christlichen Glaubens stelle.

Überdeutlich wird Müntzers unpolitische Einstellung, wenn er die verfolgten Christen in Sangerhausen in einem Brief aus dem Jahre 1524 daran erinnert, daß die *furcht Gotts* lehrt,

> *wie ein frommer mensch sol gelassen stehen umb Gotts willen und sich erwegen* [i.e. verzichten] *seyns leybs, gutts, hauß und hoff, kynder und weyber, vater und mutter sampt der ganzen welt (411, 34–36).*

Dieser Anspruch ist den Wünschen der weltlich eingestellten Menschen diametral entgegengesetzt und ein *mechtiger greuel* (411, 36). Sie sind das Gegenbild der *frummen auserwelten Gotes* (406, 10), die Christus gleichförmig werden wollen.

Diese und viele weitere Stellen widerlegen die Interpretation, daß Müntzer klassenkämpferisch denke und eine Neuordnung der politischen und sozialen

Verhältnisse anstrebe. Er lehnt u.a. den Grafen Ernst von Mansfeld ab und schilt ihn einen *heydenischen boswicht* (468, 10) und *will yhn vor eynen bosenwicht und schalk und buben, turken und heyden achten* (396, 14–15), wenn er Müntzer nicht nachweisen könne, daß *meyne lere adder ampt ketzers sey* (396, 13). Von Umsturz und politisch motivierter Revolution findet sich keine Spur, wohl aber von einer grundlegenden theologischen Reformation. Müntzer will, so MARON, daß die Fürsten „das 'heidnische' lutherische Obrigkeitsverständnis aufgeben, und das geistlich qualifizierte Müntzersche dafür annehmen" (MARON 1972, 220).

> Nach wie vor will er die ungetreuen, verräterischen Schriftgelehrten zuschanden machen und die gottlosen Tyrannen bekämpfen, um den Auserwählten Raum zu schaffen, nicht den Bedürftigen (MARON 1972, 211).

Anzeichen für eine baldige Realisierung seiner christlichen Utopie findet Müntzer jeden Tag: *Es treibet aber itzt der satan die gotlosen gelerten zu yrem untergang wie vorhin monche und pfaffen* (430, 12–13).

Müntzers deutsche Briefe zeigen, daß es ihm allein um den Glauben und die Seele des Menschen geht und daß er einen aktiven Glauben verlangt, der nicht nur äußerlich als Schein und Maske getragen wird, sondern der innerlich erfahren werden muß.
Die Ergebnisse der Untersuchung von Lexemen wie *auserwählt* und *gottlos* unterstützen nachhaltig die Ansicht, daß nicht die weltliche Wirklichkeit für Müntzer entscheidend ist, sondern die Welt des Glaubens. Für ihn steht einzig und allein der Glaube im Zentrum, und seine Sicht der Welt wird entschieden durch den Glauben, so wie er ihn begreift und vertritt, geprägt. Die Fürsten werden von ihm als *schalk* und *bube* angegriffen, weil sie sich gegen den reinen Glauben aussprechen und sich weigern, sich diesem neuen Glauben gemäß mit dem Schwert für Christus einzusetzen.
Müntzer interessiert die soziale Lage der Menschen nur insofern, als es die Zeit des Menschen für Gott betrifft. Den Gläubigen muß die Möglichkeit garantiert sein, ihren Glauben auszuüben. Sie müssen in die Lage versetzt werden, ausreichend Zeit dafür aufwenden zu können, ohne daß ihnen dadurch materielle oder sonstige Beeinträchtigungen erwachsen.
Auserwählt ist niemand allein aufgrund einer niedrigen sozialen Stellung und einer schlechten ökonomischen Situation, wiewohl Müntzer immer darauf hinweist, daß es den Reichen schwerer fällt, zur *armut des geistes* zu gelangen wegen ihrer starken Bindung an die Welt. Nicht die materielle Bedürftigkeit entscheidet über *auserwählt* oder *gottlos*, sondern die innere Einstellung des

Menschen zu Gott, die Erkenntnis und der Glauben an die Existenz Gottes und die Bereitschaft, sich der Offenbarung zu öffnen und sich aktiv für den Glauben einzusetzen.

2.2 *Mystische Bezeichnungen der Bedürftigkeit*

Mehrfach wird oben darauf hingewiesen, daß Müntzer, zumindest in der ersten Phase seines Wirkens, nicht nur mystisches Vokabular übernimmt, sondern auch in diesen Dimensionen argumentiert. Die Klärung der Frage, inwieweit er selbst in mystischer Tradition steht oder sich nur des Wortschatzes der Mystik zum Transport anderer Inhalte bedient, geht über den Rahmen dieser Untersuchung hinaus.[21)] Für die Analyse im Sinnbezirk der Bedürftigkeit werden daher nur die Lexeme herangezogen, die einen Zustand des Mangels bezeichnen bzw. zu dessen Aufhebung dienen.
Swacheyth und *sterke*, die aus diesem Bereich stammen, werden bereits oben behandelt.

Müntzer verwendet Lexeme wie *beschwerung, bekümmernis und betrübnis*, die psychisches Elend bezeichnen. Seinen christlichen Brüdern bescheinigt er:

> *Ir aber seyt in vielen sachen euers beswerens innen worden, unsern aber vormogen wir nit mit allem gemuet dasselbig zu erkennen geben (461, 11–13).*

Der Kontext verweist auf den theologischen Hintergrund, vor dem Müntzer die Welt sieht. So erweisen sich die Mühlhäuser als *viel ein grober volk ..., wann eyn yeder außtrachten kann* (461, 10–11). Dagegen haben die Schmalkaldener nach Müntzer das Wesen der Religion schon in weit größerer Tiefe erkannt, und Müntzer würde viel lieber – selbst *mit beswerung* (461, 15–16) – bei ihnen sein, *euch zu rathen und helfen*, statt in Mühlhausen *mit unwitzigen* (461, 16) zu beginnen. *Beschwerung* stellt keine materielle oder eine durch die Herrschaft einer Obrigkeit hervorgerufene Bedrückung dar, sondern die Bewußtwerdung über die Anforderung des Glaubens.
Die *beschwerung* (474, 14), vor der Müntzer seine Anhänger in Mühlhausen zu bewahren sucht, indem er ihnen rät, die Fürsten um Gnade zu bitten, ist in gewisser Weise in der Tat eine durch die Welt hervorgerufene, denn seine Mitstreiter, die Auserwählten, die sich am Kampf beteiligten, werden nun nach der Niederschlagung des Aufstands von den Herrschenden, den Gottlosen, bestraft werden. Damit sieht Müntzer *beschwerung* zweifelsohne als Folge der

Erhebung der Auserwählten gegen die Gottlosen, nicht allerdings als Grund für den Aufstand.

Bekümmernis verwendet Müntzer in bezug auf die Religion. So beklagt er den Abfall von Anhängern in Allstedt und schreibt: *Die bekomernuß aber solchs valhs muß euch betruben zur buß* (451, 25–26). In mystischem Sinne wie die *vorzweyflung* (425, 5–6) und die *vorzweiflung des herzen* (431, 6) ist auch die *bekumernis* (431, 12) zu verstehen, die eine Phase der Glaubenszweifel, des seelischen Leids, der Suche nach dem richtigen Weg zu Gott umfaßt:

> *Bedencket vilfeltig, was euch nach Gottis willen zu thun ist, welchs ich euch myt dem geczeugnis Gottis alles zu vorn gesagt hab zu halten nach lengwerigem bekumernis, darinnen euch Gott der almechtige nach synem allerlybsten willen wyrt hochlich erleuchten, so yhr seyner nicht verleugknen werdet (430, 10–14).*

Bekumernis muß als eine Art Prüfung durchlitten werden, so daß der Mensch danach *zurknirsung* (425, 31) verspürt und das *zuknyrschte herz* (431, 22) aufnahmebereit ist für Gottes Geist. Dies ist kein leicht zu erfüllender Anspruch Gottes, denn sonst würden sich nicht so viele dieser Prüfung entziehen und den leichten Weg wählen, der nach Müntzer aber unweigerlich ins Verderben, in die Hölle führt.

> *Ihr werdet anderst das umbs teufels willen und euer hugeley* [i.e. Heuchelei] *leiden, das ir schlecht mit Gotte durch geringe bekommernis erdoldet etc. (448, 27–28).*

Herzbetruebtes herzeleyd (454, 5) muß der Gläubige als Opfer erleiden, damit es Gottes Offenbarung in der Gelassenheit empfangen kann. Den Gottesfürchtigen in Sangerhausen schreibt Müntzer:

> *Es wyrdet euch in der erst sauer werden, ehe yr umb Gotts willen ein gerings betreubnis muget erdulden, ir kunt durch keynen andern wegk erleuchtet werden denn mit hocher betrubnis, Jois am 16 (409, 15–17).*

Wie schon an anderen Stellen, so kommen auch hier deutlich Müntzers von der Mystik übernommenen Vorstellungen zum Ausdruck. Er meint durchaus nicht, daß der Mensch erst durch äußere Not zur Erleuchtung gelangen kann. Bedingungen für die Erleuchtung sind die Armgeistigkeit, die Gelassenheit und die Zerknirschung des Herzens. Und so belehrt er Christoph Meinhard:

> *Wye wol die auserweleten mechtige große sunde thun, treybt sie doch das feur yhres gewissens zum ekel und greuel der sunden. Wenn sie solchs betrubniß und greuels wilfertig desselben pflegten, den konnen sie nicht sundigen (403, 20–23).*

Damit interpretiert Müntzer selbst die *betrubniß* als theologischen Begriff.

Wenn nun die Betrübnis und die Bekümmernis auf den Glauben bezogen werden, dann müssen auch der Lohn und der Trost religiöser Natur sein und können nicht in weltlicher Erleichterung bestehen. Explizit kommt das im 'Sendbrief an die Brüder zu Stolberg' zum Ausdruck:

> *Sal er* [der Mensch] *aber zu warhafftiger blosser armut des geystes kommen, so muß in Gott (nach menschen geduncken) auch vorlassen, unde der armgeistiger mensche muß aller trostes aller creaturn sich eußeren (22, 27–29).*

Der *troster* ist der *heylige geyst, der kan nymant gegeben werden, dan dem trostlosen* (388, 1–2), schreibt Müntzer und wünscht *sterck vnd trost in Christo Jesu* (471, 2).
Die Flüchtlinge aus Sangerhausen und von anderen Orten sollen *keynen falßen trost von unss entphangen* (420, 21), etwa in der Art, daß man tätliche Gewalt gegen die Gottlosen anwenden dürfe. Müntzer gesteht in diesem Brief an den Schösser Zeiß vom 22. Juli 1524 ein, daß er in seinem Zorn und Übereifer öffentlich hat verlauten lassen, daß man die Tyrannen, *nachdem sye den christenglauben offentlich wollen ausroten,* erwürgen sollte *wye dye wutenden hunde* (420, 11–13). Diesen Ausspruch haben die Gläubigen als Aufruf zur Gewalt, als falschen Trost für ihre Unterdrückung verstanden, doch distanziert sich Müntzer zu diesem Zeitpunkt noch entschieden von dieser Interpretation, denn daß

> *ich aber frume amptleut* [wie z.B. den Schösser Zeiß] *solte mit der ynbrunst* [= Wut] *des gemeynen volkes uberladen, das sol weyt von myr seyn (420, 15–17).*

Nur Gott selbst kann über die Mittel bestimmen, die er gegen die Gottlosen einsetzt. Von Menschen gegründete Vereinigungen wie Müntzers Bund bedürfen der göttlichen Weisung, und so warnt Müntzer davor,

> *daß nymant seinen vortreuen setze auf den bund, dan der ist von Gott vorfluchet, der seynen trost auf eynen menschen setzet (422, 35–37).*

Christus komme zu denen, die *nuhn gar keynen trost mehr* (425, 9) haben, *wan dye trubsalikeit am hochsten ist* (425, 10). Diese eindeutig theologische Verwendung von *trost* steht auch hinter dem *rath des dorftigen, des trost doch Got selbs ist* (432, 1). *Myt trostbryffen* (435, 14) will Müntzer seinen Anhängern helfen und ihnen seine *trostliche meynung* (409, 19) kundtun.

Zusammenfassend läßt sich feststellen, daß gerade in mystischen Bezeichnungen wie *bekumernis, betrubnis* sehr klar die Qualität der geistlichen Bedürftigkeit sowie Müntzers religiöse Sichtweise der Welt zum Ausdruck kommen. Beschwerung und Bekümmernis werden nicht durch äußere Zustände und materielle Sorgen verursacht, sondern sie entstehen auf dem beschwerlichen Weg des Menschen, der ihn zum Licht Gottes führen soll. Betrübt und traurig sind die Menschen nicht aufgrund irdischen Mangels. Die Betrübnis wird als Prüfstein angesehen, an dem Gott die Festigkeit des Glaubens der Menschen mißt. Der Trost besteht deshalb auch nicht in Erleichterungen oder Versprechungen materieller Natur. Das nützt dem Gläubigen ohnehin nicht, da er im besonderen unter dem Mangel an geistlichen Dingen leidet. Daher kann eine Erleichterung und Behebung der Bedürftigkeit nur durch Gott erfolgen, indem er den Menschen seinen Trost gibt. Damit wird auch durch diese Lexeme bestätigt, daß für Müntzer Bedürftigkeit im wesentlichen geistliche Bedürftigkeit darstellt.

3. Zusammenfassung

Bezeichnungen aus dem Sinnbezirk der Bedürftigkeit machen einen nicht geringen Teil des von Müntzer in den Briefen verwendeten Wortschatzes aus. Die lexikologische Untersuchung von Lexemen um die Zentren 'Armut', 'Elend und Überfluß', 'Gut und Geld', 'Hunger und Nahrung', 'Schwäche und Stärke', 'Weisheit und Torheit' und 'Auserwählte und Gottlose' führt zu dem Resultat, daß die signifikant größte Anzahl der Begriffe aus diesem Sinnbezirk spiritueller Natur und nicht materieller Natur ist. Lexeme wie *Trost* und *Bekümmernis* und ähnliche bestätigen dieses Urteil, da oben nachgewiesen wird, daß sie in ihrer von der Mystik geprägten Bedeutung angewendet werden. Auf konkret materielle Bedingungen verweist nur eine verschwindend geringe Anzahl der untersuchten Belege, von denen oberflächlich gesehen viele Lexeme zunächst den Anschein erwecken mögen, daß sie Konkret-Materielles meinen, da ein virtueller Aspekt ihrer lexikalischen Bedeutung dieses Materielle umfaßt, aber der kontextuelle Bezug, ohne den die exakte semantische Bedeutung in einer spezifischen Verwendung nicht ermittelt werden kann, läßt keinen Zweifel an der Zugehörigkeit zum nichtmateriellen Bereich.
Besonders auffällig wird dies bei Bezeichnungen, die im täglichen Leben für Materielles gebraucht werden. Müntzer verwendet sie in zwei Funktionen: einmal stehen sie als Metaphern für Abstrakt-Spirituelles, z.B. *vorrat, narung*; das

andere Mal werden sie zwar zur Bezeichnung von konkret Materiellem gebraucht, dabei aber immer abwertend benutzt, z.B. *gueter*. *Weise* und *töricht* und ähnliche Lexeme bezeichnen nicht weltliche Klugheit, sondern kennzeichnen den Menschen in seiner Beziehung zu Gott, in seiner Fähigkeit, das Evangelium zu verstehen und vor allem in die Tat umzusetzen. Analog dazu gilt nicht der als *auserwählt*, der die politische Lage zu überblicken vermag, sondern der, der sich für den christlichen Glauben, besser: für Gott entschieden hat. Dadurch, daß für den Untersuchungsaspekt der 'Bedürftigkeit' auch scheinbar unpassende Lexeme wie *auserwählt* und *gottlos* herangezogen und mit dem Ergebnis analysiert werden, daß sie ausschließlich nur im theologischen Rahmen verwendet werden, wird die Schlußfolgerung aus den anderen Kapiteln erhärtet, daß Müntzer nicht die real existierende politische Lage ändern wollte, sondern daß sein Sinnen und Trachten allein auf Gott gerichtet ist.
Nirgends vergißt Müntzer daher seine Forderung, daß sich der Gläubige von der Kreatur abwenden und lösen müsse, um zu Gott zu finden. Der Mensch darf nicht so sehr in weltlichen Betätigungen eingespannt sein, daß ihm für Gott keine Zeit mehr bleibt. Die Existenz muß gesichert sein, das streitet auch Müntzer natürlich nicht ab, aber sie stellt nur die Basis dar, die die Lebensnotwendigkeiten garantiert und so dazu beiträgt, daß genug Zeit und Kraft für Gott bleiben.
Bedürftigkeit prangert Müntzer nicht in seiner Realisation als konkreten Mangel an Lebensmitteln und -bedingungen an. Wenn seine Intention also eine theologische ist – wie nachzuweisen war –, müssen die Einschätzung seiner Person als „politischer Kopf", der einen „antifeudalen Kampf" (BENSING 1965b, 79) führen wollte, ebenso wie die folgende Behauptung als nicht haltbar eingestuft werden müssen:

> Müntzers Weg vom unbekannten Schulmann zum Ideologen und Führer einer große Teile Deutschlands umfassenden Volksbewegung war möglich, weil in Deutschland nach 1500 eine revolutionäre Situation heranreifte, weil in Müntzers Gedanken und Taten die fortschrittlichen gesellschaftlichen Bedürfnisse Ausdruck fanden und der Erfüllung zugeführt wurden (BENSING 1965b, 18–20).

Es fällt auf, daß sich das Müntzer-Bild marxistischer Historiker, das sich ja im wesentlichen auf Müntzers Aussagen über Mangel und Bedürftigkeit stützt, in den letzten Jahren gewandelt hat. STEINMETZ stuft 1975 Müntzer als Theologen und Revolutionär ein, „der in der Lösung der Machtfrage das Ziel seines Kampfes erblickte" (STEINMETZ 1976a, 680), doch scheitert Müntzer nach STEINMETZ aufgrund seines Eingebundenseins und seiner Befangenheit in der Theologie. Diese Meinung wird von vielen Forschern ähnlicher Provenienz geteilt, denn nur dadurch kann aufrechterhalten werden, daß Müntzer ein Sozialrevolu-

tionär gewesen sei und konkrete soziale und politische Forderungen habe durchsetzen wollen. Müntzer wurde so in Anspruch genommen auch als Legitimation des politischen Systems der DDR, das als Ergebnis eines revolutionären Geschichtsprozesses verstanden wurde.
Selbst in ihrer offiziellen Würdigung der Leistungen Thomas Müntzers anläßlich seines 500. Geburtstages im Jahre 1988 vertraten Wissenschaftler der DDR noch die Auffassung, daß Müntzer

> auf der Grundlage seines revolutionären Verständnisses christlicher Lehren eine radikale Umgestaltung der Gesellschaft im Interesse des ausgebeuteten und geknechteten Volkes (Thesen 1988, 99)

erstrebt habe. Die soziale Umwälzung als Ziel Müntzers wird weiterhin propagiert, doch fällt auf, daß dies in subtilerer Weise geschieht als etwa bei STEINMETZ, der die Theologie nur als Instrument dieses Zieles und gleichzeitig als Schwachpunkt im Prozeß seiner Verwirklichung betrachtet. Die neuesten Publikationen schwächen auch diese Position wieder ab und attestieren Müntzer die Entwicklung einer Theologie der Revolution. Doch auch diese implizite Revision bisheriger Sichtweisen geht nach den Ergebnissen der Untersuchung des Wortschatzes der Bedürftigkeit noch nicht weit genug.
Die lexikologische Untersuchung der einen Mangel bezeichnenden Lexeme in den deutschen Briefen kommt zu dem Schluß, daß Thomas Müntzer nicht die Theologie hinter die revolutionären Ziele zurückstellt, daß er sich selbst nicht als Führer einer politischen oder sozialen Revolution versteht und darstellt, sondern daß er fast ausschließlich in theologischen Dimensionen denkt und eine durch und durch religiöse Konzeption der Wirklichkeit hat, die die Armen nicht wegen materieller Deprivationen als arm bezeichnet, sondern weil sie Mangel an theologischem Verständnis leiden. Entsprechend bezieht sich der Hunger der Menschen auf das Verlangen nach religiöser Wahrheit, das seine höchste Erfüllung findet, wenn die Menschen Gottes Offenbarung vernehmen können. Die Fleischlichkeit der Menschen zeigt an, daß sie noch stark am Irdischen hängen, daß sie sich noch nicht von der Kreatur in sich gelöst haben.
Müntzer intendiert einzig und allein eine grundlegende theologische Reformation mit ihren in der Folge unausbleiblichen Auswirkungen auf das private wie öffentliche Leben. Er erstrebt die „Verchristlichung der Welt“ (NIPPERDEY 1975, 59), wobei dies durchaus ein revolutionäres Ereignis ist. GOERTZ konzidiert:

> Müntzer neigte zu äußerster Radikalität, einer Radikalität allerdings, die nicht politischer Einsicht, sondern theologischer Erkenntnis entsprang“ (GOERTZ 1978b, 41).

Müntzer hatte das Ziel einer grundlegenden Reformation der Institution Kirche

im allgemeinen wie der einzelnen Menschen im besonderen, denn er erkannte, daß in seiner Zeit ein großer Mangel an religiöser Bereitschaft, an religiösem Denken, Handeln und Streben bestand. Die Menschen lebten seiner Meinung nach nicht nach dem wahren Wort der Bibel und konnten dies auch oft gar nicht tun, denn einerseits verhinderten die gottlosen Fürsten konkret die Ausübung religiöser Pflichten, andererseits blieb den Untertanen keine Zeit zum rechten Bibelstudium, da sie hart arbeiten mußten, um die Abgaben an die Fürsten leisten zu können. Diese Bedürftigkeit in bezug auf Gott und den Glauben ist es, die Müntzer anprangert, nicht jedoch primär die materielle.
ISERLOH kann zugestimmt werden, wenn er feststellt: „Die Wirklichkeit, die Müntzer kritisch sieht und die es zu ändern gilt, ist die religiöse des Glaubens" (ISERLOH 1972a, 285). Der Mensch soll in religiöser Hinsicht gebildet und verbessert werden. Diese Veränderung kann durchaus als Revolution bezeichnet werden. Abkehr von der Welt und Hinwendung zu Gott als dem höchsten Herrn verlangt Müntzer. Das bedeutet nicht, daß die Christen nun jeglicher Pflichten der weltlichen Obrigkeit gegenüber enthoben wären. Aber implizit geht Müntzer davon aus, daß sich durch die vollkommene und vollständige Durchsetzung des wahren Glaubens auch die äußeren Verhältnisse ändern würden. Nie jedoch tritt er dafür ein, daß die weltlichen Verhältnisse wegen politischer oder sozialer Ideale anders werden müssen. Diese Veränderung sieht er als eine nur sekundäre, automatische, unausbleibliche Folgeerscheinung der theologischen Revolution an.
Die vorliegende Analyse des Wortschatzes im Sinnbezirk der Bedürftigkeit bestätigt die Ansicht, daß Müntzer zuallererst Theologe ist, als Theologe handelt, die Welt vor dem Hintergrund seiner Theologie deutet und folglich auch die Bedürftigkeit der Menschen in theologischen Relationen sieht und sie nach der Stärke des Glaubens und der Bereitschaft, sich aktiv für Gott einzusetzen, beurteilt. Seine Reformbestrebungen, die in ihrer Konsequenz eine Änderung der gesamten Verhältnisse unvermeidlich implizieren, wurden schon zu seinen Lebzeiten profanisiert und von ihrer theologischen Dimension abgekoppelt. Müntzer selbst hat diese Einengung seiner Ideen auf die weltlichen Verhältnisse und damit die Verfälschung seiner Intention mit Enttäuschung beobachtet, wie seinem Abschiedsbrief zu entnehmen ist, der als eine Art Resümee seines Lebens angesehen werden kann und wo er sich über das Verhalten eines Teils seiner Mitstreiter und über die Vereinnahmung für rein weltliche Ziele und Zwecke beklagt.
Die „grundsätzliche Kampfansage an die Feudalordnung" (THESEN 1988, 111) wird nicht von Müntzer selbst gemacht. Er kämpft – auch mit dem Schwert – gegen die Gottlosen, die die Verwirklichung seiner religiösen Utopie verhin-

dern. Das kann er, der sich von Gott gesandt glaubt, nicht hinnehmen, denn dann würde er sich der vollständigen Erfüllung des göttlichen Auftrags entziehen. Nachdem alles Reden und Predigen nicht geholfen hat, hält er schließlich in den letzten Monaten seines Lebens die Zeit für gekommen, in der dem Reich Gottes auch mit Gewalt, die er vorher als Mittel entschieden abgelehnt hat, zum Durchbruch verholfen werden muß.
Die Feudalherren als die in der Welt Mächtigen haben das Evangelium egoistisch nur zu ihren eigenen Gunsten und damit oft auch falsch ausgelegt und alle anderen unterdrückt. Ihr Sturz ist gleichbedeutend mit der Schaffung der Voraussetzungen zur Verbreitung des Evangeliums, der Basis einer Utopie, eines Paradieses auf Erden mit Gleichberechtigung für alle auf dem Fundament der Bibel, wobei sich Müntzer als Sprachrohr und Dolmetscher Gottes begreift und hier durchaus einen Alleinanspruch erhebt. Das Bibelstudium auch der einfachen Leute ist für ihn ein Mittel der Befreiung von religiöser Bevormundung und falscher Exegese, wie sie von den weltlichen Fürsten praktiziert werden. Das *arme*, d.h. armgeistige Volk steht Gott in seiner Einfalt näher als die weltlichen Herren, die sich um so mehr Gott verschlossen haben, je mehr sie auf die Sicherung ihrer eigenen Macht hinzielen.
Resonanz mit seiner Utopie fand Müntzer verständlicherweise bei denen, die nicht an der Macht und dem Wohlstand teilhatten, sondern bevormundet, unterdrückt und ausgebeutet waren. Thomas Müntzer jedoch als einen Sozialrevolutionär zu bezeichnen, hieße, ihn gewaltsam in eine marxistische Ideologie einzuzwängen und seine Lehre und seine Aussagen so zurechtzubiegen, daß sie diese Ideologie nur bestätigen können. Mit dieser Annäherung wird man Müntzer in keiner Weise gerecht. Die Theologie dient ihm nicht als Deckmantel frühbürgerlicher sozialer und politischer Umwälzungen; sie macht den Kern und das Wesen seiner Person und seiner Lehre aus. Bis zuletzt streitet er als ein leidenschaftlicher Agitator für die Sache Gottes, von der er ohne den Schatten eines Zweifels überzeugt ist.
Die signifikant hohe Anzahl von Lexemen, die unzweifelhaft seinem theologischen Denken Ausdruck verleihen, weist Müntzer als einen engagierten, ja enragierten und auch fanatischen Streiter Gottes aus, der sich von Gott berufen fühlt. Mit Überzeugung kann er daher von sich sagen:

> *Opus meum non ago, sed domini* (360, 11).

Anmerkungen

Folgende Literaturangaben gehen über die Bibliographie im Anhang hinaus:

FRIESEN, Abraham (1974), Reformation and Utopia, The Marxist Interpretation of the Reformation and its Antecedents. Wiesbaden.

GÖTZE, Alfred (1967), Neuhochdeutsches Glossar, Berlin, 7. Auflage, Nachdruck 1971 (Kleine Texte für Vorlesungen und Übungen, Bd. 101)

HOHBERG, Rudolf (1973), Die Lehre vom sprachlichen Feld, Ein Beitrag zu ihrer Geschichte, Methodik und Anwendung, Düsseldorf, 2. Auflage (Sprache der Gegenwart, Schriften des Instituts für deutsche Sprache in Mannheim, Bd. XI)

HOLL, Karl (1932), Gesammelte Aufsätze zur Kirchengeschichte. Bd. 1: Luther. Tübingen, 6., neu durchges. Auflage

LOHAMANN, Annemarie (1972), Zur geistigen Entwicklung Thomas Müntzers, Leipzig und Berlin 1931, zitiert Hildesheim 1972 (Beiträge zur Kulturgeschichte des Mittelalters und der Renaissance, Bd. 47)

1) Vgl. dazu u.a. LOHMANN (1972) und GOERTZ (1974).
2) Auf Müntzers „messianisches Sendungsbewußtsein" verweisen u.a. BENSING (1966, 189 u. 249) und ELLIGER (1975, 759–760); „apokalyptisches Sendungsbewußtsein" untersuchen LAU (1978) und GOERTZ (1967, 146); „Erwählungsbewußtsein" erkennt HOLL (1932, 434).
3) Vgl. dazu SPILLMANNS Untersuchung „Weltliche Klugheit und göttliche Weisheit" in diesem Band.
4) Nach FRANZ ist Müntzer, „obwohl nicht in der Unterschrift genannt, unverkennbar der Verfasser, daher konnte dies Schreiben hier aufgenommen werden" (FRANZ 1968, 404, Anm. 1).
5) Zu Müntzers Begriff der „Welt" vgl. u.a. GOERTZ (1967, 134ff.).
6) Vgl. dazu u.a. die Untersuchung von BENSING (1965a, 460; ähnlich in seinen anderen Veröffentlichungen zu diesem Thema), FEDERER (1976, 51 u. 82), GÜNTHER (1974, 717f.), HINRICHS (1952, 2), STEINMETZ (1971, 9–10; 1974, 444).
7) Vgl. zum Problemfeld die Untersuchung „Gottes Gericht oder weltliches Recht" von B. HUFEISEN in diesem Band.
8) Ähnlich SPILLMANN (1971, 79–80); dagegen BENSING, der für den Spätsommer 1524 eine „stärkere Betonung der materiellen Not des Volkes als Haupthindernis für die Ausbreitung der göttlichen Wahrheit" sieht (BENSING 1966, 60); zur inneren Not vgl. u.a. LOHMANN (1972, 45), HINRICHS (1952, 119 u. 120) und GOERTZ (1967, 122–123).
9) Vgl. dazu GOERTZ (1974, 40).
10) „grundsuppe" bedeutet nach GÖTZE (1972, s.v. „grundsuppe") „Bodensatz".
11) Vgl. dazu GOERTZ 1974, 46): „Müntzer spricht ... stets von Gegengewalt."
12) FRANZ vermutet, daß die „domina" wohl eine Äbtissin ist (FRANZ 1968, 388, Anm. 6).
13) MEUSEL hält den Brief für „eine infame Fälschung ..., die dazu bestimmt war, einen der edelsten deutschen Freiheitskämpfer zu diskreditieren und die Kapitulationsstimmung in Mühlhausen zu steigern" (MEUSEL 1952, 178).
14) In den Schriften verwendet Müntzer „hunger" überhaupt nicht. Vgl. dazu SPILLMANN (1971), wo es im „Wörteverzeichnis und Register" nicht auftaucht.
15) Vgl. dazu die Untersuchung „Auserwählte und Verdammte" von I. WARNKE in diesem Band.

16) Vgl. auch SCHMID: „Ein Umsturz ist für ihn deswegen notwendig, weil die herrschenden weltlichen Verhältnisse ein Hindernis für den Glauben darstellen. Den Armen und Unterdrückten soll noch Zeit und Raum für Gott und das Evangelium bleiben" (SCHMID 1965, 262).

17) Zum Wortfeld „Täuschung und Wahrheit" vgl. H.O. SPILLMANNS gleichlautenden Aufsatz in diesem Band.

18) Vgl. SPILLMANNS Untersuchung über „Weltliche Klugheit und göttliche Weisheit" in diesem Band.

19) I. WARNKE untersucht diesen Aspekt ausführlich in seinem in diesem Band enthaltenen Beitrag „Auserwählte und Verdammte – zum Wortschatz der mentalen Fähigkeiten in den deutschen Briefen".

20) Zur Frage der Prädestination vgl. u.a. HINRICHS (1952, 119; 122), STEINMETZ (1974a, 442; ähnlich in weiteren Arbeiten), GOERTZ (1967, 145), HOLL (1932, 456), FEDERER (1976, 108), WERNER (1962, 613).

21) Vgl. dazu u.a. die Arbeiten von LOHMANN (1972) und GOERTZ (1974).

Hans Otto Spillmann

WELTLICHE KLUGHEIT UND GÖTTLICHE WEISHEIT
– Zum Intellektualwortschatz in den deutschen Schriften –[1]

1. Das geistige Wesen des Menschen

Unter dem 'geistigen' Wesen werden die spezifisch humanen, angeborenen mentalen Qualitäten verstanden, die z.B. zur Abgrenzung des Menschen vom Tier ins Feld geführt werden.
Dieses 'geistige Wesen des Menschen' ist Voraussetzung für die Entwicklung mentaler Fähigkeiten, wie sie in unterschiedlicher Ausprägung allen Menschen zukommen und hier 'natürliche intellektuelle Kräfte' genannt werden.
'Besondere intellektuelle Eigenschaften und Fähigkeiten' dagegen sind nicht gattungstypisch, sondern stellen Individualmerkmale dar.

1.1. Geist

Das geistige Wesen des Menschen wird mit *geist, sele, hertz* und *gemüt* bezeichnet.

Geist erscheint in den untersuchten Schriften 241 mal und ist damit eines der häufigsten Lexeme im Wortschatz Müntzers; rein sprachstatistisch wird damit schon die Aussage von Goertz bestätigt, mit der er seine Forschungsübersicht und zusammenfassende Interpretation zu Thomas Müntzers Geistverständnis eröffnet: „Wer sich mit Thomas Müntzer auch nur ein wenig beschäftigt hat, weiß, daß die Frage nach dem Geistverständnis ins Zentrum seiner Theologie führt" (1989b, 84).
In der Mehrzahl der Belege bezeichnet das Lexem den Geist Gottes (z.B. 45, 12; 148, 10; 324, 11; 325, 9), den Geist Christi (z.B. 46, 26; 143, 22; 244, 16; 270, 9; 492, 1) oder den Heiligen Geist (z.B. 43, 2; 68, 16; 295, 4; 331, 11; 324, 28; 497, 1), wobei die Gegenstandsbereiche dieser Bezeichnungen nicht gegeneinander abgrenzbar sind. Vielmehr handelt es sich um Manifestationen eines als umfassend begriffenen Wirkens göttlichen Geistes, wie dies in Belegen zum Ausdruck kommt, in denen Müntzer vom *geist der liebe* (200, 7), *geist der*

weißheit und offenbarung goͤtlichs willens (246, 26) oder *geist der stercke und forcht Gottes* (267, 33) spricht und wie es in seiner Übersetzung der messianischen Weissagung Jesaia 11, 1ff. zum Ausdruck kommt:

> *Eyne ruthe wirt außgehn von der wortzeln Jesse, und ein blut wirt auffsteigen von yrer wortzeln, und auff dem bluth wirt rugen der geyst des Herrn, der geyst der weißheyt und des vorstandes, der geyst des raths und der stercke, der geyst der kunst und der guͤtickeit, und es wirt der geist der forcht des Herren die bluͤth erfullen (169, 16–20).*

Die *geist*-Vorstellung ist dabei ausgesprochen dynamisch, das zeigen Kollokationen wie *wirckung* (= Wirken) *des heyligen geysts* (305, 19); Christus *gleychfoͤrmig in seynem leyden und leben werden durch umbschetigung des heyligen geysts* (318, 29–32); *des heyligen geysts trost* (324, 28); *straff des heyligen geystes* (327, 6); *unterschayd des heyligen geysts* (331, 11) (= die vom heiligen Geist vorgenommene Differenzierung).

In der Verwendung *geist des gesetzes* (z.B. 331, 21) oder *geist der schrifft* (z.B. 234, 11; 315, 22; 324, 24) wird mit dem Wort das Wesenhafte, wirksam dynamische Prinzip bezeichnet, das hinter dem statischen Äußeren, dem Buchstaben, liegt.

All diese Bedeutungsnuancen schwingen nun in der komplexen Vorstellung von dem Geist mit, der auf den Menschen einwirken und in ihm 'wohnen' muß, wenn er zum Glauben gelangen soll:

> *So nun Christus schon also, angenommen durch den alten und newen bezeügten pundt gottes, gepredigt on eroͤffnung des geysts würde, koͤndt ein vil erger verwickelts affenspil darauß werden dann mit den juden und hayden, ... (325, 3–6).*
>
> *So nun der geyst des, der Jhesum vom todt erweckt hat, in euch wonet, so wirdt ewer sterblicher leyb lebendig werden von wegen des geystes, der in euch wonet. (143, 24–26).*

Zwar handelt es sich auch bei diesen Belegen um Bezeichnungen für den Geist Gottes, hier wird er aber schon in Beziehung zum Menschen gesetzt.

In den Bedeutungsvarianten bei Bezeichnungen für den menschlichen Geist liegt in den Wendungen *den geist aufgeben* (z.B. 80,13; 91,17) noch die alte Vorstellung des Geistes als Atem und damit Leben zugrunde,[2] wie sie in einer Belegstelle in Psalm 104 zum Ausdruck kommt; die Tiere, die Gott schuf, sind in seiner Hand:

So du dein angesicht vorbirgest, so vorschrecken sie. Wenn du wegnympst iren geist, so nemen sie ab und werden widder zu nichte. (142, 35f.).

Geist steht hier in enger Nachbarschaft zu *sele*, die für Müntzer an den Körper gebunden ist und den Geist beherbergt, während auch der Menschengeist sonst als Übernatürliches, nicht der Kreatur Verhaftetes angesehen wird,[3] was am deutlichsten in dem Gegensatz Geist – Fleisch sichtbar wird. Das Befangensein im Fleisch, das heißt dem Kreatürlichen, für das Müntzer das Verb *fleyschentzen* (318, 33) verwendet, macht die Erweckung des rechten, das heißt auf Gott bezogenen Geistes im Menschen unmöglich. So ist es folgerichtig, daß *fleysch* nur in den Belegstellen positive Bedeutung trägt, in denen es zur Bezeichnung aller lebenden Kreatur (z.B. 98, 21) bzw. des Menschengeschlechts generell (150, 11) verwendet wird oder aber sich auf Christi Menschwerdung in der Wendung, daß das Wort *fleysch* geworden ist, bezieht (z.B. 56, 16; 91, 7). In allen übrigen Belegen trägt das Wort negative Bedeutung, so, wenn die *fleyschlichen* Lüste (z.B. 169, 11; 251, 23; 303, 33) der Menschen bezeichnet werden, oder Müntzer von der *wollust des fleisches* (251, 24) und der *fleischlichen begir* (253, 16), den *fleyschlichen, yrdischen menschen* (281, 22) bzw. den *unversuchten, fleischlichen Leute(n)* (288, 11; 229, 31) spricht. Lebensäußerungen wie die *Freude* werden unter dem Aspekt der Weltverfallenheit des Menschen als *fleischlich* (236, 31) ebenso abgewertet wie die Verstandestätigkeit, wenn ein *fleyschliches gehyrn* (315, 17) – in diesem Fall der Pfaffen –, zu einem *fleischlichem urteyl* (255, 10) kommt und damit eine zwangsläufige falsche Erkenntnis erfolgt.
Für Müntzer gilt,

das der christliche glaub eynem fleyschlichen menschen solch ein unmüglich ding ist (280, 36–281, 3)

und deshalb auch der

klugen, fleischlichen, wollustigen welt gar ein seltzamer wint (250, 20) sei.

Es ist nur folgerichtig, daß Müntzer den aus seiner Sicht verblendeten, 'geistlosen' Luther im Titel der *Hochverursachten Schutzrede* das *Gaistloße sanfftlebende fleysch zu Wittenberg* (322, 1), das *gottloße Wittembergische fleisch* (326, 25) und *ein eselisch fleisch* (342, 1) nennt.
Ironisch ruft Müntzer Luther zu:

Das wirt die arme christenheyt wol innen werden, wie richtig dein flaischlicher verstandt wider den unbetrieglichen geyst Gotes gehandelt hat (339, 25–27).

Müntzer sieht für seinen Gegner keine Möglichkeit, der gottlosen Weltverfallenheit zu entkommen, woraus der Wunsch resultiert: *Schlaff sanft, liebes fleizch!* (341, 27).

Die Bezeichnung des gesamten Menschen als *geist*, für die sich in den untersuchten Schriften einige Belege finden (z.B. 279, 6), veranschaulicht das Unkörperliche und Dynamische, das dem Begriff innewohnt. Wenn Müntzer in der *Hochverursachten Schutzrede* Luther vorwirft, daß er nicht nur die Gottlosen nicht verachte, sondern auch dulde, daß *vil gotforchtiger umb der gotloßen willen teüffel und aufrürische geyster gescholten werden* (328, 2), wenn er in der gleichen Schrift diesem Gegner zuschreibt, er sähe am liebsten, daß er, Müntzer, *der geyst zů Alstadt die fauste stille halte* (333, 23), so geht aus beiden Belegstellen hervor, daß mit der Bezeichnung des ganzen Menschen als *geist* das kompromißlos eifernde, die gesamte geistige Substanz ausfüllende Bestreben gemeint ist, welches das Träg-Beharrende des Körperlichen überstrahlt. Ein Mensch, dessen gesamte Existenz sich nicht dem beherrschenden Einfluß des Geistes unterordnet, kann auch nicht als gesamtes Wesen mit diesem Begriff bezeichnet werden. Deshalb ruft Müntzer seinem Gegner Luther zu:

> *Du pist kein mörderischer oder auffrürischer geyst, aber du hetzest und treibest, wie ein helhunt* (338, 8).

Daß Müntzer „wirklich so genau bei der Verwendung der Begriffe aus dem sprachlichen Feld der intellektuellen Eigenschaften und Fähigkeiten" differenziert, wie dies S. Bräuer anzweifelt,[4)] läßt sich gerade an der hier untersuchten Bedeutungsvariante sehr schön aufzeigen: Wenn Müntzer seinem Gegner Luther vorwirft,

> *Daruber nennet er alle armselige menschen die schwimmelgeyster und mag nit hören, so man das wort „geyst" redet oder liseth* (326, 1f.),

dann wird aus dieser Stelle sehr deutlich, daß Müntzer auch die verächtlich gemeinte Bezeichnung *schwimmelgeyster* (= Schwarmgeister) mit den *armseligen* Menschen, das heißt, den von den Pfaffen böswillig im Zustand der geistlichen Armut Belassenen, in Verbindung bringt und damit eindeutig positiv auffaßt, während er Luther jeglichen Zugang zu einem so verstandenen geistigen Wesen des Menschen abspricht.

Der Geist des Menschen als Sphäre des menschlichen Seins, die über eine Gebundenheit an den Körper hinausgeht, wird bei Müntzer stets am Maßstab des Geistes Gottes gemessen. Die Ineinanderschichtung von Gottes Geist und Menschengeist, die Hildebrandt in seinem berühmten Artikel feststellt[5)] und

SCHÖNINGH für die paulinischen Briefe in Luthers Septembertestament belegt,[6] ist auch für Müntzers Geist-Verständnis zu beobachten. Unabdingbare Voraussetzung für den Empfang des Geistes Gottes durch den Menschen ist es, daß in ihm der *geist der forcht Gottes* entsteht und kräftig wird (z.B. 285, 38; 287, 35; 319, 7; 327, 3; 491, 10; 500, 10). Dieser *geist der forcht Gottes* kann gekennzeichnet werden als das unbedingte Sich-Öffnen des Menschen für die Einwirkung des göttlichen Geistes. Der *verstockte* (274, 19), *fantastische sinliche* (233, 1), *phariseische* (304, 20) Geist muß gebrochen werden:

> *Das opffer, das dir, mein Got, gefelt, ist eyn zurbrochener geyst, ein rwiges* (= reuiges) *und demůtiges hertz (84, 23f.).*

In der *anfenglichen bewegung* (300, 33) wird der Geist *erwecket* (88, 14), erst dann kann er *freywillig* (= freudig) (84, 14) sein und sich in Gott freuen (99, 28). Dieser Geist ist aber nicht mehr der rein menschliche, natürliche, sondern der im Menschengeist sich offenbarende, von ihm getragene Geist Gottes, der nach dem Maß des Glaubens verliehen wird. Nur in dieser Form erkennt Müntzer einen Menschengeist an, der mit seiner Existenz Zeugnis ablegt vom göttlichen Geist (323, 1–3). Dies geht ganz klar aus folgender Stelle hervor, in der Müntzer unter Berufung auf den Römer-Brief 8,9 sagt:

> *Wan wer den geyst Christi nyt in ym sporeth, ja der yn nit gewyszlich haet, der ist nit eyn glidt Christi, er ist des teufels* (492, 15–17).

Diejenigen, denen die *forcht Gottes* als Voraussetzung zum Empfang des göttlichen Geists fehlt und die in ihrem kreatürlichen Sein ganz befangen sind, gelten Müntzer als *geistlos* (z.B. 287, 12; 233, 1; 328, 11). Da für Müntzer aber menschlicher Geist – wenn er nicht *verstockt* ist – Gefäß des Göttlichen ist, sind *geistlose* gleichbedeutend mit gottlosen Menschen: So wird zum Beispiel Augustus, in dessen Regierungszeit Christus geboren wurde, ein *amechtiger im geist* (244, 28), d.h. ein ohnmächtiger im Geist und damit Gottloser, genannt, der deshalb auch als *elender drecksack* (244, 28) bezeichnet wird.

Gerade im Hinblick auf diejenigen, deren Aufgabe es sein müßte, die Erweckung des göttlichen Geists in den Gläubigen zu fördern, die Pfaffen und Mönche, ist der Besitz des rechten Geistes einziges Scheidungskriterium in Auserwählte bzw. Gottlose. Dies kommt besonders deutlich im Prager Manifest zum Ausdruck, auf dessen pneumatologische Bedeutung zuletzt GOERTZ (1989b, 89) hinweist. Den Klerikern wird hier vorgeworfen, daß sie über den bloßen äußeren Buchstabenbesitz der Schrift nicht hinausgekommen und nicht vom Geist Gottes berührt worden sind, daß sie den *geist der forcht Gots* (496, 4) nicht nur nicht besitzen, sondern ihn vielmehr *vorleugnen* (496, 25). Weil sie den heiligen Geist

nicht besitzen, sind sie des Teufels (427, 28), werden als *des teuffels pfaffen* bezeichnet (503, 13).
Als besonders verwerflich kennzeichnet es Müntzer, daß sie, die den göttlichen Geist nicht einmal *gerochen* (496, 13) haben, sich vor den Menschen den Anschein des Geistbesitzes geben: Müntzer nennt sie deshalb *geistscheynend* (495, 13) und *gleissner* (499, 17).
Diese Haltung der Pfaffen aber ist verantwortlich für den desolaten Zustand der Christenheit, denn durch ihren nur vorgetäuschten Glauben, der ihre wahre Gottlosigkeit verschleiert, wird den *armgeistigen* (z.B. 219, 27; 224, 28; 236, 2; 302, 16; 318, 35) oder *armseligen* (326, 1) Menschen der Weg zum Glauben behindert und verlegt. Ihnen, die Gottes Geist empfangen möchten, aber noch nicht fähig dazu sind, immerhin aber *iren unglauben erkennen* (318, 36), wird schließlich der heilige Geist geschenkt werden.

Müntzers Geist-Begriff ist so ausschließlich theologisch bestimmt. Als selbständige intellektuelle Eigenschaft des Menschen ist *geist* für ihn dem Geist Gottes zuwiderlaufend und deshalb verdammenswert.

1.2. Seele

Die Seele ist nach dem Geist die dem Immateriellen am nächsten stehende Sphäre des menschlichen Wesens, sie ist jedoch eindeutig an den Körper gebunden. Dies zeigen Aufzählungen, in denen das Lexem neben andere Körperteile gestellt wird, was für Geist undenkbar ist:

> *... meine lippen, haut, händt, haer, seele, leip, leben vormalediegen dye ungleuben* (504, 21).

Im vorliegenden Beleg wird deutlich, daß die Seele dem Leib und seinen einzelnen Bereichen beigeordnet wird, ihn in ihrer Existenz voraussetzt. (vgl. FAUTH 1989, 50f.).

Ebenso charakterisiert Müntzer das Verlangen und Streben der Seele mit körperlichen Bedürfnissen:

> z.B.: *Meyn seel durstet nach dir* (86, 4); *auff das unser sele vorschmachte und hungerig wede nach der speyse des lebens* (211, 11ff.); Die Seele *setigen* (212, 5),

Empfindungen:

> z.B.: *schmertzen meiner selen* (88, 13)

oder Bewegungen:

z.B.: *o mein seel, warumb ruͤmpffest* (= krümmst) *du dich* (85, 13).

Die Seele ist neben dem Herz der Ort, in den Gott sein *lebendiges wort* spricht (251, 26; 252, 19) und an dem es aufgenommen, gehört wird (220, 25; 254, 14). Um das Wort hören zu können, muß die Seele aber gewisse Voraussetzungen erfüllen, sie muß frei sein von allen weltlichen Wünschen, Vorstellungen und Gedanken. Diese vollkommene Abkehr von der Welt geschieht im *grund* (235, 20) oder *abgrund der selen* (z.B. 187, 12; 235, 20; 251, 7; 251, 16; 252, 21; 272, 39). Müntzer hat also, wie dies jetzt auch SCHWARZ (1989a, 290) betont, die Vorstellung von zwei Seelenbereichen, einem oberflächlicheren, der dem Leib näher steht, und einem tieferen, dem Seelengrund, der dem Menschengeist in seiner positiven, Gott zugewandten Ausprägung unmittelbar benachbart ist. Den Seelengrund muß der Mensch eröffnen, damit er Gottes Wort aufnehmen kann. Diesen Zustand der Bereitschaft der Seele zur Aufnahme der göttlichen Offenbarung bezeichnet Müntzer als *langweyl* (300, 35) oder *langweylig* (281, 7), wie dies in folgenden Belegen zum Ausdruck kommt:

Zum andern sehe ein yeder gantz wol zů, denn wirt er sicherlich finden, das der christliche glaub eynem fleyschlichen menschen solch ein unmuͤglich ding ist, I. Cor. 3, ja wol weyter alhie im text, allen wolglaubigen menschen wie Marie, Zacharie, Elyzabeth gewesen ist, das eynem nuͤchtern, langweyligen, ernsten, biddern, wolversuchten menschen, der achtung drauff hat, die hare auffm haupt moͤchten krachen (280, 35–281, 11),

Ja, drumb ists in (den Gottlosen) *also spoͤtlich, das sie die langweyl mit gekost haben, durch welche Gottes werck allein erfunden wirt* (300, 34–301, 2).

Es ist ganz offensichtlich, daß die beiden hier zitierten Belege nicht die geläufige neuhochdeutsche Bedeutung haben, wie dies TSCHIRCH[8] gegen HINRICHS[9] und meine (SPILLMANN 1971) Interpretation nachzuweisen versucht, sondern auf eine theologische Vorstellung bezogen sind, wobei die „geistliche Füllung des Begriffs 'Langweil' im Gegensatz zur Kurzweil … möglicherweise auf Müntzer selber" zurückgeht (SCHWARTZ 1989a, 289). Durch die in den Briefen vorkommenden zwei Belege des Wortes wird dieser für die Schriften getroffene Befund bestätigt: In dem Brief an Christoph Meinhardt spricht Müntzer von der

langweyl, die den wollustigen schweynen so spottisch yn die nasen geet (403, 23),

und im Brief an den Schösser Zeiß führt Müntzer aus, daß der Mensch auf dem Weg zu Gott alle Begierden und alles Weltliche ablegen und zu einem Zustand gelangen muß, der so gekennzeichnet wird:

> *Do siht man den clerlich alles, das den menschen zum unflat beweget, dem wyrt ehr feynd, zum ersten der lust mit langweyle* (419, 5).

Lediglich auf die Stelle aus dem 'Deutschen Kirchenamt', in der Müntzer das lateinische *in longitudinem dierum* des 93. Psalms übersetzt mit *in der lanckweil seyner* (= Gottes) *tage* (115, 17) trifft die Argumentation von TSCHIRCH zu.

Der Zustand der *langweyl* ist dann erreicht, wenn die Seele 'leer' von allem Weltlichen geworden ist. So fragt Müntzer:

> *Was soll doch Christus im sacrament bey den menschen thun, do er keine hungerige und lehre sele findet?* (212, 1)

und spricht vom *lebendigen wort, das ein lere sele hoͤrt* (220, 25), von der *forcht Gottes*, die *leer macht zum anfang der unaufhoͤrlichen weyßheyt* (286, 19) und davon, daß der Mensch nur zu Gott gelangen kann, *so er nach langer zucht darzuͦ leer gemacht durch seyn leyden und creuͤtz* (298, 11).
Die leer seel durch das zurknirschen ihrer lenden, durch das wegthuͤn ihrer luͤste (318, 11) werden die Gottlosen nicht erreichen, *sie kunnen und wollen nit leher werden, dan sie haben einen schlipperlichen grundt* (499, 20).

Die Seele im Zustand der 'Leere' wird von Müntzer auch als *gelassen* bezeichnet. In der Bedeutung dieses Lexems ist sicherlich auch noch die Komponente im Sinne von 'einsam', 'verlassen' enthalten, wie dies in folgenden Belegstellen zum Ausdruck kommt:

> *Got ließ Abraham darumb elende und gelassen werden, auff das er an keiner creaturn, sondern an Gott allein sollte sicher sein* (219, 3f.)

und

> *Vordamt menschen wollen alletzeit sich in selbst furhalten* (= sich in sich selbst verbergen) *und nicht desterweniger den hochgelassenen Cristum fassen* (219, 10–12).

Dennoch geht aus Belegstellen wie:

> *Der* (= Gott) *seyne bothen gelassen macht byß auf den geyst* (141, 11)

und

> *Derhalben muͦß der allergelassenste mensch von Gott erwecket werden aus der wuͤstney seyns hertzens* (308, 31)

doch hervor, daß diese Bezeichnungen insgesamt auf einen theologischen

Begriff bezogen sind und einen Seelenzustand benennen, in dem alle Beziehungen zur Welt abgelegt sind und der Erkenntnis des Geistes Gottes dann nichts mehr im Wege steht, wenn Gott den Menschen mit seiner Offenbarung beschenkt.
Die Tatsache, daß in der 'Gelassenheit' das Geisterlebnis möglich wird, zeigt wiederum die enge Nachbarschaft von 'Seelengrund' und Menschengeist, wie sie auch in folgender Stelle zum Ausdruck kommt:

> *... do die krafft des allerhoͤchsten ... allen getichten, heymlichen unglauben verwirfft auffs allergestrackste, denn er wirt entdeckt durch das anthuͦn oder durchgang im abgrund der seelen* (274, 5–12ff.).[10]

Dadurch, daß im Seelengrund das Geisterlebnis sich vollzieht und an dieser Stelle der Seele das Wissen um die Wahrheit rein vorhanden ist, kann hier auch heimlicher und verborgener Unglaube entdeckt werden.

1.3. Herz

> *Wu der same felt uff den guten acker, das ist in die hertzen, dye der forcht Gots vul sein, das ist dann das papir unde pergamen, do Got nicht mit tinten, sundern mit seinem lebendigen Finger schreibt dye rechte heilige schrifft, dye dy eusserliche biblien recht bezceugt* (498, 23–27).

Dieser Satz aus dem 'Prager Manifest', den Müntzer unter Verweis auf den Korinther-Brief 2,3 des Paulus an anderer Stelle in dieser Schrift (492, 6–8) wiederholt, umreißt die Bedeutung des Herzens: Als Ort aller innerer Regungen bestimmt das Herz Handeln und Denken des Menschen, denn es ist anders als der Geist oder die Seele kreatürlicher mit dem ganzen Menschen verbunden und nimmt die auf den Menschen wirkenden Eindrücke der äußeren Welt in sich auf, die sich so im Herzen spiegelt:

> *Also muͦß der recht glaub den sig gewinnen, ... nachdem er die welt uͤberwindet, die im hertzen ist vil tausendfaltiger dann außwendig* (302, 31–35).

Deshalb sendet Gott sein Wort in das Herz, das sich entweder dem Guten oder Bösen zuneigen kann, um damit den Menschen für sich zu gewinnen:

> *Nein, lieber mensch, du must erdulden und wissen, wie dir Got selbern dein unkraut, disteln und dorner aus deinem fruchtbaren lande, das ist aus deinem hertzen, reutet* (233, 29–31).

Unkraut, disteln und dornen charakterisieren das *vorirrte* (z.B. 72, 6; 136, 1; 309,

4) Herz, das von weltlichen und bösen Empfindungen nur verschüttet ist und auch als *wuͤsteney* des Herzens (z.B. 308, 33) bezeichnet wird.
Dieses 'verirrte' Herz wie auch das *bloͤde* (153, 13), das heißt, das verzagte, furchtsame, das vor den Anfechtungen und dem vor den Glauben gesetzten Leid zurückschreckt, das Müntzer weiter beschreibt als *hertzbetruͤbt* (280, 33), *reuͤwig und verdemuͤtigt* (292, 6), ist dem Zugriff Gottes noch offen; die *elenden, wuͤsten, yrrenden hertzen der gottfoͤrchtigen* (309, 4), die mit *rechtschaffnem, ungetichtem hertzen* auf Gott warten, können noch auf den Weg des Glaubens geführt werden, nicht aber die *leychtfertigen* (273, 32) sowie die *verstockten* Herzen der Schriftgelehrten und Pfaffen (z.B. 71, 9; 135, 5; 498, 13), die zwangsläufig 'gottlos' sein müssen.

Neben *hertz* begegnet *grund* (z.B. 206, 6; 324, 29), *abgrund* des Herzens (z.B. 237, 9; 253, 1; 280, 13; 286, 9) oder *hertzengrund* (121, 6) zur Bezeichnung des innersten Wesens des Herzens.[12)] Wie bei der Vorstellung der Seele denkt sich Müntzer auch beim Herzen einen umfassenderen, oberen und einen tieferen Bereich, der Sitz der Kräfte ist, die das übrige Herz und im weiteren Sinne den Menschen beherrschen: Gott oder Teufel, Glaube oder Gottlosigkeit, Askese oder Weltverfallenheit.

Für Müntzer ist das Herz Zentrum aller geistigen Regungen des Menschen; es ist deshalb kein Zufall, daß die Wendungen 'zu Herzen nehmen' (z.B. 271, 25; 296, 14; 494, 1; 494, 24) oder 'zu Herzen gehen' (z.B. 37, 27; 74, 14; 257, 26; 306, 27; 335, 15) bei Müntzer sehr häufig sind und immer dann verwendet werden, wenn ein sehr tiefgreifender und umfassender Rezeptionsprozeß bezeichnet werden soll.
Neben Gefühlen und Wünschen sind für Müntzer dem Herzen auch intellektuelle Fähigkeiten zu eigen: So spricht er von den *gedancken der hertzen* (38, 6), von *synne des hertzen* (100, 8), der *betrachtung* (54, 6) des Herzens und der Notwendigkeit, die Heilige Schrift aus dem Herzen zu *erforschen* (324, 24). Es handelt sich hier um ein Denken und ein auf Erkenntnis gerichtetes Bestreben, beides aber in einem eigentümlichen undifferenzierten Sinn, denn alles, was das Herz erfüllt, die ganze geistige Existenz des Menschen und nicht nur ein Teilbereich, ist Voraussetzung dieser Betätigung und schwingt in ihr mit. Dies aber bedeutet, daß über die intellektuellen Fähigkeiten des Herzens eine viel innigere und die ganze Person umfassende Beziehung zwischen dem Menschen und dem Ziel seines Denkens und Erforschens möglich ist als mittels aller übrigen speziellen intellektuellen Kräfte. So wird auch von hier aus verständlich, daß Gott sein Wort in das Menschenherz sendet, um dessen Streben auf sich zu lenken.

1.4. Gemüt

Im Vergleich zu den übrigen die geistige Substanz des Menschen bezeichnenden Lexemen nimmt *gemüt* in den untersuchten Schriften Müntzers mit einem Gesamtvorkommen von 12 Belegstellen eine untergeordnete Bedeutung ein.
Es erscheint dreimal in Verbindung mit Herz (109, 3; 166, 7; 252, 12) und bezeichnet in diesem Zusammenhang die Gesamtheit der intellektuellen Fähigkeiten von Geist, Seele und Herz mit verstärkter Betonung des Wollens. Diese Komponente in der Bedeutung des Wortes im Sinne von 'Absicht, Vorhaben, Plan' herrscht in folgendem Beispiel vor:

> etliche Gelehrte beschuldigen Müntzer, *als wolt ich die alten beptischen geberden* (= Zeremonien), *messen, metten und vesper widerumb auffrichten und bestetigen helffen, wilchs doch mein meynung noch gemueth nie gewesen,* (163, 9–11)

während in der Belegstelle:

> *Dann durch das geheymnis des vormenschten wortes ist das newe liecht deyner* (Gottes) *klarheit den augen unsers gemuͤthes erschinen,* (185, 15–17)

die Erkenntnisfähigkeit des Gemütes betont wird, die es zu Seelengrund und Herzensgrund stellt. Das kommt auch im folgenden Beleg zum Ausdruck:

> *Seht, yr allerthewrsten bruder, in freuntlicher wahrheit (wiwol sie ein bitter kraut unserm ungeubten gemut ist), das wir christen der gantzen werlt unflatige hefen gantz und gar gefressen haben* (232, 4–7).

Das Lexem kann aber auch synonym mit 'Geist' gebraucht werden, was aus folgendem Beleg hervorgeht, in dem es eine sonst nur dem Geist zugebilligte Eigenschaft bezeichnet:

> *O guͤttiger Gott, eroͤffne uns den abgrundt unser selen, das wir die unsterblichkeit unsers gemuͤtes muͤgen vornemen durch die new gepurt deynes sones* (187, 11 – 188, 1).

Auch in der folgenden Stelle in das Wort synonym zu 'Geist' gebraucht – sofern man sich nicht für eine Interpretation des Syntagmas als Genitivus subjectivus entschließt, wogegen aber alle übrigen Kollokationen sprechen:

> *Wie sant Peter in den geschichten der aposteln vorstund das gesetz nicht, Levit am 11. capitel, er zweiffelte an der speise und an den heyden, sie zu seiner gesellschaft zu nemen, act. 10, do gab ym Gott ein gesicht im uberschwangk seins gemuͤtes.* (254, 15–18)

Schließlich umfaßt *gemüt* wie auch *hertz* die sittliche Haltung des Menschen, so spricht Müntzer von dem *rechtschaffnen gemuͤth* (166, 20) oder einem *frechen gemüte* (497, 4).

Das Lexem bezeichnet also ebenso wie 'Herz' das ganze innere Wesen des Menschen, zielt aber nicht so wie dieses auf die kreatürliche Gebundenheit des Menschen, sondern ist gerade im Hinblick auf seine Funktion zum Verweis auf intellektuelle Fähigkeiten 'Seele' und 'Geist' enger benachbart.[13)]

2. Die natürlichen intellektuellen Kräfte

Die natürlichen intellektuellen Kräfte des Menschen werden bei Müntzer mit *vernunft, sinn, verstand* und *witz* bezeichnet.

2.1. Vernunft

Mit *vernunft* und der Ableitung *vernunftig*, die nur in den politisch-polemischen Schriften vorkommen, werden bei Müntzer die allen Menschen angeborene Denkfähigkeit, das Vermögen des diskursiven Denkens bezeichnet, durch das der Mensch vom *unvernuͤnfftigen* Tier (295, 33; 314, 15) unterschieden ist. Die Vernunft ist auf die irdischen Erscheinungen und Zusammenhänge gerichtet, deren Erkenntnis sich dem Menschen durch Betätigung seiner intellektuellen Kräfte erschließt und wird deshalb auch *menschliche* oder *natuͤrliche* Vernunft genannt, wie dies aus folgenden Belegstellen hervorgeht:

> *Sein* (= Christus) *predigen war also warhafftig und also gantz wol verfasset* (= formuliert), *daß er die menschlichen vernunfft auch in den gotloßen gefangen nam* (= für sie zugänglich war) (326, 15f.),
>
> *So wir uns nicht in kurtzer zeit bessern, haben wir auch die natuͤrlichen vernunfft verloren, von unsers eigennutzs wegen, den wir doch alle auff fleischliche lůst wenden* (303, 29–34).

Solange wie in diesen Beispielen die menschliche Vernunft hinsichtlich der Sachverhalte, auf die sie sich richtet, noch neutral ist und sich durchaus auch geistlichen Inhalten zuwenden könnte (z.B. 286, 30), steht ihr Müntzer nicht feindlich gegenüber.
Sobald es aber eindeutig ist, daß sich diese intellektuelle Fähigkeit nur auf die

Durchdringung und Erkenntnis nicht-geistlicher Dinge richtet, wird sie als Mittel zur Abkehr von Gott verworfen. Sie wird als Tarnung der Gottlosen eingesetzt:

> *Oho, wie kuͤndig weyß sich da die kluoge vernunfft, welche sich mit der lieb des nechsten in ihrer heuͤcheley pflegt zuͦ putzen und auffs visierlichest zu schmuͤcken* (288, 31–35),

> *Do ist gar kein entschuldigen mit menschlichen oder vornunfftigen anschlegen, dann der gotlosen gestalt ist uber alle massen schoͤn und listig* (246, 12–14).

Gott aber *schmeist solche vornuͤnfftige anschlege zcu boden* (258, 2), weil sie Ausdruck der Gottferne, des Unglaubens sind, den Müntzer bezeichnenderweise einen *vornunfftigen heydenischen glawben* nennt (232, 10).
In all diesen Wendungen wird eine geistige Haltung bezeichnet, die allein auf die realen Gegebenheiten des menschlichen Lebens gerichtet ist und Gottes Willen und das Wissen um Gott nicht mit einbezieht.
Müntzers Ablehnung einer solchermaßen weltverfallenen Vernunft geht soweit, daß er den Menschen, der sich ihrer bedient, als 'unvernünftig' kennzeichnet und damit in bezug auf seine mentalen Kräfte den Tieren gleichstellt; so beklagt Müntzer, daß die Leute

> *die unvernuͤnfftigen regenten in ehren halten, wiewol sie wider alle billigkeit streben und Gottes wort nit annemen* (288, 19–23).

Nur wenn die menschliche Vernunft auf Gott bezogen ist, hat diese Bezeichnung im Wortschatz Müntzers positive Bedeutung: Gottes Offenbarung, die hinter der Schrift der Bibel steht,

> *kan eyn itzlicher mensche lesen, so er anderst aufgethane vornunfft hat* (492, 9).

Diese auf Gott gerichtete Vernunft aber kann auch nur im Glauben an Gott entstehen:

> *Wan den menschen ore vernunfft wyrt eroͤffnet, das thut Got darumb von anbegyn in seynen auserweltn auff das sye mugen nit eyn ungewysz, sundern eyn unuberwintlich geczeugknis haben vom heyligen geysth* (492, 11–15).

Die solchermaßen *aufgethane* Vernunft ist dann auch imstande, sich auf geistliche Sachverhalte zu richten (500, 17).

Die nur der Welt zugewandte Vernunft nennt Müntzer in Übersetzung des 'lumen naturale' oder 'lumen naturae' der Scholastik *natuͤrlich liecht* (z.B. 250,

29) oder *liecht der natur* (z.B. 219, 17; 235, 26) und verwendet diese Bezeichnungen ausschließlich in abwertendem Sinne. *Natur* und *natürlich* stehen im Gegensatz zu 'geistlich', und Müntzers Gleichsetzung von *Natur* mit der gottfernen und deshalb verworfenen Vernunft (251, 6; 252, 11; 281, 17) macht seine Sicht des Menschen deutlich, der verloren bleibt (219, 19ff.) oder sogar ein Werkzeug des Teufels werden muß, wenn er in seiner Kreatürlichkeit befangen bleibt:

> *Czum vierden solt yhr wissen, das ein außerwelter mensch, der do wissen wil, wilch gesicht oder trawm von Gott, natur oder teuffel sey, der muß mit seynem gemuͤth und hertzen, auch mit seynem naturlichen vorstande abgeschiden sein von allem zeitlichen trost seines fleisches* (252, 10–15)

und

> *Drumb ist das kuͤrtzlich die ernstliche meynung, wir muͤssen wissen und nit allein in windt gleuben, was uns von Got gegeben sey odder vom teuffel oder natur* (250, 10–12).

Das *liecht der natur* als Gegenspieler des *rechten liehtes* (z.B. 324, 30), das auch *liecht der welt* (z.B. 326, 14) genannt wird und die Offenbarung des Gott-Christus meint, ist durch Hochmut (235, 26), anmaßende Leichtfertigkeit (250, 29) und täuschende Vorspiegelung des echten Glaubens (236, 14) gekennzeichnet.

Die Betätigung des *liechts der natur* sind *tichten, speculieren* (290, 22) und *duncken* (z.B. 275, 22; 289, 19; 293, 19). Dem *tichten* kommt von diesen Bezeichnungen schon rein quantitativ die höchste Bedeutung zu, in semantischer Hinsicht aber deshalb, weil es die stehende Charakterisierung des falschen Glaubens ist. Der *getichte glaube* (z.B. 223, 26; 239, 29; 269, 2) ist vom Menschen zusammengefügt aus den Erkenntnissen seiner allein auf irdische Dinge gerichteten Vernunft und ist damit leichtfertig:

> *Mit solcher leychtfertiger ankunfft tichtet die truncken welt einen vergifftigen glauben, der do vil erger ist dann der Tuͤrcken, heyden und Juden glaube* (272, 6–11).

Damit aber schafft der Mensch sich einen Götzen, er *tichtet ym* (= sich) *einen hoͤltzern Christum und vorfuret sich selber* (251, 28) und verstellt sich damit die Einsicht in die Offenbarung Gottes.
Der *getichte glaube* ist deshalb ein *gestolner glaube* (z.B. 251, 1; 270, 16; 298, 30), der wegen der fehlenden Offenbarung des Geistes Gottes nur auf den Buchstaben der Heiligen Schrift gegründet ist. Dieser Glaube, der auch als *hinderlistiger glaube* (218, 29) bezeichnet wird, weil er nicht in Anfechtungen erworben worden ist, muß zertrümmert werden, damit der rechte Glaube entstehen kann:

der mensch můß seynen gestolnen, getichten christenglauben zů truͤmmern verstossen durch mechtig hoch hertzleyd und schmertzlich betruͤbnuß und durch unaußschlahlich verwundern (298, 29–35).

Denn das *liecht der natur* legt in *getichter weyse* (z.B. 327, 15) Gott Attribute wie *gedult* und *gute* (256, 19) bei, die vom Standpunkt des Verstockten aus eine Täuschung sind.

Tichten bezeichnet also eine dem Objekt nicht entsprechende Erkenntnis, kann aber auch eine nur beigelegte, nicht tatsächlich vorhandene, vorgetäuschte Haltung oder Eigenschaft charakterisieren, wie z.B. die *getichte guͤttigkeit* (z.B. 262, 19; 329, 12), wobei für die Einschätzung der Gefährlichkeit dieser Haltung durch Müntzer die folgende Belegstelle besonders aufschlußreich ist:

Es hat kein ding auff erden ein besser gestalt und larve dann die getichte guͤte (262, 25f.).

Wird von *getichter guͤttigkeit* vor allem im Hinblick auf die Pfaffen gesprochen, so sind *getichte* Christen (z.B. 210, 18; 221, 4) diejenigen, die den un-bequemen Weg zum rechten Glauben nicht auf sich nehmen wollen und deshalb in Wahrheit gottlos sind.

Bei der kontextuellen Einbettung des Wortes ist, wie auch bei den übrigen die Betätigung der intellektuellen Kräfte angebenden Bezeichnungen, eine starke Betonung des Moments der Täuschung, des Irrtums wie auch des Vortäuschens, des Heuchelns zu beobachten, das in der Sprache Müntzers eine so bedeutsame Rolle spielt.

Duncken kommt wie *tichten* nur in den politisch-polemischen Schriften vor und bezeichnet ausnahmslos eine auf Grund der menschlichen natürlichen Vernunft gewonnene und deshalb das Objekt nicht voll und richtig erfassende Erkenntnis (z.B. 231, 2; 289, 19; 341, 6), deren trügerische Beschaffenheit durch die Verbindung mit dem Verb *wehnen* (275, 22; 293, 19) betont wird.

Speculieren wird das Denken aus der natürlichen Vernunft und die vermittels ihr gewonnene vermeintliche Erkenntnis der Philosophen genannt: Müntzer verurteilt den – ironisch als *feyn* bezeichneten – Glauben der Schriftgelehrten:

Ja, es ist dennoch ein feyn glaube; er wuͤrt noch vil gůts anrichten; er wirt wol ein subtyl volck anrichten, wie Plato, der philosophus, speculiert hat, die rebublica, und Apuleius vom guͤlden Esel, und wie Isaias sagt am 29. von dem treuͤmer etc. (290, 18–25).

2.2. Sinn

Sinn bezeichnet zwar wie *vernunft* auch die Fähigkeit des Denkens und Erkennens, die allgemeinen intellektuellen Kräfte, wie dies aus folgenden Belegen hervorgeht:

> *Ir lieben bruͤder, seyt yr mit Christo erstanden, so suchet, was droben ist, do Christus ist, sitzend zu der rechten hand Gottis, nemet die ding zu synnen, die droben seindt* (195, 3–6),

– hier übersetzt Müntzer mit dem Syntagma das *quae sursum sunt, sapite* der Vulgata (Kol. 3, 2) –
und – unter Berufung auf 2. Kor. 11, 3 –

> *Sehet, daz ewre synne mit vorruckt werden von der eynfeltigkeyt Christi* (334, 20f.).

Der Bedeutungsumfang von *sinn* ist jedoch weiter als der von *vernunft*, das ausschließlich die Sphäre des Intellekts bezeichnen kann, denn er schließt die Komponenten des Fühlens und Wollens mit ein. Dies wird deutlich aus Kollokationen, in denen das Lexem mit *witz* in Verbindung gebracht wird (314, 18), denn *witz* bezeichnet eine ausschließlich intellektuelle Fähigkeit; oder Sinn erscheint zusammen mit *hertz*:

> Gott *zurstrawet die, do hoffertig seint in ihres hertzen synne* (100, 6–8).

Hierzu gehört auch die Fügung *wie eynem zuo synnen ist* (236, 3; 278, 32; 296, 37), während in Wendungen wie *eynen syn* (= Absicht, Vorsatz) *haben* (77, 20) und *in eynem vorkarthen synne vorstockt* (249, 20) eine die Intentionalität betonende Bedeutungskomponente zum Ausdruck kommt.
Dies ist auch der Fall bei der Verbalform *synnen* (so z.B. 223, 9):

> *wilt du nun erst darauff synnen, welches du andere menschen sollst leren* (339, 24).

Sinn kann aber auch, ganz gemäß der heutigen neuhochdeutschen Verwendung, das Wesenhafte einer Sache, eines Textes bezeichnen, wie dies aus folgendem Beleg aus Müntzers Vorrede zur *Deutsch-Evangelischen Messe* zu ersehen ist:

> *Drumb hab ich zur besserung nach der Deutschen art und musterung, ydoch in unvorrugklicher geheym des heyligen geists vordolmatzscht die psalmen, mehr nach dem sinne dan nach den worten* (162, 19–22).

Auch der *sinn* des Menschen wird von Müntzer am Maßstab des rechten Glaubens bemessen. Wenn sich die Sinne auf Erkenntnis richten, ohne daß

Gottes Offenbarung im Menschen Eingang gefunden hat, so kann die Wahrheit niemals erschlossen werden. Durch Spekulation des Intellekts ist Gott nicht zu erfassen, dies geht sehr deutlich aus der folgenden Stelle hervor, in der Müntzer die rechte innere Einstellung des Menschen beim Empfang des heiligen Sakraments beschreibt:

> *er sol und muß wissen, daß Got in ym sey, das er yn nicht außtichte odder außsinne* (210, 34f.).

In einer *synlichen weyße* (224, 22), durch einen *fantastischen sinlichen geist* (233, 1) ist Gott aus dem Buchstaben der Heiligen Schrift nicht zu konstruieren. Vielmehr bezeichnet Müntzer die Menschen, die einen solchermaßen *getichten* Glauben haben, als *whansinnig:*

> *Ist es nimer moͤglich, das man sulche whansinnige und gutduncklische menschen solte vornunfftige heyden, sweig dan cristen heyßen* (218, 31-33).

In diesem Belegen ist die Verbindung von *whansinnig* mit *gutduncklisch* besonders bemerkenswert, denn dieses Lexem bezeichnet das vermessene Vertrauen des Menschen in die Fähigkeit des eigenen Intellekts zur Wahrheitsfindung, die für Müntzer ohne göttliche Offenbarung nicht möglich ist; so ist es aufschlußreich, daß Müntzer seinen Widersacher Luther in die Reihe der *sanfftlebenden guͦtdunckler im gedichten glauben und in iren phariseischen tücken* einordnet (323, 26).
Die ihre eigenen Fähigkeiten dergestalt vollkommen überschätzenden, größenwahnsinnigen Menschen sind unter Müntzers theologischen Beurteilungskriterien dem unvernünftigen Vieh gleichzustellen, er nennt sie die *wansynnigen, wollustigen schweyne* (220, 6) oder *wansinnige, vihische menschen* (213, 35).

Mangelnde Verstandesqualitäten bzw. das Fehlen der Vernunft unter bestimmten Umständen bezeichnet Müntzer mit dem Adjektiv *unsinnig*.
Die Untersuchung der Bedeutung dieser Bezeichnung kann dabei von der einzigen Stelle ausgehen, in der dieses Lexem nicht auf einen Menschen bezogen ist. In der *Hochverursachten Schutzrede* wirft Müntzer seinem Widersacher Luther dessen Hinterhältigkeit und Verschlagenheit vor und bezieht sich dabei auf das Tierepos 'Reineke Fuchs':

> *Du thuͦst, gleich wie wir Teütschen sagen, du steigst in prunn, wie der fuchs in dem einen eymer trath und fraß die vische. Darnach locket er dem unsinnigen wolff in den prunn in andern eymer, so feret er empore und der wolff bleibet darunter.* (339, 32 – 340, 3).

Unsinnig bezeichnet hier eine dümmliche, von jeglicher Erfahrung absehende Haltung.

Wenn Müntzer nun sagt, daß der von den Schriftgelehrten gepredigte – falsche – Glaube *hoͤcher und hoͤcher unsinniger wirdt* (233, 23), wenn er *der gottlosen, unsinnigen menschen regiment* anprangert (283, 13) und folgerichtig die ganze Welt *unsinnig* nennt (z.B. 272, 2; 282, 2), dann bringt er hiermit zum Ausdruck, daß für ihn das verblendete Beharren auf dem falschen Glauben oder das bewußte Ausschlagen des Angebots der göttlichen Offenbarung ganz eindeutig Anzeichen einer den eigentlichen mentalen Fähigkeiten des Menschen nicht entsprechenden Haltung ist. Für Müntzer 'funktionieren' diese Menschen nicht so, wie sie es eigentlich nach dem göttlichen Schöpfungsplan tun sollten; dies ist wohl der Grund, warum sie in Zusammenhang mit den Tieren gebracht werden. Und dies erklärt auch, warum *unsinnig* in einer Vielzahl von Belegen zusammen mit dem Adjektiv *toll* in einer Zwillingsformel vorkommt, z.B.:

> *Sunst ist die christliche kirche vil toller und unsinniger dann die wutende thorheit selber* (226, 23),

> *Die gantze tolle, unsinnige, fantastische welt brengt herfur einen falschen, glosirten wegk* (288, 13–16B).

Diese Kollokationen ebenso wie die mit *thoͤricht* (z.B. 238, 23; 341, 15; 503, 19) weisen eine derartige Haltung als Narrheit aus, wie aus der Wendung *ein toller kopff* (256, 10) hervorgeht, die einen verrückten Menschen bezeichnet.
Eine Steigerung der negativen Bedeutung von *unsinnig* wird durch die Verbindung mit *tobend* erzielt:

> *Die tollen, tobendigen, unsinnigen schrifftsteler gedachten in irem fleyschlichen gehyrn, das Jhesus von Nazareth keynerley weyß kuͤnte Christus seyn, drumb das er in Galilea erzogen war* (315, 15–21).

Aus dieser Stelle wird deutlich, welchen Bedeutungsumfang für Müntzer das Adjektiv *unsinnig* insgesamt haben kann: Es kann das halsstarrige Festhalten an der kreatürlichen Verblendung bezeichnen, die dem Rasen des Verrückten gleichkommt. Darauf deutet auch, daß diese Haltung als *die wutende thorheit selbern* charakterisiert wird (226, 23f.).

Der *tolle glaube* (z.B. 249, 15; 311, 17; 314, 18) ist für Müntzer deshalb auch kein irregeleiteter oder falscher Glaube, sondern vielmehr die Ausgeburt eines kranken und eifernden Hirns – meist eines Pfaffen, Schriftgelehrten oder Regenten.
Wenn also von einem Menschen gesagt wird, daß er *toll* und *unsinnig* sei, so wird ihm über das Fehlen der Vernunft hinaus eine Verwirrung des Geistes zugeschrieben. Bemerkenswert ist hierbei, daß dieses Urteil über einen Menschen aufgrund seiner ablehnender Haltung gegenüber der göttlichen Offenbarung

oder einer oberflächlichen Auslegung der Heiligen Schrift gefällt wird. Die Entscheidung darüber, ob ein Mensch 'normal' ist oder nicht, hängt also von dem theologischen Beurteilungskriterium ab, ob er den rechten Glauben besitzt.

2.3. Witz

Witz, sowie die hierzu zu stellenden Wortformen *unwitzig*, *wolwitzig* und *vorwitz* kommen in den Schriften Müntzers nur je einmal vor.

Noch ganz der mittelhochdeutschen Bedeutung entsprechend bezeichnet *witz* „die von gott dem menschen verliehene gabe des vernünftigen denkens und handelns“[15] und steht hierin *verstand* im Sinne von 'ratio' näher als *vernunft* oder *sinn*.

Den Menschen wird der Besitz von *witz* abgesprochen. Allein in der Verbindung mit Gott hat das Wort bei Müntzer eine positive Bedeutungsladung:

> *Der schade der unvorstendigen werlt muß erstlich erkant werden mit alle seinem ursprunge, sonst ist es unmoglich, das der wolwitzige vatter seine gnedige ruthen solte hinthun* (= weglegen) (226, 32 – 227, 1).

In diesem Beleg ist es aber unübersehbar, daß der Bedeutung auch eine zeitliche Komponente angehört, bei deren Dominanz *witz* die Bedeutung von 'Weisheit' erhält.[16]
Mit der negativen Sinnladung der Bezeichnung in bezug auf die Menschen steht Müntzer ganz in der Tradition einer religiösen Sprache, die „von der begrenztheit des menschlichen erkennens“[17] ausgeht:

> *Sie* (= die Schriftgelehrten) *haben vor irem tollen glauben weder sinn noch witz und verlestern alle ding, die sie nit woͤllen annehmen* (314, 17–20);

> *die unwitzige menschen sind also betrogen, das sie der almugenden gewalt Gotis nit warnemen* (232, 26–28).

Im letzten Beleg schließlich erscheint *vorwitz* in einem Syntagma zusammen mit *natuͤrlich liecht* und wird in seiner negativen Bedeutung hierdurch noch verstärkt:

> *Ja, wenn sich der mensch verstunde auff den vorwitz des natuͤrlich liechts, er wuͤrd on zweyfel nit vil behelff suchen mit gestollner schrifft, wie die gelerten mit eynem stucklein oder zweyen thun.* (Ja, wenn der Mensch um die Vermessenheit seines kreatürlichen Verstandes wüßte, würde er zweifellos nicht viel Notbehelf mit einem mittels dieses Verstandes aus der Heiligen

Schrift zusammengestoppelten falschen Glauben suchen, wie das die Schriftgelehrten mit einigen aus dem Zusammenhang gerissenen Bruchstücken tun) (250, 28–251, 2).

2.4. *Verstand*

Verstand bezeichnet im Sprachgebrauch Müntzers die Fähigkeit des Erkennens und Begreifens in einem umfassenderen Sinn als das Erschließen von Sachverhalten durch die menschliche Vernunft. Hierbei kann sich das Lexem je nach Kontext mehr auf die statisch gedachte mentale Qualität beziehen oder aber in einem dynamischen Sinne deren Betätigung meinen. Diese Bedeutungsinhalte stehen aber nicht nebeneinander, es handelt sich vielmehr – wie gesagt – um Nuancierungen, bei denen der eine oder der andere Aspekt stärker hervortritt. Wenn Müntzer z.B. vom *rechten vorstandt* der Bibel (163, 23; 164, 2; 284, 12) oder davon spricht, daß der Mensch

> *muß durch den heilgen geyst geweiset werden auff die ernstliche betrachtung des lauttern, reinen vorstands des gesetzes* (Gottes) (251, 28),

dann ist damit die auf geistliche Inhalte gerichtete Betätigung des menschlichen Verstandes gemeint. Diese Bedeutung, die paraphrasiert werden könnte mit 'richtiges Verständnis, richtige Auffassung', kann als mittlere Markierung auf einer Skala abnehmender Dynamik des Bedeutungsumfangs angesehen werden, an deren Ende das Wort dann 'Sinn' oder 'Bedeutung' einer Textstelle meinen kann (z.B. 229, 9).

Der *rechte* Verstand ist der auf geistliche Inhalte ausgerichtete, der den Menschen von Gott geschenkt wird:

> *Der Herr thuͦt den willen der gotforchtigen, mit welchem sie erfuͤllet werden in der weyßheyt und dem verstand und der kunst Gottes* (286, 22–26).

Nur der geistliche Verstand läßt den Menschen Lüge und Wahrheit, Gut und Böse unterscheiden und natürlich Gottes Offenbarung aufnehmen, wie es in der Belegstelle zum Ausdruck kommt, *es soll ein mensch verstandt haben in den gesichten* (= Visionen) (252, 8), in der das Wort in Übersetzung des Lateinischen 'intelligentia' oder 'intelligendum' der Vulgata (Dan. 10, 1 oder 2) steht.

Der natürliche, auf weltliche Dinge und Sachverhalte gerichtete menschliche Verstand wird von Müntzer eindeutig negativ bewertet und durch entsprechende Adjektive charakterisiert als *betrieglicher* (161, 16), *fantastischer* (339, 17) oder *flaischlicher* (339, 26) Verstand, dessen Weltverfallenheit den Menschen für Müntzer noch unter das Tier stellt:

> *Wir sind vil groͤber nach dem adel unser selen dann die unvernuͤnfftigen thier, hat doch schier keyner verstand denn vom wůcher und von den tůcken diser welt* (295, 31–36).

Dieser natürliche Verstand muß gebrochen werden, wenn der geistliche dem Menschen von Gott geschenkt werden soll. Dies kommt zum Ausdruck in zwei Belegstellen, die von zentraler Bedeutung zur Beurteilung von Müntzers gesamtem Intellektualwortschatz sind:

> *Wir muͤssen wissen und nit allein in windt gleuben, was uns von Got gegeben sey odder vom teuffel oder natur. Dann so unser natůrlicher vorstandt doselbst soll zur dinstpargkeit des glaubens gefangen werden,* 2. Corin. 10, *so muß er kummen auff den letzten grad aller seiner urteyl* (= Erkenntnisse), *wie zun Roͤmern am ersten capitel und Baruch 3. angezeycht. Der urteyl mag er aber keins beschlissen mit gutem grund seyns gewissens on Gottis offenbarung. Do wirdt der mensch klerlich fynden, das er mit dem kopff durch den hymmel nit lauffen kan, sonder er muß erstlich gantz und gar zum innerlichen narren werden* (250, 10–19);

> *ein außerwelter mensch, der do wissen wil, wilch gesicht oder trawm von Got, natur oder teuffel sey, der muß mit seynem gemůth und hertzen, auch mit seynem naturlichen vorstande abgeschieden sein von allem zeitlichen trost seines fleisches* (252, 10–13).

Wenn der menschliche Verstand nicht gegen Gott verstockt ist, sondern sich seiner Einwirkung nur noch nicht geöffnet hat, wird er von Müntzer als ein *unerfarner* (249, 6), das heißt ein von Gott noch nicht angefochtener und durch Leid zur Einsicht in seine Offenbarung gelangter, sowie als ein *grober* oder *toͤlpischer* Verstand bezeichnet.
Grob kennzeichnet im Wortschatz Müntzers die Roheit und Ungeschlachtheit des Verstandes, was in der Zwillingsformel *grob und unvorstendig* seinen Ausdruck findet (164, 7; 164, 35), und in weiterem Sinne alle geistigen Fähigkeiten, wie sie beim einfachen Volk anzutreffen sind:

> *So einer all seinen fleyß daselbst fuͤrwendet, denn kuͤnt er kein rhů haben vor dem treiben des heyligen geists, der in nymmer zůfriden lest, in zu weysen zum ewigen gůt; das kan er eynem groben menschen nicht zu verstehen geben dann nach den allergroͤbsten toͤlpsuͤnden, da der ungeschliffne die gnahenden, fressenden stacheln on unterlas vernimet* (301, 33 – 302, 5).

Der *grobheyt* (33, 15; 284, 10) könnte durch Unterweisung im rechten Verständnis der Heiligen Schrift abgeholfen werden. Die *grobe christenheyt* (296, 11) könnte *entgrőbet* (162, 24; 164, 36) werden, aber Schriftgelehrte wie auch Regenten sind bestrebt, das Volk in dieser Verfassung zu belassen (294, 25ff.), die eine unverschuldete Weltverfallenheit darstellt. Es ist offensichtlich, daß das Wort in seinem Bedeutungsgehalt mit der mystischen Tradition in Zusammenhang zu bringen ist, in der es den „Zustand des Versunkenseins in die bloße Leiblichkeit, in die Materie bezeichnen konnte.“[18)]

Mehrfach erscheint *grob* in Verbindung mit *tolpisch* und *tůlpisch* (236, 24; 245, 20), womit das Moment des Rohen und Ungelenken in der Bedeutung des Wortes hervorgehoben wird.

In der Verbindung mit *arm* (194, 34; 226, 18; 238, 32; 247, 13; 294, 31; 299, 27; 498, 3), das in den Schriften Hauptcharakteristikum des gemeinen Volkes ist, bezeichnet das Wort das unverschuldete Alleingelassen-Sein der Menschen durch die Schriftgelehrten und Pfaffen in ihrem Unglauben. Die eindringliche Zwillingsformel *armes, grobes volk* unterliegt dabei Steigerungen bis hin zum sechsgliedrigen Asyndeton in Müntzers Hinweis auf die Notwendigkeit der Belehrung des Volkes durch Gottes lebendiges Wort:

> *Es kan und mag kein ander weg erfunden werden, der ellenden, armen, iamerlichen, durfftigen, groben, zurfallen christenheyt zu helffen, dann das die außerwelten auffs selbige mit emsiger begir, arbeit und ungespartem fleiß hingeweyset werden* (226, 17–21).

Unverstand, das in den Schriften nur zweimal vorkommt (228, 11; 292, 11), bezeichnet die fehlende Einsicht in höhere, geistliche Dinge; *unverstendig* (164, 7; 164, 35; 226, 32) wird eine Haltung genannt, die rein auf weltliche Sachverhalte ausgerichtet oder von Gottes Offenbarung noch nicht erfaßt worden ist.

Daß sich menschlicher Verstand, wenn er als solcher von Müntzer anerkannt wird, vorwiegend auf geistliche Dinge richtet, bestätigt eine Untersuchung des Verbs *verstehen*, mit dem die Tätigkeit dieser intellektuellen Kraft bezeichnet wird. Wie es in der einzigen Belegstelle des Lexems in den liturgischen Schriften zum Ausdruck kommt,

> *Ir solt verstehen die őbern ding, nit die auff erden seint* (109, 8),

gibt es von den ingesamt 15 Belegen in den politisch-polemischen Schriften (213, 13; 214, 15; 214, 30; 228, 13; 254, 15; 268, 18; 302, 1; 303, 19; 325, 15; 326, 17; 491, 8; 496, 8) nur drei Stellen (235, 8; 250, 29; 341, 26), in denen nicht eine Einsicht und Erkenntnis geistlicher Dinge wie Heilige Schrift, Sakramente oder Gottes Offenbarung angestrebt oder erreicht wird.

Die Bezeichnungen für nicht nur auf eine spezielle intellektuelle Fähigkeit eingeschränkte Betätigungen sind *dencken, meinen, erforschen, unterscheiden, suchen, mustern.* Diese mehr undifferenzierten Bezeichnungen für mentale Tätigkeiten unterliegen nicht direkt der bei Müntzer beobachteten Wertung, sondern erst im Kontext der jeweiligen intellektuellen Eigenschaft oder Fähigkeit, zu der sie in Beziehung gesetzt sind. Immerhin ist es auch hier aufschlußreich, daß z.B. von den sieben Belegen für das Verb *dencken* in drei Stellen in den liturgischen (86, 14; 124, 3; 151, 7) und allen in den politisch-polemischen Schriften (233, 18; 233, 29; 504, 11) auf geistliche Sachverhalte Bezug genommen wird gegenüber einem Beleg (40, 7), für den dies nicht zutrifft.
Eine detailliertere Untersuchung, die an dieser Stelle anzusetzen hätte, könnte hier weitere interessante Ergebnisse zutage fördern.

3. Die besonderen intellektuellen Fähigkeiten und Eigenschaften

Im Gegensatz zu den natürlichen intellektuellen Kräften, die in gradueller Abstufung allen Menschen zukommen, sind die besonderen intellektuellen Fähigkeiten und Eigenschaften, die mit *weisheit, klugheit, erkenntnis* und *kunst* bezeichnet werden, nur einigen verliehen.

3.1. Weisheit

Weisheit in umfassendem Sinne ist für Müntzer nur bei Gott und bezeichnet sein vollkommenes Wissen, aus dem die Schöpfung entstand und das sie lenkt. So heißt es von den Engeln, daß sie *den eyfer gȯ̊tlicher weyßheit volfu̍ren* (262, 4), und vom Herzen der Menschen wird als dem Ort gesprochen, da

> *Got myt seynem finger seynen vnvorrucklichn willn unde ewyge weysheyt nit mit tinten inscreybt* (492, 8).

Bei den Menschen bezeichnet *weisheit* die höchste Stufe der Erkenntnis, und zwar der Erkenntnis göttlicher Offenbarung und göttlichen Willens. Als Gabe, die an Wert den geistlichen Verstand überragt, wird *weisheit* nur den Auserwählten geschenkt, die die *forcht Gottes* besitzen:

> *Die hertzliche barmhertzigkeyt Gottes kan unser unerkante finsternuß nit erleu̍chten, dieweyl uns die forcht Gottes nicht leer macht zum anfang der*

unauffhoͤrlichen weyßheyt (286, 16–21).

Diese *weyßheyt Gottes* (z.B. 246, 8; 246, 15; 246, 26; 249, 25; 286, 25; 286, 38; 287, 9; 316, 21; 334, 22) bezeichnet das Wissen, die Einsicht des Menschen in Gottes Offenbarung, die ihm nach dem Grad seiner Gottesfurcht (246, 9) geschenkt wird. Diese Erkenntnis, die *besprengung mit wassern goͤtlicher weyßheit* (220, 7; 301, 4), der Empfang des *saltz der weyßheit* (214, 25; 222, 4) ist die Teilhabe des Auserwählten an der göttlichen Offenbarung. Dieses Wissen von Gott ist der rechte Glaube, deshalb wird es auch als *voller* (334, 22) oder *höchster* Schatz des Glaubens bezeichnet:

> *Sol anderst yemant mit den ewigen, goͤtlichen guͤtern erfuͤllet werden, so er nach langer zucht darzuͦ leer gemacht durch seyn leyden und creuͤtz, auff das ym seyn maß des glaubens, erfuͤllet muͤge werden mit den hoͤchsten schetzen christlicher weyßheit* (298, 8–15).

Die *weyßheyt des creutzes* (317, 3; 317, 10) ist die Bezeichnung für das Wissen des Gläubigen darüber, weshalb Christus am Kreuz geopfert wurde, zugleich aber die Einsicht in die Notwendigkeit des Erduldens des eigenen Kreuzes, die das Tragen des Leidens erleichtert, wie dies auch im letztgenannten Zitat zum Ausdruck kommt. Wenn der Besitz dieser *weisheit* damit auch eine Lebenshilfe sein kann, so erhält der Mensch diese eben nicht aus der höchsten Ausprägung seiner menschlichen intellektuellen Fähigkeiten, sondern aus der gnadenhaft verliehenen Erkenntnis Gottes.

Auch in den Belegen, in denen Menschen mit dem Attribut *weise* gekennzeichnet werden, erhalten sie dies, weil sie im Zusammenhang mit dem Heilsgeschehen stehen oder über die höhere, nämlich geistliche Einsicht verfügen: Das Adjektiv *weise* bezieht sich zweimal auf die Weisen aus dem Morgenland (64, 12; 254, 6) und zweimal wird es auf den Ecclesiastesautor bezogen (250, 24; 253, 5).

Die einzige Stelle, in der *weisheit* eine eindeutig nicht auf geistliche Inhalte bezogene menschliche Intellektualqualität bezeichnet, stellt die *falsche, kluͤglingsche weyßheyt* der Gottlosen (316, 36) der *weyßheit des creutzes* der Auserwählten gegenüber.

Auch hier zeigt sich wiederum die für Müntzers Sprache so kennzeichnende Abwertung der menschlichen intellektuellen Fähigkeiten, wenn die mittels der besonderen Eigenschaft der Klugheit erworbene Erkenntis als *falsch* verurteilt wird.

3.2. Klugheit

Klug und *klugheit* bezeichnen die besonders hohe Ausprägung sämtlicher intellektueller Fähigkeiten, die z.B. eine philosophische Durchdringung und Erhellung der Welt ermöglicht, wie dies in der Belegstelle aus der *Auslegung des Unterschieds Danielis* zum Ausdruck kommt, in der Müntzer von den Zeitaltern als den 'fünf Reichen der Welt' spricht und ausführt:

> *Das dritte war das reich der Krichen* (= Griechen) *wilchs erschallet mit seiner klugheit* (256, 2f.).

Daß diese philosophische *klugheit* im Wortschatz Müntzers eine negative Bedeutung trägt, ergibt sich eindeutig aus seiner Beurteilung der Betätigung dieser intellektuellen Qualität, die er *speculieren* nennt und als Ausprägung der fehlgeleiteten natürlichen Vernunft auffaßt (vgl. Fauth 1989, 49).
Klugheit ist ausschließlich auf den Bereich der menschlichen geistigen Fähigkeiten beschränkt und stellt die höchste Form des *natuͤrlich liechts* dar. Ebenso wie die aus diesen gewonnenen Einsichten sieht auch die kraft der *klugheit* erworbene Erkenntnis völlig von der Offenbarung Gottes ab, läuft ihr zuwider und verfällt damit zwangsläufig der Täuschung und dem Irrtum. Alle mit dem Lexem *klug* gebildeten Wortformen zur Bezeichnung einer weltbezogenen Betätigung dieser intellektuellen Fähigkeit tragen deswegen abwertende Bedeutung: Vor allem die Schriftgelehrten werden als *klug* (z.B. 239, 8) und *spitzklug* (246, 21) bezeichnet, wobei diese Eigenschaft für Müntzer das Kriterium ihrer weltverfallenen Gottlosigkeit bedeutet:

> *Dann die listigen anschlege der spitzklugen wurden uns alle augenblick uberfallen und noch vil hoͤher in der reinen kunst Gottis vorhindern* (246, 20–22).

Der rechte Glaube wird durch die menschliche Klugheit verhindert, weil sie die Einsicht in die hinter dem Buchstaben der Schrift liegende göttliche Offenbarung verstellt:

> *Du must nicht thun wie die klugen thun, einen spruch hir, den andern do furtragen, an starcke vorgleichung des gantzen geistes der schrifft* (234, 10–12).

Wenn Müntzer in der *Hochverursachten Schutzrede* über Luther sagt, daß er *der allerklügste auf erden sein* will (325, 30) und daß er seinen *klugen kopf schütteln* muß, wenn er nur das Wort *geist* hört oder liest (336, 3), dann bringt er damit zum Ausdruck, daß für ihn sein Widersacher die Inkarnation der weltverfallenen Geistferne der Schriftgelehrten darstellt.

In den Derivationen des Lexems *klug* wird eine verächtliche Bedeutungskomponente sichtbar: Müntzer nennt die Schriftgelehrten die *kluͦglichsten schrifftsteler* (= diejenigen, die die Schrift stehlen) (314, 10), deren *kluͦglingsche weyßheyt* (316, 35) in Wahrheit Verblendung ist, und spricht von ihnen als *den unvorsuchten, wollustigen schweynen, den kluͤglingen* (354, 3) und brandmarkt die in ihrer Organisation und ihren Zeremonien erstarrte Kirche als eine gottferne Institution:

> *Es sey welchs wolle, ist alzo vom teuffel, dan es ist nicht anderst gehandelt in den conciliis oder ratslegen den eytel kynderschwengk von glocken* (= klugen) *leuten, von kelch, kappen und lampen und locaten* (= Procuratoren) *und messenern; vom rechten lebendigen worth Gots ist keyn mal, ist keyn mal das maul auffgethan oder auch nicht gedacht dye ordenunge* (504, 7–12).

Klug sind auch die betrügerischen Traumdeuter Nebucadnezars (248, 7; 257, 8), die stets mit den Schriftgelehrten verglichen werden, weil sie wie diese ihren Beruf ohne höhere Einsicht ausüben.

Die Menschen, die im Besitz der Klugheit, der *kluͦgen vernunfft* (288, 32) sind, und zu der *klugen, fleischlichen, wollustigen welt* (250, 20) gehören, werden nicht nur als der Täuschung Verfallene, sondern stets auch als selber Täuschende und Betrügende gesehen. Müntzers tiefe Ablehnung aller menschlichen diesseitsbezogenen geistigen Fähigkeiten verdeutlicht die Tatsache, daß die Eigenschaft, in weltlichem Sinne klug zu sein, für ihn gekoppelt ist mit ethischer und moralischer Minderwertigkeit, während andererseits ein nach menschlichen Maßstäben unbeweglicher und in seiner Erkenntnisfähigkeit beschränkter Verstand, wie er durch *einfeltig* bezeichnet wird, Zeugnis von der Redlichkeit des Menschen ablegt.
Wenn auch nicht zu übersehen ist, daß *einfeltig* (z.B. 238, 17; 333, 21) oder *eynfeltigkeyt* (334, 21) durchaus auch schon die leicht abwertende Bedeutung haben können, wie dies im Neuhochdeutschen ausschließlich der Fall ist, so wird in der Mehrzahl der Belege mit diesen Lexemen doch gerade die Eingleisigkeit eines solchen Verstandes und geistigen Wesens bezeichnet, die einen Menschen zum Glauben und zum rechten Empfang von Gottes lebendigem Wort befähigt. Es ist in diesem Zusammenhang aufschlußreich, daß Müntzer *Gotis einfeltigkayt* gegen *der creatur hinderlist* absetzt (219, 24) und in dem *einfaltigen glauben* (315, 25), der nur bei dem *einfeltigen* Volk (z.B. 323, 15; 493, 8) entstehen kann, die Voraussetzung zur Besserung des desolaten Zustands der Christenheit sieht. In all diesen Belegen gebraucht Müntzer das Wort in seiner ursprünglichen Bedeutung;[19)] dies geht ganz besonders aus folgendem Beleg hervor:

> *Zum dritten muß der außerwelte mensch achtung haben auff das werck der gesichte* (= die Wirkung der Visionen), *das es nit rausser quelle durch menschliche anschlege* (= damit sie nicht künstlich erzeugt werden), *sondern einfaltig herfliesse nach Gottis unvorruͤcklichem willen* (253, 6–9).

Gerade weil in Müntzers Sprachegebrauch *einfeltig* eine Haltung oder Geistesverfassung bezeichnet, die als 'aufrichtig, redlich aufgrund einer Einsinnigkeit oder Einschichtigkeit' charakterisiert werden kann, gewinnt sein ironisches Wortspiel, mit dem er die Verschlagenheit seines Gegners Luther bloßstellen will, so hohe Prägnanz:

> *Du hast allezeit mit ainfeltigkeyt (durch eine zwibbeln angezaigt, die newn hewt hat) gehandelt alles nach der fuchs art* (339, 28–30).

Müntzer stellt hier heraus, daß Luther gerade nicht die Tugend der *einfeltigkeit* hat, sondern im Besitz der wendigen und den verschiedensten Dingen zugewandten weltlichen Klugheit ist, die in vielen Verstellungen das in Wahrheit böse und gottlose Wesen zu verschleiern sucht.

Zweimal wird *klug* nicht in abwertendem Sinne verwandt:

> *Du* (= Christus) *salt sie zubrechen mit einer eysern stangen, wie ein geschirr des toͤpffers wirst du sie zurknirschen. Do wirt sichs dann gehoͤren, euch kuͤnigen, clug zu sein und vorsichtig recht urteil fellen auff erden* (104, 17–20),

> *Ein cluger man, wann der gestraft wird, bessert er sich. Ein narre oder thore nimpt nicht auff die wort der weyßheyt* (239, 22–24).

Aus beiden Belegen geht hervor, daß es sich nicht um eine weltliche Klugheit handelt: Im ersten übersetzt das Wort das 'intelligite' der Vulgata (Psalm 2,10: Et nunc reges intelligite: erudimini, qui judicatis terram) und entspricht damit der Übersetzung des Daniel-Zitats, in dem *Verstand* und zwar in der Bedeutung 'geistlicher Verstand' steht.
Im zweiten Beleg ist *clug* zusammen mit *weyßheyt* gegen *narr* und *thor* abgehoben. Da Klugheit als rein menschliche intellektuelle Fähigkeit und Weisheit als die von Gott verliehene Einsicht in seine Offenbarung im Sprachgebrauch Müntzers sich aber auschließen und weltliche Klugheit ja gerade Narr- und Torheit vor Gott ist, kann das Wort nicht die gleiche intellektuelle Fähigkeit benennen, die es in den übrigen Belegen in abwertendem Sinne bezeichnet. In beiden Stellen ist eine höhere Einsicht angesprochen, die dem *rechten Verstand* entspricht.
Die offensichtliche Umpolung der abwertenden Bedeutung von Klugheit in eine positive Sinnladung dadurch, daß diese Bezeichnung nun statt auf eine rein

menschliche intellektuelle Fähigkeit vielmehr auf eine von Gott verliehene höhere Einsicht bezogen ist, stellt eine Erscheinung dar, die im bisherigen Verlauf der Untersuchung für fast alle Angehörigen des Intellektualfeldes aufgezeigt wurde und die sich auch bei den Gegenbegriffen zu *weisheit* und *klugheit*, bei *narrheit* und *torheit* feststellen läßt.

3.3. Narrheit – Torheit

Als *narr* oder *nerrisch* wird im Sprachgebrauch Müntzers ein Mensch bezeichnet, der sich der Vernunft zuwiderlaufend, unvernünftig verhält.
Da aber *vernunfft* bei Müntzer sowohl eine auf weltliche wie auch auf geistliche Inhalte gerichtete Verstandesqualität bezeichnen kann, wobei die weltliche Vernunft konsequenter Ablehnung verfällt, ist auch bei dem Fehlen der Vernunft, der 'Narrheit', danach zu differenzieren, vor welchem Bewertungshintergrund sie einem Menschen attestiert wird.
Als Bezeichnung einer unvernünftigen weltbezogenen Haltung, die eindeutig keiner theologischen Beurteilung unterliegt, kommt *nerrisch* ein einziges Mal vor, und zwar in Zitierung der sprichwörtlichen Redewendung von dem *nerrischen manne, der auff den sandt bawet* (220, 10).
Bereits in den folgenden beiden Stellen, in denen Müntzer einmal in der *Auslegung des Unterschieds Danielis* seinen sächsischen Landesherren vor Augen führt, daß sie von den falschen Geistlichen *genarret* (257, 29) worden sind, und zum andern in der *Hochverursachten Schutzrede* seinem Widersacher Luther vorwirft, er habe die *guoten bruͤder,* womit Nikolaus Storch und Markus Stübner gemeint sind, mit denen Luther 1522 zusammengetroffen war, *zuͦ narren gemacht* (341, 11), handelt es sich nicht mehr ganz eindeutig um Bezeichnungen für ein 'Hinter-das-Licht-Führen' anderer Menschen in rein weltlichen Dingen, denn in beiden Belegen sind ja geistliche bzw. seelsorgerische Implikationen unübersehbar.

In allen übrigen Belegen des Lexems wird ganz eindeutig der Besitz oder das Fehlen der geistlichen Vernunft bezeichnet, wobei der Aspekt, unter dem der betreffende Mensch gesehen wird, – von Gott aus oder aus der Blickrichtung der Menschen – darüber entscheidet, ob die Bedeutung des Wortes positiv oder abwertend ist. Menschliche Vernunft und Klugheit, die von Gott nichts weiß, ist vor Gott Narrheit, erst das Ablegen dieser nur auf das Diesseits gerichteten Fähigkeiten ermöglicht dem Menschen ein Vordringen zur *weisheit Gottes*. Das drückt Müntzer aus, wenn er sagt:

Do wirdt der mensch klerlich finden, das er mit dem kopff durch den hymmel nit lauffen kan, sondern er muß erstlich gantz und gar zum innerlichen narren werden (250, 17–19).

Wer vor den Menschen als *nerrisch* (247, 27) gilt wie Jeremias, der *das arme blinde volck* vor der Strafe der babylonischen Gefangenschaft warnte, oder wer in seinem Bestreben, *mit seinem leiden Cristo gleichformick* zu werden, von den Pfaffen als *fantastisch und narrenkoppisch* (499, 28) verspottet wird, der ist in Wahrheit und vor Gott im Besitz der *weisheit*.

Diejenigen aber, die sich dem rechten Glauben und der Offenbarung Gottes verschließen, sind in Wahrheit Narren:

Ein narre oder thore nimpt nicht auff die wort der weyßheyt. (239, 27).

Unter Zitierung aus den Sprüchen Salomos (24, 7) sagt Müntzer, *dem narren ist die weyßheyt Gottes vil zů hoch* 326, 12) und geißelt den *nerryschen glauben* (493, 4) der Schriftgelehrten, der in Wahrheit Unglauben, Gottlosigkeit ist und Gottes Wort gar nicht erfassen kann. Rhetorisch sehr eindrucksvoll mit einem neungliedrigen Asyndeton kennzeichnet Müntzer diese Narrheit, die in dem halsstarrigen Sich-Sperren der Schriftgelehrten gegen die Einwirkung der göttlichen Botschaft zu erblicken ist, die doch den gesamten Menschen durchdringen will:

Aber Gots wort, das durch hertz, hyen (= Hirn), *haut, haer, gebein, marck, saft, macht, krafft durchdringet, dorff woll anders herdraben dan unser nerrischen, hodenseckysschen doctores tallen* (= Lallen) (501, 28–30).

Für Müntzer ist sein Gegner Luther trotz aller spitzfindiger Bemühungen ein *hochfertiger narr* (323, 6), zusammen mit all denen, die hochmütig aus ihrem weltklugen Verstand die Gläubigen verspotten, wie es in dem einzigen Beleg des Wortes in den liturgischen Schriften in Übersetzung des 'Averte mala inimicis meis, et in veritate tua disperde illos' der Vulgata, Psalm 54, 7 ausgedrückt wird:

Widergylt den hinterlistigen spottern das ubel, mach sie zu narren deiner wahrheit (76, 7f.).

Das Beharren auf diesem weltklugen Verstand, der den Menschen von der Wahrheit in Gottes Offenbarung ausschließt, ist *toricht* und *torheit*. Was SCHÖNINGH als die Bedeutung des Wortes in Luthers Übersetzung der Paulus-Briefe herausgestellt hat, trifft bis ins Einzelne für die bei Müntzer gesammelten Belege zu, daß nämlich „Torheit nicht das Nicht-Wissen, sondern das Nicht-richtig-Wissen bezeichnet. Torheit ist durchaus nicht Abwesenheit von Wissen oder Kenntnissen, wie das z.B. einfältig ausdrückt, sondern im Gegenteil wird

in Torheit gerade auf ein Wissen hingedeutet und die totale Unzulänglichkeit dieses Wissens gebrandmarkt".[20]
Das Unsinnige dieser Torheit (273, 36), die ihre Ausprägung finden kann in der Furcht vor der *umbschetigung des heyligen geysts* (273, 41), in der Verstocktheit der Schriftgelehrten gegen Gott (249, 22) sowie in deren reinem Buchstabenglauben (493, 3) und noch gesteigert wird durch den Versuch, die Gottlosigkeit (226, 24) zu verschleiern *mit getichtem glawben* und *mit gleissenden wercken* (226, 27f.), kennzeichnet Müntzer durch die stereotype Verbindung von *toricht* mit *toll* (z.B. 493, 10; 493, 19; 503, 19; 503, 24).

3.4. Erkennen, Erkenntnis, Kunst

Neben *weisheit* bezeichnen das Wissen *erkenntnis, kunst* und die diesen Lexemen zuzuordnenden Wörter.

Die auf der Grundlage der allgemeinen natürlichen intellektuellen Fähigkeiten erworbenen Vorstellungen, die sich auf weltliche und – nach Einwirkung der göttlichen Offenbarung – auch auf geistliche Sachverhalte beziehen können, nennt Müntzer *urteile*.
Gegen diese Interpretation und die Einordnung des Lexems, das als Substantiv in den Schriften 65 mal und als Verb 13 mal und damit auffallend häufig vorkommt, in das Feld der Intellektualbezeichnungen hat sich MARON (1978) gewandt mit der lapidaren Aussage, daß seiner Meinung nach „der Begriff primär auf das sprachliche Feld von Recht und Gericht bezogen" sei (MARON 1978, 370, Anm. 3a). Es besteht indessen auch heute kein Anlaß, die 1972 getroffene Aussage zu revidieren, nach der das „Wort, das in seiner eigentlichen rechtssprachlichen Bedeutung nicht oft verwendet wird ..., vowiegend zur Bezeichnung des Wissensbesitzes in der Bedeutung 'Meinung, Ansicht, Erkenntnis des natürlichen Verstandes'" erscheint (SPILLMANN 1972, 62). Denn MARON hat übersehen, daß mein Untersuchungsergebnis im Hinblick auf den Bedeutungsumfang von *urteil*, das in der Tat als „Schlüsselbegriff" (MARON 1978, 340) aufgefaßt werden kann, dem seinigen gar nicht widerspricht, sondern es sich vielmehr um rein aspektuelle Divergenzen in Abhängigkeit des jeweiligen Interpretationsrahmens in bezug auf einen doch relativ einheitlichen Untersuchungsbefund handelt.
MARONS Interpretationsrahmen wird klar formuliert:

> Thomas Müntzer hatte ein sehr lebhaftes Empfinden für die einzigartige und entscheidende Bedeutung seiner Zeit, auf deren „Bewegung" man „gar

> mechtig achtung haben“ müsse. Seine Zeit ist für ihn die Zeit des Gerichts, die Zeit der „Ernte“, der endgültigen Scheidung zwischen Gottlosen und Auserwählten. Man muß Müntzer mißverstehen, wenn man diese grundlegende Tatsache aus den Augen verliert. Sie ist der Ausgangs- und Zielpunkt seines gesamten Denkens, von dem Augenblick an, wo er in den Entwürfen des sog. »Prager Manifestes« 1521 zum ersten Mal mit eigenständigen programmatischen Aufzeichnungen vor uns steht, bis hin zu seinen letzten schriftlichen und mündlichen Äußerungen, soweit sie uns überliefert sind (Maron 1978, 340f.; Hervorhebungen dort).

Es geht Maron also darum, nachzuweisen, daß letztlich, aber eben letztlich auch im Bedeutungsumfang von *urteil* zum Ausdruck kommt, daß Müntzers gesamtes Denken bestimmt war von der Vorstellung der notwendigen Scheidung von Auserwählten und Gottlosen. Auf dieses Interpretationsziel hin werden die herangezogenen Belegstellen untersucht. Und hier ist nun die – für Marons Interpretationsrahmen zutreffende – Aussage außerordentlich aufschlußreich, daß der Begriff (gemeint ist in linguistischem Sinne: die Bezeichnung) kaum einmal „ohne Beziehung auf das 'letzte Urteil'“ auftaucht (Maron 1978, 339f.). Ein derartiger Interpretationsansatz erlaubt die Zuweisung des Begriffs, den Müntzer mit der Bezeichnung *urteil* verbindet, zum Feld des 'Rechts' und 'Gerichts', weil er auch alle die Belegstellen subsumierbar macht, in denen das Wort nicht primär, direkt, sondern erst unter Rekurs auf Müntzers theologische Gesamtvorstellungen auf diesen Bereich bezogen werden kann. Dieses Verfahren wird z.B. deutlich, wo Maron (1978, 348f.) sich auf die Stelle in der Fürstenpredigt bezieht, auf die oben in der Untersuchung von *verstand* auch eingegangen wurde:

> *Dann so unser natuͤrlicher vorstand doselbst soll zur dinstpargkeit des glaubens gefangen werden,* 2. Corin. 10, *so muß er kummen auff den letzen grad aller seiner urteyl, wie zun Roͤmern am ersten capitel und Baruch 3. angezeycht. Der urteyl mag er aber keins beschlissen mit gutem grund seyns gewissens on Gottis offenbarung* (250, 12–16).

Diese Stelle, in der das hinsichtlich seiner Bedeutung zur Untersuchung anstehende *urteil* zweimal vorkommt, bezieht sich ganz eindeutig auf den Bereich der intellektuellen menschlichen Fähigkeiten, wie schon das Vorkommen von *natuͤrlicher vorstand* und *beschlissen* (= erfassen) bezeugt, vor allem aber der von Maron nicht zitierte Folgesatz:

> *Do wirdt der mensch klerlich fynden, das er mit dem kopff durch den hymmel nit lauffen kan, sonder er muß erstlich gantz und gar zum innerlichen narren werden* (250, 17–19).

Wenn Maron bei der Interpretation dieser Stelle nun folgert, daß dem Auserwählten durch die göttliche Offenbarung ein Urteilsvermögen verliehen werde, „sich und andere am göttlichen Urteilsmaßstab zu überprüfen“, und „dieses Urteilsvermögen im Dienst des letzten Gerichts steht“ (1978, 350), dann ist dieser Aussage für den von Maron gewählten Interpretationsrahmen zwar zuzustimmen, – dann müßte vor dem Hintergrund d i e s e s Interpretationsansatzes aber auch der gesamte im vorliegenden Beitrag untersuchte Intellektualwortschatz letztendlich dem Feld des 'Rechts' und 'Gerichts' zugeschlagen werden.
Gerade am Beispiel der hier belegten unterschiedlichen Beurteilung eines faktisch übereinstimmenden Untersuchungsergebnisses wird deutlich, wie sinnvoll der Vorsatz ist, von den jeweiligen linguistischen Befunden nicht gleich zu einer Gesamtdeutung des Müntzerschen Werkes weiterzugehen.

Nur in einer verschwindend geringen Anzahl der Belege bezieht sich *urteil* eindeutig und direkt auf eine weltliche Gerichtsbarkeit, wobei deren Urteilsspruch natürlich von Müntzer am Maßstab Gottes, d.h. am *urteil Gottes* gemessen wird, so z.B. wenn im *Deutschen Kirchenamt* in Übersetzung von Psalm 2 gesagt wird: *Do wirt sichs dann gehoͤren, euch kuͤnigen, clug zu sein und vorsichtig recht urteil fellen auff erden,* wenn Müntzer am Schluß der *Protestation oder Erbietung* selbstbewußt fordert: *Alleine thut mir mein urteyl fur der gantzen werlt und auf keinem winkel* (240, 4f.), wenn in der Fürstenpredigt berichtet wird, daß Nebucadnezar den heiligen Daniel zum Amtmann eingesetzt hatte, *auff das er mochte guthe rechte urteyl volfuͤren* (262, 32), in der *Ausgedrückten Entblößung* beklagt, daß soviele es für unmöglich halten, *die gottlosen vom stuͦl der urteyl zu stossen* (289, 8), oder in der *Hochverursachten Schutzrede* fordert, daß beim Gericht das Volk anwesend sein muß für den Fall, daß *die oberkait das urteyl woͤlte verkeren* (329, 6).

In der Mehrzahl der Belege bezeichnet *urteil* entweder direkt das jüngste Gericht (z.B. 197, 19; 342, 13) oder das Urteil, den Maßstab Gottes (z.B. 89, 35; 95, 3; 137, 21; 169, 21; 185, 11; 286, 36; 289, 37; 303, 3; 332, 22; 330, 10) oder aber bezieht sich auf den menschlichen Wissensbesitz.
Dieses menschliche *urteil*, das mit neuhochdeutsch 'Ansicht, Einsicht, Meinung' oder auch 'Erkenntnis' in Abhängigkeit von der jeweiligen Textstelle übersetzt werden müßte, vermag niemals die eigentliche Wahrheit zu erfassen, die nur von Gott offenbart werden kann, weil es der Gefahr der Täuschung, des Einwirkens weltlicher Einflüsse, der *larve* der Welt (259, 9) ausgesetzt ist. Ohne den rechten Glauben muß der Mensch in seiner kreatürlichen Weltbefangenheit zwangsläufig ein *fleischliches urteil* (z.B. 255, 11; 326, 21) fällen. Diese

Erkenntnis ist aber in jedem Fall unangemessen oder falsch; Müntzer bezeichnet derartige *urteile* z.B. als *schwinde* (z.B. 240, 20; 279, 13), d.h. als 'Vorurteile', er nennt sie *unbeschiden* (z.B. 249, 11; 255, 11), d.h., nicht durch die göttliche Offenbarung belehrt, *tölpisch* (293, 30) oder *allerschändlichst* (257, 27).
Das menschliche *urteil* greift in der Erkenntnis einfach zu kurz (234, 13); Müntzer sagt ganz klar:

> *Kurtzumb es muß sein der enge weg, yn welchem alle urteil nicht nach der larven* (= der menschlichen natürlichen Vernunft), *sondern nach dem allerliebsten willen Gottes in seinem lebendigen worth studirth und erfaren werden in allerley anfechtung des glaubens* (235, 1–5)

und – in der Fürstenpredigt zu seinen Landesherren –

> *Lerndt ewer urteyl recht auß dem munde Gottis und last euch ewre heuchlisch pfaffen nit verfüren* (256, 18f.).

Erst wenn das *urteil* frei von weltlichen Einwirkungen und belehrt durch die Offenbarung ist, nennt es Müntzer ein *rechtes* (z.B. 259, 10; 331, 19) oder *reynes* (335, 24) Urteil, das dann aber ein über die Vorstellungen, die das Objekt der Betrachtung ja nicht voll erfassen können, hinausgehendes Wissen bezeichnet, das erst dann das Betrachtete dem Menschen in seiner Wahrheit ganz erschließt. In dieser Verwendung bezeichnet das Wort dann den gleichen Bereich wie *erkenntnis.*

Erkenntnis kommt in den liturgischen Schriften zweimal und in den politisch-polemischen Schriften sieben Mal vor. Das Wort, das in allen drei Genera belegt ist, bezieht sich ausschließlich auf geistliche Sachverhalte. So spricht Müntzer von der *erkentniß der seligkeit* (92, 17), der *erkentnis der unsichtbaren gotheit* (186, 2), der *erkentniß Gottes* (224, 32; 319, 16) und *gotlichs willens* (210, 30), der *erkantnuß des gesetzes* Gottes (327, 8), der Erkenntnis der Sünde (302, 36) und des diese hervorrufenden *falschen liechtes der natur* (219, 19) und beklagt, daß *keynn erkentnuß* des schlimmen Zustands der christlichen Kirche bestehe (501, 13).

Mit diesem Befund stimmt überein, daß auch das Verb *erkennen* in mehr als drei Vierteln seiner Belege die Einsicht in Gottes Offenbarung in ihren verschiedenen Formen (z.B. 86, 27; 137, 7; 219, 25; 242, 22; 246, 16; 500, 18), in den ihr widerstrebenden *unglauben* (z.B. 219, 21; 327, 8), in *schuld* (284, 7) und *sünde* (243, 5; 305, 12), in die menschliche *blintheit* (211, 3; 231, 8) und *bosheit* (232, 19), in die *larve* der *welt* (259, 10) und deren *frechheit* (235, 11) bezeichnet. *Erkenntnis* wird nicht wie *urteil* aufgrund des natürlichen, sondern des geistlichen Verstandes gewonnen, und zwar nicht aus eigener Fähigkeit erworben, sondern von Gott verliehen. Noch ein weiteres Merkmal unterscheidet *erkenntnis* von *urteil*: Während dieses reiner Intellektualbegriff ist, schließt der Besitz der *erkenntnis* ein ihr gemäßes Handeln ein.

Kunst bezeichnet ein umfassendes Wissen über eine Sache. So wird von Gott gesagt, daß er die *kunst der stimme* habe (143, 17; 201, 3), womit die Kenntnis jeglicher Lautäußerung aller Kreatur gemeint ist. Gegen *urteil* ist der Bedeutungsumfang des Wortes dadurch abgegrenzt, daß die mit ihm bezeichnete Eigenschaft über die in *urteil* charakterisierte Einsicht hinausgeht, gegen *erkenntnis* dadurch, daß es – hierin *urteil* verwandt – reiner Intellektualbegriff ist. *Kunst* unterscheidet sich von *erkenntnis* auch dadurch, daß das so benannte Wissen mittels ausgedehnter Studien erworben werden kann. *Kunst* bezeichnet bei Müntzer ausschließlich das Wissen um Gottes Offenbarung (z.B. 53, 5; 81, 14; 208, 9; 210, 30; 228, 20; 245, 11; 246, 22; 261, 22; 286, 26; 295, 6; 298, 14; 308, 28; 494, 27; 500, 16), das durch die Erforschung der Heiligen Schrift erworben werden kann. Berufen aufgrund der Erforschung der Bibel zur *reinen kunst Gottis* (246, 22) zu gelangen und diese das Volk zu lehren, sind die Geistlichen. Doch gerade diese sind in ihrer natürlichen Klugheit dem Buchstabenglauben verfallen.
Dye kunst Gots lere eyn meister (501, 20) sagt Müntzer, ein Meister aber, der diese Kunst besitzt, klebt nicht an den Worten der Schrift, sondern hat ihren Geist empfangen und damit die Offenbarung Gottes. Ein derartiger *rechter prediger* (341, 5) und *rechter hyrte* (502, 9) kann die Schrift mit dem *schlüssel* (499, 27) *der kunst Gotis* aufschließen (z.B. 208, 9) und damit zum *rechten christenglauben* (z.B. 225, 28; 258, 25; 286, 38) führen oder – wie es Müntzer im Bild verdeutlicht – das *brot* brechen und dem Volk dann reichen (z.B. 492, 19; 500, 12). Die Pfaffen aber, die den Geist der Schrift nicht besitzen, erfüllen diese Aufgabe gerade nicht. Das beklagt Müntzer im Prager Manifest:

> *Es seyn ohr vil do gwest unde heut czu tage, dye yn das broth, das ist das wort Gots ym buchstab, vorgeworffn haben wye den hunden, sie haben ynn adder* (= aber) *nicht gbrochen. O merckt merckt! Sye habens den kindern nit gebrochen* (492, 20–24; so auch 500, 12–16).

Müntzers Ablehnung der menschlichen intellektuellen Fähigkeiten und Eigenschaften, sofern sie ausschließlich auf die Welt gerichtet sind und sich der Einwirkung des Geistes Gottes verschließen, wird im besonderen aus seiner Einstellung zu den Geistlichen deutlich, die die Offenbarung nicht erfahren haben. Diese Kleriker werden verurteilend und verächtlich *pfaffen* und *schriftgelehrte* genannt. Sie sind in ihrer gelehrten, weltlichen Klugheit ganz dem

Buchstabenglauben verfallen, der von der göttlichen Wahrheit hinter den Worten nichts weiß:

> *Wan dem gelarten nach menschlicher weyße furgetragen wirt die gantze geschryfft, so kan er sie doch nicht, solt er auch von eynander prasten* (= bersten), *er muß erwarten, das sie yme eroͤffnet werde mit dem schlussel Davidis auff der keltern, do er zuknyrschet wirt in alle seiner angenomen weiße, das er also armgeystig wirt, das er gar keinen glauben bei yme befindet dan allein, das er gerne wolt recht glewben* (224, 24–29).

Weltliche Gelehrsamkeit ist für Müntzer Narrheit, weil sie nämlich die Erkenntnis Gottes, den eigentlichen Lebenszweck des Menschen, nicht befördert, sondern verhindert. Deshalb werden die Schriftgelehrten auch *schriftsteler* (z.B. 305, 5; 315, 16; 324, 10) oder *schrifftdyebe* (316, 4) genannt, d.h. Menschen, die von der ganzen Wahrheit der Bibel nur den Buchstaben stehlen und damit im Gegensatz zum wahren nur einen gestohlenen Glauben haben und verbreiten. Müntzer bietet seinen ganzen sprachlichen Variationsreichtum auf, um seiner Verachtung dieser Menschen Ausdruck zu verleihen; er charakterisiert die Schriftgelehrten als *tzart, spitzfingerisch* (219, 10), *ungetreu* (233, 22), *ungetreu, verzweyfelt* (274, 22), *wollustig* (218, 27), *hessig* (324, 23), *heyllos* (247, 13), *naterzichtig* (269, 37), er nennt sie *gnadlose lewen* (322, 21), *gottlos* (z.B. 275, 15; 276, 26; 279, 11) und *teufflisch* (298, 19).

Überhaupt werden die Gelehrten durchweg negativ gesehen und neben *buchstabisch* (228, 3), als *boͤßwichtisch* (223, 27), *ungetreu, verzweyfelt* (274, 21), *betricklich, falsch* (163, 13) und *nachlessig* (238, 29) bezeichnet. Ihre betriebsame Klugheit wird in ihrer Sinnlosigkeit dadurch charakterisiert, daß sie *gelert wie die affen* (324, 26) genannt werden.
Wie alles geistige Vermögen haben für Müntzer auch Gelehrsamkeit, Lehren und Lernen nur dann ihren Sinn und ihre Berechtigung, wenn sie Zweck sind zur Erkenntnis der göttlichen Offenbarung. Die aber wird gerade denen nicht zuteil, die weltliche Klugheit besitzen, sondern denjenigen, die von der Welt als Narren bezeichnet werden.

4. Fazit

Die Untersuchung des Feldes der intellektuellen Fähigkeiten und Eigenschaften des Menschen konnte aufzeigen, daß Müntzer alle menschlichen geistig-seelischen Betätigungen unter dem Maßstab ihrer Gottbezogenheit beurteilt.
Die Bezeichnungen für intellektuelle Qualitäten oder Vorgänge haben nur dann keine negativ gepolte Bedeutung, wenn sie ein Bestreben bezeichnen, das auf die Erkenntnis des göttlichen Willens und seiner Offenbarung gerichtet ist. Diese Erkenntnis kann der Mensch indessen nicht von sich aus gewinnen, da die ihm angeborenen natürlichen intellektuellen Fähigkeiten nur Dinge und Sachverhalte niederer, weltlicher Art zu erschließen vermögen. Die *rechte* Erkenntnis kann dem Menschen nur von Gott gnadenhaft verliehen werden und wird nur denjenigen zuteil, die die Unzulänglichkeit ihrer intellektuellen Kräfte erkannt und anerkannt haben in dem Bewußtsein, daß sie bei aller weltlichen Klugheit vor Gott doch Narren sind.

Müntzers Ablehnung von jeglichem ausschließlich weltbezogenen Intellekt äußert sich sprachlich besonders anschaulich darin, daß alle Bezeichnungen für geistige Fähigkeiten, die nicht auch ein auf Gott gerichtetes Streben miteinbeziehen können, sondern ausschließlich auf die Welt beschränkt sind, wie z.B. *klug*, *klugheit*, *tichten* und *speculieren*, durchgängig negative Bedeutung tragen.

Die Menschen, die ihre ganze geistige Kraft nur auf irdische Dinge richten und in dieser kreatürlichen Befangenheit sich anmaßen, aufgrund ihres Intellekts auch ohne Gottes Einwirkung seinen Willen erkennen und zum rechten Glauben finden zu können, sind für Müntzer gegen Gott verstockt und der Verdammnis anheim gegeben. Da alles im Diesseitigen verhaftete menschliche Denken die Wahrheit, die die Wahrheit Gottes ist, nicht erkennen kann, verfallen diese Verstockten zwangsläufig den Vorspiegelungen ihres *fleischlichen* Verstandes.

5. Anmerkungen

1) Dieses sprachliche Feld wurde im Anschluß an die entsprechenden Arbeiten Jost TRIERS (vgl. hierzu SCHWARZ, Hans (1962), in: GIPPER, Helmut und SCHWARZ, Hans, Bibliographisches Handbuch zur Sprachinhaltsforschung, Bd. I, 1. Köln-Opladen, XV, Anm. 1 und XVI, Anm. 3) und seiner Schüler vielfach untersucht; eine Zusammenstellung der Literatur bringt FRANKE,

Kristina (1974), in: GIPPER, Helmut und SCHWARZ, Hans, Bibliographisches Handbuch zur Sprachinhaltsforschung, Beiheft 1. Opladen, 27–32.

2) Vgl. GRIMM, Jacob und Wilhelm (1854–1960), Deutsches Wörterbuch, 16 Bde. in 32, Leipzig, IV, 1, 2, 262, 5ff. (= DWB).

3) Vgl. hierzu SCHÖNINGH, Adda (1937), Der intellektuelle Wortschatz Luthers in den paulinischen Briefen des Septembertestaments, Diss. Münster, 29: „Das dem Menschen- und Gottesgeist gemeinsame Merkmal ist das übernatürliche Sein, das Losgelöstsein von Raum und Zeit und überhaupt aller Begrenztheit der Natur. Der Geist ist etwas Unkörperliches und auch vom Körper völlig Unabhängiges, anders wie die Seele, die stets einen Körper voraussetzt. Geist ist daher allgegenwärtig; wenngleich dies auch nur von Gott ausgesagt werden kann, so spielt dieser Gedanke, der ja auf dem übernatürlichen Charakter beruht, auch beim Menschengeist mit hinein".

4) BRÄUER, S. (1974), Rez. SPILLMANN (1971), in: Lutherjahrbuch 41, Göttingen, 1340.

5) In: DWB, IV, 1, 2, 1642.

6) SCHÖNINGH (1937), 30.

7) Hierbei wie bei den folgenden Bezeichnungen handelt es sich um mystische Termini, vgl. die Erläuterungen in: HINRICHS, Carl (Hg.) (1950), Thomas Müntzer, Politische Schriften. Halle.

8) HINRICHS (1950), 47, Anm. 547: „Zustand der Seele, in der ihr die Welt schal geworden ist, ohne daß schon etwas Neues an deren Stelle getreten wäre".

9) TSCHIRCH, Fritz (1974), Rez. SPILLMANN (1971), in: Anzeiger für deutsches Altertum und deutsche Literatur, Bd. 85. Wiesbaden, 60.

10) HINRICHS (1950), 34, Anm. 112: „anthůn oder durchgang im abgrund der selen: Termini aus der Sprache der deutschen Mystik. Soviel wie: Anziehen (des Geistes) oder Durchbruch (zum Geist)".

11) Trotz des Nebensinnes von 'Schwachheit des Verstandes', der dem Wort anhaftet und es in die Nähe von *grob* und *einfaltig* stellt (vgl. DWB, II, 139), dürfte diese Bedeutung vorherrschend sein, wie aus der Stellung des Wortes im Kontext hervorgeht: *Zuͤndt an unser hertzen so bloͤd, die von Adams arth seint so schnoͤd, sterck unser schwacheyt krefftiglich, das sie zu leyden werdt bereyt* (153, 13–17).

12) SCHÖNINGH (1937), 34, stellt für die Bedeutung des Wortes bei Luther fest: „Hertzen grund scheint alles Wesentliche von Herz, dessen letzte Tiefe darzustellen ..., die von außen her garnicht mehr zugänglich ist – Herz ist dies noch, andere Menschen können geistigerweise mit darin sein –, sondern nur vor Gott, sei es ihm zu- oder abgewandt, offen daliegt".

13) Vgl. die entsprechenden Ergebnisse für Luther bei SCHÖNINGH (1973), 37ff.

14) Vgl. LEXER, Matthias (1872/1878), Mittelhochdeutsches Handwörterbuch, 3 Bde. Leipzig, III, 955f.

15) DWB XIV, 2, 862.

16) Vgl. DWB XIV, 2, 863.

17) DWB XIV, 2, 865.

18) HINRICHS (1950), 8, Anm. 89.

19) Vgl. LEXER I, 530; DWB III, 172f.

20) SCHÖNINGH (1937), 49.

Ingo Warnke

AUSERWÄHLTE UND GOTTLOSE – zum Wortschatz im Sinnbezirk der mentalen Fähigkeiten

0. Vorbemerkungen zum Gegenstandsbereich und Schwerpunkt der Untersuchung

Zur Eingrenzung des Gegenstandsbereichs der vorliegenden Untersuchung zum Wortschatz im Sinnbezirk der „mentalen Fähigkeiten" bietet sich eine Differenzierung des Adjektivs 'mental' an. Bereits das lat. Substantiv „*mens*" zeigt eine große Vieldeutigkeit, so daß eine eingrenzende Begriffsbestimmung schwierig erscheint. „*mens*" kann mit 'Geist' und 'Verstand' ebenso übersetzt werden wie mit 'Gemüt' [mens animi (Gesinnung des Herzens)], und diente im besonderen auch zur Bezeichnung der Fähigkeiten des Menschen, die man gemeinhin als 'Seelenkräfte' bezeichnet hat. Die Polysemie des lat. Substantivs 'mens' kommt dem Anliegen der nachfolgenden Untersuchung insofern entgegen, als hier sowohl die Lexeme untersucht werden, die die wesensmäßigen Voraussetzungen für den Besitz intellektueller Fähigkeiten benennen, als auch solche, die spezifische Verstandesfähigkeiten und Intelligenzgrade bezeichnen. Diese Differenzierung geht davon aus, daß dem Menschen ein geistiges Wesen angeboren ist, das die Voraussetzung für die Entwicklung spezieller intellektueller Fähigkeiten darstellt. Für die Untersuchung bedeutet dies, daß die semantischen Beziehungen von Lexemen in zwei Bereichen des Sinnbezirks zur Analyse anstehen: 1.) Im Bereich zur Bezeichnung der allgemeinen geistigen Voraussetzungen und 2.) im Bereich zur Bezeichnung spezieller geistiger Fähigkeiten und Zustände. Die Bezeichnung „mentale Fähigkeiten" bezieht sich somit auf die Gesamtheit der wesensmäßigen geistigen Konstitution des Menschen und seiner spezifischen Einzelfähigkeiten im Wortschatz Müntzers, die damit Gegenstandsbereich der linguistischen Analyse sind.

Methodisch basiert die Untersuchung auf dem Verfahren der von Jost Trier begründeten Wortfeld-„Theorie", nach der sich ein Wortschatz in Sinnbezirke aufgliedern läßt, die ihrerseits durch bestimmte lexikalische Strukturen, Wortfelder, repräsentiert werden.[1] Von Gewicht ist es, daß diese Wortfelder und die semantischen Beziehungen zwischen den sie konstitutierenden Wörtern eines Idiolekts sich auf außersprachliche Strukturen – wenn auch nicht im Sinne einer einfachen 'Widerspiegelung' – beziehen. Es ist z.B. ganz deutlich, daß die Wortfelder im Sinnbezirk der mentalen Fähigkeiten im Wortschatz Müntzers eine Positiv- bzw. Negativ-Polung aufweisen, die von einem außersprachlichen Klassifikationsschema abhängig ist, nämlich von Müntzers theologischer Konzeption. Die Interpretation der Vorstellungswelt bzw. des Werkes Thomas Müntzers kann somit nur in Einbeziehung der Untersuchungsergebnisse entsprechender detaillierter lexikologischer Analysen erfolgen, die bestimmte semantische Strukturen aufzuweisen in der Lage sind. Der vorliegende Beitrag reiht sich damit in die aktuelle Diskussion um Thomas Müntzer insofern ein, als der Gedanke, daß Müntzers reformatorische Theologie als System, d.h. als ein nach Prinzipien geordnetes Ganzes anzusehen ist, eine immer größere Beachtung in der Müntzer-Forschung findet. Hat schon Goertz in seiner Dissertation (Goertz 1967) auf den ordo-Begriff hingewiesen und dessen Bedeutung für Müntzers theologisches System in seiner biographischen Monographie (Goertz 1989a, 49) unterstrichen, so wird der Systemcharakter heute von den verschiedensten Seiten der Müntzerforschung formuliert. GRITSCH spricht von einem „theologisch-systematischen Glaubensverständnis“ (Gritsch 1989b, 162), BUBENHEIMER verweist auf den Einfluß des Humanismus auf Müntzers ordo-Begriff, insbesondere auf die theologische Adaption rhetorischer Kategorien (Bubenheimer 1989a, 313). Dabei darf jedoch nicht übersehen werden, daß Müntzer kein „geschlossenes Lehrsystem“ etwa im Sinn der „sapientalen scholastischen Theologie“ vertrat (s. Bräuer 1989a, 65); ein systematisch geprägtes Weltbild wird sich jedoch bei genauer Quellenanalyse nicht mehr abstreiten lassen. Unter Berücksichtigung der neuesten Forschungsergebnisse will die vorliegende Wortfeldanalyse so einen Beitrag der Sprachwissenschaft zum Diskurs der Müntzer-Forschung liefern.

Müntzers Wortschatz im Sinnbezirk der mentalen Fähigkeiten ist in hohem Maße durch mystisch tradierte Lexeme, bzw. durch eine mystisch determinierte Semantik gekennzeichnet. Der Anteil der Mystik in Müntzers theologischen Vorstellungen ist seit Goertz 1967 im wesentlichen unbestritten, doch wird die Relevanz dieses Faktors innerhalb der Forschung oft bereits als überholt angesehen. Dem steht die Beurteilung Max Steinmetz' entgegen: „Die Rolle und der Einfluß der Mystik bei Thomas Müntzer sind zudem in der Forschung noch offene Fragen.“ (Steinmetz 1988b, 77) Von Seiten der Linguistik betont dies auch G. Brandt; zur Bedeutung der Mystik für Müntzers Sprache konstatiert sie: „Systematische Untersuchungen liegen nicht vor.“ (Brandt 1989, 189) Die nachfolgende Untersuchung versteht sich daher auch als ein Beitrag zu der immer noch nicht hinreichend untersuchten Frage der Beeinflussung Müntzers durch mystisches Gedankengut. Dabei werden die mystisch tradierten Lexeme des

Müntzerschen Mentalwortschatzes stellenweise durch den Vergleich mit Texten der deutschsprachigen Mystik verglichen.[2] Dazu sind die Predigten Taulers und die deutschen Schriften Seuses herangezogen[3], die Theologia Deutsch[4] und die deutschen Werke Meister Eckharts[5]. Durch die kontrastive Analyse können Übereinstimmungen und Parallelen evident werden.
Am Ende der jeweiligen Feldanalysen werden die Untersuchungsergebnisse zusammengefaßt und durch graphische Übersichten ergänzt.

1. Das geistige Wesen des Menschen

A. Analyse

Das geistige Wesen ist keine mentale Fähigkeit des Menschen, sondern als spezifische, den Menschen definierende Voraussetzung anzusehen. Die Existenz eines geistigen Wesens bildet die Bedingung für die Möglichkeit zur Entwicklung intellektueller Fähigkeiten. In dieser Lesart soll im Folgenden das Syntagma „geistiges Wesen" verstanden werden, also als eine den Menschen mit seinen mentalen Fähigkeiten konstituierende Wesenseigenschaft. Grundlage einer Untersuchung zum Mentalwortschatz Müntzers soll daher eine kurzgefaßte Analyse der Lexeme sein, die diesen prädisponierenden Seinsteil des Menschen benennen. Dafür sind vier Lexeme nachzuweisen, deren semantische Strukturen bereits charakteristische Spezifika der Müntzerschen Lexik enthalten: *geyst, seele, herz* und *gemuet*. Kapitel 1 ist als Einleitung in die Problematik der gesamten Untersuchungen zu verstehen. Einige Grundvorstellungen der Müntzerschen Theologie werden bereits erkennbar durch die Analyse der Interdependenzen von Sprachstruktur und Weltbildstruktur. Eine detaillierte Auseinandersetzung erfolgt im Rahmen der Analyse der eigentlichen mentalen Fähigkeiten in Kapitel 2. Dort sollen im Rückblick auf die folgenden überblickartigen Darstellungen konkretisierende Ausführungen zur Struktur der Müntzerschen Lexik gemacht werden.

Das Lexem *geist* hat im gegenwärtigen Sprachverständnis eine zentrale Stellung im Feld 'geistiges Wesen des Menschen'. Auch bei Müntzer zeigt sich bereits bei quantitativer Durchsicht seines Mentalwortschatzes in den deutschen Briefen mit 36 Belegen die Bedeutung des Lexems. *geyst* erscheint jedoch nur in 36% der nachzuweisenden Belege in bezug auf den Menschen. Davon weisen 22% das Lexem in einer toposbildenden Kollokation mit dem Subst. *armut* auf:

O wu ist unser armut des geysts, so wyr nicht darvon reden kunnen von wegen unser tregen ubung. (426, 7f.)

armut des geystes bezeichnet bei Müntzer nicht in Analogie zur nhd. Semantik einen Mangel mentalen Vermögens, sondern stellt im Müntzerschen Weltbild ein Axiom für die Prädestination durch Gott dar. Der Topos *armut des geysts* bezeichnet einen positiv bewerteten Zustand des Menschen nach seiner Abwendung von der natürlich-kreatürlichen Welt und steht nicht notwendigerweise in Opposition zum Besitz intellektueller Fähigkeiten. So sieht Müntzer auch die *armut des geystes* nicht als einen Zustand, der einer Erlösung bedarf:

Christus ist nit kommen, das ehr also uns erloset hat, das wyr nicht solten erleyden (durch entsetzung all unser entgetzlykeit) den armut unsers geysts. (399, 2f.)

Die von Müntzer beharrlich formulierte Abwendung von der irdisch-materiellen Welt steht in engem Zusammenhang mit der Forderung nach dem Wirksamwerden des *geystes der furcht gottes* im Menschen. 11 der Belege des Lexems *geyst* bezeichnen diese spezifische Wirkung göttlichen Geistes im Gläubigen. Durch die Abwendung von irdisch-materiellen Interessen schafft der Mensch in seinem Inneren Raum für den *geyst der furcht gottes*. Sich diesem zu unterwerfen meint bei Müntzer die Aufgabe des eigenen Willens in der Hingabe an den göttlichen Geist. Müntzer erhebt die Erkenntnis des göttlichen Geistes, bzw. die Einswerdung mit diesem zur causa finalis religiöser Entwicklung, die an spezifische Voraussetzungen geknüpft ist. *geyst der furcht gottes* hat in diesem Zusammenhang einen gewichtigen Stellenwert und steht zur Bezeichnung der Bedingung jeglicher religiöser Erkenntnis:

Dann eyn anfank der weyßheyt Gotts ist dye forcht Gotts,... (411, 26f.)

..., und der zuhorer mus vorhin Christum haben horen predigen yn seynem herzen durch den geyst der forcht Gottes, ... (402, 19f.)

Müntzer greift in der Verwendung des Topos *geyst der furcht gottes* auf alttestamentarische Gedanken zurück, insbesondere aber auf den paulinischen Topos von Schwäche, Furcht und Zittern: „*Et ego in infirmitate, et timore, et tremore multo fui apud vos:...“ (2. Kor 2, 3)*

Die spezifische Differenzierung von *armut des geystes* und *geyst der furcht gottes* bezeichnen eine grundsätzliche Haltung des Menschen. Deutlich wird dies inbesondere im Adj. *armgeistig* (22, 29). Der quantitativ geringen Belegung von *geyst* in der Bedeutung des menschlichen Geistes stehen 64% der Belege gegenüber, die das Lexem mit der Semantik des göttlichen Geistes aufweisen, wobei eine explizite Trennung von heiligem Geist, Gottesgeist und Christusgeist, im Sinne der Trinitätslehre, eine sprachliche Realisierung findet. Alle drei Verwendungen des Lexems sind zu belegen:

Strebet dem heyligen geyste nit widder, der euch erleuchte, amen. (410,29f.)

Wu mich der geyst Gottis treybt, solt ich sye erdulden zu meynen richtern ym christenglauben, ... (417,29f.)

... darumb werden der menschen herzen also selten behefftet myt dem warhafftigen geyst Christi, ... (22,7f.)

Zentraler Gedanke Müntzers ist die potentielle Fähigkeit jedes Menschen zur Gotteserkenntnis, das heißt eine Verbindung zwischen individuell-finitem Geist des Menschen und dem universell-transfiniten Geist Gottes. Müntzer steht mit diesem mystisch tradierten theologischen Weltbild in expliziter Opposition zum Schriftglauben seiner Zeit, zum *getichten glauben*. Menschlicher und göttlicher Geist sind bei Müntzer nicht disparat, denn Ziel des Menschen soll ja gerade die Verbindung mit dem Geist Gottes sein, d.h. eine Vereinigung, im mystischen Sprachgebrauch eine *unio mystica*. Der mystische Grundsatz, „daß nur Gleiches mit Gleichem in Relation tritt“[6)], benennt die Analogie von menschlichem und göttlichem Geist im Moment der Erkenntnis Gottes.

Die der differenzierten Semantik inhärenten theologischen Vorstellungen Müntzers werden hier zunächst nur andeutend expliziert, da eine Auseinandersetzung mit ihnen im Rahmen der nachfolgenden Analyse der intellektuellen Fähigkeiten des Menschen zu finden ist. Dort werden komplexe Feldstrukturen untersucht, die in Referenz zu Müntzers theologischem Weltbild stehen. Festzuhalten ist für die Analyse des Lexems *geyst* hier die quantitativ hohe Belegung mit der Semantik göttlichen Geistes, sowie die Topoi *armut des geysts* und *geyst der furcht gottes*.

Hat das Lexem *geyst* in bezug auf den Menschen bei Müntzer nur eine untergeordnete Stellung, so ist das Substantiv *seele* mit 7 Belegen nur als auf den Menschen bezogen nachzuweisen. Daraus ist zu schließen, daß Müntzer der Ansicht folgt, die Seele sei ein genuin menschliches, Existenz konstituierendes Element. Die Semantik des Lexems ist jedoch insofern differenziert, als zwei Seelenbereiche mit ihm benannt werden: Ein dem Leib naher und ein leibferner Bereich, der als Erkenntnisraum des Menschen für die Gottesoffenbarung verstanden wird. Diese Bedeutungsdifferenzierung des Lexems gründet in der Vorstellung eines dualistischen Menschenwesens, innerhalb dessen die Seele auf dem Schnittpunkt von spiritueller und materieller Existenz lokalisiert ist. So wird im

Sinne des spirituellen Doppels dem niederen Seelenbereich der Ort geistlich-göttlicher Erkenntnis gegenübergestellt. Dieser Leib-Seele-Dualismus ist in der deutschen Mystik u.a. von Eckhart vertreten worden:

> *... diu sêle ist geschaffen als ûf ein ort zwischen zît und êwicheit. Mit den nidersten sinnen nâch der zît üebet si zîtlîchiu dinc; nâch der obersten kraft begrîfet und enpfindet si âne zît êwigiu dinc.*[7)]

Zur Bezeichnung des zeitlos-spirituellen Seelenbereichs verwendet Müntzer das Lexem *seele* häufig in der Spezifizierung des Seelengrundes:

> *Ich bitte euch, das yr euch meyns vortreybens nicht ergern wollet, dan yn solcher anfechtunge wyrt der selen, abgrunt gereumeth, auff das er meher und mer erleutert, erkant werde, das unuberwintliche gezeugnuß des heyligen geysts zu schepffen. (387, 20f.)*

Müntzer steht mit dieser Terminologie ganz in der Tradition der deutschen Mystik.[8)] Eckhart etwa verwendet den Begriff Seelengrund häufig:

> *«Wahrlich, Du bist der verborgene Gott» in dem Grunde der Seele, da wo Gottes Grund und der Seele Grund ein Grund sind.*[9)]

Der Seelengrund ist bei Eckhart Ort der *unio mystica*, in der das Prinzip des *simile similis cogniscitur* im Sinn der Begegnung wirksam ist. Müntzer folgt dieser Ansicht:

> *... wenn man die stimme des warhaftigen besitzers yn der sele horet Johan. III.* (403, 7f.)

Er weist jedoch mit der Formulierung „*dan yn solcher anfechtunge wyrt der selen abgrunt gereumeth*“ (387, 20f.) – hier bezogen auf sein *elend des vortreybens* – auf die notwendige Läuterung des Seelengrundes als Bedingung einer Verbindung mit Gott hin. Erst die Anfechtung bereitet den zunächst verschlossenen Seelengrund zum Ort der Gotteserkenntnis, sie wird als passiv zu ertragendes Schicksal zum Zeichen der Auserwähltheit durch Gott. Daß in diesem Gedanken der Müntzerschen Theologie nicht nur christlich-mystische Vorstellungen nachwirken, sondern auch das durch den Humanismus tradierte Platonische Leidensideal, hat Bubenheimer aufgezeigt (Bubenheimer 1988a, 191). Ist die Seele nach dem Durchgang durch das Leiden erwählt, so hat der Mensch die Aufgabe, das Zeugnis Gottes in der Seele zu bewahren:

> *..., auf das eyn yder auserwelter muchte dye gezeugnis Gottis mit ganzer sel und herzen bewahren und erkunden. (421, 8f.)*

Der Gedanke des Auserwähltseins impliziert aber zugleich, daß Gott Gewalt über die Seele des Menschen hat, sie also auch richten kann. Müntzer drückt diesen Gedanken im Zitat von Mt. 10, 28 aus:

> *...forchtet den der die gewalt hat, wenn er den leip hat getottet, so hat er auch macht, die sele ins hellische feuer zu stoßen; ... (413, 6f.)*

Hier bezeichnet das Lexem *seele* nicht den spirituellen Bereich des Seelengrundes, sondern die leibnähere Seele. Das Lexem erscheint bei Müntzer mit dieser Semantik immer im Zusammenhang mit der Todesthematik, da Müntzer davon ausgeht, daß die Seele nach dem Tod zum Ort der Prüfung und Strafe wird. Für Müntzer besteht kein Zweifel daran, daß jeder Mensch eine schuldige Seele hat. Vor seinem Tod schreibt er:

> *Das wil ich itzt in meynem abschied, dormit ich dye burde und last von meyner sele abwende, vormeldt haben, keyner emporung weyter stadt geben, dormit des unschuldigen bluts nit weyter vorgossen werde. (474, 18ff.)*

Die Seele steht für Müntzer durch ihre Schuld in direkter Abhängigkeit von Gott; Ort der Vereinigung kann sie nur aufgrund göttlicher Gnade (sola gratia) werden. Doch gerade dadurch entzieht sich die Seele auch dem Zugriff irdischer Macht. So schreibt Müntzer den verfolgten Christen in Sangerhausen 1524:

> *Aber unser seelen sal er gar nichts regiren dann in den sachen muß man Got meher gehorsam sein dann den menschen, ... (412, 19f.)*

Das Lexem *herz* steht mit 24 Belegen quantitativ an zweiter Stelle der hier untersuchten Lexeme und kann somit als wichtiges Element des Mentalwortschatzes Müntzers vermutet werden. Müntzer gebraucht das Substantiv in keinem der Belege in der anatomischen Semantik als Zentralorgan der Blutfunktionen. Für ihn ist das Herz Ort der inneren Regungen des Menschen, so daß in 37,5% der nachzuweisenden Fälle *herz* synonym für das menschliche Innenwesen im allgemeinen steht.[10] Das Lexem *herz* bezeichnet bei Müntzer einen Wesensteil, der anders als Geist und Seele mit dem ganzen Menschen verbunden ist. Müntzer hat in seiner Zwickauer Zeit das Herz zusammen mit den Initialen TM auch als Siegel verwendet, woraus seine bewußte Auseinandersetzung mit der Symbolik des Herzens evident wird:

> *Darumb sollet yr tag und nacht mit ganzem herzen seufzen zu Got... (411, 28f.)*

> *Ich sag es euch von ganz getreuem herzen, ... (422, 8)*

Müntzer versteht das Herz als den Bereich des Innenwesens, der dem Einfluß des menschlichen Willens unterliegt, so daß das Herz bei Müntzer oft zum Adressaten von Mahnungen, insbesondere vor der Gefahr des *entsinkens* wird:

Laßt euch das herz nicht entsynken, wie es den tyrannen allen entfallen ist. (408, 24f.)

Drumb seyt keck! lasset euch euer herz nit entsinken! (463, 1)

Müntzer versucht direkten Einfluß auf das Herz und nicht auf die Seele zu nehmen. Das Herz wird als Wesensteil verstanden, der durch den Menschen bildbar ist:

Ich kann es itzund nit anders machen, sonst wolt ich den bruedern underricht gnug geben, das ihnen das herz viel grosser solt werden dann alle slosser und rustung der gottloßen bößwichter auf erden. (455, 10ff.)

Müntzer verwendet *herz* jedoch nicht nur in der Semantik des willensabhängigen Innenwesens im allgemeinen, sondern in der Mehrzahl von 54,5% als Bezeichnung für das Organ zur Gotteserkenntnis:

„... und der zuhorer mus vorhin Christum haben horen predigen in seynem herzen durch den geyst der forcht Gottes, do kan ym der recht prediger zeugnis genung zu geben. (402, 19f.)

Das Lexem *herz* in der Bedeutung des Erkenntnisorgans steht in enger Feldbeziehung zum spirituellen Seelenbereich, der bei Müntzer auch im Zusammenhang mit der Gotteserkenntnis steht. Die Konjunktion beider Lexeme im folgenden Beleg zeigt die unzweifelhafte semantische Verwandtschaft:

..., auf das eyn yder auserwelter muchte dye gezeugnis Gottis mit ganzer sel und herzen bewaren und erkunden. (421, 9f.)

Synonym zur Terminologie des Seelengrunds spricht Müntzer daher auch vom Herzensgrund:

Dyse wort solt yr wol beherzygen und in euers herzen grund schlyssen, ... (411, 12f.)

Es zeigt sich also, daß Müntzer das Lexem *herz* zum einen als willensabhängigen Wesensteil des Menschen versteht, zum anderen als Erkenntnisorgan für die Gottesschau, wobei beide Sinngehalte in Kohärenz zueinander stehen. Eine Analogie zur deutschen Mystik ist dabei offensichtlich.

Neben den beiden dargestellten semantischen Komponenten des Lexems *herz* ist die intellektuelle Fähigkeiten einschließlich Semantik des Lexems mit 8% zu belegen.[11] JOERESSEN weist in ihrer Arbeit darauf hin, daß die Sinnantithese zwischen Kopf als Sitz des Verstandes und Herz als Sitz des Gefühls dem Aufklärungsdenken des 18. Jahrhunderts entspringt.[12] Bei Müntzer schließt die Semantik von *herz* intellektuelle Aktivität noch ein:

Yhr muest eyn wort ymmer iegen das ander halten und die betrachtung eures herzen dahin richten, da die sonne aus warem ursprung aufgehet nach der langen nacht, psalmo 129. (402, 10ff.)

Das Lexem *herz* steht bei Müntzer in einer triadischen Bedeutungsschichtung:

1. als Synonym für den willensabhängigen Bereich des geistigen Wesens im allgemeinen,
2. als Bezeichnung für das Organ zur Erkenntnis Gottes,
3. als intellektuelle Fähigkeiten einschließender Wesensbereich.

Wichtig erscheint dabei, daß hier nicht von Polysemie zu sprechen ist, denn die Bedeutungsschichten in den Belegen stehen meist in Dependenz zueinander und sind somit simultan bedeutungskonstituierend.

Das Lexem *gemuet* ist mit sechs Belegstellen deutlich geringer vertreten als die bereits untersuchten Lexeme zur Benennung des menschlichen Innenwesens. Aus der quantitativen Unterordnung ist jedoch nicht auf einen sekundären Bedeutungsgrad innerhalb des Feldes zu schließen. *gemuet* dient Müntzer zur Bezeichnung der Gesamtheit von Seele, Herz und menschlichem Geist. Die umfassende semantische Schichtung von *gemuet* ist zeitcharakteristisch, sie läßt sich in Josua Maalers „Die Teütsch spraach" von 1561 ebenso nachweisen[13], wie noch wesentlich später bei Zedler 1732[14], bei dem es keinen eigenständigen Lexikonartikel gibt, sondern lediglich Verweise auf andere Lemmata, wie *Verstand* und *Wille*. Aufgrund dieses umfassenden Bedeutungsrahmens zeigt sich bei Müntzer Gemüt abhängig vom Entwicklungsgrad des inneren menschlichen Wesens und ist daher der am stärksten individualisierte Wesensteil des Menschen:

Eyner ergert sich, der ander bessert sich nach bewegent seyns gemuths, ps. 88. (424, 21f.)

Das Verhältnis des Individuums zu der umgebenden Welt definiert sich über den Entwicklungsgrad des Gemüts, das für Müntzer Ort des Willens und der Ursprung absichtsvollen Handelns ist. Einer Atomisierung der individuellen Willensäußerungen und damit einem Konflikt im sozialen Zusammenhang aufgrund der differenten Gemüter kann nur die Gemeinschaft der *heyligen christenheyt* entgegenwirken. Nur sie kann im Blick auf den religiösen Feind und die Anfechtung einend auf die Gemüter wirken, so daß Müntzer auch von dem *gemuthe* der *heyligen christenheyt* sprechen kann:

. . ., wann sich dye heylige christenheyt vom anbeten der gezirten bosewichter abwendet mit allen gemuthe und kreften. (433, 28f.)

Diese Belegstelle steht in auffallender Analogie zu Johannes Tauler, dessen Predigten Müntzer nicht erst während seiner Zeit in Orlamünde eingehend rezipiert hat, wie es Elliger annahm, sondern bereits schon in Wittenberg.[15] In der 48. Predigt thematisiert Tauler ebenso wie Müntzer im vorausgehenden Beleg das Verhältnis der Gläubigen zu den Feinden, wozu er auch die Lexeme *kraft* und *gemuet* gebraucht:

Und dar umbe mit allen kreften und gesamnetem gemůte sint ane underlos wacker. [16]

Es zeigt sich damit deutlich, daß Müntzers Semantik des Lexems *gemuet* mystisch tradiert ist.

Der Weg zur Ausbildung des Gemütes jedes Einzelnen liegt für Müntzer in der Verehrung Gottes, die zum sittlich-moralisch geregelten Leben führt. Wer sein Gemüt an diesem Maßstab ausrichtet, steht für Müntzer unter dem Schutz Gottes:

. . ., Got zu ehren und lobe, der euer gemuet beware im bestendigsten glauben. (414, 37f.)

Der Superlativ des Adjektivs *bestendig* deutet jedoch auf die hohen Anforderungen an die Willenskontinuität des Gläubigen. Ebenso wie der Glaube hat auch das Gemüt naturgemäß nicht einen konstanten Wert, sondern muß sich durch den gläubigen Willen erst bilden. Bestätigt wird das durch Müntzers Verwendung des Lexems mit negativer Polung, wenn er etwa vom *furstlichen gemuth* (474, 17) oder vom *hoffertigem gemuthe* (447, 27) spricht. Hier bezeichnet Müntzer das Gemüt, das nicht an religiösen Wertmaßstäben gebildet ist und daher auch nicht zu Handlungen im Sinne Gottes führen kann.

B. Zusammenfassung von 1.

Zwei Graphiken sollen die quantitative Verteilung der Lexeme *geyst, seele, herz* und *gemuet* unter folgenden Aspekten veranschaulichen:

A. Aspekt der Häufigkeit
B. Aspekt der semantischen Distribution

Abb. 1: Quantitat. Verteilung

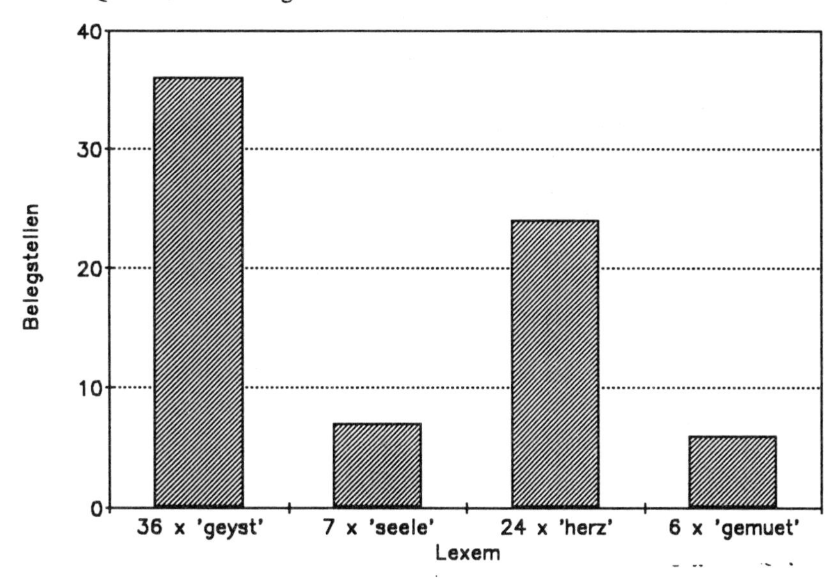

Abb. 2: Semantische Distribution

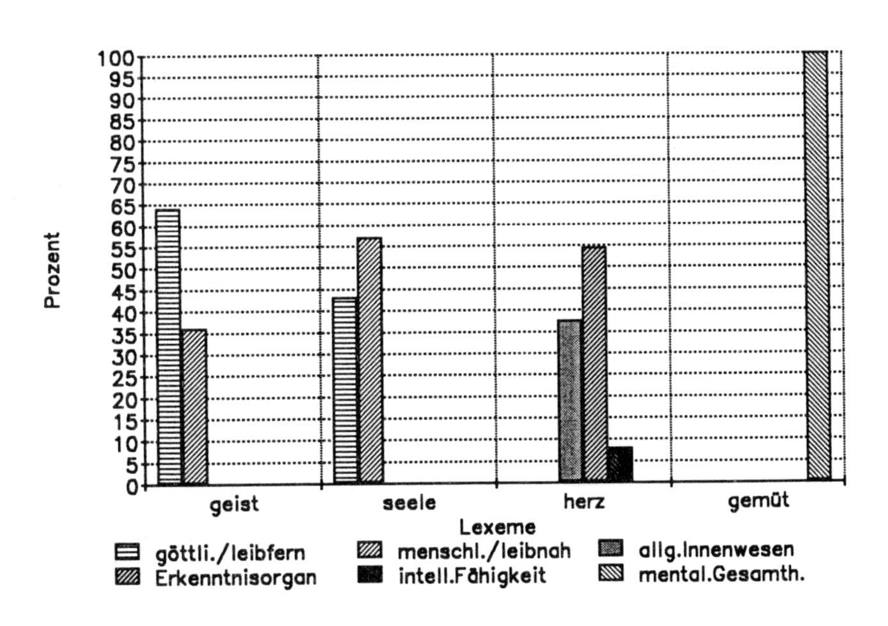

2. Die intellektuellen Fähigkeiten des Menschen

Grundlage der im Folgenden vorgenommenen Strukturierung des Müntzerschen Intellektualwortschatzes ist die operationale Unterscheidung in natürliche und besondere intellektuelle Fähigkeiten, wie sie SPILLMANN bereits in seiner Dissertation vorgenommen hat (Spillmann 1971). Eine solche Differenzierung ist aus Gründen der semantischen Vagheit des Adj. *intellektuell* unabdingbar; bezeichnet dieses doch nicht eine spezifische Ausprägung menschlicher Fähigkeiten, sondern vielmehr eine Summe differenter mentaler Vermögen. Die hier vorgenommene duale Strukturierung erweist sich daher als sinnvolles Ordnungskriterium.
Die Bezeichnung „natürliche intellektuelle Fähigkeiten" steht dabei synonym für die essentiellen gattungsspezifischen Intellektualfähigkeiten, die allen Menschen mehr oder weniger eigen sind. Im Gegensatz dazu meint „besondere intellektuelle Fähigkeiten" die individuell erworbenen Mentalvermögen, bei denen sich im Vergleich unterschiedlicher Individuen starke Variabilitäten zeigen können. Die „besonderen intellektuellen Fähigkeiten" können im Verhältnis zu den „natürlichen intellektuellen Fähigkeiten" als akzidentiell im Sinne von „hinzukommend" verstanden werden.

2.1. Die natürlichen intellektuellen Fähigkeiten
A. Analyse

Im Feld der natürlichen intellektuellen Fähigkeiten sollen zunächst die strukturellen Dependenzen der Lexeme *vornunft, liecht* und *syn* aufgezeigt werden. Dabei ist bereits hier auf ein grundlegendes Problem hinsichtlich der linguistischen Analyse der Müntzerschen Lexik hinzuweisen. Die Entscheidung über die Stellung von Lexemen innerhalb des Individualwortschatzes Müntzers läßt sich oft nicht allein aus dem quantitativen Vorkommen ableiten. Die diafrequenten Angaben der Untersuchung dürfen daher auch nicht mit einer Aussage über den qualitativen Stellenwert von Lexemen gleichgesetzt werden. Begegnet man bei diesem Problem einer grundlegenden Schwierigkeit der Idiolektanalyse, so zeigen sich doch für Müntzer zwei erschwerende Faktoren: 1. der geringe Umfang der überlieferten Quellen, der oft keinen Vergleich mit parallelen Verwendungen zuläßt; 2. die für Müntzer charakteristische hohe Varianz des Sprachgebrauchs, mit der viele quantitativ geringe Belegungen erklärt werden können. Aussagen zu den Strukturpositionen der Lexeme können bei Müntzer daher sehr

häufig nicht nur aus der Diafrequenz- und Kontextanalyse gewonnen werden, sondern ergeben sich oft erst aus der Untersuchung der Stellung zu anderen Lexemen. So kann ein Lexem mit quantitativ geringem Gewicht aufgrund seiner determinierenden Semantik innerhalb eines Feldes durchaus eine zentrale Strukturposition inne haben. In die Untersuchung werden daher auch Lexeme einbezogen, die quantitativ gering belegt sind; so das Lexem *vornunft*, das im untersuchten Corpus nur mit einem Beleg repräsentiert ist.
Daß *vornunft* bei Müntzer als angeborene gattungsspezifische Intellektualfähigkeit gebraucht wird, zeigt sich deutlich in der Verwendung der Negation *unvernunftig:*

> *..., das sie sollen fressen das fleysch der fursten und die unvernunftige thier sollen saufen das blut des grossen hansen, ... (470, 2)*

unvernunft bezeichnet bei Müntzer den vollkommenen Mangel an mentalen Fähigkeiten, wie er nach dem Weltbild des 16. Jahrhunderts dem Tier prinzipiell eigen ist. Aus dieser Wertung läßt sich der indirekte Schluß ziehen, daß Vernunft entgegen der Wertung der Negation als eine dem Menschen eigene, ihn gegenüber dem Tier auszeichnende natürliche intellektuelle Fähigkeit von Müntzer verstanden wird, wobei der Mensch im Zuge einer Verrohung auch seine Vernunft verlieren kann, dann aber auch als Tier bezeichnet wird. *vornunft* ist bei Müntzer nicht eindeutig positiv oder negativ gepolt. Die qualitative Beurteilung der Vernunft ist bei Müntzer abhängig von den Objekten, auf die diese gerichtet wird. In der einzigen Belegstelle des hier analysierten Corpus ist dieses Objekt die Nahrungsaufnahme. Richtet sich die Vernunft auf ein derartig natürliches Primärbedürfnis des Menschen, das rein leiblich-materieller Natur ist, so ist Müntzers Polung eindeutig negativ:

> *O das ist aber ein mechtiger greuel den fleischlichen menschen, die yr leben langk alle yr vornunft dorauf erstregkt han, das sie mochten narung erwerben, ... (411, 36f.)*

Wenn auch nicht positive, so doch zumindest neutrale Polungen des Lexems *vornunft* zeigen sich in der Untersuchung SPILLMANNS.[17] Sie liegen dann vor, wenn der *vornunft* potentiell die Fähigkeit der Zuwendung zum Göttlichen eigen ist. Für *vornunft* zeigt sich im Vergleich mit SPILLMANN daher eine duale Semantik, die aus der Hinwendung des Menschen zum Irdischen oder Göttlichen abgeleitet wird.

Das Lexem *liecht* [nhd. Erkenntnis, verstehen] steht mit der ebenfalls ambigen Semantik in enger Feldbeziehung zu *vornunft*. Für das Verständnis des Lexems bei Müntzer ist die Kenntnis der philosophisch-religiösen Lichtmetaphysik, wie sie schon seit der Antike und besonders durch Augustinus Verbreitung fand, unabdingbar. Die Unterscheidung in lumen naturale als Synonym für die auf irdische Objekte gerichtete Vernunft und lumen supranaturale als Bezeichnung für die göttliche und insofern über die Grenzen des Irdischen hinausgehende Vernunft prägt auch Müntzers Weltbild und insofern seine Sprachverwendung.

> *..., zu erkennen das falsche liecht, Matt VI., welchs sich schwindet durch die falschen diener des worths zum vorterbnus der Welt ane aufhoren, ins gemeine volk lesterlich gerathen, dadurch dann der gegensatz also groß worden, das das rechte liechte muß finsternus sein, und dye finsternus der aygennutzigen soll das liecht sein, welchs der Herr von Euch wende, amen. (464, 10ff.)*

Die polyseme Verwendung des Lexems *liecht* in diesem Satz verursacht nahezu eine kommunikative Störung aufgrund des u.U. fehlenden Interpretanten – hier die Kenntnis der Lichtmetaphysik. Müntzers Ausführung ist hier deutlich theologisch-fachsprachlich markiert. Ein adäquates Verständnis setzt sowohl theologisch-philosophische Kenntnisse als auch die Fähigkeit abstrahierender Gedankenbildung voraus. Der Adressat des Briefes ist die Gemeinde in Eisenach, bei der Müntzer wohl kaum die für ein Verständnis seines Gedankens notwendigen Kenntnisse als allgemein bekannt voraussetzen konnte. Hier findet sich ein expliziter erster Hinweis darauf, daß Müntzer durchaus nicht immer im Sinn der „intendierten Äußerungsfunktion" (Brandt 1989, 212) als Mittel der sprachlichen Überzeugung von „werktätigen Massen" (ebd.) formuliert hat, wie es die bisherige marxistische Sprachwissenschaft wiederholt nachzuweisen versuchte. Müntzer formuliert hier nicht allgemeinverständlich, sondern wählt hier vielmehr eine Stilebene, die bewußt kryptische Elemente beinhaltet, auf unmittelbares Verständnis nicht ausgerichtet ist und damit in ihrem Funktionszusammenhang in Analogie zu einer mahnenden Apokalyptik steht. Die philosophisch-theologische Bildung Müntzers, wie sie jüngst insbesondere von Bubenheimer wiederholt untersucht wurde, ist hier evident.

Müntzers Unterscheidung von *falschem* und *rechtem liecht* steht im Beleg in Analogie zu den Ungläubigen und Gläubigen. Die Ungläubigen leben in der *finsternus der aygennutzigen*; sie dienen dem *liecht*, das Gott nach Müntzers Meinung von den Menschen wenden soll, gemeint ist hier das lumen naturale. Das *rechte liecht* hingegen ist die Finsternis, in der die Gläubigen leben. Das lumen supranaturale ist Finsternis deshalb, weil für Müntzer Gott nur durch Anfechtung und Leid erkannt werden kann, also durch die Existenz in der Finsternis. Das Licht Gottes zeigt sich für den Menschen also als Finsternis, als Anfechtung, die der Mensch fürchtet:

..., der mund der vorkorten wirt vorstopfet werden, dan sie forchten das liecht, Jois. 3. Ich will das licht nicht scheuen, ... (407, 19f.)

Das lumen naturale ist bei Müntzer im untersuchten Corpus negativ gepolt, wohingegen das lumen supranaturale in der Erscheinungsform der Finsternis aufgrund des fast schon dialektischen Gedankengangs positive Polung hat. Hier zeigt sich ebenso wie bei dem Lexem *vornunft* eine semantische Bivalenz. Die Polung ist davon abhängig, ob der Kontext religiös-geistlicher oder materieller Art ist.

Zeigt sich die Feldbeziehung von *vornunft* und *liecht* in dieser Weise, so steht als drittes Element das Lexem *syn* in unmittelbarem Zusammenhang zur Semantik von *vornunft*. *syn* geht in seiner Bedeutung jedoch über die Grenzen rein intellektueller Fähigkeiten hinaus; das Lexem schließt mit der an *vornunft* gemessenen größeren semantischen Reichweite das Fühlen und das Wollen ein. Daß *sinn/syn* bereits im Ahd. und Mhd. eines der Lexeme des Intellektualwortschatzes mit hoher Frequenz ist, geht aus Triers Untersuchungen in „Der deutsche Wortschatz“[18] deutlich hervor. *syn* dient Müntzer zur Bezeichnung der Gesamtverfassung des Bewußtseins, eine Verwendung, die analog bei Heinrich Seuse zu konstatieren ist:

Einerseits ist 'sin' der Innbegriff der intellektuellen Fähigkeiten ganz allgemein.(...) Andererseits bedeutet er das Denken und die Gedanken sowie das Bewußtsein.[19]

Bei Müntzer findet sich das Substantiv mit dieser Semantik explizit in einem seiner letzten Briefe, der 1625 an die Erfurter gerichtet ist:

Screibet unß widder ewre meinung, dan wyr haben guten syn czu euch, allerliebsten bruder. (472, 1f.)

Der *Syn* steht ebenso wie die *vornunft* in Zusammenhang mit der Glaubenskraft des Menschen. Er ist als essentiell-natürliche Intellektualfähigkeit in der Bewertung abhängig von einer willensmäßigen Ausrichtung auf das *Wahre* oder *Falsche*. So stellt sich für Müntzer die Frage nach dem *syn* des Gläubigen, der sich Gottes Willen unterwirft, indem er seinen eigenen Willen bricht:

..., das man wysse nachzusagen und zu berechen, wye eynem solchen ernsten leydenden emsygen menschen zu synnen ist, ... (425, 32)

Müntzer stellt sich einen solchen Menschen als *wunsam* und *ungespart (425, 38)* vor, also als besonderen und über die Maßen fröhlichen Menschen. Der *syn* dieses von Müntzer idealiter gedachten Menschen beinhaltet neben einer gedanklichen Ausrichtung auf Gott in großem Maße emotive Fähigkeiten, wie das

ernste leyden oder die *ungespartheit* des *sinnes*.
Die Semantik des Verbs *synnen* als Bezeichnung der Betätigung des *sinnes* zeigt eine wichtige Bedeutungsdifferenzierung zum Substantiv. Müntzer gebraucht es synonym mit dem nhd. Verb *bedenken*:

> *Kunth yr nicht weyter drauf synnen, was vor eyn spyl wyl draus werden? (417, 6f.)*

Das *weyter sinnen* meint hier die Fähigkeit zur Einsicht und damit Voraussicht in die Handlungen der Ungläubigen. Eine solche Fähigkeit resultiert aus der Verbindung mit dem *geyst Gottis (417, 29)*.

Eine weitere Strukturzusammengehörigkeit weisen die Lexeme *denken, meinen* und *zweifel* aufgrund von religiös-theologisch motivierten semantischen Dependenzen auf. Kernlexem der triadisch-semantischen Struktur ist das Verb *denken*, wobei die Stellung nicht aus quantitativem Primat folgt; *denken* steht mit 3 Belegstellen deutlich hinter *meinen* mit 11 Belegen und gehört auch im Gesamtcorpus zu den quantitativ sekundären Lexemen. Die Zentralstellung von *denken* ergibt sich vielmehr aus der determinierenden Semantik für die Lexeme *meinen* und *zweifeln*.
Bei Müntzer findet sich *denken*, wie auch die anderen bereits untersuchten Lexeme im Feld der natürlichen intellektuellen Fähigkeiten zur Bezeichnung einer vorhandenen Wesenseigenschaft des Menschen, die ohne religiös-theologische Zielbestimmung verwerflich und daher negativ gepolt ist:

> *..., das dye bundsgenossen nit dorfen denken, das sye durch das solten gefreyet werden, yren tyrannen nichts zu geben, ... (422, 29f.)*

Hier ist das Denken auf gesellschaftliche Zustände gerichtet, also auf konkretmaterielle Anliegen, und dies führt in Müntzers Weltbild zum Irrtum, zu falsch verstandener Befreiung. Diese Form des Denkens soll hier als *konkretes Denken* bezeichnet werden, insofern in ihm konkrete Erfahrungen durch Verallgemeinerung zu Begriffen und Urteilen führen; bei Müntzer zu falschen Begriffen und falschen Urteilen:

ERFAHRUNG BEGRIFF
---------- ---- KONKRETES DENKEN ---→ ---------
SACHE URTEIL

Das konkrete Denken beinhaltet bei Müntzer die Gefahr der Täuschung, da es ohne das Korrektiv der göttlichen Instanz ein nur im Menschen lokalisierter Bewußtseinsprozeß ist. Müntzer sieht in aller Deutlichkeit, daß dieses Denken in den Menschen wirksam ist; er zeigt es als Gegensatz der Wahrheitsfindung auf, als mentale Fähigkeit in Verbindung mit dem Teufel:

> *Wollet yr nun denken, das yr wollet wolthun euerm fursten und Got, das werdet ihr nicht mugen thuen, dann alles was sich neben Got auflenet und wil gefurchtet sein, das ist gewys gewys der teufel selber, do habt achtung auf. (412, 18f.)*

In einem bereits für das Lexem *vornunft* zitierten Beleg wird deutlich, daß *denken* bei Müntzer auch mit einer anderen semantischen Polung nachzuweisen ist:

> *O das ist aber ein mechtiger greuel den fleischlichen menschen, die yr leben langk alle yr vornunft dorauf erstregkt han, das sie mochten narung erwerben, und nicht weyter gedacht. (411, 36f.)*

Das Weiterdenken meint hier ganz offensichtlich ein Denken, das über die Grenzen des Materiellen hinausgeht, und das kann bei Müntzer nur besagen, daß die Dimension Gottes in das Denken integriert ist. Diese Form des Weiterdenkens soll hier als *abstraktes Denken* bezeichnet werden, insofern es unanschauliche Inhalte zum Gegenstand hat oder zum Maßstab des Denkens macht. Müntzers negative Wertung des konkreten Denkens bildet den logisch-semantischen Gegensatz zur positiven Polung des abstrakten Denkens. Das abstrakte Denken kann jedoch nicht als mentale Tätigkeit verstanden werden, durch die Erfahrungen und Sachen zu Begriffen und Urteilen transformiert und damit im Müntzerschen Verständnis verfälscht werden, wie es beim konkreten Denken der Fall ist. Abstraktes Denken muß bei Müntzer ein sich gegenseitig bedingender Prozeß von Denken, Gott und Erfahrung sein:

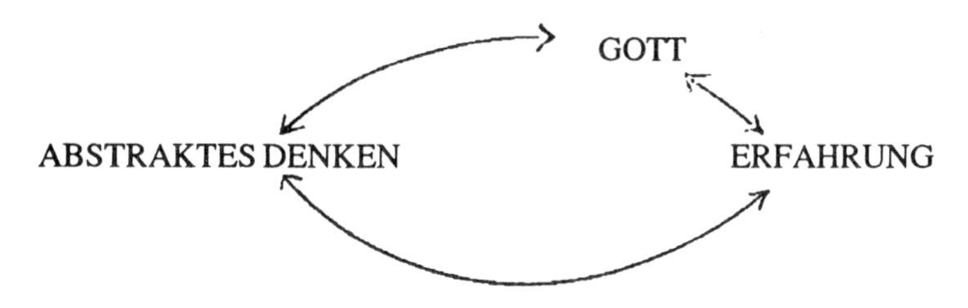

Kennzeichnend für das abstrakte Denken, mit Hilfe dessen Wahrheit wirklich erkannt werden kann, ist die bewußte Hinwendung im Denken zu Gott und der charakteristische mystische Zusammenschluß von Denken und Erfahren in der Gotteserkenntnis.

Müntzer verwendet das Verb *denken* ausschließlich in negativer Polung, bezeichnet wird also immer das konkrete Denken. Der abwertenden Klassifikation auf semantischer Ebene, d.h. der ostensiven Verurteilung dieses konkreten Denkens ist die Forderung nach einem religiös determinierten Denken inhärent. Müntzers Intention ist ganz offensichtlich, bei den Menschen das abstrakte Denken im ausgeführten Sinn zur Entwicklung zu bringen, da es nicht als natürliche intellektuelle Fähigkeit, wie das konkrete Denken dem Menschen von Natur aus eigen ist. Eine für Müntzer charakteristische reformatorisch-rhetorische Argumentationsfigur ist dabei die Forderung mentaler Fähigkeiten durch Verurteilung ihres Nichtvorhandenseins. Das abstrakte Denken wird nicht direkt eingefordert, es findet daher auch keine sprachliche Realisierung, sondern vielmehr durch die Verurteilung des konkreten Denkens. Im Aufzeigen der semantischen Dependenzen von *denken* zu *meinen* und *zweifel* bestätigt sich dieser Befund.
In unmittelbarer semantischer Kohärenz steht dabei *denken* in der Bedeutung konkreten Denkens zum Lexem *meinen.* Bereits Platon unterschied in seiner Erkenntnistheorie zwischen bloßer Sinneserkenntnis und wahrer Einsicht; das Meinen war als *doxa* Bezeichnung für das lediglich auf den Schein der Dinge gerichtete Erkennen – in der Scholastik Abaelards die *imagines confusae.* Müntzers Verwendung des Verbs *meinen* steht in dieser Tradition:

> *Nach bespottet das dye unsinnige welt, sey meynet, es sey nach das alte leben, sye geht ummer yn yhrem traum dahyn, bys das yhr das wasser uberm kopf zusammen schleth. (418, 5f.)*

Die Synonymie von *meinen* und *denken* im konkreten Sinn zeigt sich deutlich im Beleg. Sowohl das Objekt des *meinens* – ein konkret-materieller Gesellschaftszustand – als auch der von Müntzer aufgezeigte charakteristische Irrtum, zu dem das *meinen* führt, stehen in Analogie zu den beschriebenen semantischen Merkmalen des konkreten Denkens. Müntzers Spott macht die Negativpolung des Lexems erkennbar. Auch den folgenden Belegen liegt dieses Verständnis von *meinen* zugrunde:

> *Meynen meyne liben freund, ich hab willen das fegfeuer zu bestattigen? (400, 2f.)*

> *Do kommen den unser freche bachanten und meynen, sie haben es troffen, ... (403, 37f.)*

> *Meynstu, das Gott der herr seyn unverstendlich volk nicht erregen konne, ... (469, 11f.)*[20]

62% der Belege von *meinen* sind mit dieser in Dependenz zu *denken* stehenden Semantik auszuweisen. Bei 38% der Belege ist eine Bedeutungsvariante zu konstatieren; *meinen* wird dort synonym für das nhd. *vermuten* gebraucht. Das Lexem ist mit dieser Semantik nicht negativ gepolt. Hier zeigt sich Müntzers theologisch begründete Ansicht, daß der Mensch zunächst als irdisches Wesen immer ein Unwissender ist, daß er Dinge für wahr hält, die nicht durch religiöses Erkennen erhärtet sind; nur das stetige Bemühen im Glauben kann der Grund für die göttliche Offenbarung sein. Die intellektuelle Fähigkeit des Vermutens gehört somit für Müntzer zwangsläufig zu den Spezifika des Menschen, so daß das Lexem *meinen* mit dieser Semantik neutral verwendet wird:

> *Ach do mussen wyr bitten, ich meyne, es sey zeyt, exurge, quare obdormis? (403, 3f.)*

> *..., dan so sye horen eyn bletleyn am baume raußen, meynen sye, es sey eyn geharnster man do. (433, 30f.)*

Von besonderem analytischen Wert ist der folgende Beleg, in dem *meinen* in der polysemen Bedeutung von *vermuten* sogar auf die Auserwählten bezogen wird. Bei den meisten bisher untersuchten Lexemen zeigt sich eine dualistische Semantik; die positive oder negative Polung folgt aus den religiösen oder weltlichen Objekten, auf die die intellektuellen Fähigkeiten gerichtet sind. *meinen* in seiner neutralen Bedeutung ist für Müntzer jedoch ein allen Menschen gemeinsames mentales Merkmal, das wegen seiner völligen Unabhängigkeit von individueller Entwicklung selbst das Denken der Auserwählten kennzeichnen kann:

> *..., do meynen dye auserwelten, er sey eyn teufel, er sey eyn gespenst, ... (425, 10f.)*

Die intellektuelle Unvollkommenheit ist bei Müntzer allgemeingültiges Charakteristikum der Menschen, so daß er seine eigene Person nicht ausschließt:

> *Ich hab gemeynt, das ich aufs allerfodderlichste dich vorsorget hette mit dem furmanne, dane er sollte dich nach der zusage vor acht tagen geholet haben. (436, 15f.)*

Das Lexem *meinen* ist bei Müntzer polysem: Zum einen in Zusammenhang stehend mit dem konkreten Denken des Menschen in der Semantik des negativ gepolten falschen Erkennens, zum anderen als allen Menschen eigene, neutral gewertete Intellektualfähigkeit, synonym mit nhd. *vermuten*.

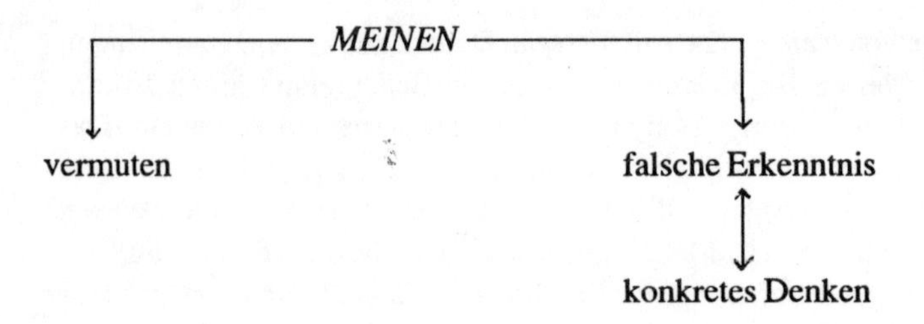

Die offensichtliche semantische Dependenz von konkretem Denken und *meinen* findet ihre Analogie in der Korrelation von *zweyfel* und abstraktem Denken.

In einer predigtartigen Fortführung des Briefes an den Schösser Zeiß vom 22. Juli 1524 erläutert Müntzer die ambivalenten Bedeutungen von *zweyfel* für die religiöse Entwicklung des Menschen:

> *Der zweyfel ist das wasser, dye bewegung zum guten und bosen. Der aufm wasser ane behalter swimmet, der ist zwussen dem tode und dem leben etc. Aber dye erlangte hoffnung nach dem werk des zweyfels bestettigt den menschen ym besten. Ro. 4, Genesis 13. 22. (418, 27ff.)*

Zweifel in der *bewegung zum guten* bezeichnet hier eine am Maßstab göttlichen Seins gewonnene Einsicht in die Begrenzung des irdisch-materiellen Daseins. Dieser Maßstab wird durch den *behalter* symbolisiert; er kohäriert mit dem auf das Göttliche gerichteten abstrakten Denken, das Müntzer ja indirekt fordert. Insofern setzt *zweifel* mit positiver Semantik die Fähigkeit des abstrakten Denkens voraus.
Zweifel *in der bewegung zum bosen* hingegen ist eine intellektuelle Fähigkeit ohne den Maßstab Gottes, also *ane behalter* und kann nur zu Trug und Täuschung führen. Damit steht *zweyfel* mit negativer Semantik in explizitem Feldzusammenhang zu *meinen* und zum konkreten Denken. Erlangt der Mensch jedoch im Sinne positiven Zweifelns Hoffnung, so bestätigt es ihn deshalb *ym besten*, weil er seine kognitiven Kräfte auf das richtige Objekt gewendet hat.

Die komplexen Strukturbeziehungen der Lexeme *denken, meinen* und *zweifel* sind damit aufgezeigt. Aus der determinierenden Semantik von *denken* leiten sich die Bedeutungen der anderen Lexeme in spezifischer Wertigkeit ab. Deutlich wird dabei, daß Müntzer keine Oppositionshaltung gegen natürliche intellektuelle Fähigkeiten im Allgemeinen einnimmt, daß er jedoch Intellektualität, die nur auf irdisch-materielle Zustände gerichtet ist, aus religiös-theologischer Motivation verwirft.

Folgende Darstellung verdeutlicht die aufgezeigte triadisch-semantische Dependenzstruktur:

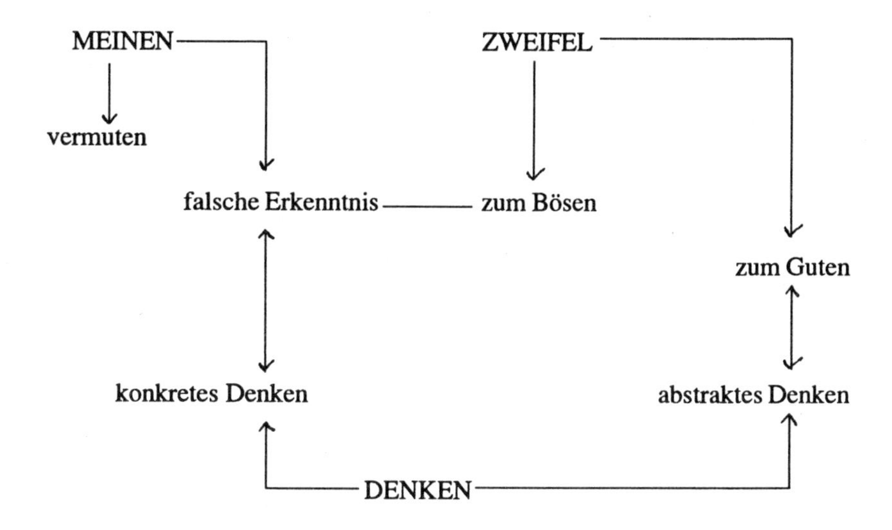

Für einen Gesamtüberblick zu den Strukturen des Feldes der natürlichen intellektuellen Fähigkeiten des untersuchten Corpus steht die Analyse von *verstehen, entdecken* und *witz* noch aus.

Das Verbum *verstehen* zeigt bei Müntzer – gemessen an der gegenwärtigen nhd. Semantik – einen Bedeutungswandel, der in struktureller Abhängigkeit von der spezifischen Lexik Müntzers zu sehen ist. Es wurde bereits aufgezeigt, daß die Semantik der Lexeme des Müntzerschen Intellektualwortschatzes in ihrer Kohärenz zur theologischen Klassifikationssystematik gesehen werden muß. Aufgrund der daraus folgenden Referenz sprachlicher Elemente auf Weltbildstrukturen und den überdies oft mystisch tradierten Wortschatzelementen sind Lexeme nachzuweisen, die eine vom Nhd. stark differierende Bedeutung haben.

Die beiden Belege zum Verb *verstehen* finden sich in unmittelbarem kontextualen Zusammenhang in Müntzers Brief an Christoph Meinhard aus dem Jahr 1524:

Es werden die leute wollustig seyn, liebhaber der luste und werden sagen man konne das werk Gottes nicht erleyden, nicht verstehen, das ist sie werden verleugenen die studierung, die betrachtung des gesetzs, das das werk Gottes erkant wird. (404, 21f.)

verstehen bezieht sich in dieser Paraphrasierung vom 2 Tim 3, 2–5 deutlich auf die Einsicht in das *werk gottes*, wobei Müntzer deutlich macht, daß eine solche Erkenntnis in Zusammenhang mit dem *erleyden*, also einem passiven Vorgang steht. Dazu steht *studierung* keinesfalls in oppositioneller Semantik, bezeichnet das Verb doch hier nicht den Vorgang der Aneignung von Wissensinhalten verbunden mit einer progressiv-diskursiven Erkenntnis in Sinnzusammenhänge, sondern vielmehr auch das Bemühen um die Einsicht in das Werk Gottes durch die Beschäftigung mit den christlichen Glaubensinhalten. Müntzers Aussage prophezeit zwar im Sinne der Endzeitvision den vollkommenen Verlust der menschlichen Fähigkeit des Verstehens, intendiert damit aber zugleich den Hinweis auf die grundsätzliche Möglichkeit einer menschlichen Einsicht in das Werk Gottes. Damit ist das Lexem im Kontext der negativ klassifizierenden Aussage durch die Anklage der *verleugnung* positiv gepolt. Müntzer postuliert die aktive Hinwendung zu Gott als Voraussetzung des Verstehens. Dieser Befund wird affirmiert durch einen weiteren Beleg:

Do mus der Mensch emsig seyn, das yhn die heymlichen luste, die mechtig hinderlistig seyn, zu verstehen gegeben werden. (404, 16f.)

verstehen bezieht sich in diesem Beleg auf die Einsicht in die *hinderlistigen, heymlichen luste*, also nicht auf das Werk Gottes, sondern auf die irdisch-materiellen Lebensumstände. Wichtig ist dabei die Passivform des Verbs. Die Einsicht wird von Gott offenbart und ist kein aktiver mentaler Akt des Menschen. Doch die göttliche Offenbarung als Voraussetzung zum Durchschauen der irdischen *luste* setzt wiederum ein menschliches Bemühen voraus: *Do mus der Mensch emsig seyn, ...*. Müntzers Sprachverwendung zeigt sich hier als hochbewußt und in Verbindung mit einem klar gegliederten Weltbild stehend.

Das Lexem *verstehen* hat im untersuchten Corpus eine bipolare Semantik: Auf das Irdische bezogen setzt es intensive Glaubenspraxis voraus und ist als Offenbarung zu verstehen – sprachlich durch das genus verbi markiert; auf Gott bezogen bezeichnet es die aktive Einsicht, die durch *erleyden* erreicht wird. Beide Formen sind positiv gewertet.

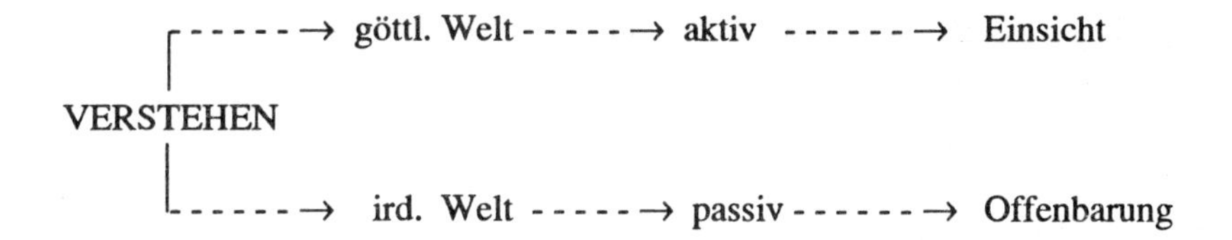

Besonders interessant ist dabei die passive Form des Verstehens als Einsicht in die irdische Welt. Die positive Polung dieser Passivform steht in Analogie zur Negativpolung von Lexemen, die eine aktive intellektuelle Hinwendung zum Irdischen bezeichnen und immer im Sinne einer Verblendung und eines Irrtumes pejorativ verwendet werden. Die linguistische Analyse zeigt, daß Einsicht in irdisch-materielle Zusammenhänge bei Müntzer als Folge eines aktiven Aktes abgewertet wird, wohingegen passive Einsicht in der Kausalverknüpfung mit göttlicher Offenbarung zu wahrheitsadäquatem Verstehen führt. Der aktive Gebrauch intellektueller Fähigkeiten wird lediglich in der Ausrichtung auf religiös-geistliche Inhalte positiv gewertet. Die Referenz auf ein theologisch fundiertes und darüber hinaus systematisch geprägtes Weltbild ist offenbar.
Ein präzisierendes Ergebnis ergibt sich aus einem Vergleich mit Taulers Verwendung des Lexems *verstehen.* Müntzer hat die mystische Semantik Taulers nicht übernommen. Bei Tauler sind *verstehen* und *verstand* synonym und bezeichnen explizit abwertend weltliche Intellektualität. Bei Müntzer hingegen sind die deutlichen Strukturdifferenzierungen hinsichtlich der semantischen Klassifikation aufgezeigt. Die kontrastive Autorenanalyse verdeutlicht, daß weitaus nicht alle Lexeme des Intellektualwortschatzes bei Müntzer dem Sprachgebrauch der deutschen Mystik analog folgen.

Aus den Überlegungen zu den Regelmäßigkeiten der positiven und negativen Polung von Lexemen nimmt das Verbum *entdecken* eine besondere Stellung innerhalb des Intellektualwortschatzes ein; es läßt sich nicht dem dargestellten Wertungsschema, also der Dependenz von Lexempolung zu den semantischen Bezügen irdisch-materiell oder göttlich-geistig zuordnen. *entdecken* bezeichnet zu 57% die aktive intellektuelle Auseinandersetzung des Menschen mit dem Irdischen und das daraus resultierende Verstehen weltlicher Zusammenhänge mit positiver semantischer Klassifikation.

> *Wan sich dye auserwelten also schlecht solten durch getychte gute, glauben etc. lassen martern, den wurde dye buberey der gotlosen numermehr entdecket zu grunde, ... (423, 19f.)*

..., das ir mit weyßlich geheymniß solcher mishandelunge zu entdecken und sey bruderlich vormant. (447, 23f.)

Neben dieser Semantik des Lexems läßt sich *entdecken* zu 28% im Sinne einer virtuellen Fähigkeit zur positiven Einflußnahme auf im Irdischen verhaftete Menschen nachweisen:

..., das yhr dis den landsfursten mit grossem ernste vorhaltet und ane alle scheu getreulich entdecket... (422, 4f.)

Ditz mein schreiben ist nach unbequem der wansinnigen werlt zu entdecken. (398, 8f.)

Der letzte Beleg bezieht sich auf Müntzers Schrift *Von dem getichten glawben*, in der er versucht, seine religiösen Überzeugungen und seinen reformatorischen Ansatz verständlich zu machen, d.h. diese der *wansinnigen werlt* zu *entdecken*. Das Lexem *entdecken* ist damit als Nachbarlexem zu *verstehen* deutlich erkennbar. *verstehen* bezeichnet im aktiven Verbalgenus die Einsicht in göttliche Zusammenhänge, wohingegen *entdecken* in der Mehrzahl der Belege die aktive Einsicht in weltliche Zusammenhänge benennt.[21)]

Auch das Nomen *witz* ist als *natürliche intellektuelle Fähigkeit* in diesem Zusammenhang zu untersuchen. *witz* entspricht bei Müntzer noch ganz der mhd. Bedeutung als „Verstand, Einsicht"[22)] und ist keine *besondere Intellektualfähigkeit*, sondern als „die von gott dem menschen verliehene gabe des vernünftigen denkens und handelns"[23)] eindeutig ein essentielles, das heißt gattungsspezifisches menschliches Mentalvermögen. Auch TRIER weist in seinem Vergleich des Wortschatzes der Ritterepen das Lexem in dieser Semantik auf.[24)]
Bei Müntzer ist diese tradierte Semantik von *witz* ostensiv; er spricht von *der natur witze*, also vom Verstand in seiner ursprünglichen, nicht durch religiös-theologische Maßstäbe bestimmten Form:

Dye leuthe zu Molhausen seynt langsam, wye dan allenthalben das volck ungemustert ist, nicht ane merktliche orsache von Gotte, auf das der natur witze dem evangelio denn wegk nicht vorhaue. (436, 21ff.)

Daß der natürliche *witz* dem Glauben hinderlich ist, liegt im theologischen Weltbild Müntzers begründet: Die natürlich-naturale Welt steht als Hindernis vor der spirituell-supranaturalen Welt, wie sie durch das Evangelium spricht. Der natürliche *witz* ist somit negativ gepolt. Müntzer sieht den *witz* offensichtlich als menschliches Vermögen, das erst durch den Glauben zu sinnvoller Bestimmung gelangt, indem der *witz* aus der immanent-endlichen Bindung zugunsten eines transzendent-unendlichen Konnexes gelöst wird. Die essentiell-unbe-

stimmte Intellektualfähigkeit, die sich lediglich auf die *creaturn* (421, 28) richtet, soll zum Instrument religiös bestimmter Einsicht werden.
Müntzer konstatiert den Verlust einer solchen Eignung zur Sublimierung des *witzes* bei seinen Zeitgenossen, so daß er in einem Brief an Hans Zeiß über die *christenheit* schreibt:

> *Ja sye klebet also hart an den creaturn, das sich uber den aller hadder und zank erreget, und das eyn yder alle seyne witz vorzeret hat, ... (421, 28f.)*

Müntzers Verurteilung eines rein natürlichen *witzes* erlaubt den Rückschluß auf seine Ansichten über die eigentliche Bestimmung des *witzes* als Fähigkeit zur Einsicht in göttliche Zusammenhänge. Dieser sublimierte *witz* hat sich *vorzeret*.
Das Lexem *witz* steht durch seine semantische Bivalenz, die sich aus einer Differenzierung von materiellem und spirituellem Erkenntnisobjekt ableitet, in Analogie zu den anderen Lexemen des Feldes der *natürlichen intellektuellen Fähigkeiten*.

B. Zusammenfassung von 2.1.

Die Analyse des *Feldes der natürlichen intellektuellen Fähigkeiten* zeigt spezifische semantische Strukturen auf. Vorrangig feldverbindendes Merkmal ist dabei die semantische Bivalenz. Annähernd 70% der Lexeme haben eine positiv-negativ-Polung, die abhängig ist von dem jeweiligen Objekt der intellektuellen Aktivität. Dabei ist folgendes Klassifikationsschema charakteristisch:

wahre, göttliche Welt als Objekt ------→ positive Polung

falsche, irdische Welt als Objekt ------→ negative Polung

Müntzer konstatiert bei manchen Belegen die Anwendung der natürlichen intellektuellen Fähigkeiten nur in bezug auf das falsche Sein, bei *witz* oder *vornunft* etwa in bezug auf materielle Zustände. Doch gerade die Anklage einer solchen falschen Objektwahl, d.h. die Beurteilung des Gebrauchs der natürlichen intellektuellen Fähigkeit als verirrt, setzt den Gedanken einer potentiellen Zuwendung einer solchen natürlichen Mentalfähigkeit zum Göttlich-Wahren voraus.

Die Bivalenzen der Lexeme haben somit ihre Ursache in dualistischen Weltbildstrukturen, die sprachdeterminierend wirken. Diese Strukturen sind erkennbar als charakteristisch wertende Antonymien, wie wahr-falsch/göttlich-irdisch/gut-schlecht.
Als zentrales Ergebnis der bisherigen Analyse ist festzuhalten, daß in Müntzers Sprache die Einschätzung zum Ausdruck kommt, die Mehrzahl der natürlichen intellektuellen Fähigkeiten könne potentiell eine religiöse Zielbestimmung erfahren. Es wird damit ersichtlich, daß Müntzer keineswegs einen ratio-feindlichen Standpunkt einnimmt, sondern vielmehr konsequent die Sublimierung des natürlichen Intellekts im Sinne einer Aufgabe fordert: *do mus der mensch emsig seyn, ... (404, 16).*
Die festgestellten semantischen Bivalenzen stehen in Dependenz zu Begriffen der Müntzerschen Theologie. Die Unterscheidung der Menschen in *impii* und *electi* zeigt sich dabei als wesentliche Klassifikationsreferenz. Gottlose und Auserwählte sind bei Müntzer nicht nur „zwei geradezu empirisch faßbare Gruppen" (Goertz 1989b, 91), sondern darüber hinaus Determinanten für die Klassifikationsstrukturen des hier zur Untersuchung stehenden Müntzerschen Idiolektausschnitts.

Drei Lexeme des Feldes nehmen eine Sonderstellung ein, da sie explizit entweder auf ein *wahres* oder *falsches* Objekt mit ihrer Semantik festgelegt sind. *entdecken* ist bei Müntzer nur als Fähigkeit nachzuweisen, das Wahre im Irdischen zu erkennen oder als positive, d.h. auch wiederum *wahre* Einflußnahme im Bereich der irdischen Welt durch das Entdecken verborgenen Unglaubens. Ebenso ist auch *verstehen* nur in positiver Polung zu belegen, wobei die dargestellte Differenzierung von aktivem und passivem Verstehen berücksichtigt werden muß. Nur das Verbum *meinen* ist ausdrücklich negativ gepolt, wobei die jeglicher Wertung enthobene Synonymform für *vermuten* die Sonderstellung dieses Lexems im Feld unterstreicht.
Allen drei Lexemen ist das Fehlen semantischer Bivalenz eigen. Dies widerspricht jedoch nicht Müntzers grundsätzlicher Ablehnung einer nur auf individuellen Maßstäben gründenden Intelligenz. Müntzers deutliche Ablehnung einer ratio hominis, die unabhängig von religiös-theologischen Maßstäben operiert, ist auch hier der Semantik inhärent.

Folgende Auflistung der untersuchten Lexeme zeigt die semantische Bivalenzen und die Sonderfälle überblickartig auf.

Übersicht zur Positiv- und Negativpolung der in 2.1. untersuchten Lexeme

FALSCHES ERKENNTNIS-OBJEKT	LEXEM	WAHRES ERKENNTNIS-OBJEKT
narung	*VORNUNFT*	Forderung Müntzers
falsch	*LIECHT*	recht
falsch	*SYN*	gut
konkret	*DENKEN*	abstrakt
als Traum	*MEINEN*	
zum bosen	*ZWEIFEL*	zum guten
	VERSTEHEN	aktiv/passiv
	ENTDECKEN	des verborgenen Unglaubens
klebet an den *creaturn*	*WITZ*	Müntzers Forderung

2.2. Die besonderen intellektuellen Fähigkeiten

A. Analyse

Mit 24 Belegen gehört das Verbum *wissen* unter diafrequentem Aspekt zu den Lexemen mit zentraler Stellung in den untersuchten Feldern des Corpus. Es erscheint dabei durchgehend positiv gepolt und bezeichnet ausschließlich die auf den *allgemeinen intellektuellen Fähigkeiten* basierende Kenntnis von spezifischen Inhalten. Dieser monomischen Polung steht jedoch eine deutliche Spezifizierung in bezug auf die Wissensobjekte gegenüber, die als different-konkrete Inhalte die Ausrichtung des Wissens bestimmen. Eine kontextual ermittelte Kategorisierung der verschiedenen Wissensbezüge dient daher im Folgenden als Ordnungsinstrument zur Lexemanalyse. Müntzer verwendet das Verbum *wissen* in seinem Ausspruch

> *Ich weyß, das keyne abgottischer menschen ym lande seyn dan yhr. (410, 18f.)*

– den er an die Obrigkeit von Sangerhausen richtet –, zur Bezeichnung eines subjektiven, auf Erfahrung und Einsicht beruhenden Wissens, das Urteile und Schlußfolgerungen erlaubt. Objekt des *wissens* ist dabei ein gesellschaftliches Faktum, das Müntzer als solches nicht in Frage stellt. Eine solche Gewissheit hinsichtlich eines gesellschaftlichen Zustandes formuliert Müntzer auch in seinem letzten Brief unter Verwendung von *wissen*:

> *Dan ich weyß, das euer der mehrer theyl in Molhausen dysser uffrurischen und eygennutzigen emporung nihe anhengig gewest, ... (474, 10f.)*

Dieses Wissen soll hier *materielles Evidenzwissen* genannt werden, insofern der Gegenstand des Wissens materieller Natur und die Form des Wissens Gewißheit des Offensichtlichen ist. Die *materiellen* Wissensgegenstände sind dabei immer die negativen Phänomene der irdischen Welt mit ihrer erkennbaren gesellschaftlich-politischen Problematik:

> *Ich weyß vorwar, alles, das dye tyrannen thun, ... (420, 22)*

> *In der maß ist es wahr, das ich wahrhaftig weyß, und es ist landruchtigk, das ir euren leuten durch offentliche mandat habt hertigklichen lassen gebithen, sye sollen zu meyner ketzerischen messe oder predige nicht kommen. (394, 11ff.)*

Müntzers Beurteilung des *materiellen Evidenzwissens* erfährt dann eine Erweiterung über das Verständnis als lediglich subjektive Fähigkeit, wenn die Faktizität einer Erfahrung unbestreitbar ist und das Wissen um die Erfahrungsinhalte als objektives Meinungskorrektiv gegen falsche Beurteilung angeführt wird:

> *..., wisset yhr doch woͤl, das meyn screyben widder keine herrschaft angericht, allein widder dye unverschempte tyranney. (434, 11f.)*

Das Wissen um Vorgänge des sozialen Lebens dient hier als Argument in der pragmatisch-reformatorischen Auseinandersetzung mit den Verhaltensweisen seiner Mitmenschen, mit dem Ziel einer Falsifikation:

> *Ir wolt dye gerechtigkeyt Gottis und wege seynes heyligen bundes erkunden wye eyn volk, das grosse lust dar zu hette, und yhr wisset dach vil zu guter massen, wye yhr mich aufs creuze hattet dargegegeben. (433, 3ff.)*

Auch hier steht *wissen* als *materielles Evidenzwissen* der willkürlichen Beurteilung von Tatbeständen entgegen. Spezifische Eigenart des *materiellen Evidenzwissens* ist die pragmatisch ausgerichtete appellative Funktion. Wissen um die Falschheit des irdischen Lebens wird zur unabdingbaren Handlungsaufforderung, selbst wenn daraus ein unüberbrückbarer Konflikt mit den weltlichen Herrschern resultiert:

> *..., wan sye euch villeycht befollen haben, dye leuthe zu fangen, die umbs evangelion fluchtig werden, wan ich das in der warheyt wuste, so wolte ich yhm widder abscreyben. (417, 30f.)*

Diese Aussage steht im historischen Kontext der Auseinandersetzungen um den Allstedter Bund im Sommer 1524. *wissen* kann als *materielles Evidenzwissen* unter gegebenen Voraussetzungen bei Müntzer ein unmittelbar handlungskonstitutierender Faktor sein. So begründet Müntzer seine scharfen Verurteilungen des Verhaltens von Graf Ernst von Mansfeld in einem Brief an diesen mit dem unabänderlichen Wissen um die *uffenbarliche tyranney (468, 8)*:

> *Wir wissen nichts anders an dir zu bekomen. Es will keyne scham in dich, ... (468, 15f.)*

Das Verbum ist auch hier in seiner Kohärenz mit Appellsituationen zu belegen, insofern es als Begründung konsequenten Handelns von Müntzer herangezogen wird.

wissen war in den bisher untersuchten Belegen als *materielles Evidenzwissen* nachzuweisen, die pragmatische Akzentuierung und der gesellschaftliche Bezug ist dabei deutlich geworden. Das *materielle Evidenzwissen* ist trotz dieses Bezuges nicht als eine aus politischen Kategorien gewonnene Einsicht, sondern vielmehr als eine Gewißheit Müntzers auf dem Hintergrund seiner religiösen Wertmaßstäbe zu beurteilen. Diese Wertmaßstäbe ermöglichen es Müntzer, ein spezifisches Verhalten z.B. als *tyranney* zu klassifizieren.
In Hinsicht auf den Wissensbezug muß zwischen dem dargestellten Wissen um äußere Vorgänge und Müntzers Wissen um religiös-spirituelle Inhalte klar unterschieden werden. Wissen in diesem Objektbezug soll hier mit dem Terminus *spirituelles Evidenzwissen* bezeichnet werden, soweit der Gegenstand des Wissens spiritueller Natur, die Form des Wissens jedoch wiederum unmittelbare Einsicht des Offenbaren ist. Das *spirituelle Evidenzwissen* ist den Auserwählten eigen:

> *Geschicht uns dar uber etwan gewalt, so weis doch die welt und sunderlich die frummen auserwelten Gotes, worumb wir leiden und das wir Christo Jhesu gleichformig werden, der euer gnaden beware in der rechten forcht Gotes. (406, 9f.)*

Die Gewißheit der Auserwählten folgt nicht aus systematisch-schlußfolgernder Verarbeitung von Erfahrungen, sondern beruht vielmehr auf unmittelbarer Glaubenseinsicht. Damit steht das *spirituelle Evidenzwissen* in Opposition zum *materiellen Evidenzwissen*. Letzteres basiert auf Erfahrungen, d.h. auf einer intellektuellen Verarbeitung der mit religiöser Bewußtheit erlebten irdischen Realität. Das *spirituelle Evidenzwissen* hingegen ist unmittelbare erfahrungsunabhängige Einsicht des Gläubigen. Ist der Gegenstand des *materiellen Evidenzwissens* immer ein selektives Element der irdischen Welt, d.h. in seiner Extension klar bestimmt, so ist für das *spirituelle Eivdenzwissen* gerade das Fehlen einer Gegenstandseingrenzung charakteristisch:

> *..., gedenk, das der ganze vorrad der kunst Gottis muss gewust und erfahren seyn, in dye enge, weyte, breyte und tyefe, Ephesiis tercio. (423, 11f.)*

Der uneingegrenzte spirituelle Wissensgegenstand steht in Analogie zu einem transfinit gedachten Gott, wobei die Raummetaphorik in Zusammenhang mit der tradierten räumlichen Benennung göttlicher Transzendenz zu sehen ist. Das Verständnis des unmittelbaren Wissens um das göttliche Wirken ist bei Müntzer referentiell an die Rezeption der Paulus-Briefe gebunden. Von fünf Belegen zum *spirituellen Evidenzwissen* stehen drei im Kontext der Auseinandersetzung mit den Paulus-Briefen.[25] Neben dem oben angeführten noch folgende Belege:

> *Ist zu wissen, das ich nach der lere Pauli sage und creftig mit vielfaltiger scrift beweysen will, das nymant muge salig werden, er erdulde das, das Got dye gantze schrift yn yhm warmache, Mattei 5. (398, 29ff.)*

> *Wissen wir doch durch das gezeugnis des heiligen apostel Pauli, ... (405,25)*

Das *spirituelle Evidenzwissen* kann ebenso wie das *materielle* zum Argument gegen die Interessen der weltlichen Herrscher werden. Es steht damit als positiv klassifizierte *besondere intellektuelle Fähigkeit* in Opposition zur Falschheit der *tyrannen*. Spezifikum des *spirituellen Evidenzwissens* ist jedoch vor allem eine über die gesellschaftlich-pragmatische Bedeutung hinausgehende Gewißheit um die Existenz Gottes.
Das mentale Vermögen des Wissens steht innerhalb der Strukturen des Müntzerschen Weltbildes in wichtiger Position. Dieses durch die lexikalische Analyse evidente Ergebnis wird affirmiert durch die häufigen Imperativformen des Verbs, die einen deutlichen Hinweis auf die pragmatisch-reformatorische Funktion des Wissens geben. Das Bewußtmachen von Zuständen, d.h. *Das zum Wissen bringen*, zeigt sich als religiös-didaktischer Dienst des Reformators:

> *Und ir solt wissen, das ich in solchen mechtigen und rechten sachen auch dye ganze welt nit forchte. (394, 12f.)*

Ir solt auch wissen, das sie dise lere dem apt Joachim zuschreiben und heissen sie ein ewiges evangelion in grossem spott. (398, 13f.)

Das du auch wissest, das wyrs gestrackten bevell haben, sage ich: … (468, 25)[26]

Den bisher untersuchten Kategorien des Lexems *wissen* ist gemeinsam, daß das Wissensobjekt außerhalb des intellektuell Tätigen steht. Müntzer verwendet das Lexem nur in einem Beleg zur Bezeichnung eines selbstreflektierten Wissens:

…, ich weis meyns glaubens ankunft zu verantwurten. (407, 25f.)

Ein weiterer Beleg weist das Lexem als non-humane Fähigkeit auf, insofern *wissen* hier auf den Teufel bezogen ist:

Der teufel ist gar ein listiger schalk und leget dem menschen stets die narung und das leben vor augen, dann er weyß, das fleischliche menschen das lyp haben. (413, 19f.)

Die Verwendung des Lexems *wissen* als Bezeichnung der Fähigkeit einer negativ gewerteten Kraft kann als rudimentäres Differenzelement der Kategorie *materielles Evidenzwissen* angesehen werden und relativiert nicht das Ergebnis einer durchgehend positiven Polung des Verbums *wissen*, die unabhängig von der Ausrichtung auf differente Wissensobjekte konstatiert werden kann.

In direkter Strukturkohärenz zu *wissen* steht das Lexem *beweysen*. Der Beweis ist bei Müntzer immer dann notwendige Form zur Herbeiführung von Erkenntnissen, wenn kein unmittelbares Wissen, d.h. eine Form des *Evidenzwissens* Gewißheit bringen kann. Müntzer setzt den Beweis als Erkenntnismittel ein, wenn er sich mit irdisch-materiell verhafteten Gegnern auseinandersetzen muß, denen evidentes Wissen versagt ist. In bezug auf den Grafen v. Mansfeld schreibt Müntzer an Friedrich den Weisen:

Wye aber nicht (do Got vor sey), so wyl ich yhn vor einen bosenwicht und schalk und buben, turken und heyden achten und das mit der warheit beweysen aus der scrift. (396. 13f.)

Basis eines solchen Beweises soll hier die *scrift* sein, deren Wahrheit für Müntzer unzweifelhaft ist, so daß das Wort der Bibel als *argumentum* in der Beweisführung dient:

Aber meine leer ist hoch droben, ich nym sie von im nicht an, sundern vom ausreden Gotis, wie ich dan zurzeit mit aller schrift der biblien beweisen wil. (398, 16f.)

Die Bibel ist für Müntzer ein *argumentum e consensu gentium*, ihre Wahrheit gilt ihm als allgemein anerkannt und unzweifelhaft.
Müntzers Brief vom 22. Sept. 1523 verwendet das Lexem *beweysen* mit analoger Semantik:

> *Nun ir aber wolt mehr dan Got geforcht seyn, wye ich dan durch euer wergk und mandat beweysen will, ... (394, 18f.)*

Hier soll ein Urteil durch beweisenden Vergleich der *wergk* und *mandat* des Grafen Mansfeld mit den Maßstäben eines gottesfürchtigen Lebens erhärtet werden. Müntzers Verständnis der ethisch-moralischen Glaubensgrundsätze der christlichen Religion wird hier auch als *argumentum e consensu gentium* manifestiert.
beweysen ist im untersuchten Corpus nur in der 1. Pers.Sing. nachzuweisen, woraus zu schließen ist, daß Müntzer die Fähigkeit des Beweisens nur für konkrete, ihn betreffende Situationen als relevant erachtete. Er nutzt den Beweis als Möglichkeit, auch die Ungläubigen zum Wissen um die wahren göttlichen Inhalte zu führen. Dieses Wissen ist dann jedoch kein *Evidenzwissen*, sondern ein *beweisabhängiges Wissen.*

Ließ sich bereits bei den *natürlichen intellektuellen Fähigkeiten* zwischen den Lexemen *denken, meinen* und *zweifel* eine triadisch-semantische Dependenzstruktur aufzeigen, so ist eine solche auch in der Feldkohärenz von *wissen* und *beweysen* mit *erfahren* zu konstatieren.
In der Untersuchung des Verbs *wissen* wurde das *materielle Evidenzwissen* in seiner Erfahrungsabhängigkeit aufgezeigt. Der dort zugrundegelegte nhd. Erfahrungsbegriff hat für das Lexem *erfahren* bei Müntzer keinerlei Relevanz. *erfahren* benennt in keinem der Belege das mit Bewußtsein Widerfahrene des alltäglichen Lebens, es ist vielmehr einzig im Sinn religiöser Erfahrung nachzuweisen und steht mit seiner Semantik in Referenz zu einem mystisch tradierten Weltbild.
erfahren kohäriert im Feldzusammenhang somit nicht mit dem *materiellen Evidenzwissen.* Die Analyse zeigt vielmehr die dialektisch-strukturelle Kohärenz mit dem erfahrungsunabhängigen *spirituellen Evidenzwissen.* Das *spirituelle Evidenzwissen* wurde als intellektuelle Fähigkeit der Auserwählten dargelegt. *erfahren* ist mit dem electi-Begriff kausal verknüpft, insoweit es den Entwicklungsprozeß zum Auserwähltsein sprachlich faßt:

> *..., gedenk, das der ganze vorrad der kunst Gottis muss gewust und erfaren seyn, ... (423, 12f.)*

Erfahrung steht in Müntzers Weltbildstruktur als präsumierte Bedingung für den wahren Glauben im Sinne der „experentia fidei" gegen den Schriftglauben der Zeit; die linguistische Analyse bestätigt GOERTZ' jüngste Ausführungen hier vollkommen. (vgl. Goertz 1989a, 62). GOERTZ hat den Erfahrungsprozeß des Auserwählten in seiner Dissertation und im besonderen in seinem Aufsatz „Der Mystiker mit dem Hammer" im einzelnen dargelegt und folgende Entwicklungsstufen benannt (Goertz 1974):

- Verunreinigung des Seelengrundes durch die *Welt*
- *geyst der forcht Gottis* löst den Heilsprozeß aus
- Leiden
- Offenbarung.

Eine genaue Beschreibung des Auserwählungsmomentes findet sich in Müntzers Brief an Jeori aus dem Jahr 1524:

> *Do steygt Christus der warhafftig Gottis son zu den, dye do itzunt scheer gar vorsoͤffen seynt, haben nuhn gar keynen trost mehr; kumpt zu yhn yn der nacht, wan dye trubsalikeit am hochsten ist, do meynen dye auserwelten, ... (425, 7ff.)*

Die Semantik des Lexems *erfahren* steht hier unzweifelhaft in Zusammenhang mit dem Gedanken des Auserwähltseins. *erfahren* benennt somit den Sublimierungsprozeß des Menschen durch das Leid. Nur diese Erfahrung ermöglicht *spirituelles Evidenzwissen*. Fehlt sie, so ist das Wissen um Glaubensinhalte nicht adäquat. Somit ist es Müntzer auch möglich, aus dem Nichtwissen um spirituelle Zusammenhänge auf den Mangel an Erfahrung, bzw. religiös-geistlicher Entwicklung zu schließen:

> *Do sicht man wol, welche erfarne leuthe es seynt, wyssen von der gerechtigkeyt ym glauben zum glauben keyne meylen zu berechnen. (400, 3f.)*

Die eruierten Felddependenzen der Lexeme *wissen, beweysen* und *erfahren* können in folgender Weise zusammengefaßt werden:
Das *materielle Evidenzwissen* basiert auf der Kenntnis der irdisch-materiellen Zusammenhänge; es ist unmittelbar an religiösen Wertmaßstäben ausgerichtete Einsicht, die keiner Überzeugungsarbeit durch andere bedarf. Die falsche Beurteilung der Welt durch die *impii*, bzw. das verurteilte Verhalten der Tyrannen basiert auf dem Mangel an *Evidenzwissen*. Nur durch die intellektuelle Fähigkeit des *beweyses* kann der Mangel an wahrem Wissen und Handeln bewußt gemacht werden. Mögliche Folge ist ein *beweisabhängiges* Wissen, das sich von dem *Evidenzwissen* klar unterscheidet. Das *spirituelle Evidenzwissen* ist als Fähigkeit der *electi* gewertet, d.h. derjenigen Menschen, die durch das *erfaren* der *un-*

endlichen forcht Gottis ihre menschliche Natur sublimiert haben und von Gott auserwählt sind.
Folgende schematische Darstellung verdeutlicht die Dependenzen der Lexeme in einer Übersicht:

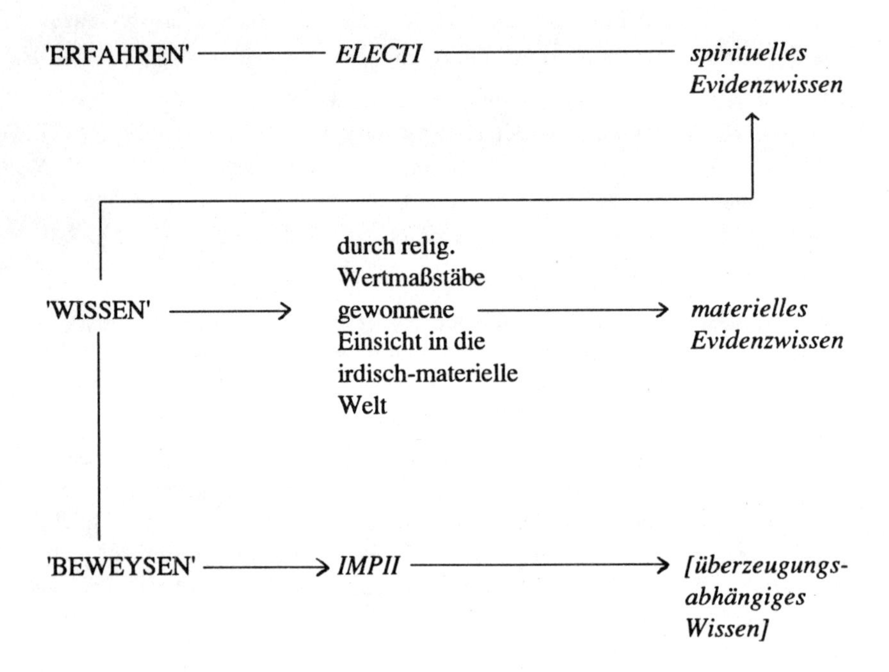

Morphologisch verwandt mit *beweysen* ist das Lexem *weysheit*; es steht jedoch in keiner strukturellen Interdependenz mit der untersuchten triadischen Idiolekt-gliederung. Das Substantiv bezeichnet in über 71% der nachzuweisenden Belege die Weisheit Gottes als integral-transzendentes Vermögen in der semantischen Referenz auf einen transfinit gedachten Gott:

> *Die reyne rechtschaffne Gotes forcht mit dem unuberwintlichen geist gotlicher weisheit an stat meins grusses. (430, 3f.)*

Die Kontexteinbindung der Quellenbelege weist die göttliche Weisheit jedoch nicht als verborgenes Seinsspezifikum eines *deus absconditus* auf, sondern vielmehr als eine dem Gläubigen durch das Wort zugängliche Wesenseigenschaft Gottes:

Seht zu, das ir den rat der weysheyt gotliches wort nicht voracht, Proverbi. 1. (448, 26f.)

Müntzers Bezug auf das „Liber proverbiorum“ zeigt unzweifelhaft, daß *Wort* hier nicht mit der Bibel synonym ist, sondern vielmehr einen unmittelbaren Ausdruck göttlicher Weisheit bezeichnet. Dieses Verständnis basiert auf Müntzers grundlegender Skepsis gegenüber einem deus revelatus, soweit die Schriftauslegung zur primären Glaubensbetätigung wird.
Das Bemühen des Gläubigen um die Erkenntnis göttlicher Weisheit ist im theologischen Weltbild Müntzers kausal an den Topos des Auserwähltwerdens gebunden, insofern die Auseinandersetzung mit der göttlichen Weisheit eine Bedingung hierfür darstellt:

..., bis das dye auserwelten Gottis kunst und weysheit mit allem gezeugnis yhn zustendig erforschen mugen. (422, 38f.)[27)]

weysheit in der Semantik einer *humanen* Tugend[28)] steht bei Müntzer immer in Zusammenhang mit dem Erleiden der *forcht gottis*, was die Ausführungen Schwarz' (Schwarz 1989a, 294f.) zu den 'septem dona spiritus dei' bestätigt:

..., dan eyn anfangk der rechten christlichen weysheyt ist dye forcht des herrn. (394, 17f.)

Forchtet euch vor Gott euerm herren allein, ... Do werdet ir weysheyt genugk fynden, ... (409, 3f.)[29)]

Daß menschliche Weisheit hier als intellektuelle Fähigkeit mit religiösem Bezug verstanden wird und insofern koinzident mit der theologischen Lehre der „septem dona spiritus dei“ ist, kann nicht bezweifelt werden.Eine alleinige Beachtung der theologischen Referenz des humanen Weisheitsbegriffs berücksichtigt jedoch nicht die Humanismusrezeption Müntzers in Hinblick auf den platonischen Weisheitsbegriff. Die Rezeption grundlegender Gedanken Platons durch Müntzer ist dank Bubenheimer zum festen Bestandteil der neuesten Forschung geworden. Der sprachimmanent eruierte humane Weisheitsbegriff Müntzers weist durch die fundamental positive Klassifizierung eine Analogie zum platonischen Weisheitsbegriff auf. Die Gewichtung der Weisheit als Kardinaltugend (sophia) durch Platon wird von Müntzer offenbar anerkannt.
Das Substantiv *weißheyt* ist dual differenziert im Hinblick auf den Träger dieser Eigenschaft im Sinne der göttlichen und menschlichen Weisheit. Demgegenüber weist das Ajdektiv *weyße* eine interessante Referenzdifferenzierung auf. *weyße* steht zu 75% in eindeutiger Unabhängigkeit zur Semantik von *weysheit*; das Lexem *weyße* zeigt sich bei Müntzer als intentional eingesetztes Adjektiv im Kontext eines einzigen Briefes. Dieser Brief vom 17. Januar 1621 steht in un-

mittelbarem Zusammenhang mit den Auseinandersetzungen um die rechtliche Kompetenz der Zeitzer Behörde in einer Ehestreitigkeit (vgl. Steinmetz 1988b, 135f.). Müntzer versucht mit diesem bisher wenig beachteten Brief an Bürgermeister und Rat von Neustadt, seine Position zu affirmieren. Die Redundanz des Topos *weyße herren* dient Müntzer hier ganz offensichtlich als Signal seiner Unterwürfigkeit in der Absicht einer positiven Beeinflussung der Rezipienten des Briefes:

> *Dem erbarn weyßen und ganz getreuen burgermeyster und radt der stadt Nawstadt meynen gunstigen und christlichen herrn. (366, 1f.)*
>
> *Heyl unde selickeit in Christo Jesu, weyßen herrn und freunde. (366, 3)*
>
> *Euern Weyßheyten ist wol wißlich dye sache den elichen stand betreffende, ... (366, 16f.)*

Die Belege nehmen einen Sonderstatus in den gesamten untersuchten Feldern ein, insofern das Lexem *weyße/weyßheyten* keine mentale Fähigkeit benennt, sondern vielmehr als Anredeform in den nachgewiesenen Kollokationen Ausdruck der Akzeptanz einer Statushierarchie durch Müntzer ist. Der pragmatische Kontext macht diese Beurteilung einsichtig.
Ein Beleg des Adjektivs *weyße* steht in Beziehung zur potentiellen Weisheit der Auserwählten; Müntzer zitiert hier 5. Mos 4, 6–8ff.[30] im Sinne der humanspezifischen Bedeutung des Lexems *weysheyt.*
Die Semantik des Lexems *klug* ist bei Müntzer explizit negativ gepolt und steht damit in Opposition zu den Klassifikationsstrukturen von *wissen* und *weyße/ weyßheyt.* Müntzer bezeichnet mit dem Adjektiv eine intellektuelle Verfassung, die ohne Berücksichtigung theologisch-religiöser Maßstäbe einzig auf die Welt gerichtet ist. Dieser Sprachgebrauch spiegelt die Mystikrezeption, insbesondere die Beschäftigung mit den Schriften Heinrich Seuses, insoweit der dort vertretene negative Weltbegriff der Müntzerschen Semantik von *klug* inhärent ist.[31]
Die dominikanische Mystik Seuses versteht Welt als *falsche Welt*, in der alles *betrogen* ist[32], ebenso wie Müntzer *klugheit* als eine allein auf die Inhalte dieser *falschen Welt* selektierte Verstandeskraft des Menschen bewertet:

> *Es muß disse unsinnige kluge christenheyt vil mehr geergert werden dann vom anbegynne umb der unuberwintlichen besserung wegen. (435, 20f.)*

Die Motivation für die deutliche Ablehnung der *klugheit* resultiert wiederum aus der theologischen Idee des Auserwähltseins. Das Ideal eines gebrochenen Eigen-Willens[33] determiniert die Abwertung der aus individuellen Interessen konstituierten Klugheit. Die integrale Referenz auf tradierte Begriffe der Mystik ist hier ebenso offensichtlich, wie die direkte durch Paraphrasierung gegebene

Analogie zur paulinischen Theologie der Abwertung menschlicher Weisheit in 1 Kor 1, 27.[34] Müntzer übersetzt das Lexem *sapientia* der Vulgata mit *klug*:

> *..., yedach wil Gott dye nerrischen dinge erwehlen und dye klugen vorwerfen. (461, 16f.)*

Für das Lexem *bescheydenheyt* kann eine absolute Synonymie mit Klugheit konstatiert werden:

> *Es dynet mit fodderlich am solchen orthe, dan da vil bescheydenheyt ist, seynt auch vil kramantzen. (436, 24f.)*

Der dem Satz inhärente Gedanke eines Zusammenhangs von *bescheydenheyt* und sozialer Unordnung steht in Zusammenhang mit Müntzers reformatorischen Ziel einer nach göttlichen Maßstäben geordneten irdischen Welt.
Der bereits in GOERTZ' Dissertation nachgewiesene negative Welt-Begriff Müntzers[35] ist Ursache weiterer Negativpolungen von Lexemen, die *besondere intellektuelle Fähigkeiten* benennen. So das Lexem *gelert* als Bezeichnung für die hochentwickelte Klugheit der mit Müntzer verfeindeten Kleriker:

> *Es treibet aber itzt der satan die gotlosen gelerten zu yrem untergang wie vorhin monche und pfaffen, ... (430, 12f.)*

Müntzers Brief an Friedrich den Weisen, in dem das kaiserliche Mandat der Mansfelder in der Auseinandersetzung um den Vorwurf der Ketzerei thematisiert[36] wird, belegt das Lexem auch zur Titulierung weltlicher Herrscher als *gelert leuth (396, 19)*.
In morphologischer Verwandtschaft zu *gelert* steht das Substantiv *lere*, das jedoch in allen Belegen als semantisch positiv klassifiziert nachzuweisen ist. Als humane *lere* bezeichnet es die theologischen Lehrmeinung Müntzers:

> *...: ich bitte graffen Ernst von Mansfelt, das er myt den ordinarien duss bystumbs hye erscheyne und brenge nach, das meyne lere adder ampt ketzers sey. (396, 11f.)*

> *Meyne lere kan und mag der elenden erbermlichen orteil nit also slecht lassen hyngehen, ps. 68. (400, 6f.)*[37]

Diese theologische *lere* basiert nicht auf weltlicher Intellektualität, auf Klugheit, sondern auf der Einsicht in das göttliche Wirken und ist insofern menschlicher, kausal gebundener Ausdruck der *göttlichen lere*:

> *Stelen eyn spruchleyn adder etliche und vorfassen sye nicht mit der lere, dye aus warhaftigem grunde quillt. (399, 14f.)*

Das gesetze Gottes ist klar, erleuchtet die augen der ausserweleten, macht starblint die gottlosen, ist eyn untadliche lere, ... (403, 28f.)

Die *lere* Gottes ist *untadlich*, wohingegen die theologische Lehrmeinung Gefahr läuft, als *lesterlich vorketzert (410, 13)* oder als *vom teufel (433, 18)* tituliert zu werden; menschliche Vorstellungen und Urteile gelten bei Müntzer in Kontradiktion zu den göttlichen Eigenschaften als prinzipiell anfechtbar.

Das Adj. *klug* und die als subordiniert aufgezeigten Lexeme *bescheydenheyt/gelert/lere* zeigen jeweils eine deutliche monomische Polung, die aus der Referenz zum Müntzerschen Welt-Begriff resultiert. Diese Strukturrelation, sowie die semantischen Konkordanzen weisen die Lexeme als Elemente eines sich innerhalb des *Feldes der besonderen intellektuellen Fähigkeiten* gegenseitig definierenden Zeichengefüges aus.
Eine solche feldimmanente Strukturrelation ist auch im Konnex des Verbums *erkennen* nachzuweisen, das mit 20 Belegen zu den quantitativ zentralen Lexemen des untersuchten Corpus gehört. Die differenzierte Semantik ist in Dependenz zum Erkenntnisobjekt aufzuzeigen. Zwei Kategorien sind dabei im wesentlichen zu unterscheiden: Selbsterkenntnis und Gotteserkenntnis.
40% der Belege weisen *erkennen* in der Semantik einer subjektiv-reflexiven Erkenntnis auf. Diese Selbsterkenntnis Müntzerscher Prägung kann jedoch nicht in der Tradition der delphisch-apollinischen Aufforderung '*gnothi seauton*' und ihrer Tradierung in der antiken Philosophie gesehen werden. Die in der Folge dieses Topos von Sokrates und Platon geforderte Selbsterkenntnis bezieht sich auf die positiven und negativen Potenzen des Menschen, ist insofern integral, subjektiv und unabhängig von erkenntnisleitenden Vorausklassifizierungen. Anders bei Müntzer, der als relevantes Objekt der Selbsterkenntnis vorwiegend die negativen menschlichen Potenzen auf dem Hintergrund einer religiös-theologischen Wertungsmatrix benennt. Selbsterkenntnis ist insofern bei Müntzer ein hinsichtlich des Erkenntnisobjektes von theologischen Axiomen prädisponierter Vorgang:

Warlich diese that an unsern brudern volzogen beweyset eure hinderlist. So ir nuhe dieselbigen erkennen wollet, bitten wir euch freuntlich, solchen schaden wider zu erstatten. (464, 1f.)

Der wichtige Stellenwert menschlicher Erkenntnisfähigkeit in der Müntzerschen Theologie leitet sich aus der dualistisch gedachten Funktion ab. Selbsterkenntnis steht einerseits in essentiellem Zusammenhang mit den Entwicklungsbedingungen zum Auserwähltsein, da die Erkenntnis falschen Handelns Voraussetzung für die Öffnung der Seele für die *forcht gottes* ist:

Lasts gut seyn mit eurem wuten, erkennet euch, es wirt euch anderst nit zu gute gehalten, do wist euch nach zu halten. (410, 19f.)

Andererseits hat die Selbsterkenntnis neben der Funktion im theologischen System des Auserwähltseins ein eminentes Gewicht für eine an göttlichen Maßstäben ausgerichtete Sozialordnung. Müntzers Gedanke einer Schädigung der Gesellschaft durch weltlich gebundenes Handeln, wie ihn HUFEISEN (s.o.) in ihrer Analyse des Lexems *schad* eruiert hat, bezieht sich auch auf das Verständnis der Selbsterkenntnis als eines Vermögens, dem das Wissen um die schadhaften Wirkungen falschen Handelns für die Gesellschaft inhärent ist:

Ich habe euch oftmals gewarnet, das dye straffe Gottes nit vormiden kann werden, durch dye oberkeyt vorgenommen, es sey dan, das man erkenne den schaden. (474, 1f.)

Selbsterkenntnis hat bei Müntzer somit neben der Bedeutung im Zusammenhang mit der Auserwähltheits-Theologie die Funktion, den *schaden* an der Gesellschaft durch eine sozial gebundene Selbsterkenntnis zu vermeiden. Dieser Gedanke wird von Müntzer in einer logischen Konditionalaussage formuliert:

Welcher alzeyt erkennet den schaden meyden kann. (474, 3)

nerrische menschen hingegen, die ihre negativen Potenzen nicht selbstreflektiv bedenken, können auch nicht den Schaden ihres *falschen vortrags* an der sozialen Gemeinschaft erkennen:

Allein ist das meyn sorg, das dye nerrischen menschen sich vorwilligen in einen falschen vortrag, darumb das sie den schaden nach nit erkennen. (454, 18f.)

Müntzers Theologie stellt den Menschen vor die Entscheidung zur göttlich-wahren oder irdisch-falschen Welt. Dabei billigt Müntzer selbst seinem Feind Graf Ernst v. Mansfeld die Potentialität einer Hinwendung zum Göttlichen zu, jedoch in Abhängigkeit vom Erkenntniswillen.[38)] Der Wille zur Selbsterkenntnis, d.h. zur Erkenntnis der negativen Potenzen ist Merkmal für die potentielle Gottzugehörigkeit des Menschen:

Die gerechtigkeyt Gottes mus unsern unglauben so lange erwurgen, bys das wyr erkennen, das aller lust sunde ist. (404, 14f.)

Eine Bedeutungsdifferenzierung ergibt sich bei 35% der Belege, die *erkennen* als Gotteserkenntnis aufweisen. Diese spezifisch spirituelle Erkenntnis setzt Selbsterkenntnis voraus, wodurch beide Bedeutungskategorien des Lexems innerhalb des theologischen Systems des Auserwähltseins kausal aneinander geknüpft sind. Ist die Erkenntnis des eigenen negativen Potentials die Bedingung der Möglichkeit, durch Gottesfurcht ein Auserwählter zu werden, so ist die Erkenntnis Gottes das Telos aller leidbringenden Mühen. Gotteserkenntnis ist bei Müntzer an explizite Voraussetzungen gebunden und zeigt sich nicht als bedingungslose Offenbarung. Zu diesen Voraussetzungen gehört auch die Erkenntnis der Gotteskindschaft des Menschen:

> *..., do der mensch erkent, das ehr sey eyn son Gottis und Christus sey der uberste in den sonen Gottis. (425, 22)*

R. Schwarz begründete in seiner Untersuchung von 1977 die Relevanz der Erkenntnis der Gottebenbildlichkeit bei Müntzer mit einem Hinweis auf den bedingenden Charakter für die Geisterfahrung (Schwarz 1977, 122f.). Die linguistische Analyse bestätigt diese Ausführung.

Hat der Mensch seine Gottebenbildlichkeit als theologische conditio sine qua non erkannt, so wird die allem Weltlichen enthobene unmittelbare Unterstellung unter den Willen der Furcht Gottes zur Möglichkeit der Gotteserkenntnis. Müntzers sprachlich realisiertes theologisches System zeigt sich als progressives Stufenmodell, in dem die Erkenntnisfähigkeit eine wesentliche Stellung hat:

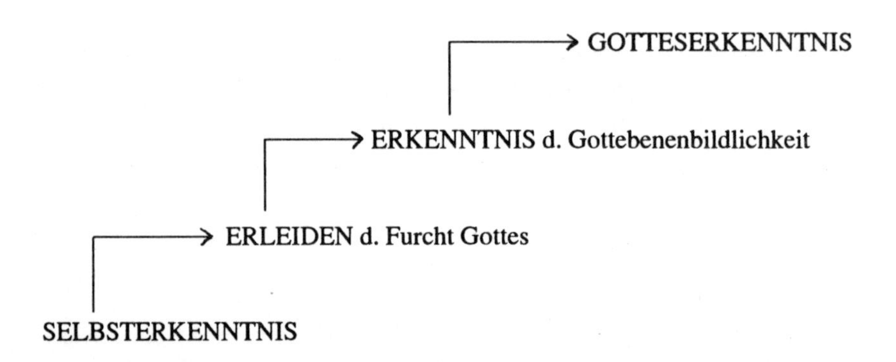

Die Parallelen zum mystischen Erkenntnisweg von der *Purgatio* bis zur *unio mystica* ist deutlich.

An anderer Stelle wurde bereits darauf hingewiesen, daß das Brechen des Eigen-Willens ein gewichtiger Gedanke in der Müntzerschen Theologie ist. Müntzer formuliert diese Forderung auch im Kontext der Auseinandersetzung mit der Gotteserkenntnis:

> *Der wylle Gottis ist das ganze uber seyne teyle. Gottes kunst und seyne ortheyl zurkennen, ist dye erclerung desselben willens, ... (418, 23f.)*[39]

Den Gotteswillen als den eigenen Willen zu erkennen, setzt hinwiederum die Anfechtung durch das Leid voraus. Diese Müntzersche Leidenstheologie mit ihrer Referenz auf eine *imitatio christi* (vgl. Goertz 1989a, 67f.) wird in der Verknüpfung mit dem Gedanken der Gotteserkenntnis in einem Brief Müntzers an seine Anhänger in Halle thematisiert:

> *..., dan yn solcher anfechtunge wyrt der selen abgrunt gereumeth, auff das meher unde mer erleutert, erkant werde, das unuberwintliche gezeugnuß des heyligen geysts zu schepffen. (387, 21ff.)*

Neben den in personalem Bezug stehenden Bedeutungskategorien des Lexems *erkennen* als Selbst- und Gotteserkenntnis – thematisiert werden jeweils die Möglichkeiten und Bedingungen der Erkenntnis für den Einzelnen – verwendet Müntzer das Verbum *erkennen* zu 15% in der Bedeutung des *zu erkennen gebens:*

> *Thut yr uns etwas daruber zu leyde so wollen wir das der ganzen welt clagen und zu erkennen geben, ... (412, 31f.)*

> *Das selbige hab ich also heftig mit wunderlicher weyse euch zu erkennen gegeben... (435, 31)*[40]

Grundsätzlich und auch im nhd. Sprachgebrauch wird das Verbum *erkennen* vom Substantiv *erkenntnis* unterschieden. In philosophisch genauer Terminologie bezeichnet Erkennen den kognitiven Vorgang, der zur Erkenntnis führt. Bei Müntzer sind die Lexeme jedoch synonym, eine begriffliche Trennung im philosophischen Sinn ist nicht zu konstatieren. *erkenntnis* bezeichnet bei Müntzer das Erkennen Gottes, so daß das Lexem als Substantivierung synonym mit *erkennen* in der semantischen Kategorie der Gotteserkenntnis ist.[41] *erkenntnis* kann in den folgenden Belegen daher durchaus als *erkennen* in der Bedeutung der Gotteserkenntnis gelesen werden:

> *Nachdem Gott ytzt dye ganze welt sonderlich fast bewegt zu erkentnus gottlicher warheit... (463, 1f.)*

> *Nachdem es Got also wolgefelt, das ich von hinnen scheyden werde in warhaftiger erkenthnis gottlichs namens... (473, 7f.)*[42]

Das Lexem *kunst* weist ebenso wie *erkenntnis* eine evidente Synonymie zu *erkennen* im Sinne der Gotteserkenntnis auf.[43] Müntzer verwendet das Lexem offensichtlich ebenso wie *erkennen* in der Fortführung mystischer Terminologie; so bezeichnet Tauler *kunst* etwa als die dritte Gabe des hl. Geistes.[44] Auch bei Müntzer findet sich kein Beleg mit der nhd. Semantik des ästhetischen Könnens und daraus entstehender Werke. Die positive Klassifizierung der *kunst*

Gottes bei Müntzer deckt sich mit den Ergebnissen von *erkennen/erkenntnis*:

> *Der schlussel aber der kunst Gottes ist der, das man dye leuthe domit regire, das sye Got lernen alleyne forchten, Ro. 13, ... (394, 15f.)*

> *..., so seyt ir, der den schlussel der kunst Gots wegknehmeth und verbitet den leuthen in dye kirchen zu gehen... (394, 19f.)*

Das Gewicht der Erkenntnis im theologischen Weltbild Müntzers wurde durch die vorangegangenen Ausführungen zur Lexik bereits deutlich. Im folgenden werden nun Lexeme untersucht, die in unmittelbarem Feldzusammenhang zu *erkennen* stehen und den Erkenntnisprozeß präzisierend benennen.
urteil ist in dieser Gruppe von Lexemen von zentraler Bedeutung, insofern es die Fähigkeit der Auserwählten bezeichnet, zwischen wahr und falsch im religiösen Sinn zu unterscheiden:

> *... das yr mit vornunftigen ortheyl unterscheiden wollet die besserung und ergernis kegeneynander. (433, 21f.)*

Die Fähigkeit zum Urteilen zeigt sich dabei in Abhängigkeit von der Einsicht in Gottes unabänderlichen Willen, der somit zum Maßstab jeden Urteils erhoben ist:

> *Gottes kunst und seyne ortheyl zurkennen, ist dye erclerung desselben willens, ... (418, 23f.)*

Auf eine detaillierte Untersuchung des Lexems kann hier verzichtet werden, da sich eine differenzierte Darstellung in HUFEISENS Beitrag findet. Dort wird das Lexem explizit dem *Feld des Rechts und Gerichts* zugeordnet; die Erkenntnisabhängigkeit des Urteils wird dort analysiert.
Die Analyse des Lexems *erkennen* hat deutlich gemacht, daß die Gotteserkenntnis im theologischen System Müntzers an spezifische Bedingungen geknüpft ist. Ebenso beurteilt Müntzer das *lernen* als Fähigkeit auf dem Weg zum Auserwähltwerden. Das Verbum ist jedoch nicht wie im Nhd. als systematischer Prozeß der Wissensaneignung zu verstehen, sondern bezeichnet vielmehr die Fähigkeit der Einsicht in die Unabänderlichkeit göttlicher Gesetze:

> *Da wird euch durch den heyligen geyst angesagt, wie yhr muest lernen durch das leyden Gottes werk ym gesetz erklert euch zum ersten die augen eroffnet werden muessen. (402, 8f.)*

lernen hat bei Müntzer eine spezifische Kohärenz zum Begriff der *furcht Gottes* und ist in anderem Kontext nicht zu belegen:

..., das yr reine rechtschaffene furcht gots vor euch nemet und lernet Got allein uber alle creaturen in hymmel und auf erden furchten. (411, 23f.)

Und aus der furcht werdet yr wyssen und lernen, ... (411, 24f.)

Anders als *lernen* bezeichnet *studierung* die Auseinandersetzung mit den Glaubensinhalten im allgemeinen, die jedem Erkenntnisweg zu Gott als Bedingung vorgelagert ist. So sind die *impii* dadurch gekennzeichnet, daß sie selbst eine allgemeine Beschäftigung mit religiösen Inhalten *verleugnen*:

Es werden die leute wollustig seyn, liebhaber der luste und werden sagen, man konne das werk Gottes nicht erleyden, nicht verstehen, das ist sie werden verleugnen die studierung... (404, 21f.)

Müntzer übersetzt hier einen Satz aus 2 Tim. 3, 2–5. In der Vulgata steht für Müntzers *studierung* das lat. *pietatis*; übersetzt etwa *fromme Gesinnung*, bei Luther *Frömmigkeit*. Müntzers Übersetzung mit *studierung* ist der Gedanke der Glaubensarbeit inhärent; der Weg zu Gott ist ein aktiv zu vollziehender Gang des Menschen, ein Weg zur Auserwählung.

Die Fähigkeit des Auserwählten, in immer neuer Reflexion den Willen Gottes zu ergründen, bezeichnet Müntzer mit dem Lexem *erkunden*. Das Verbum steht damit in Referenz zum Gedanken des progressiven Erkenntnisweges und anders als *lernen* und *studierung* nicht im Zusammenhang mit einer menschlichen Entwicklungsstufe. Das *erkunden* muß für Müntzer den gesamten Prozeß der Entwicklung zur Gotteserkenntnis begleiten, ist daher Bedingung der Auserwählung und Zeichen des Auserwähltseins zugleich:

... erkunde, ap du Gottis gezeugnis in dyr befunden hast, ... (423, 10f.)

..., auf das eyn yder auserwelter muchte dye gezeugnis Gottis mit ganzer sel und herzen bewaren und erkunden. (421, 8f.)

Die untersuchten Lexeme ordnen sich in das Stufenmodell der Gotteserkenntnis[45] wie folgt ein:
studierung bildet die Voraussetzung für jegliche Entwicklung zu Gott, *lernen* bezeichnet die Fähigkeit der Einsicht in den Willen der Furcht Gottes, *erkunden* begleitet als Vermögen der Reflexion den gesamten Erkenntnisprozeß und *urteil* bezeichnet die Unterscheidungsfähigkeit des Auserwählten:

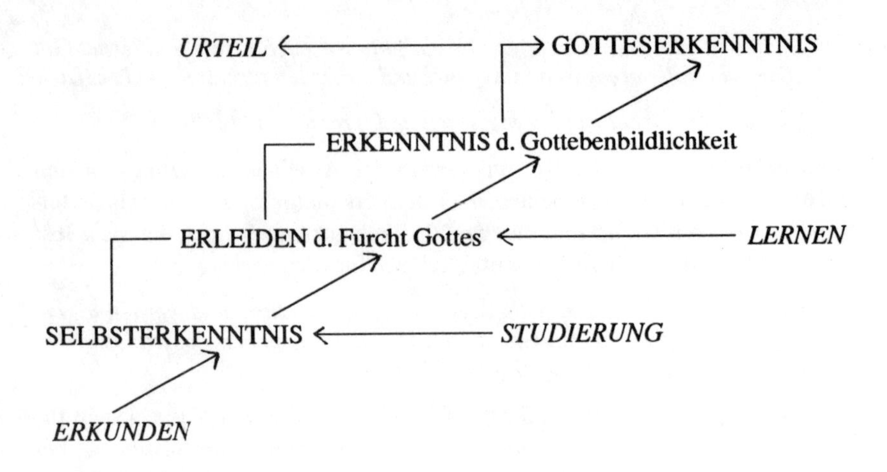

B. Zusammenfassung von 2.2.

Für das *Feld der besonderen intellektuellen Fähigkeiten* ist als vorrangiges Untersuchungsergebnis die eindeutige Positiv- *oder* Negativ-Polung der Lexeme festzuhalten. Zeigt sich bei den *natürlichen intellektuellen Fähigkeiten* in jeweiliger Abhängigkeit von den Bezugsobjekten ein hoher Prozentsatz von Lexemen als zugleich positiv *und* negativ gepolt, so ist das wesentliche Merkmal der hier untersuchten Feldstrukturen gerade der monopolare Klassifikationskontext der Lexeme. 80% der nachzuweisenden Lexeme im *Feld der besonderen intellektuellen Fähigkeiten* sind explizit positiv gepolt, 20% negativ; ambige semantische Polungen sind nicht nachzuweisen. Die durch die linguistische Analyse ermittelten distinktiven Lexemrelationen bestätigen die operationale Annahme von zwei Feldern der intellektuellen Fähigkeiten. Die *natürlichen* und *besonderen* intellektuellen Fähigkeiten sind bei Müntzer deutlich differenziert, die kausale Beziehung zum Welt- und Menschenbild ist augenscheinlich. Der Mensch steht bei Müntzer in der Entscheidungssituation zum Guten oder Bösen. Aus diesem Gedanken resultiert die Trennung der Menschen in *impii* und *electi*. Beiden müssen jedoch die *natürlichen intellektuellen Fähigkeiten* eigen sein, da sie als gattungsspezifische Mentalvermögen unabhängig von Entwicklungsdifferenzierungen allen Menschen genuin sind.

Aus diesem Gedanken folgt die Notwendigkeit, die essentiellen intellektuellen Fähigkeiten in Abhängigkeit vom jeweiligen Individuum bewerten zu müssen. So ist etwa das Denken als Fähigkeit allen Menschen eigen; die Differenzierung in negativ gepoltes *konkretes Denken* und positiv gepoltes *abstraktes Denken* folgt aus der Trennung der Menschen in solche, die dem Irdischen verhaftet sind und solche, die Gott zum Maßstab ihres Lebens gewählt haben. Die semantischen Bivalenzen im *Feld der natürlichen intellektuellen Fähigkeiten* mit den bipolaren Wertungen sind in diesen weltanschaulichen Strukturen begründet. Die *besonderen intellektuellen Fähigkeiten* sind dagegen personal gebunden, d.h. sie stehen in Kohärenz zu spezifischen Entwicklungsstufen von Individuen. Sie sind daher bei Müntzer entweder Vermögen der Auserwählten, bzw. der sich für die Auserwählung vorbereitenden Menschen oder der *tyrannen* und weltlich gebundenen Menschen. Die dualistische Differenzierung in *impii* und *electi* findet ihre Entsprechung somit nicht in einer dualistischen Polung des Einzellexems, sondern zeigt sich bei den *besonderen intellektuellen Fähigkeiten* vielmehr in der Unterscheidung von positiv und negativ gepolten Lexemen. Damit stehen die unterschiedlichen semantischen Strukturen in 2.1. und 2.2. in einer Sinnkontinuität, die aus der Referenz auf Müntzers Welt- und Menschenbild resultiert.

Zeigt sich bei den *natürlichen intellektuellen Fähigkeiten* die Unterscheidung von *impii* und *electi* als qualifizierendes oder dequalifizierendes Kontinuum aller Lexeme, so ist im *Feld der besonderen intellektuellen Fähigkeiten* das Stufenmodell der Gotteserkenntnis zentraler außersprachlicher Bezugspunkt. Die Lexemkohärenzen und -dependenzen, ihre Wertungen als primär oder sekundär stehen in Zusammenhang mit Müntzers theologischem Erkenntnismodell. Der Begriff der Gottesfurcht ist dabei wichtiges außersprachliches Konstrukt und im gesamten Feldzusammenhang bedeutungskonstituierend.

Das theologische System Müntzers, das auf das Telos eines Gottesstaats der Auserwählten ausgerichtet ist[46)], steht in unmittelbarem Zusammenhang mit Müntzers Sprachverwendung. Die semantischen Strukturen des Intellektualfeldes zeigen sich bereits hier als Implikation der theologischen Fundamente in der Semantik des Müntzerschen Einzellexems.

Die folgende Distributionsgraphik zu *wissen* soll die differenzierte Semantik des Lexems anschaulich machen, die Übersicht zur Positiv- und Negativpolung der Lexeme den Vergleich mit 2.1. erleichtern.

Abbildung 3: Die semantische Distribution des Lexems 'wissen'

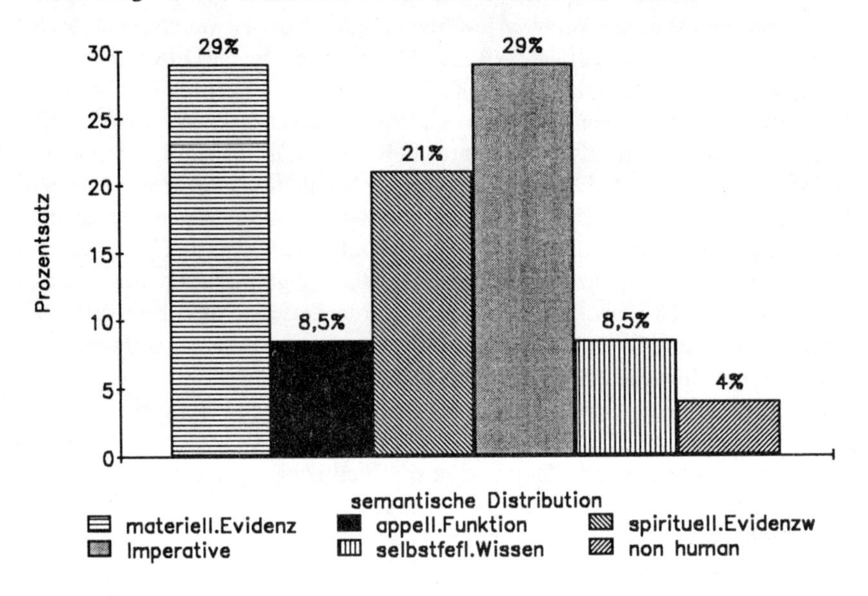

Übersicht zur Positiv- und Negativpolung der in 2.2. untersuchten Lexeme

POSITIVE POLUNG	LEXEM	NEGATIVE POLUNG
+ -------------------	*WISSEN*	
+ -------------------	*BEWEYSEN*	
+ -------------------	*ERFAHREN*	
+ -------------------	*WEISHEIT*	
	KLUGHEIT	------------------------
	BESCHEYDENHEYT	------------------------
	GELERT	------------------------
+ -------------------	*LERE*	
+ -------------------	*ERKENNEN*	
+ -------------------	*ERKENNTNIS*	
+ -------------------	*KUNST*	
+ -------------------	*URTEIL*	
+ -------------------	*LERNEN*	
+ -------------------	*STUDIERUNG*	
+ -------------------	*ERKUNDEN*	

2.3. Der Mangel intellektueller Fähigkeiten
A. Analyse

Im *Feld des Mangels intellektueller Fähigkeiten* ergibt die Analyse unterschiedlich gewertete Lexemgruppierungen, die in differenten Referenzbezügen stehen, obgleich allen die Bezeichnung der Negation intellektueller Fähigkeiten eigen ist.

Als erste Relationsgruppe innerhalb des hier zu untersuchenden Wortfeldes sollen zunächst die Lexeme untersucht werden, die menschliche Unvernunft bezeichnen. 60% dieser Lexeme haben das gemeinsame morphologische Merkmal einer Präfigierung mit un- als prädeterminierendes Morphem der Negation. Müntzers Lexik steht hier in der Fortführung einer mystisch tradierten Wortbildungsform. Für die Lexeme mit dieser Präfigierung ergibt sich die Notwendigkeit, neben der Kontextanalyse auch die Semantik des nicht präfigierten Adjektivs für die Analyse heranzuziehen.
Das Adjektiv *unsinnig* zeigt sich unter diafrequentem Aspekt mit 4 Belegen als wichtigstes Lexem zur Benennung menschlicher Unvernunft. *syn* wurde in 2.1. als Bezeichnung für die Gesamtverfassung des Bewußtseins aufgezeigt, wobei deutlich wurde, daß das Lexem nicht eine spezifische intellektuelle Fähigkeit, sondern vielmehr einen Zustand des genuin-mentalen Seinsteils benennt. *unsinnig* kann somit nicht das Fehlen des Sinnes bezeichnen, da dieser ja essentiell jedem Menschen eigen ist. Die Präfigierung dient Müntzer hier zur Negativ-Polung; *unsinnig* bezeichnet also den *falschen Sinn*, der auf die weltlichen Zustände ausgerichtet ist. Dieser Befund ist offensichtlich in Müntzers Brief an den Schösser Zeiß vom 22. Juli 1524, in dem er sich mit dem Übergriff Fr. v. Witzlebens gegen seine Anhänger in Schönwerda auseinandersetzt. Müntzer ist in eine äußerste Konfliktsituation mit den *tyrannen* geraten, so daß ihm *bylliche das herz vor angst zyttert* (418, 5):

> *Nach bespottet das dye unsinnige welt, sye meinet, es sey nach das alte leben, sye geht ummer yn yhrem traum dohyn, byß das yhr das wasser uberm kopf zusammen schleth. (418, 5ff.)*

Müntzer sieht hier die Zeichen einer neuen Zeit in apokalyptischer Weise deutlich vor sich; das Nicht-Wissen um die zwangsläufig bevorstehenden Veränderungen ist Zeichen einer *unsinnigen* Welt. Damit konstatiert Müntzer eben nicht das Fehlen des Sinnes überhaupt, sondern den Mangel an religiösen Einsichten, hier im besonderen das Wissen um die eschatologischen Sigmen der Zeit, basierend auf der Forderung, daß dem Gläubigen die Gedanken der Endzeit inhärent sein müssen; der Glaube, *es sey nach das alte leben*, zeigt den *syn* als weltlich gebunden.

Dem Lexem *unsinnig* kommt in Konkordanz zur Semantik von *syn* nicht die Funktion der Bezeichnung eines spezifischen intellektuellen Unvermögens zu, vielmehr bezeichnet das Adjektiv universell die Eigenschaften eines ungläubigen Bewußtseins. So kann Müntzer nicht nur die Welt der regressiven weltlichen Herrscher, sondern auch die *kluge christenheyt* mit dem Adjektiv *unsinnig* in toto besetzen. *klug* zeigte sich in der Analyse der *besonderen intellektuellen Fähigkeiten* als eines der wenigen Lexeme mit negativer Polung. Die *klugen christen* sind auf die sinnlich-materielle Welt fixiert; ihrem Bewußtsein ist der Mangel religöser Einsichten eigen, so daß Müntzer sie als *unsinnig* bezeichnen kann:

> *Es muß disse unsinnige kluge christenheyt vil mehr geergert werden... (435, 20f.)*

Nicht nur zur Bezeichnung eines weltlich gebundenen Bewußtseins sondern auch zur Bestimmung der aus einem solchen Bewußtsein resultierenden Handlungen ist das Adjektiv *unsinnig* nachzuweisen:

> *... und wan ir (do Got vor sey) in solchem toben und unsynnigen vorbiten wurdet verharren, ... (394, 6f.)*

Ein weiteres Lexem mit der Präfigierung un- exemplifiziert bei der Analyse eine hervorzuhebende komplexe Struktur des Müntzerschen Mentalwortschatzes: *unwitzig*. Das Substantiv *witz* hat als *natur witze* eine evident negative Polung bei Müntzer. Einen religiös sublimierten *witz* kann Müntzer nicht konstatieren, denn er hat sich *vorzeret*. Nur aus der Abwertung des *natürlichen Witzes* wird Müntzers Forderung nach einem von der kreatürlichen Welt emanzipierten Witz deutlich. Die Präfigierung mit un- negiert die Fähigkeiten dieses geforderten sublimierten Witzes, steht also in unmittelbarer semantischer Analogie zu *witz* mit der Semantik des *natürlichen* Witzes. *unwitzig* bezeichnet bei Müntzer die Eigenschaft des *natürlichen* Witzes. Die Präfigierung eines negativ gepolten Lexems als Negation der nicht sprachlich realisierten potentiell positiven Semantik dieses Lexems verdeutlicht die hochkomplexen, fast als dialektisch zu bezeichnenden Klassifikationsstrukturen des Müntzerschen Idiolekts. Die Synonymie zwischen nicht präfigiertem Substantiv und des durch Präfigierung negierten Adjektivs resultiert aus Müntzers Vorstellung eines potentiell positiven Witzes und dient damit einer Spezifizierung der Semantik. Das Präfix un- soll die Dequalifikation der Eigenschaft des *natürlichen* Witzes *sine dubio* anzeigen:

> *... und euch den turken, heyden, und juden eyn verryssen unwitzigen Menschen schelten und ausschreyhen und aufs papir kligken. (394, 10f.)*

Müntzer spricht hier dem Grafen Ernst v. Mansfeld nicht den *witz* ab, sondern formuliert die mangelnde Ausrichtung des *witzes* an religiösen Maßstäben. *unwitzig* steht hier synonym mit *witz* im Beleg 436, 21ff.
Im Vergleich mit einem Beleg in Müntzers Brief *an die christlichen Brüder von Schmalkalden* zeigt sich das Lexem *unwitzig* als polysem. In diesem Beleg wird das Präfix un- als explizit negierend verwendet, jedoch nicht wie im obigen Beleg als dequalifizierendes Merkmal, sondern im Sinne des Absprechens eines Witzes überhaupt. Diese Bedeutung von *unwitzig* als Bezeichnung des vollkommenen Mangels an Witz steht in Referenzbezügen, die für die Lexeme *Narrheit/ Torheit* charakteristisch sind. Die Analyse soll daher weiter unten in Verbindung mit dem Lexem *nerrisch* eingebracht werden. Die Polysemie des Adjektivs *unwitzig* macht eine solche differenzierende Untersuchung notwendig.

Das Lexem *unverstendlich* benennt die am Maßstab göttlichen Wissens gemessene eindeutige Beschränktheit der menschlichen Intellektualkräfte. Dabei ist es irrelevant, ob und inwieweit einzelne Individuen religiös motivierte Mentalfähigkeiten entwickelt haben, denn bei Müntzer steht die Begrenztheit des menschlichen Verstandes immer in Opposition zum transfiniten Gott. Müntzer bezeichnet daher das gesamte Volk der Christen als *unverstendlich*:

> *Meynstu, das Gott der herr seyn unverstendlich volk nicht erregen konne, die tyrannen abzusetzen... (469, 11f.)*

Anders als *unverstendlich* bezeichnet *unvorstendig* den negativ gepolten Mangel an potentieller religiöser Einsicht, also keine Eigenschaft aller Menschen, sondern ein Charakteristikum der *impii*. Die Unterscheidung Müntzers zwischen *guthen* und *unvorstendigen* Menschen verdeutlicht dies:

> *Dorumb solt ir euch meynes todes nit ergern, welcher zur forderung den guthen und unvorstendigen gescheen ist. (473, 13f.)*

Als Analogie zur Verwendung von *unsinnig* ist das Lexem *unvorstendig* auch als Bezeichnung der pseudo-religiösen Christen nachzuweisen:

> *Dan ich spreche an, ich tatele die unvorstendig christenheit zu podem, ich weis meins glaubens ankunft zu vorantwurten. (407, 23f.)*

Der Mangel an religiöser Sublimierung der intellektuellen Fähigkeiten, der aus der fehlenden Hinwendung zu Gott resultiert, führt in Müntzers Welt- und Menschenbild zu einer Verrohung, die mit dem Adjektiv *grob* benannt wird:

> *..., dye zu mustern wir uber die massen zu schaffen haben, dann es ein viel grober volk ist, ... (461, 9f.)*

Ein letztes wichtiges Lexem zur Bezeichnung menschlicher Unvernunft ist schließlich das Adjektiv *verstockt*, dessen Semantik in Referenz zu Müntzers Gedanken einer potentiellen Gotteserkenntnis des Menschen steht. Richtet der Mensch seine intellektuellen Fähigkeiten konsequent auf die materiellen Umstände und Bedürfnisse seines Lebens und nicht auf das Ziel der Gotteserkenntnis, so folgt daraus eine Strafe durch Gott: Der Mensch wird *verstockt*, d.h. für jegliche Offenbarung unzugänglich[47]:

> *Es will keyne scham in dich, Got hat dich verstockt wie den kͤonig Pharaonem, ... (468, 16f.)*

Müntzer sieht hier bei Graf Ernst v. Mansfeld die vollkommene Verleugnung religiöser Wertmaßstäbe; er konstatiert den Verlust an geistiger Erkenntnisfähigkeit (*intellectivae virtutus*), so daß er ihn mit dem Adjektiv *verstockt* benennen kann. Die tradierte Vorstellung der Gottähnlichkeit als Voraussetzung zur Gotteserkenntnis – bei Th. v. Aquin *alliqua Dei similitudo*[48] findet im Lexem *verstockt* einen oppositiven Begriff, insofern der *verstockte* Mensch keine Gottähnlichkeit besitzt und somit den Weg zu Gott nicht finden kann. Ursache des Verstocktseins kann nicht nur das anhaltende Interesse an den materiell-gesellschaftlichen Zuständen ohne den göttlichen Maßstab sein, sondern auch die Rückwendung des Menschen auf seine eigenen materiellen Triebe. Dem Weg zu Gott steht dabei insbesondere das sündige Leben, die *lust*, im Weg:

> *Die gerechtigkeyt Gottes mus unsern unglauben so lange erwurgen, bys das wyr erkennen, das aller lust sunde ist und wie wyr durch die luste zu verteydingen also hoch vertocket werden. (404, 14f.)*

Die diesem Satz inhärente Betonung der Askese als Bedingung wahren Glaubens zeigt eine in der neuesten Müntzerforschung mehrfach formulierte Analogie der Müntzerschen Leidenstheologie zum Platonismus. Müntzer verbindet den Primat des Leidens mit der apokalyptischen These, daß die Christen in Verstockte und Auserwählte geschieden werden[49]. Dagegen wird das neutestamentliche Volk gestellt, das noch als allgemein aufgeschlossener für die Gottesoffenbarung beurteilt wird; Müntzer schreibt in der „*Außgetrückte[n] emplössung*“ (Fassung A.):

> *Es war auff das mal das volck nicht also gantz und gar verstocket, wie yetzt die christenheyt durch die bͤoßwichtischen schrifftgelehrten geworden ist. (297, 20f.)*

Mit dem Lexem *verstockt* wird also die Zeiterscheinung der zunehmenden Abwendung von Gott benannt. Damit steht das Adjektiv auch in direkter Beziehung zu mystischen Vorstellungen der Gotteserkenntnis, bzw. zu den

Voraussetzungen und den Folgen des *vorleugnens* einer solchen unmittelbaren Erkenntnis. Müntzers Sündenbegriff, der der Semantik von *vertocket* inhärent ist, findet sich bereits in der Theologia deutsch im 36. Kapitel.

Haben die vorangehend untersuchten Lexeme nicht den Mangel an intellektuellen Fähigkeiten benannt, sondern vielmehr durchgehend die auf das Irdische fixierten negativ gepolten Mentaleigenschaften, so werden im Folgenden Adjektive untersucht, die die vollkommene Absenz intellektueller Fähigkeiten bezeichnen.
Das Adjektiv *nerrisch* bildet in dieser Gruppe ein Zentrum, da in Dependenz zu seiner Semantik weitere Adjektive nachzuweisen sind. In 66% der nachzuweisenden Belege ist *nerrisch* positiv gepolt. Motiviert ist diese Polung aus Müntzers Glauben an die Erwählung der geistig Schwachen durch Gott – ein tradierter Topos primärer Gedanken des Christentums. SCHWAB (s.o.) differenziert in ihrem Beitrag zwischen geistigem und geistlichem Vermögen, wobei sie darauf hinweist, daß nur das *geistliche* Vermögen für die Erwählung durch Gott von Relevanz ist. Im folgenden Beleg bezieht sich *nerrisch* auf den Verlust des *geistigen* Vermögens; das *geistliche* Vermögen, d.h. die Glaubenskraft ist davon nicht berührt:

> *..., yedach wil Got dye nerrischen dinge erwehlen und dye clugen vorwerfen. (461, 16f.)*

Müntzer übersetzt hier das lat. *stulta* der Vulgata mit *nerrisch*[50] und bezeichnet damit den Mangel an intellektueller Präsenz.
Im Brief an die *gemeyne zu Eysenach* vom 9. Mai 1525 unterscheidet Müntzer zwischen den Gewaltigen, die sich als *ungetreu* erweisen werden und den Schwachen, die obgleich nerrisch, erwählt werden sollen:

> *..., dann der Herre nympt auf dye schwachen, die gewaltigen von stule zu stossen, die nerrischen leuthe, auf das er die ungetreuen, vorretherischen schrieftgelerten zuschaden mache. (464, 5f.)*

Narrheit zeigt sich hier als Ausdruck eines weltabgewandten Verstandes, dessen Folge auch der Verlust gesellschaftlicher Macht ist. Mentale und gesellschaftliche Debilität bilden – beide positiv gepolt – bei Müntzer einen Zusammenhang.
In unmittelbare Dependenz zur Semantik von *nerrisch* steht das Lexem *ungemustert*, das eine allgemeine Unwissenheit benennt. Müntzer schreibt nach seiner Vertreibung aus Allstedt eine erste Beurteilung der Mühlhäuser an seinen Famulus Ambrosius Emmen:

Dye leuthe zu Molhausen seynt langsam, wye dan allenthalben das volck ungemustert ist, nicht ane merktliche orsache von Gotte, auf das der natur witze dem evangelio denn wegk nicht vorhaue. (436, 21ff.)

Der Gedanke, daß die Mühlhäuser aufgrund göttlicher Absicht ungemustert sind, basiert auf den Glaubensgrundsätzen Müntzers, die auch die positive Polung des Lexems *nerrisch* motivieren. Sowohl die *nerrischen* als auch die *ungemusterten* Menschen stehen in Opposition zum *natürlichen Witz*, also zu einer weltlichen Klugheit, deren Charakteristikum die Abwendung von Gott ist.

In diese Kohärenzstruktur zu *nerrisch* reiht sich auch das polyseme Lexem *unwitzig* mit der oben noch nicht untersuchten Semantik ein. Dort wurde das Adjektiv als Synonym für den *natürlichen Witz* aufgezeigt und somit in seiner explizit negativen Polung dargestellt. In dem hier zur Untersuchung stehenden Zusammenhang kann ein Beleg herangezogen werden, der die Kohärenz von *nerrisch* und *unwitzig* textimmanent deutlich macht:

Ich wolt sonderlich von Gott begeren, umbzugehen und euch zu rathen und helfen und desselbigen mit beswerung viel lieber pflegen dan mit unwitzigen zu volzyhen vorneuen, yedach wil Got dye nerrischen dinge erwehlen und dye clugen vorwerfen. (461, 14ff.)

Müntzer schreibt dies drei Tage vor dem Zug mit den Mühlhäusern zum Heer der Aufständischen nach Frankenhausen. Die theologische Überzeugung des Primats der geistig Schwachen behält bei Müntzer vollkommene Präsenz, obgleich die Problematik des praktisch-täglichen Umgangs mit den *unwitzigen* dem Brief deutlich inhärent ist. *unwitzig* bezeichnet hier nicht den materiell fixierten *witz*, sondern vielmehr die Absenz einer weltlich orientierten Intellektualität.

Die semantischen Kohärenzen von *nerrisch, ungemustert* und *unwitzig* haben mit dem Merkmal der positiven Klassifizierung eine deutliche Referenz zur Theologie von 1. Kor 1, 27.

Eine andere Lexemgruppierung bezeichnet dagegen den Mangel mentaler Fähigkeiten mit eindeutig negativer Polung. Dazu gehört eine Bedeutung von *nerrisch*, die mit der bereits dargestellten Semantik differiert, wodurch das Lexem als ambig gepolt aufgezeigt ist:

Allein ist das meyn sorg, das dye nerrischen menschen sich vorwilligen in einen falschen vortrag, darumb das sie den schaden nach nit erkennen. (454, 16f.)

Hier bezeichnet *nerrisch* den Mangel an Einsichtsfähigkeit; die Gefahr sieht Müntzer dabei im unreflektierten Glauben an vorgetäuschte Informationen, im potentiellen Einverständnis mit den weltlichen Herrschern.

Ebenso negativ gepolt ist das Adjektiv *toll*. Es dient Müntzer nicht zur Bezeichnung einer Eigenschaft geisteskranker Menschen; sondern benennt vielmehr die Eigenschaften der diesseitsverhafteten Welt und ihrer Menschen und steht damit anonym zu den *frommen[n] Menschen*:

> *Nu ich aber durch etliche fromme menschen vorstendiget byn, wie yr aufs hochste betrubet seyt und doch angelobet den tollen wansynnigen menschen und tyrannen, ... (411, 17f.)*

> *So toll und toricht ist ytzt die ganze welt, und wyl nymant gelassen stan umb gotts wyllen, ... (412, 4f.)*

Textimmanent werden in den Belegen die engen Feldkohärenzen von *toll, toricht* und *wansynnig* erkennbar. Eine spezifische Differenz in der Semantik der Lexeme *toll* und *toricht* kann nicht konstatiert werden, bezeichnen doch beide „*das Beharren auf diesem weltklugen Verstand, der den Menschen von der Wahrheit in Gottes Offenbarung ausschließt*“[51]. In diesem Sinne verwendet Müntzer auch das Adjektiv *wansynnig*:

> *..., es hat eyn solcher nicht eine art e wye dye wansynnigen scrift gelehrten, ... (426, 1f.)*

Die Schriftgelehrten mit ihrem Glauben an einen *Deus revelatus* stehen mit ihrer Theologie Müntzers Glauben konträr entgegen. Müntzer geht von der Möglichkeit einer unmittelbaren mystischen Vereinigung mit Gott aus. Die Schriftgelehrten zeigen *ire dinge nach liphaben der welt an (426, 2f.)*, ihre Perspektive ist der mögliche Vorteil in den politisch-gesellschaftlichen Zusammenhängen. Müntzer differenziert explizit zwischen unmittelbarer *göttlicher* Lehre und *menschlicher* Lehre, die als *Interpretation* die Wahrheit der göttlichen Absichten verfälscht. Er sieht die Potentialität der Gotteserkenntnis für jeden Menschen – Jes 54, 13: *universos filios tuos doctos a Domino.* Die Auslegung der Schrift ist für ihn ein Akt des falschen Verstandes, der einer unmittelbaren Geistbelehrung hinderlich ist.
Der *wahnsinn* der Schriftgelehrten besteht in ihrem Glauben, sie könnten aus den toten Buchstaben den göttlichen Geist erkennen. Müntzer bewertet einen solchen *getichten glauben* als noch gefährlicher als die *tolpelischen werke* der regressiven weltlichen Herrscher.
Seine Gedanken zum *falschen* Glauben führt Müntzer in der Schrift „*Von dem getichten glawben*“ aus, er sieht als Adressaten die unverständigen Menschen an und beklagt sich bei Hans Zeiß:

> *Ditz mein schreiben ist nach unbequem der wansinnigen werlt zu entdecken. (398, 8f.)*

Die untersuchten Lexeme zur Benennung menschlicher Narrheit und Torheit zeigen eine deutlich dualistische Polung. Der *Mangel* an Intellektualität wird positiv gepolt, soweit ihm geistliche Kräfte entgegenstehen. Der *Besitz* von Intellektualität ohne bedingungslose Ausrichtung auf den göttlichen Willen ist für Müntzer hingegen verwerfliche Verfehlung, die explizit negativ gepolt ist und als Mangel an geistlich ausgerichteter Intellektualität verstanden wird.

Eine zentrale Strukturposition nimmt das Lexem *arm* im Feld des Mangels intellektueller Fähigkeiten ein. In SCHWABS Beitrag (s.o.) findet sich zwar eine detaillierte semantische Analyse des Lexems *arm* und der dazu in Dependenz stehenden Lexeme, doch liegt der Schwerpunkt der dortigen Analyse auf der Beschäftigung mit der *Bedürftigkeit als Kernproblem von Müntzers Lehre*. Obgleich SCHWAB zu dem eindeutigen Ergebnis kommt, daß *armut* mit seinen verschiedenen Ableitungen in der überwiegenden Mehrzahl der Belege geistigen, genauer geistlichen Mangel bezeichnet und sie damit den Bereich intellektueller Fähigkeiten deutlich berücksichtigt, ist die Aufnahme einer Analyse von *armut* unter der Perspektive des vorliegenden Beitrags von Wichtigkeit für die Vollständigkeit der Untersuchungen zum Müntzerschen Intellektualwortschatz.
Angesichts der dezidierten Ergebnisse SCHWABS können die folgenden Ausführungen jedoch nicht den Sinn einer Repetition bereits erkannter Sachverhalte haben, sondern sind vielmehr als ergänzende Analyse anzusehen, die das Lexem *armut* mit seinen Ableitungen in den Kontext der Untersuchungen zum Intellektualwortschatz einreihen.
Auf die Semantik des Müntzerschen Topos *armut des geysts* wurde bereits in 2.1. kurz eingegangen. Eine genauere Erläuterung des Lexems *armut* in der Verwendung als Nomen folgt hier. *geyst* wurde nur in 11% der Belege als allein auf den Menschen bezogen aufgezeigt – immer mit der Semantik des schwachen und unterlegenen Geistes. Die *armut des geystes* ist bei Müntzer jedoch mit der explizit positiven Polung nicht als bemitleidenswerter Mangel an Intellektualität zu verstehen; vielmehr ist *armut des geysts* bei Müntzer ein vorrangiger theologischer Terminus, der eine evidente Referenz zu tradierten mystischen Vorstellungen aufweist. Die positive Bewertung geistiger Armut ist bereits durch die Stellung in den *Beatitudines* der Bergpredigt als zentraler christlicher Gedanke angelegt: *„Beati pauperes spiritu: quoniam ipsorum est regnum caelorum.“* Mt 5, 3. Der Terminus *armut des geysts* steht bei Müntzer in offensichtlicher Referenz zu dieser Theologie und benennt die absolute Abwendung des menschlichen Geistes von irdisch-materiellen Bedürfnissen. Wesentlicher Vorgang zum Erlangen dieser spirituellen Armut ist dabei das

entwerden als Moment der beginnenden Unabhängigkeit von der *falschen* Welt. Im *entwerden* überwindet der Glaube die Welt. Goertz hat bereits früh darauf hingewiesen, daß Glaube und Welt in der Müntzerschen Theologie Antonyme darstellen (Goertz 1974). Das *entwerden* ist bei Müntzer Voraussetzung für die Einsicht in religiöse Wahrheiten und bedingt die geistige Armut. Der Topos *armut des geysts* zeigt sich damit bei Müntzer in einem Zusammenhang zum Gedanken der *electi*:

> *Wye kann ich wyssen, was Got adder teufel sey, eygen adder fromdt gut sey, es sey dan das ich myr entworden byn. (...) O wu ist unser armut des geysts, so wyr nicht darvon reden kunnen von wegen unser tregen ubung. (426, 4ff.)*

> *Christus ist nit kommen, das ehr also uns erloset hat, das wyr nicht solten erleyden (...) den armut unsers geysts. (399, 2f.)*

Die *armut des geysts* als Folge des *entwerdens* ist ein Topos der christlichen Mystik und findet sich als solcher beispielsweise dezidiert bei Heinrich Seuse: „Gegen den Hochmut des Menschen fordert Seuse eine Entäußerung *'sins geistenrichen wesens ... in ein war armout'*."[52] Das Nomen *armut* ist bei Müntzer mit der Semantik der positiv gepolten *geistigen Armut* als tradierter mystischer Begriff offenkundig.

Das Adjektiv *arm* weist dagegen eine eindeutige Negativpolung auf und bezeichnet immer den Mangel an religiöser Einsicht. Müntzer sieht die Christen seiner Zeit als geistlich verarmt an, da sie jegliche unmittelbare Verbindung zu Gott verloren haben und dieser Bruch durch die weltlichen und klerikalen Herrscher der Zeit stabilisiert wird. So sieht er seine Aufgabe im Dienst an der durch geistliche Armut gekennzeichneten *armen christenheyt* darin, ihr das *wahre* religiöse Dasein zu vermitteln:

> *Und ist yn myr wahr worden, das der ynbrunstige eifer der armen ellenden erbarmlichen christenheyt hat mych aufgessen, ... (395, 17f.)*

> *Ich gedenk Gottis kunst und glauben der armen elenden christenheit also furzutragen, wie ich durch Gottes zeugnus unbetriglich geweyset bin, ... (407, 8f.)*

Damit ist neben der Bedeutung von *arm* als positiv gepolter *geistiger* Armut die Semantik *der geistlichen* Armut der Christen zu konstatieren. 24% der Belege weisen das Lexem mit dieser negativ gepolten Semantik auf.
Neben der Verwendung des negativ gepolten Adjektivs *arm* zur Bezeichnung *geistlicher* Armut der *gesamten Christenheit*, verwendet Müntzer das Lexem in 66% der nachzuweisenden Belege zur Bezeichnung der geistlichen Armut *Einzelner* und des *Volkes*, etwa als *arme leuthe* oder *arme elende menschen*:

Gnediger her, nach dem wir armen leute, rat und gemeyne zu Alsteth Eurer Gnaden bruder, ... (405, 2f.)

Er ist abber dem armen durftigen heuflin eyn susser geroch des lebens und den wollustigen menschen eyn missfallender greuel des swynden vorterbens, 2 Chorin 2. (395, 15f.)

Die Mehrzahl der Belege zum Lexem *arm* weist damit eine explizite negative Polung mit der Semantik *geistlicher* Armut auf. Damit ist die immer noch nachweisbare Interpretation des Müntzerschen Armutsbegriffes als *materielle* Armut zu falsifizieren. In den deutschen Briefen ist kein Beleg mit eindeutiger Semantik in diesem Sinne nachzuweisen. *armut* zeigt sich bei Müntzer vielmehr als ambig gepoltes Lexem mit der positiv gewerteten Bedeutung *geistiger* Armut und der negativ gewerteten Bedeutung *geistlicher* Armut. Die Differenzierung in geistige und geistliche Fähigkeiten zeigt sich hier als zentrales Kriterium zur Qualifikation:

geistige Armut	positiv	10% der Belege
geistliche Armut	negativ	90% der Belege
[*materielle* Armut	-----	------------]

In unmittelbarem Strukturzusammenhang zum Lexem *armut* stehen die Adjektive *schwach*, *einfaltig* und *cleyn*, die alle positiv gepolt sind und in semantischer Kongruenz zur *geistigen* Armut stehen. So ist der *cleyne* Mensch bei Müntzer zu achten, da er von Gott angenommen ist und die *einfaltigen, schwachen* Menschen besitzen in ihrer Arglosigkeit eine Voraussetzung für die *visio dei*:

Wirstu dich nicht demutigen fur den cleynen, so wird dir ein ewige schande fur der ganzen christenheit auf den hals fallen und wirst des teufels marterer werden. (468, 22f.)

Es hatt der guthe einfaltige haufe sich auf euere prechtige larve vorlassen, ... (463, 24f.)

Ist euch zu rathen, vorachtet nit die geringen (wie ir pflegt, dann der herr nympt auf die schwachen, ... (464, 4f.)

B. Zusammenfassung von 2.3.

In der vorliegenden Untersuchung ist infolge der semantischen Unschärfe der Feldbenennungen, die ja nur der überblicksartigen Ordnung dienen, jeweils die Bildung von differenzierten Kategorien geboten. Die Strukturen des Müntzerschen Intellektualwortschatzes können nur mit Hilfe solcher Kategorien transparent gemacht werden, wobei die unterschiedlichen Lexemrelationen in den verschiedenen Feldern die variable Benennung jeweiliger Feldtektonik bedingen. Auf diese Weise soll der Gefahr einer zu universellen Benennung der Feldstrukturen durch allgemeingültige Kategorisierungen innerhalb der Untersuchung bewußt aus dem Weg gegangen werden. Die Zusammenfassungen gelten daher nur für die Strukturanalysen des jeweils untersuchten Feldes. Der Überblick zu den relevanten Kategorien für den *gesamten* Intellektualwortschatz ist in das Fazit der Untersuchung eingearbeitet. Bisher wurden vornehmlich die Referenzen auf die Theologie der Trennung von *impii* und *electi* einerseits und auf den mystischen Erkenntnisweg andererseits als kategorisierende außersprachliche Maßstäbe Müntzers erkannt.
Die Struktur des Feldes *Mangel intellektueller Fähigkeiten* bedingt eine weitere Differenzierung des Begriffs der intellektuellen Fähigkeit bei Müntzer und zeigt die Notwendigkeit einer variablen Kategorisierung der Lexeme im Vergleich zu 2.1., 2.2. und 2.3. auf.
Intellektuelle Fähigkeiten sind in 2.3. mentale Vermögen geistiger und geistlicher Art. Der Mangel an intellektuellen Fähigkeiten benennt die positiv gepolte stilisierte Unfähigkeit *geistiger* Art. Damit ist die Besitzlosigkeit an irdisch-materiell relevanter Intellektualität gemeint, die für Müntzer Zeichen der Emanzipation von der *falschen* Welt ist. Die Loslösung von der Welt – Müntzer verwendet zur Bezeichnung den mystisch tradierten Begriff *entwerden* – als unentbehrliche Voraussetzung für die Prädestination durch Gott, bedingt die deutliche Positivpolung aller Lexeme zur Bezeichnung *geistigen* Mangels. Hier wird die Implikation der paulinischen Theologie deutlich, daß die Weisheit der Welt die Torheit vor Gott ist (1 Kor 1, 18f.). Neben dieser Bedeutung bezeichnet der Mangel intellektueller Fähigkeiten jedoch auch den von Müntzer negativ bewerteten *geistlichen* Mangel. Dieser zeigt sich in der bewußten Abwendung von der spirituellen Welt Gottes oder im Verlust geistlicher Fähigkeiten durch die *falsche* Theologie der *schrifftgelehrten*, die dem Volk nach Müntzers Einschätzung den unmittelbaren Weg zu Gott verstellt haben, indem sie die Verwalter eines *Deus revelatus* sind. Müntzers Kirchenkritik basiert wesentlich auf der Erkenntnis des Mangels an *geistlichen* Fähigkeiten. Die Lexeme zur Benennung *geistlichen* Mangels zeigen sich damit als gewichtige Termini des

Reformators Müntzer. Er bezeichnet mit ihnen die glaubensfeindlichen Haltungen der Menschen mit der Intention des theologischen Gegenentwurfs einer Kirche der Auserwählten, für ihn Telos der Christen. In der zensierten Fassung seiner Schrift „*Ausgetrückte emplössung*“ schreibt er:

> *Alle auserwelten werden mussen berechnen, wie sie zum glauben komen seint. Das macht alsdan eine rechte, christliche kirche, den gotlosen vor dem auserwelten zu erkennen. (310, 18ff.)*

Die für das Feld des *Mangels intellektueller Fähigkeiten* notwendige Differenzierung in *geistige* und *geistliche* Fähigkeiten ist als Feldkategorisierung nicht auf die Gesamtstruktur des Intellektualwortschatzes zu übertragen. Nicht alle auf die Welt gerichteten intellektuellen Fähigkeiten sind bei Müntzer negativ gepolt und somit in die hier vorgenommene Kategorisierung einzuordnen. Die intellektuelle Durchdringung der Welt hat bei Müntzer, soweit sie an religiösen Maßstäben orientiert ist, durchaus eine signifikante Funktion, etwa als Erkenntnis des *falschen* Glaubens der regressiven weltlichen Herrscher. Es wäre jedoch eine Vermischung der Kategorien, wenn man diese Form positiv gepolter intellektueller Fähigkeiten als *geistliche* Fähigkeiten bezeichnen würde.
Für das Feld des *Mangels intellektueller Fähigkeiten* ist jedoch die Differenzierung in *geistigen* und *geistlichen* Mangel unabdingbar.

Folgende Übersicht zur Positiv- und Negativpolung der Lexeme faßt das Untersuchungsergebnis zusammen: 59% der Lexeme bezeichnen den negativ gepolten *geistlichen* Mangel und 41% den positiv gepolten *geistigen* Mangel.

Die Graphik zur Belegung von *arm/armut* im Vergleich zu den übrigen Lexemen zur Benennung geistigen oder geistlichen Mangels veranschaulicht die Chronologie der Verwendungen mit der auffallenden Abnahme von 'arm/armut' 1525 und der analogen Zunahme der übrigen Lexeme in der Sprachverwendung Müntzers. Dieses Ergebnis kann hier nur angemerkt werden und soll nach einer Analyse des gesamten Müntzerschen Idiolektes in seiner Relevanz für das Welt- und Menschenbild Müntzers im Jahr 1524 zu einem späteren Zeitpunkt näher interpretiert werden.

Abb. 4

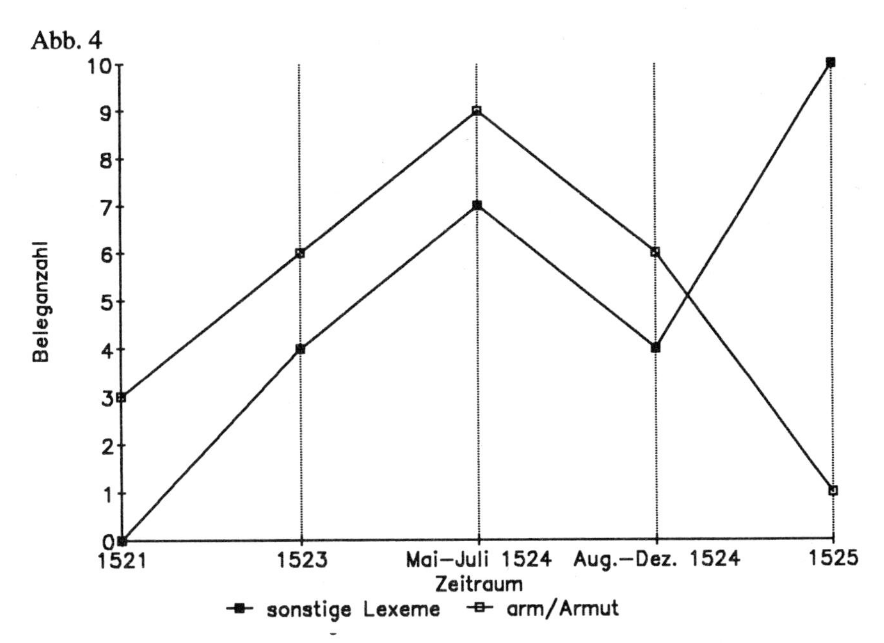

Übersicht zur Positiv- und Negativpolung der in 2.3. untersuchten Lexeme

POSITIV GEPOLTER GEISTIGER MANGEL	LEXEM	NEGATIV GEPOLTER GEISTLICHER MANGEL
	UNSINNIG	- -
	UNVORSTENDIG	- -
	UNVORSTENDLICH	- -
	GROB	- -
	VERSTOCKT	- -
+ - - - - - - - - - - - - - - - - - -	*NERRISCH*	- -
+ - - - - - - - - - - - - - - - -	*UNGEMUSTERT*	
+ - - - - - - - - - - - - - - - - - -	*UNWITZIG*	- -
	TOLL	- -
	WANSYNNIG	- -
+ -	*ARMUT*	
	ARM	- -
+ -	*SCHWACH*	
+ -	*EINFALTIG*	
+ -	*CLEYN*	

2.4. *Die intellektuellen Fähigkeiten der Täuschung*

A. *Analyse*

Als Merkmal der Müntzerschen Weltbildstruktur zeigte sich in den vorangegangenen Untersuchungen ein religiöser Dualismus: Die Welt des Seins ist in die disparaten Bereiche der *kreatürlich-natürlichen* Welt und der *spirituell-göttlichen* Welt gegliedert. Diese divergierenden Seinsbereiche stehen in direkter Kohärenz zu den Antonymen wahr-falsch, die als qualifizierende Merkmale der Semantik allen Lexemen des Intellektualwortschatzes mehr oder weniger inhärent sind. Insbesondere durch die Analyse des Feldes der *intellektuellen Fähigkeiten der Täuschung* kann die Wichtigkeit dieser Antonyme im Müntzerschen Weltbild verifiziert werden, zeigt sich doch gerade hier die Kongruenz der Antonyme wahr-falsch mit gut-schlecht, d.h. der Zusammenhang des Müntzerschen Wahrheitsbegriffes mit einem qualitativ differenzierenden Weltverständnis.

Täuschung wird von Müntzer als trügerisches Abbild einer pseudo-realen Welt verstanden, das als Falsum der Wahrheit konträr entgegengeordnet ist. Der diese Klassifikation bedingende Wahrheitsbegriff ist dabei einzig auf die *spirituell-göttliche* Welt beschränkt; die Implikation von Joh 14, 6 in dieser Vorstellung ist evident: *„Ego sum via, et veritas, et vita."*

Die von Gott entfernte Welt wird von Müntzer als Welt des falschen Seins beurteilt, in der die intellektuellen Fähigkeiten der Täuschung lokalisiert sind. Diese Kohärenz von falscher Welt und Täuschungsabsicht findet sich bereits in der *„Theologia deutsch"* und zeigt sich damit als mystisch tradiert: *„Aber das falsch licht wirt vnd ist betrogen vnd betruget vorbas ander mit ym."*[53]

Bevor die eigentlichen intellektuellen Fähigkeiten der Täuschung analysiert werden, sollen zunächst die Lexeme untersucht werden, die bei Müntzer zur Benennung der falschen, täuschenden Welt zu belegen sind. Als ein solches Lexem zur Bezeichnung der Welt des Falsums zeigt sich bei Müntzer das Lexem *scheyn*. Der von der *natürlich-kreatürlichen* Welt nicht emanzipierte Mensch lebt nach Müntzers Vorstellungen solange im *scheyn*, bis er beginnt, seinen Eigenwillen zu brechen:

> *Sunst treybt ehr ummer bey yhm selber eynen scheyn, ehr betreugt sich auch selbern. (418, 33f.)*

Eine wesentliche Aufgabe des eigenen reformatorischen Dienstes sieht Müntzer im Kampf gegen den *scheyn*, da die Möglichkeit einer Erkenntnis des *scheyns* als falsch aufgrund ihrer Urteilsfähigkeit nur den Auserwählten zukommt[54)], so daß die Gefahr des *scheyns* in der täuschenden Wirkung auf die Massen liegt. Als

Werkzeug zur Verbreitung des *scheyns* sieht Müntzer dabei vor allem die Kirche seiner Zeit:

> *Nachdem die not aufs allerhoechst foddert, allem unglauben vorzukommen und zu begegnen, wilcher sich mit dem scheyn der christlichen kirchen bisher beholfen... (430, 4f.)*

Dem *scheyn der christlichen kirchen* wird im Sinne des eschatologisch determinierten Dualismus die Vorstellung einer *ecclesia christi* (vgl. Goertz 1989a, 34) der Auserwählten entgegengestellt. Im Glauben an diese Kirche der Zukunft sieht Müntzer die Welt des *scheyns* als zeitlich begrenzt an und beschwört so das Erwachen einer Welt der Wahrheit:

> *Es scheynt, wie die gottlosen ewig solten das regiment behalten, aber der breutgam kummet aus der schlaffkamer wie ein gewaltiger, der wol bezecht ist, der alles verschlaffen hat, was seyn gesinde anricht, ... (402, 31ff.)*

Das Lexem *larve*, das synonym mit nhd. Täuschung ist, verwendet Müntzer nur in seinem Brief an die Eisenacher vom 9. Mai 1525. Müntzer meint, den Sieg der *göttlich-spirituellen* über die *natürlich-kreatürliche* Welt unmittelbar vor sich zu sehen, denn jetzt ist *dye ganze welt sonderlich fast bewegt zu erkentnus gottlicher warheit (463, 9f.)*. Das feindselige Verhalten der Stadt Eisenach gegenüber den Schmalkaldener Müntzeranhängern motiviert Müntzer zu einer deutlichen Verurteilung der Täuschungsversuche seitens der Stadt, da er befürchtet, daß der *einfaltige haufe* der Bauern den vorgetäuschten *Wahrheiten* Glauben schenken könnte:

> *Es hatt der guthe einfaltige haufe sich auf euere prechtige larve vorlassen, [...] Warlich diese that an unsern brudern volzogen beweyset eure hinderlist. (463, 24ff.)*

Es ist stringent, daß in Müntzers Kampf um die *ecclesia christi* neben der Kirche seiner Zeit vor allem die weltlich-regressiven Herrscher als Hindernis bewertet werden, da auch sie den Glauben an eine *falsche* Welt verbreiten und stabilisieren. Müntzer verwendet zur Bezeichnung einer derartigen weltlichen Täuschung das Adjektiv *schal*. In seinem Brief an Graf Albrecht von Mansfeld droht er mit den Worten:

> *Wo aber nicht, werden wyr uns an deyne lame, schale fratzen nichts keren und widder dich fechten, wie widder eynen erz feynd des christenglaubens. (470, 11f.)*

Die *schalen fratzen* stehen als vorgetäuschte Wahrheit, als Schein dem Telos einer *ecclesia christi* konträr entgegen.

Die Bedeutung der Rezeption mystischer Schriften für Müntzers Motivation im Kampf gegen die *falsche* Welt zeigt sich in der Verwendung des Lexems *faul*. Müntzer bezeichnet mit der Metapher des *faulen wassers* die Welt des Scheins:

> *Wan eyn mensche seynes ursprungs gewar wyrd ym wylden meer seyner begegnung, [...], so mus er thun wie eyn fisch, der dem faulen wasser von oben ernydder nachgangen ist: kert widder umb, ... (403, 13)*

Eine explizite Konkordanz zu dieser Metaphorik findet sich in Taulers Predigt „*Recumbentibus undecim discipulis*“: „*Es worent fule wasser das in den cisternen was. Sie wolten etwas schinen und út sin, und do enwas nút ime.*“[55] Die Metaphorik des faulen Wassers als Bezeichnung für den Schein der Welt ist für Müntzer damit als eindeutig mystisch tradiert aufgezeigt und bestätigt auf der Wortebene Goertz' Beurteilung einer „*formelhaften Verwendung der mystischen Begrifflichkeit*“ (Goertz 1989b, 92).
Im Sinne einer Potentialität jedes Menschen zum Wahren haben die Gläubigen in Müntzers theologischem System trotz aller Gefahren des täuschenden Scheins der *natürlich-kreatürlichen* Welt immer die Möglichkeit, durch eine Entwicklung zum Auserwählten das Falsum dieser vorgetäuschten Welt zu durchschauen. Die Anhänger des *falschen* Glaubens – bei Müntzer insbesondere die *schrifftgelehrten* – bleiben dagegen immer im Schein gefangen, da ihre Ziele nicht nach göttlichen Maßstäben ausgerichtet sind. Sie *dungken* Gott einen Dienst mit ihren Werken getan zu haben, bleiben jedoch der Welt der Täuschung verhaftet. Müntzer sieht darin eine tröstende Gerechtigkeit Gottes und sendet daher folgende Paraphrasierung von Joh 16, 1 an die verfolgten Christen in Sangerhausen:

> *»Ir solt euch nicht doran ergern, dann die gotloßen werden euch aus der gemeyn vorstossen und kumpt die stunde, da sie sich werden dungken lassen, wenn sie euch wurgen, sie haben Got eynen dynst doran gethan.« (411, 10ff.)*

Die untersuchten Lexeme zur Bezeichnung der *natürlich-kreatürlichen* Scheinwelt sind nicht Benennungen von Intellektualfähigkeiten des Menschen, sondern bezeichnen eben die Erscheinungsformen einer unwahrhaftigen Welt. Doch bilden sie die Voraussetzung für die eigentliche Analyse der intellektuellen Fähigkeiten der Täuschung, insofern Müntzers Qualifizierung der natürlich-kreatürlichen Welt die Bezeichnungen der menschlichen Fähigkeiten zur Täuschung prädeterminiert. Bezogen auf das Feld der *intellektuellen Fähigkeiten der Täuschung* zeigt sich damit die Problematik der bruchlosen Einordnung in den Kontext der Untersuchung zum Mentalwortschatz. Das *Feld der Täuschung* beinhaltet durchaus Lexeme, die keine intellektuellen Fähigkeiten bezeichnen, sondern *falsches* Sein. Die enge semantische Dependenz solcher Lexeme mit denen, die explizit intellektuelle Täuschungsfähigkeit benennen, rechtfertigt jedoch eine universelle Subsumption aller Lexeme des *Felds der Täuschung* in den Sinnbezirk der mentalen Fähigkeiten.[56)]

Die Kohärenz der Lexeme zur Bezeichnung der Täuschungsfähigkeiten zu den zuvor untersuchten Lexemen besteht in dem Abhängigkeitsverhältnis von *falschem* Sein und menschlichem Handeln. Die Fähigkeit des Intellekts liegt dabei im bewußten Weitertragen falscher Inhalte und in der Verbreitung *falschen* Seins, wobei der auf Täuschung gerichtete Wille als Ursache der spezifischen Spielarten der Irrtumserregung anzusehen ist. In der bewußten Absicht, also in einer willensbestimmten aktiven Handlung liegt für Müntzer das Verwerfliche der Täuschung.

Das Lexem *tichten* ist in der hier zu untersuchenden Lexemgruppierung an zentraler Stelle einzuordnen. Es bezeichnet die intellektuelle Fähigkeit des bewußten Verfälschens und steht damit in Kohärenz zu Müntzers Qualifizierung des *lumen naturale, welchs sich schwindet durch die falschen diener des worths zum vorterbnus der welt* (464, 10f.). Die Fähigkeit des *tichtens* sieht Müntzer ausnahmslos bei den Gruppierungen des Klerus. Seiner Ansicht nach versucht der Klerus, sich durch vorsätzliches Verhalten der unabdingbaren Unterwerfung unter den Willen der Furcht Gottes zu entziehen. Die *reyne[n] ungetichte[n] furcht* Gottes (411, 2) steht dem *tichten* oppositiv entgegen:

> *Darumb tichten sie Christum zu eynem erfuller des gesetzes, auf das sie durch angebung seynes creuzes das werk Gottes nicht durfen leyden. (404, 10f.)*

Die Implikation eines Vorteilsgedankens in der Semantik des Verbums *tichten* ist deutlich. Müntzer sieht in der Verbreitung des *getichten glaubens* durch den Klerus eine eminente Gefahr der Verfälschung der *göttlich-spirituellen* Wahrheit. Von allen nachzuweisenden Belegen des Lexems *tichten* bezeichnen 44% diesen Topos Müntzerscher Theologie, dessen Stellung auch durch die Verwendung als Titel der Schrift „*Von dem getichten glawben*“ deutlich ist. Wesentlicher inhaltlicher Bestandteil des *getichten glaubens* ist die Leugnung unmittelbarer mystischer Gotteserfahrung, der Gedanke, daß Gott nicht mehr wie in alttestamentlichen Zeiten direkt zu den Menschen spricht und daher die Auslegung der Bibel primäre Aufgabe der Kirche sei. Das Verdikt des Klerus über die Möglichkeiten der Gotteserfahrung nötigt Müntzer aufgrund seiner theologischen Überzeugung, den offiziellen Glauben seiner Zeit als *getichten glauben* zu verwerfen:

> *Also hab ich euch geweyset vom getichten glauben, welcher vorm warhaff-tigen muß heergehen und entplossen dye begyr, ... (425, 3f.)*

Ergernuß kump von eynem unvolkommen adder von eynem getychten glauben, welcher myt aller unbarmherzykeit muß ausgerrot werden, ... (426, 11f.)[57]

Müntzer ist von den taktischen Absichten der *natürlich-kreatürlichen* Welt überzeugt, die für ihn gleichbedeutend mit der Welt des Unglaubens ist. So sieht er die *getichte gutikeit* als einen Versuch, mit vorgetäuschten positiven Haltungen die Unwahrheit zu verbreiten:

..., allem unglauben vorzukommen und zu begegnen, wilcher sich mit dem scheyn der christlichen kirchen bisher beholfen und itzt mit der betriglichen gestalt der fleischlichen und getichten gutickeit dargestellt wird, ... (430, 5ff.)

Innerhalb des Müntzerschen Weltbildes sind die Absichten des *getichten glaubens* letztlich in der Welt des Teufels lokalisiert. Erkennbar ist das in Müntzers Gedanken, daß ein Mensch ohne jegliche Kenntnis der Bibel allein durch die Lehre des Geistes *„einen unbetrieglichen christenglauben"* haben kann mit der Gewißtheit, *„das er solchen glauben vom unbetrieglichen Got geschopfft und nit vom abgekunterfeyten des teufels"*[58]. Dieser Gedanke ist an das Schriftverständnis der Wittenberger adressiert, das Müntzer als teuflisch bewertet. *geticht* ist auch explizit zur Bezeichnung des Fegefeuers zu belegen:

..., dan ich weyß woll, das alle wolfart der gottis lesterer aufm getychten fegfeuer stehet. (399, 29f.)

Die Konnexion des Gedankens einer falschen Welt mit dem Element des Teuflischen ist spezifisch. Kennzeichen der Auserwählten ist somit insbesondere, daß sie

den teufel mit allen anslegen, tucken und gesprenge disser welt nicht furchten. (448, 18f.)

Neben dem Lexem *tichten* bezeichnet eine Vielzahl weiterer nur gering belegter Lexeme die menschliche Fähigkeit der Irrtumserregung.
Ebenso wie *tichten* ist das Adjektiv *betriglich* im Kontext der Auseinandersetzungen mit dem Klerus nachzuweisen als *„betrigliche[n] gestalt der fleischlichen und getichten gutigkeyt"* (430, 7), wohingegen das Verbum *betreugen* im einzig nachweisbaren Beleg die Fähigkeit des Menschen zum Selbstbetrug benennt, zur Selbsttäuschung:

Sunst treybt ehr ummer bey yhm selbern eynen scheyn, ehr betreugt sich auch selbern. (418, 33f.)

vorgeben bezeichnet im einzig nachweisbaren Beleg die Täuschungsabsichten der regressiven weltlichen Herrscher. Müntzers Brief an die Sangershäuser vom 15. Juli 1524 beinhaltet deutliche Warnungen vor dieser weltlichen Taktik:

Wann nun die wutrichte wollen vorgeben, ir sollet euern fursten und herren gehorsam seyn, so habt yr zu antworten: ... (412, 21f.)

Die Opposition von Gottesfurcht und Täuschung in Müntzers Weltbild ist explizit in diesem Brief ausgeführt und steht in Zusammenhang mit dem Lexem *heucheln*:

So seyndt alle euer prediger heuchler und anbetter der menschen. [...] Das saget yn frey ungeheuchelt, yr werdet stehen, wo yr allein Got forchtet und nicht heucheln werdet. [...] Werdet yr aber heucheln, so wyrdet euch Got also engesten, ... (414, 15, 30, 32)

Das auffallend redundant verwendete Verbum *heucheln* ist in diesem Beleg als Hinterlist der Kreatur im Gegensatz zur Einfältigkeit Gottes zu verstehen, wobei der sich aus Müntzers Weltbild ergebende obligatorische Zusammenhang der Täuschungsfähigkeit mit dem Teufel auch für das Lexem *heucheln* in der orthographischen Variante der *hugeley* nachzuweisen ist:

Ir werdet anderst das umbs teufels willen und euer hugeley leiden, das ir schlecht mit Gotte durch geringe bekommernis erdoldet etc. (448, 27f.)

Das Lexem *hinterlist* bezeichnet eine spezifische Form der Täuschung, insofern Müntzer in 60% der Belege das Substantiv in direktem Bezug auf monetären Vorteil verwendet. Die *hinterlist* zeigt sich damit als eine von jeglicher religiöser Vorstellung losgelöste Fähigkeit der persönlichen Vorteilssuche in den Zusammenhängen der *natürlich-kreatürlichen* Welt[59]:

Habt achtung dorauf, das yr euch nicht mit der nassen lasset rumerfuren mit vorgebnen drauworten und mit der hynderlyst der wuchersuchtigen. (408, 7f.)[60]

Die übrigen 40% der Belege weisen *hinterlist* in analoger Semantik zu den bisher untersuchten Täuschungsfähigkeiten auf. *hinterlist* benennt hier die Täuschungsabsichten der *falschen* Welt, im besonderen der *heymlichen luste*:

Do mus der mensch emsig seyn, das yhm die heymlichen luste, die mechtig hinderlistig seyn, zu verstehen gegeben werden. (404, 16f.)

Schließlich ist noch eine Gruppe von Lexemen zu untersuchen, die hinsichtlich der Anzahl der Belege von eigenständiger Bedeutung ist, deren Semantik jedoch mit den bisher in diesem Zusammenhang untersuchten Lexemen kongruiert.

buben sind solche Menschen, die sich von Gott abgewendet haben und der *natürlich-kreatürlichen* Welt Vorschub leisten; sie sind für Müntzer Betrüger an der göttlichen Wahrheit. So bezeichnet Müntzer den Grafen Ernst v. Mansfeld als *buben* (396, 14) oder in bezug auf die Gottlosen spricht er von den *gottlose[n] buben* (409, 22). *buben* steht synonym für die *impii* und somit konträr zum Begriff der *electi*. Daraus resultiert die eindeutige Erklärung, daß *buben*, d.h. Betrüger an der göttlichen Wahrheit im Bund der Auserwählten keinen Platz finden dürfen:

> *Wan aber daruber buben und schelk darunter weren, zu mißbrauchen solchs bundes, so soll man sye tyrannen uberantworten ader selbst nach gelegenheit der sache richten. (422, 26f.)*

Ein aufschlußreicher Beleg zeigt *buben* in einer gegensätzlichen Verwendung auf. Müntzer schreibt an die Sangershäuser, daß die Auserwählten von den Gottlosen als *buben* angesehen werden:

> *... das eyn ytzlicher, der da gerne recht teth [...], muß vor den gotloßen ein Ketzer, ein schalk und bube, [...], gehalten werden. (411, 14f.)*

Dieses Urteil der Gottlosen basiert jedoch auf falschen Bewertungskriterien und ist daher durch Müntzer leicht falsifizierbar. Das Substantiv *bueberey* benennt die aktive Ausübung des Betrugs und ist daher in Kollokation mit *getichter glaube* und den *gotlosen* nachzuweisen:

> *..., dan der getichte glaube hat doselbst aller bůberey stadt gegeben. (398, 11f.)*

> *..., den wurde dye buberey der gotlosen numermehr entdecket zu grunde, ... (423, 20f.)*

Das Lexem *bosewicht* benennt die Akteure der *natürlich-kreatürlichen* Welt. Müntzer gibt selber eine Erklärung des Nomens:

> *Dan wer do nit gleichformig wyrd dem sone Gottis, ist eyn morder und bosewicht, ... (399, 6f.)*

Das zugehörige Adjektiv verwendet Müntzer zur Bezeichnung der *boßewychtischen tyrannen* (471, 13) und der *bößwichtischen oberkeit (469, 9)*.
Synonym mit *bosewicht* ist das Lexem *schalk*, das Müntzer ebenso zur Bezeichnung bösartig täuschender Menschen verwendet. Dabei zeigt sich der Teufel wiederum als eigentlicher Ausgangspunkt aller Lüge:

> *Der teufel ist gar ein listiger schalk ... (413, 19)*

Als Telos aller reformatorischen Bemühungen Müntzers ist der Aufbau einer *renovata ecclesia apostolica* (Elliger 1975, 247) anzusehen. Die Stellung der *electi* leitet sich aus dieser finalen Determiniertheit des theologischen Systems Müntzers ebenso ab, wie die Bekämpfung der *impii*, als der *natürlich-kreatürlichen* Welt verhaftete Menschen, die der theologischen *causa finalis* den Weg verstellen. Hier findet Müntzers „*mystisch begründeter Antiklerikalismus*" (Goertz 1989a, 166) seine Legitimation. Als spezifische intellektuelle Täuschungsfähigkeit ist bei Müntzer in diesem Zusammenhang das Vermögen zur Verleugnung anzusehen, also die Verdrängung der Wahrheit trotz besseren Wissens.
Die Semantik des Lexems *leugnen* zeigt eine deutliche Referenz auf Müntzers Vorstellungen des *getichten glaubens* und impliziert vor allem die Annahme einer bewußten Ablehnung der göttlichen Wahrheit durch den Klerus. Wie bereits dargestellt wurde, zeigt sich als maßgeblicher Aspekt des *getichten glaubens* die Verleugnung des Gedankens einer für jeden Menschen möglichen Gotteserkenntnis. Müntzer sieht diese Ansicht als Leugnung der Spiritualität Gottes überhaupt:

> *..., unangesehen alle schriftgelehrten, die den Geist Cristi offenbarlich leucken. (407, 14)*

Wenn Müntzer davon spricht, daß „*dye ganze scrift muß yn ydern menschen wahr werden*" (399, 22), so meint er damit das unmittelbare Tätigwerden des göttlichen Geistes im Menschen; die Vermittlerrolle des Klerus wird damit unnötig und zeigt sich geradezu als hinderlich. Dieser Gedanke ist für Müntzer unanfechtbar, so daß er an Christoph Meinhard schreibt:

> *Wer myr duß wyrt leugnen, do wylich beweysen aufenberlich, das ehr nicht eynem wort yn der biblien gleubt ... (399, 23f.)*

Das präfigierte Verbum *verleugnen* ist synonym mit *leugnen*, zeigt jedoch auf Grund der wesentlich höheren Belegung eine differenzierte Kontextverwendung. Neben der Bezeichnung zur unmittelbaren Verleugnung göttlicher Wahrheit findet sich das Lexem in differentem semantischem Bezug in Müntzers Brief an die Allstädter vom 15. August 1524. Müntzer befürchtet eine Verleugnung der Ideen des ewigen Bundes durch einzelne Mitglieder, was ihn zu einer adhortativen Beschwörung veranlaßt:

> *Nuhn yhr also forchtsam seit, das yhr den bund Gottis, welchen yhr das alte und neue testament heysset, dorfet umb der gotlosen willen mit den von Orlamunda vorleugken, do kan ich nit zu, ... (434, 8f.)*

Hier ist das Lexem bezogen auf einen Verrat am göttlichen Bund aus möglicher Angst vor den regressiven weltlichen Herrschern. Auch eine solche *verleugnung* stellt sich für Müntzer als *schendlicher unglaube (413, 22)* dar, denn sie ist Verrat an der göttlichen Wahrheit. Um diese Wahrheit erfahren zu können, muß der Mensch sich mit den allgemeinen Glaubensgrundsätzen in ständiger Auseinandersetzung befinden.[61] Charakteristikum der Ungläubigen ist daher die Verleugnung bereits dieser Voraussetzungen für jegliche religiöse Entwicklung:

> *Es werden die leute wollustig seyn, liebhaber der luste und werden sagen, man konne das werk Gottes nicht erleyden, nicht verstehen, das ist sie werden verleugnen die studierung, die betrachtung des gesetzs, das das werk Gottes erkant wird. (404, 21ff.)*

Müntzer meint hier in Anlehnung an 2 Tim 3, 2–5 die biblische *abnegatio*[62].
In Müntzers Brief an die katholische Obrigkeit von Sangerhausen ist das Lexem *verleumnen* nachzuweisen. Müntzer setzt sich hier für den verfolgten Till Bansen ein, den die katholischen „*prediger also ganz lesterlich verleumnen*" (410, 16). Die Verleumdung wird von Müntzer als hochverwerfliche Fähigkeit klassifiziert:

> *Ich weyß, das keyne abgottischer menschen ym lande seyen dan yhr. (410, 18f.)*

Ebenso wie *verleumnen* ist auch das Adjektiv *verlogen* nur einmal zu belegen und bezieht sich auf Luther und seinen „*brieff an die Fuersten zu Sachsen von dem auffrurischen geyst*". Dieses Pamphlet Luthers gegen die Theologie Müntzers beinhaltet vor allem die Auseinandersetzung mit mystisch legitimierten Glaubensvorstellungen. Im Hinblick auf Müntzers Kritik an den *schrifftgelehrten* und den Gedanken des Leidens als Voraussetzung zur Gotteserkenntnis schreibt Luther:

> *„Gottes stym (sagen sie) mustu selbst hören / und Gottes werck ynn dyr leyden / und fuelen wie schweer deyn pfund ist / Es ist nichts mit der schrifft / Ja Bibel Bubel Babel etc. Wenn wyr solche wort von yhnen redeten / so were yhr creutz und leyden (acht ich) theurer / denn Christus leyden / …"*[63]

Müntzer verwahrt sich gegen eine derartige Beurteilung seiner Theologie und bezeichnet Luther als *verlognen* Menschen:

> *…, wie itzt der verlogne Luther thut in seynem schantbrief, an die herzogen zu Sachsen und widder mich ausgangen, do ehr so grymmig und heslich einher platzt als ein prachtiger tyranne on alle bruderliche vormanung. (430, 15f.)*

Müntzer sah Luther hier bereits als einen *tyrannen*, der in der *luegenhaftigen* Welt lebt und damit dem Ziel einer *renovata eclesia apostolica* hindernd im Weg steht.

Offensichtlich erfolgt die Bewertung von Phänomenen bei Müntzer grundsätzlich aus einer Beurteilung des spezifischen Realitätscharakters in bezug auf das göttliche Sein, das allein als wahr und damit als real von Müntzer anerkannt ist. Aus diesem Bewertungskriterium ergibt sich sowohl die allgemeine Qualifizierung der *natürlich-kreatürlichen* Welt als *falsch*, als auch die spezifische Bewertung einzelner Seinsphänomene. Zeigte sich bisher bereits deutlich die Kohärenz der Antonyme wahr-falsch mit gut-schlecht in bezug auf Müntzers Bewertungskriterien, so ordnet sich in diese Schematik zusätzlich das Begriffspaar *schön-häßlich* ein.
Das Schöne ist bei Müntzer jedoch nicht als ästhetische Kategorie anzusehen, sondern vielmehr in die Zusammenhänge der theologischen Weltsicht eingeordnet. Für Müntzer ergibt sich aus dem Maßstab göttlicher Wahrheit auch die Bewertung des spezifischen Realitätsgehaltes des Schönen als wahr oder falsch. Das Schöne ist dann falsch, wenn es im Zusammenhang mit der *natürlich-kreatürlichen* Welt steht. In dieser gottabgewandten Welt ist es funktional, insofern es dem falschen Sein den täuschenden Glanz der Wahrheit gibt. Nur mit dieser Negativpolung ist das Lexem *schoͤn* im untersuchten Corpus nachzuweisen. Die Semantik hat dabei keinerlei Bezug zu ästhetischen Bewertungen, sondern bezieht sich allein auf den täuschenden Charakter eines Phänomens der *natürlich-kreatürlichen* Welt. In diesem Sinne bezeichnet Müntzer einen taktischen Brief Herzog Johanns mit dem Adjektiv *schoͤn*, um damit durch ein kommunikatives Signal deutlich zu machen, daß er die vorgetäuschten Absichten durchschaut hat:

> *Wye wol herzog Hans aus Duringen schoͤn gescriben hat, von forcht und scheu wegen, dye er hat vor myr, ... (436, 25f.)*

Ebenso explizit negativ gepolt ist das Lexem *fein*, wobei es jedoch im einzigen Beleg in phraseologischer Verknüpfung erscheint und somit für die vorliegende Untersuchung nur von sekundärer Relevanz ist. *fein spiel anrichten* steht bei Müntzer für das nhd. 'übel mitspielen':

> *Ich wol ein fein spiel mit den von N. angerichtet haben, wenn ich lust hette aufrhur zu machen, wie mir die luegenhaftige welt schuld gibt. (450, 12f.)*

Als Lexem von primärer Relevanz zeigt sich hingegen das Adjektiv *zart*. Es ist im untersuchten Corpus als ambig gepolt zu belegen. *zart* verwendet Müntzer einerseits zur Benennung der Reinheit Christi; hier ist das Lexem evident positiv gepolt:

..., dann er hat euch mit dem bluet seynes zarten sons Jhesu Cristi gleich so theuer gekauft. (414, 4f.)

Es hat Cristus Jhesus der zarte son Gotts mit claren worten gesaget... (411, 3f.)

Andererseits steht das Lexem mit negativ gepolter Semantik im Kontext der intellektuellen Täuschungsfähigkeit; es benennt dann die taktischen Absichten des *getichten glaubens:*

Ist daruber aufzumerken, aus welcher zartheit uns solche unzymliche rhue in unbilicher vortragung wirt entdeckt. (397, 23f.)

B. Zusammenfassung von 2.4.

Das Feld der *intellektuellen Fähigkeiten der Täuschung* weist eine spezifische Einheitlichkeit der Lexempolung auf. Dabei zeigt sich die Referenz zu dem theologisch motivierten Gedanken einer *falschen* Welt als durchgehendes Qualifizierungskriterium für die Semantik aller Lexeme. Die konsequente Negativpolung folgt aus der Konjunktion der Antonyme

wahr – falsch
gut – schlecht
schön – häßlich.

Die Trias von wahr-schön-gut steht hier jedoch konträr zur idealistischen Philosophie. Bei Müntzer haben diese Begriffe einen Bezug zum göttlichen Sein; der *splendor veritatis* ist einzig auf die Welt Gottes beschränkt. Die Welt der Täuschung ist bei Müntzer unabdingbar negativ qualifiziert, die Invariabilität der Polung zeigt dies deutlich.
Als hervorzuhebendes Ergebnis der Untersuchung zum Feld der *intellektuellen Fähigkeiten der Täuschung* ist neben diesen allgemeinen Überlegungen die auffallend hohe Zahl von nur einmal zu belegenden Lexemen festzuhalten. Müntzer verwendet zur Bezeichnung menschlicher Täuschungsfähigkeit ganz offensichtlich Lexeme, die nicht als Kernlexeme kontinuierlich in seinem Wortschatz aufzuweisen sind. Diese jeweils einmaligen Verwendungen deuten auf die untergeordnete Funktion von *Leitvarietäten* im Frnhd. hin, auf die in der jüngsten linguistischen Forschung hingewiesen wurde.[64] Die häufige Einmalbelegung kann auf dem Hintergrund dieser *Vertikalisierungstheorie* als zeittypisch bewertet werden.

Eine Graphik, die die relative Lexemfrequenz in chronologischer Abfolge zeigt, macht dieses Ergebnis anschaulich. Der statistischen Erfassung sind dabei die 4 Lexemgruppierungen des Feldes der *intellektuellen Fähigkeiten der Täuschung* subsumiert. Die relative Lexemfrequenz ergibt sich aus dem Belegvorkommen bezogen auf die Gesamtanzahl der Lexeme in der jeweiligen Gruppe. Dabei wird das ungleichmäßige Vorkommen sichtbar, die sprunghafte Zunahme für den Zeitraum Mai-Juli 1524. Als Vergleichswert ist eine Kurve für das Lexem *geyst* eingefügt, als Beispiel einer kontinuierlichen relativen Frequenz.

Gruppe 1: schein, larve, schal, faul, dungken
Gruppe 2: tichten, betriglich, betreugen, vorgeben, heucheln, hugeley, hinterlist, buben, buebery, bosewicht, schalk
Gruppe 3: leugnen, verleugnen, verleumnen, verlogen, luegenhaftig
Gruppe 4: schoͤn, fein, zart
Vergleichskurve: geyst

Abbildung 5

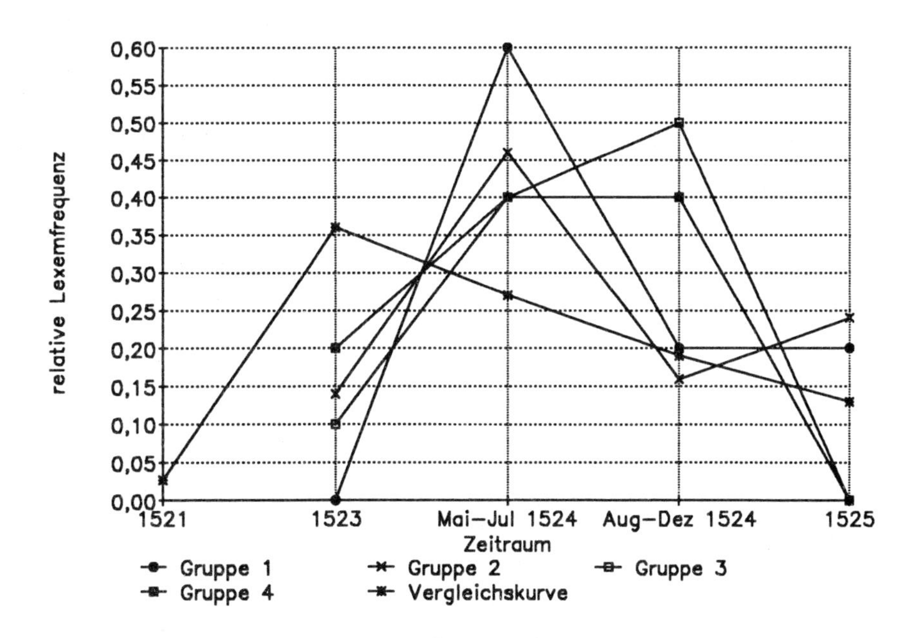

3. Fazit der Untersuchung

Die Analyse der Müntzerschen Lexik im Sinnbezirk der mentalen Fähigkeiten hat gezeigt, daß der gesamte Mentalwortschatz Müntzers in semantischer Abhängigkeit zu einer theologischen Gesamtkonzeption steht. In den jeweiligen Zusammenfassungen der Felduntersuchungen wurden dabei die bedeutungskonstituierenden theologischen Vorstellungen Müntzers in ihrer Relevanz für die Feldstrukturen aufgezeigt. Als Makrostrukturen des untersuchten Sinnbezirks zeigten sich dabei in nuce:

α) – semantische Bivalenzen bei den Lexemen der natürlichen intellektuellen Fähigkeiten, die ihre Entsprechung in einer explizit ambigen Polung finden. Der Bezug zu der charakteristisch wertenden Antonymie gut-schlecht in der Zurückführung auf das theologische Modell der *impii* und *electi* ist dabei ebenso evident, wie die Hypostasierung des religiösen Dualismus von wahr-falsch in den sozialen Gruppen der impii und electi.

β) – semantische Monovalenzen, insofern Lexeme besonders intellektuelle Fähigkeiten benennen. Das Stufenmodell mystischer Gotteserkenntnis und der darin inhärente Topos der *Furcht Gottes* sind als Elemente der semantischen Determination zu beurteilen.

γ) – Differenzierungen in geistige und geistliche Fähigkeiten als dyadisch qualifizierende Struktur.

δ) – deutliche Invariabilitäten der Lexempolung, insofern intellektuelle Fähigkeiten in ihrer offensichtlichen Einbindung in weltliche Zusammenhänge gesehen werden.

Das Telos der Müntzerschen Theologie ist die Verwirklichung einer *futura ecclesia*, d.h. einer von den Auserwählten konstituierten göttlichen Ordnung auf Erden. Die Bewertung mentaler Vermögen durch Müntzer muß in der Implikation in diese theologische Gesamtkonzeption gesehen werden. Die intellektuellen Fähigkeiten sind bei Müntzer ausschließlich positiv gepolt soweit sie zur Verwirklichung der *causa finalis* einer Welt der Auserwählten dienlich sind. Die negativen Polungen leiten sich dabei aus der Beurteilung von intellektuellen Fähigkeiten als Hindernis auf dem Weg zu dieser göttlichen Zukunft ab. Semantische Imponderabilien ergeben sich aufgrund der durchgehenden Referenz der Lexeme auf das kausal determinierte theologische System Müntzers nicht. Die analysierten Bedeutungsschichtungen stehen immer in Interdependenz zu den Strukturcharakteristika der Müntzerschen Theologie. Dieses Ergebnis einer indifferenten semantischen Makrostrukturierung wird durch den Blick auf eine zentrale Stilebene Müntzers firmiert: Unabhängig von der jeweiligen Feldeinbindung sind die untersuchten Lexeme nahezu durchgehend in einem religiös-adhortativen Kontext nachzuweisen. Es ist offensichtlich, daß die damit verbundenen Wertungen als pragmatische Komponenten des untersuchten Idiolekts zu beurteilen sind (vgl. Schildt 1989a, 497), überdies deutlich durch die Verwendung charakteristischer Modalwörter (Schildt 1989c). Die Übereinstimmung mit den Ergebnissen Schildts kann jedoch nicht über eine grundsätzliche Differenz der vorliegenden Untersuchungsergebnisse und ihrer Bewertung zu der bis vor kurzem marxistisch orientierten linguistischen Müntzerforschung hinwegtäuschen. Prägt die Positionsannäherung der östlichen und westlichen theologischen und historischen Müntzerforschung das Bild der vergangenen Jahre, so sind im Bereich der Sprachwissenschaft noch deutliche Forschungsdivergenzen zu konstatieren. Dies liegt aus der Perspektive dieser Analyse nicht zuletzt daran, daß die marxistische Linguistik häufig noch auf einem Müntzerbild basiert, das durch die Forschungen der vergangenen Jahre als überwunden angesehen werden kann. Die Berücksichtigung der neueren Ergebnisse der historischen und theologischen Müntzerforschung zeigt sich gerade bei der Quellenarmut als unabdingbar. So erstaunt es, wenn BRANDT in ihren syntaktischen Untersuchungen von 1987/88/89 nicht die Ergebnisse von JUNGHANS und vor allem BUBENHEIMER hinsichtlich eines humanistischen Briefstils Müntzers berücksichtigt, sondern nur den Stil der „politischen Massenagitation und Massenpropaganda" (Brandt 1989, 213) zusammenfassend benennt. Wäre es Müntzer tatsächlich um die Überwindung einer politisch-gesellschaftlichen Klassenherrschaft gegangen[65)], so müßten im mindesten in Einzelfällen darauf hinweisende lexikalische Strukturen zu konstatieren sein. Trat in der marxistischen Historiographie die Beurteilung individueller Intentionen Müntzers zu Gunsten eines Primats der Einordnung in die ökonomischen Bewegungsgesetze der Geschichte zurück, so findet sich in den linguistischen Arbeiten häufig noch eine solche Eingrenzung des Forschungsanliegens. Die selektive Verarbeitung Müntzerscher Aussagen zeigte sich noch in den „Thesen..." als methodischer Griff. So wurde, wie so häufig, der Müntzersatz zitiert: „*Die Gewalt soll gegeben werden dem gemeinen Volk.*" Dieser Satz ist dabei derartig aus dem Kontext gelöst, daß Müntzers theologische Intentionen bewußt übergangen werden. Müntzer bezieht sich mit dieser Aussage (463, 12) durch einen Verweis ausdrücklich auf Daniel 7, 27. Dort ist das „*populo sanctorum Altissimi*" gemeint, also unbezweifelbar die Auserwählten. Müntzer meint diese Auserwählten, wenn er vom *gemeinen volk* spricht. Hierin drückt sich die theologische Auffassung aus, daß die Menschen des einfachen Volkes im Sinne des *„beati pauperis spiritu“* primär prädestiniert sind für die Gottesoffenbarung und daher auch für die theologisch motivierte Umgestaltung der weltlichen Verhältnisse. Aus der Perspektive der Idiolektuntersuchung ging es Müntzer nicht um eine humanitär legitimierte Verbesserung der gesellschaftlichen Stellung der 'Ausgebeuteten'. Die Fokussierung des Blicks auf den Menschen ist bei Müntzer gerade verwerflich, denn im Zentrum allen Handelns und Denkens steht der unantastbare Wille Gottes.

> *Dann die ganze christenheit wyrdet daruber zu eyner huren, das sie die menschen anbettet. (413, 11f.)*

Müntzer geht in seiner Theologie sogar so weit, daß er die Unterdrückung durch die Tyrannen als funktional sinnvoll erachtet, soweit die Unterdrückten sich noch nicht zu Gott bekannt haben. Diese Haltung verträgt sich mit einem Theologen der weltlichen Revolution in keiner Weise:

> *Derhalben last die tyrannen eyne kleyne weyle yren muetwillen an euch uben, dann die welt hat nicht ander herrn und fursten vordinet mit yrem unglauben. (413, 8f.)*

Müntzer, der sich selber als Knecht Gottes verstand, wollte das *religiöse* Leben reformieren. Die Umgestaltung des *irdisch-materiellen* Lebens folgt erst dieser Intention; sie ist als Ergebnis theologischer Absichten zu werten und nicht als prinzipielle Absicht. Der Versuch der älteren marxistischen Historiographie, die Theologie Müntzers nur als ein zeitlich bestimmtes Ausdrucksmittel zu verstehen und die eigentlichen Ziele des *Sozialrevolutionärs* als unabhängig von religiösen Vorstellungen zu bewerten, kann aus der Perspektive dieser Arbeit nicht geteilt werden und ist als Interpretationsansatz bei Kenntnis der Müntzerschen Theologie schwer nachzuvollziehen. Der sprachliche Ausdruck des theologischen Konzepts Müntzers weist auf ein System der geistlich Prädestinierten. Diese Prädestination steht in Abhängigkeit von einer vollkommenen Unterwerfung unter den Willen Gottes, der als unangezweifelte Instanz das menschliche Handeln bestimmen soll. Die Untersuchungen zum Mentalwortschatz sprechen im Bereich der Lexik für eine solche Beurteilung.
Die Theologie Müntzers ist von mystischen Vorstellungen in hohem Maße bestimmt; dies zeigt sich auch in der Sprachanalyse insofern deutlich, als zentrale Lexeme in ihrer Semantik als mystisch tradiert zu erkennen sind, obgleich Variabilitäten in der Semantik nachzuweisen sind. Der Beurteilung GOERTZ', *„daß Müntzer zwar dem Vokabular der Mystik verpflichtet gewesen sei, nicht jedoch ihrem Geist [...], scheint [...] höchst problematisch zu sein, wenn man sieht, wie konzentriert die mystische Begrifflichkeit im Zentrum seiner Theologie*

präsent ist" (Goertz 1989a, 162f.) kann von Seiten der sprachwissenschaftlichen Analyse zugestimmt werden.

Der Beitrag hat deutlich gemacht, daß das theologische System Müntzers als unmittelbar bedeutungskonstituierend für alle untersuchten Lexeme anzusehen ist.
Müntzer sah seine Aufgabe offenbar vor allem in der Sublimierung der intellektuellen Fähigkeiten des Menschen auf der Grundlage einer religiösen Ausrichtung des gesamten Mentalvermögens jedes Individuums, um dem Wort Gottes in den Menschen Raum zu schaffen. Er war wohl nie Diener des Volkes im Allgemeinen, sondern immer

TOMAS MUNTZER, SERVUS ELECTORUM DEI.

4. Anmerkungen

1) Vgl. TRIER, Jost (1973), Der deutsche Wortschatz im Sinnbezirk des Verstandes, Von den Anfängen bis zum Beginn des 13. Jahrhunderts. Heidelberg, 2. Aufl.
2) Schwarz hat die Bedeutung der deutschsprachigen Mystik für Müntzer erneut hervorgehoben.
3) Müntzers Kenntnis der grundlegenden Gedanken Taulers und Seuses ist verschiedentlich nachgewiesen, zuletzt bei SCHWARZ 1989, 284.
4) Müntzers Rezeption der 1518 erschienenen und von Luther eingeleiteten Grundschrift deutscher Mystik geht aus seiner Bücherliste hervor (MSB 558, 19) und ist in der Müntzer-Forschung einhellig bekannt. Zur Bücherliste findet sich ein guter beschreibender Überblick bei STEINMETZ 1988, 125–128.
5) Müntzers Kenntnis der grundlegenden Gedanken Eckharts kann angenommen werden. Vgl. EBERT 1987, 57 und GRITSCH 1989b, 166.
6) Vgl. GOERTZ 1967, 109.
7) ECKART, Die deutschen Werke, hrsg. v. J. Quint, Stuttgart 1958f., Bd. I, 405.
8) Zum Begriff des Seelengrundes in der deutschen Mystik vgl. WYSER, Paul (1964), Taulers Terminologie vom Seelengrund. In: K. Ruh (Hg.), Altdeutsche und altniederländische Mystik. Darmstadt, 324ff. Auf Müntzer bezogen: SCHWARZ 1989a, 290.
9) ECKHART, a.a.O., 253.
10) Belege: 403, 19; 408, 3; 408, 7; 411, 29; 417, 17; 418, 5; 421, 12; 422, 8; 423, 24; 430, 31.
11) Belege: 402, 11; 410, 21.
12) JOERESSEN, Uta (1983), Die Terminologie der Innerlichkeit in den deutschen Werken Heinrich Seuses. Frankfurt.
13) Josua MAALER, Die Teütsch spraach, Dictionarium Germanicolatinum novum. Zürich 1561.
14) Johann Heinrich ZEDLER, Grosses Universal-Lexikon aller Wissenschaften und Künste, welche bishero durch menschlichen Verstand und Witz erfunden worden. Halle/Leipzig 1732.
15) s. BUBENHEIMER 1988a, 204.

16) Die Predigten Taulers, hrsg. v. F. Vetter, Dublin/Zürich 1968, 214.
17) SPILLMANN 1971, 47f.
18) TRIER, a.a.O.
19) JOERESSEN, a.a.O., 205.
20) Weitere Belege: 399, 15; 418, 6; 421, 24; 470, 4.
21) In einem Beleg steht *entdecken* in neutraler Wertung synonym für *mitteilen*, s. 366, 28.
22) M. LEXER (1979), Mittelhochdeutsches Handwörterbuch in 3 Bänden. Stuttgart, Bd. III, 955.
23 J. u. W. GRIMM (1984), Deutsches Wörterbuch in 33 Bänden. München, Bd. 30, 862.
24) TRIER, a.a.O., 300.
25) Daß die Paulusrezeption bereits für die deutsche Mystik zentrale Bedeutung hatte, zeigt OBERMAN deutlich auf. OBERMAN, Heiko A. (1986), Die Reformation, von Wittenberg nach Genf. Göttingen, 36.
26) Weitere Belege s. 461, 3; 469, 2; 470, 6; 470, 12.
27) Weitere Belege für göttliche Weisheit: 402, 2; 411, 26.
28) Vgl. Weisheit als platonische Kardinaltugend.
29) Weitere Belege für menschl. Weisheit: 367, 1.
30) „Sich, ditz ist eyn weysse volk, ...“ (448, 16f.).
31) Zur Taulerrezeption Müntzers vgl. u.a. STEINMETZ 1988b, 77 und 116.
32) S. H. SEUSE, Deutsche mystische Schriften, hrgs. v. G. Hoffmann, Düsseldorf 1986², 236 u. 380.
33) Vgl. Theologia deutsch, (Der Franckforter), Kritische Textausgabe v. W. v. HINTEN, München 1982, Kap. 28 & 44.
34) 1 Kor 1, 27: sed quae stulta sunt mundi elegit Deus, ut confundat sapientes: ...
35) GOERTZ 1967, 134ff.
36) ELLIGER 1975, 390ff.
37) Weitere Belege: 398, 14; 398, 28.
38) S. 470, 7.
39) Ferner in der Übersetzung von Joh 7, 17; 425, 28f.
40) Ferner 461, 13f.
41) Vgl. das Untersuchungsergebnis bei SPILLMANN a.a.O., 63.
42) Weitere Belege: 399, 9; 402, 1; 435, 29; 459, 13.
43) Spillmann konstatiert in seiner Untersuchung von 1971 eine Bedeutungsdifferenzierung der Lexeme *erkenntnis* und *kunst*, die aus dem Beleg-Material der deutschen Briefe nicht bestätigt werden kann. Innerhalb der Untersuchung der deutschen Schriften erscheint die Differenzierung jedoch als schlüssig. Vgl. SPILLMANN a.a.O., 64.
44) Vgl. TAULER, a.a.O., 106, 31ff.
45) S. oben.
46) Vgl. dazu die Untersuchungszusammenfassung bei SCHWAB, s.o.
47) Zur Bedeutung der Strafe in Müntzers Theologie vgl. den Beitrag von HUFEISEN, s.o.
48) S. H. KUNISCH (1958), Eckart, Tauler, Seuse, Ein Textbuch aus der altdeutschen Mystik. Hamburg, 20.
49) Vgl. SCHWARZ 1977, 12f.
50) Bei Luther *töricht*.
51) SPILLMANN a.a.O., 61.
52) JOERESSEN, a.a.O., 219.
53) Theologia Deutsch, a.a.O., 126.
54) Vgl. die Ergebnisse zu *urtheyl*.
55) Predigten Taulers, a.a.O., 288.

56) Spillmann widmet dem Feld der Täuschung in seiner Dissertation ein vom Feld der intellektuellen Fähigkeiten unabhängiges Kapitel. Dies scheint angesichts der Untersuchung des *gesamten* Wortschatzes sinnvoll. Im vorliegenden Beitrag wird das Feld der Täuschung jedoch in die Untersuchung zum Intellektualwortschatz direkt integriert.
57) Weitere Belege: 398, 3; 423, 20.
58) *Außgetrückte emplössung*, 277, 25ff.
59) Vgl. Schwabs Untersuchung zum Lexem *wuchersuchtig*, s.o.
60) Weitere Belege: 405, 13; 464, 1.
61) Vgl. die Untersuchung zum Lexem *studierung*.
62) Vulgata 2 Tim 3, 5: „habentes speciem quidem pietatis, virtutem *autem* eius *abnegantes*".
63) M. Luther, Eyn brieff an die Fuersten zu Sachsen von dem auffrurischen geyst, in: L. Fischer (Hg.) Die lutherischen Pamphlete gegen Thomas Müntzer, München 1976, 3.
64) O. Reichmann u.a. (1988), Zur Vertikalisierung des Varietätenspektrums in der jüngeren Sprachgeschichte des Deutschen. In: Deutscher Wortschatz, Lexikologische Studien. Berlin/ New York, 151–180.
65) Siehe Thesen über Thomas Müntzer (1988), 99.

Hans Otto Spillmann

TÄUSCHUNG UND WAHRHEIT
– Zum Wortschatz des Truges in den deutschen Schriften –

1. Das sprachliche Feld der Täuschung

Die Untersuchung des Intellektualwortschatzes konnte aufweisen, daß für Müntzer menschliche Erkenntnisfähigkeit allein aufgrund der intellektuellen Kräfte ohne gleichzeitige Einwirkung der Offenbarung Gottes nicht besteht. Dies bedeutet, daß der Mensch von sich aus nicht in den Besitz der Wahrheit gelangen kann.
Andererseits nun ist der *natürliche* menschliche Verstand aber stets um Erkenntnisse bemüht und trifft – indem er diese formuliert – Aussagen über das Objekt, auf das sich die Erkenntnis richtet, die nach Müntzers negativer Beurteilung aller rein weltbezogenen menschlichen mentalen Kräfte zwangsläufig dem Irrtum unterworfen sein müssen. Nur die *auserwelten* können kraft der ihnen geschenkten Einsicht in die Offenbarung Gottes die Wahrheit erkennen, die den rein im Diesseitigen Verhafteten, den Gottlosen, Ungläubigen, den falschen Schriftgelehrten und geistlich Unbelehrten verwehrt bleibt. So entfaltet sich für Müntzer eine Spannung zwischen dem von der *natürlichen* Erkenntnis der weltlichen Menschen als 'wahr' Vermeinten und der eigentlichen, nämlich geistlichen Wahrheit, die im sprachlichen Feld der 'Täuschung' ihren Niederschlag findet.

Für Müntzer ruft die auf Täuschung beruhende falsche Erkenntnis ein auf Lüge und Trug gerichtetes Bestreben hervor, dem das einfache Volk zum Opfer fällt. Eine Untersuchung des Feldes der 'Täuschung' darf also nicht von den Implikationen absehen, die die falsche Erkenntnis hat; denn dadurch, daß die falsche Erkenntnis, der Unglaube weitergetragen wird, erzeugt er eine immer größer werdende Schar von geistlich Unbelehrten, geistlich Bedürftigen.
Der Untersuchung des Feldes der 'Täuschung' wird sich im vorliegenden Beitrag deshalb die Frage anschließen, welche sprachlichen Ausprägungen Müntzers Vorstellungen von der Bedürftigkeit des Menschen finden.
Die falsche, *natürliche* Erkenntnis verhindert die *ankunfft des glaubens* (z.B. 164, 24; 299, 30; 325, 9; 327, 6) beim Volk und ist damit die Wurzel alles Un-

glaubens. Aus Müntzers Glaubensverständnis, das GRITSCH auf die knappe Formel bringt: „Die gleichsam eliptischen Brennpunkte dieses Glaubensverständnisses sind die Gewissensangst, bewirkt durch die läuternde Rechtfertigung des Gesetzes, und der Geistempfang, der den Menschen auf den Weg zum Urstand mit Gott weist“ (1989b, 167), ergibt sich so die seelsorgerische Konsequenz, die Täuschung zu entlarven.[1)]

Die täuschenden Vorspiegelungen, denen die gottferne menschliche Erkenntnis verfällt, nennt Müntzer *guter scheyn* (z.B. 165,10; 249, 26) oder *scheyn des glaubens* (304, 25). Dieser *scheyn* wird mit dem Adjektiv *unaußsprechlich* (242, 25) charakterisiert, das Müntzer immer dann verwendet, wenn er ausdrücken möchte, daß ihm die adäquate Beschreibung eines Phänomens in Worten nicht möglich ist (246, 7; 248, 5; 248, 13; 268, 20; 271, 10).
Die Vortäuschungen werden als *larven* bezeichnet, die *scheynbarlich* (313, 35), d.h. der Wahrheit eben gerade nicht entsprechend, etwas verschleiern: So beklagt Müntzer im Hinblick auf die gottlose Predigertätigkeit der Pfaffen, daß der *arme gemeyne man seinen glauben auff eyttel larven gestellet hat* (163, 27), und die *larven der kyrchen* (164, 5); er vergleicht die Verstellungen der Gottlosen mit den *hochgetzirten larven der rothblüenden roßen und der kornblumen* (226, 11) und fordert, daß die *larve* der *getichten güte* (262, 26) und die *larve, gepreng* und *falsche klůglingsche weyßheit* (316, 35) der Gottlosen, kurz die *larve der welt* (259, 9) erkannt und bestraft werden müssen. Besonders aufschlußreich ist in diesem Zusammenhang der Beleg des Wortes (235, 3), in dem es die *fleischliche* und damit falsche menschliche Erkenntnis bezeichnet:

> *Kurtzumb es muß sein der enge weg, yn welchem alle urteil* (= Erkenntnisse) *nicht nach der larven, sondern nach dem allerliebsten willen Gottes in seinem lebendigen wort studirth und erfaren werden in allerley anfechtung des glaubens.*

Synonym zu *larve* verwendet Müntzer *faule fratzen* (253, 12) oder *schale fratzen* (259, 4; 274, 38; 304, 17), die den *irthumb* (z.B. 243, 3; 243, 5; 504, 12) hervorrufen und den Menschen in Form von *gespensten* (211, 19; 220, 18; 226, 11; 257, 7; 317, 17), d.h. in Form von Blendwerk irreleiten.

Die Doppelseitigkeit der Täuschung äußert sich nun darin, daß die ihr Verfallenen die *verkerte* Wahrheit weitertragen und so zu Heuchlern und Lügnern werden, wobei es bemerkenswert ist, daß diese Weiterverbreitung nicht als zwangsläufige Konsequenz der falschen Erkenntnis, sondern als bewußter, willentlicher Betrug gesehen wird. Vorwiegend die Schriftgelehrten, Pfaffen und Regenten werden *buben* (z.B. 248, 33; 276, 3; 500, 13), *schelme* (164, 37; 323, 24; 327,

23) und *boͤßwichter* (163, 21; 257, 24; 296, 23; 312, 35; 332, 11; 343, 11; 498, 2) genannt, weil sie mit ihrer *betricklichen* (163, 13) *betrigerey* (249, 11) und *drügnuß* (330, 13; 495, 16), mit ihrer *schalkheit* (226, 7; 258, 16; 291, 14; 341, 26) und ihrer *hinderlistigen* (208, 7; 218, 29; 220, 28; 226, 7; 226, 25; 230, 25; 236, 7; 240, 6) *tück* (z.B. 305, 1; 323, 27; 335, 12) die Offenbarung Gottes *leugnen* (234, 26; 249, 4; 261, 20; 275, 6; 287, 17; 289, 38; 299, 34; 339, 10; 498, 11) und das arme Volk durch dieses *lügen* (305, 5; 343, 10) um den Glauben *betriegen* (z.B. 248, 16; 275, 25; 496, 22). Die betrügerischen Vorspiegelungen der Gottlosen, in die sich das *grobe* Volk verstrickt, nennt Müntzer *gleissen* (226, 28; 231, 9), *heucheln* (z.B. 243, 2; 256, 18; 260, 6), *kutzcelen* (= Gutzeln, Schmeicheleien) (499, 7), *plasteucken*[2)] (256, 9) und *gramentzen*[3)] (163, 29).

Die Gefahr der heimlichen Machtergreifung des Bösen über den Menschen zeigt sich darin, daß die hervorragendste Eigenschaft des Teufels für Müntzer die Lüge ist:

> *Aber wenn der teuffel etwas wircken wil, so verraten yn doch sein faule fratzen und seine lugen gucken doch zuletzt hervor, dann er ist lugner* (253, 11–13).

Der Teufel ist gekennzeichnet durch seine *listige tück* (330, 26; 340, 29), die ihm gleich den *verschmitzten*[4)] (324, 9) Schriftgelehrten den verderblichen Einfluß auf die Menschen verleiht. Alle oben aufgeführten Erscheinungsformen der Täuschung und des Betruges begegnen auch auf den Teufel bezogen, so daß geradezu gesagt werden kann, daß die Lüge Attribut des Bösen und Gottlosen schlechthin ist. Hierzu stimmt, daß Müntzer seinen Hauptgegner Luther vorwiegend *doctor lügner* nennt (z.B. 329, 26; 332, 9; 334, 27).

Das vielgestaltige Walten und Herrschen der Lüge und Täuschung ist in seiner gleißnerischen Heimlichkeit so schwer zu entlarven, weil es meist unter der Maske des schönen Scheins auftritt, der die Menschen blendet. So ist Müntzer dem 'Schönen' gegenüber mißtrauisch und ablehnend, was darin zum Ausdruck kommt, daß die entsprechenden Bezeichnungen im Gegensatz zu den liturgischen in den politisch-polemischen Schriften faßt ausschließlich ironische bzw. negative Bedeutung tragen.

So erscheint *schön* in den liturgischen Schriften viermal und trägt in keinem Falle abwertende Bedeutung, so z.B. in der auf Gott bezogenen Belegstelle: *Du bist schoͤn vor den suͦnen der menschen* (54, 15) oder in den an Christus gerichteten Versen:

Beweyßt uns deyner gnaden licht,
laß uns den finger gotes richt,
mit syben gaben schoͤn gezierdt,
wilchs in uns deyn krafft recht gebierdt (153, 9–12).

In den politisch-polemischen Schriften dagegen ist *schön* elfmal vertreten, worunter nur eine einzige Belegstelle das Wort in positiver Bedeutung verzeichnet, in der *schoͤner rother weytz* (262, 2) in Zitierung von Matthäus 13, 24 die Gottesfürchtigen gegen das Unkraut, das die Gottlosen symbolisiert, abhebt. In allen übrigen Verwendungen hat das Wort eine ironische oder rein negative Bedeutung wie z.B. in dem Beleg:

> *Do ist gar kein entschuldigen mit menschlichen oder vernunfftigen anschlegen, dann der gotlosen gestalt ist uber alle massen schoͤn und listig, wie die schoͤne kornblume unter den gelben ehern des weyzens* (246, 12–15).

Hier wird das Adjektiv in den Zusammenhang mit der *fleischlichen* Vernunft gebracht und durch die Verbindung mit *listig* eindeutig der Sphäre von Lüge und betrügerischer Vorspiegelung zugewiesen.
Wenn Müntzer vom menschlichen Herzen vor seiner Öffnung für Gottes Offenbarung sagt:

> *Es wechst anders nichts guts do, dann der wuttende teuffel, geschwunden* (= zutage gekommen) *yns liecht, und schoͤne kornroͤßelin* (234, 1f.),

dann wird mit dem Bild der Kornrade die Verschleierung des Lasters bezeichnet, die *buchsen mit der schmincke* (233, 6), mit der die Ungläubigen sich zu tarnen suchen. Die Schriftgelehrten mögen *schoͤne* und *schoͤne, grosse buͤcher* lesen (275, 36; 293, 21) oder sich *schoͤn auffputzen mit eynes andern unflat* (295, 14) oder sich *schoͤne brennen vor den leüten* (335, 20), wie Müntzers Gegner Luther das versucht, sie werden am Ende nur *eyne uber schone bewerugk ym hunerstal ertichten* (493, 7), d.h., gerade nicht die Bewährung im Glauben befördern, sondern Gottlosigkeit verbreiten.

Wie bei *schön* liegen die Verhältnisse bei den übrigen hier einzuordnenden Bezeichnungen.

Fein kommt in den liturgischen Schriften nur einmal (35, 17), in den politisch-polemischen dagegen vierzehnmal in fast ausschließlich ironisierender Bedeutung vor: So ist es für Müntzer eine *feyne sach* (335, 31), daß die Pfaffen Weiber haben dürfen, die Schriftgelehrten werden *feyne menner* (293, 24), *feyne evangelische leut* (313, 31) und *feyne prediger, dye der teufel dar czu gweyt haͤt* (492, 4) genannt, deren *feyn glaube* (290, 19) dem Volk vorgaukelt, daß es im

Evangelium *feyn freuntlich* (262, 9) zugehe.
Mit einem *feynen griff* (= Kunstgriff) (276, 2) haben die Schriftgelehrten so

> *die reyne kunst Gottis verworffen und an sein stat einen hubschen, feynen, gulden hergot gesetzt* (245, 11f.).

Über die moralische Haltung derjenigen, die zugleich Gott und den unvernünftigen Regenten dienen möchten, sagt Müntzer spöttisch:

> *Wie feyn, feyn muͦß das stehn, das man also loͤblich zweyen herrn, die widereynander streben, dienen kuͤnd* (288, 25–30).

Hübsch kommt nur in den politisch-polemischen Schriften vor und zwar ausnahmslos mit ironischer Bedeutung, wie in der bereits zitierten Belegstelle (245, 11). So können die Schriftgelehrten *huͤbsch* vom Glauben schwatzen (249, 9) oder sich *hubsch* mit dem Anschein des Glaubens schmücken (242, 27). Vom unheiligen Pakt der bösen Geistlichen mit den weltlichen Herren sagt Müntzer:

> *Man siht itzt hubsch, wie sich die oͤle* (= Aale) *und schlangen zusammen vorunkeuschen auff einem hauffen* (256, 10f.),

aber

> *wie hubsch wirt der Herr do unter die alten toͤpff schmeissen mit einer eysern stangen* (256, 16).

Zart erscheint in den liturgischen Schriften zwölfmal und kennzeichnet dort entweder Christus (z.B. 49,2; 120, 12; 125, 18; 165, 33) oder Maria (z.B. 48, 15; 68,1). In den politisch-polemischen Schriften, in denen das Wort siebenmal vorkommt, hat es nur dort, wo es Christus bezeichnet (240, 13; 244, 20) positive Bedeutung. In allen übrigen Belegen kennzeichnet es ironisch die Pfaffen (164, 28; 219, 9; 242, 12; 275, 19) oder diejenigen, die als *zartte kreuter* (232, 14) Gottes Offenbarung nicht erleiden wollen. In diesem Sinne werden auch die Schriftgelehrten *zartlinge* genannt (278, 16; 279, 39; 288, 10; 308, 36), weil ihnen der Mut und die Mannhaftigkeit fehlt, die *ankunfft* des Glaubens zu erleiden.

Das Lexem *zier* kommt in den liturgischen Schriften als Verb *zieren* vor (55, 17; 99, 9; 153, 11) und bezieht sich auf die Königsbraut des Psalters und auf Gott – Christus oder erscheint in Form der Substantive *zirde* (93, 13), wo es die Gottgefälligen bezeichnet, oder *zirheit* (42, 16; 54, 20; 115, 5; 141, 5; 148, 7) mit ausschließlichem Bezug auf Gott.
Im einzigen Beleg des Lexems in den politisch-polemischen Schriften spricht Müntzer von den *hochgetzierten larven der rothbluͤenden roßen und der korn-*

blumen (226, 11) und charakterisiert damit den schönen, trügerischen Schein der Gottlosen.

Das solchermaßen verborgene und deshalb nur so schwer zu erkennende Herrschen der Lüge und des täuschenden Betruges in der Welt macht es notwendig, immer wieder das zu kennzeichnen, was 'wahr' ist, damit durch die Erkenntnis der *rechten wahrheit* (z.B. 228, 19; 228, 23; 262, 26) die Schar der *auserwelten* vermehrt wird.
Immer dann, wenn Müntzer das Gegenteil von der geistlichen Wahrheit charakterisieren will, verwendet er das Adjektiv *verkert*, so spricht er z.B. von der *verkerten lere* (161, 14; 244, 11), von den *vorkarthen* Gottlosen (212, 1) und den *verkerten* Schriftgelehrten (279, 31) und Mönchen (249, 20), von der *verkerten forcht der menschen* vor Gott (330, 11), vom *anbegin des verkerten regiments* der weltlichen Fürsten (288, 38) und beklagt Luthers *verkertes lesterliches urteyl* (323, 16) und *verkertes schmaͤhen und lestern* (332, 9) und dessen bestechliche, d.h. *verkerte* Richter (332, 3).
Dieser *verkerten* Weise (z.B. 224, 34; 322, 6; 327, 4), dem 'Falschen', das in so vielerlei Gestalt erscheinen kann, wie z.B. der *falschen, kluͦglingschen weyßheyt* (316, 35), der *falschen hantirung* (163, 26) der Heiligen Schrift durch die *falschen* Geistlichen (z.B. 237, 23; 307, 3), *gelerten* (z.B. 238, 35; 258, 31) und *propheten* (z.B. 239, 5; 244, 14; 279, 36; 341, 7; 499, 11), die damit den *falschen glauben* (z.B. 274, 14; 340, 18) durch *eynen falschen, glosierten weg* (= eine falsche Auslegung der Schrift) befördern, setzt Müntzer die *wahrheit*, die die Wahrheit Gottes ist, entgegen: den *waren* Gott (z.B. 171, 5; 301, 25); den *waren* und *warhafftigen* Christus (z.B. 229, 7; 240, 7; 245, 9; 318, 19), der *warer troͤster* (153, 5) und *warer mitler* (196, 2) ist, und den *warhafftigen glauben* (z.B. 221, 11; 282, 36; 283, 1) und das *warhafftige wort* Gottes (499, 17).

Mehr als doppelt so häufig wie das Lexem *wahr* kommt in Müntzers Schrift das Lexem *recht* in der Form der Substantive *recht* und *gerechtigkeit* und der Adjektive *recht, rechtfertigt, rechtschaffen* und *gerecht* vor. Schon hieran kann die hohe Bedeutung des Begriffs von 'Recht' für Müntzers Denken abgelesen werden.
Zur Bezeichnung des 'Wahren' in Abgrenzung gegen das 'Falsche' spricht Müntzer vom *rechten glauben* (z.B. 237, 7; 237, 26; 276, 18; 278, 17; 287, 10; 502, 14) und dem *rechten liecht* (324, 30), der *rechten wahrheit* (z.B. 228, 19; 228, 23; 262, 28; 339, 31) und dem *rechten wort* (z.B. 213, 26; 339, 10; 493, 11; 497, 24; 501, 27; 504, 10), vom *rechten geist* (492, 24), der *rechten schrifft* (231, 14), der *rechten tauffe* (z.B. 228, 13; 229, 22) und dem *rechten geyst der forcht Goͤts* (429, 24).

Voraussetzung für die Verbreitung des rechten Glaubens sind allerdings die *rechten pfaffen* (498, 11), die *rechte prediger* (341, 5), *rechte diener* (497, 15), *rechte hyrten* (502, 9) und *rechtschaffene eyferer der wirdigkeyt Gottes* (286, 3) sein müssen.

2. Das sprachliche Feld der Bedürftigkeit

Müntzer charakterisiert das gemeine Volk als *arm, durfftig* und *elend.*
Die Untersuchung des durch diese Lexeme markierten Begriffsfeldes kann nun aufzeigen, daß es sich in überwiegendem Maße nicht um materielle Armut, sondern um eine geistliche Bedürftigkeit handelt, die dadurch verursacht ist, daß durch die Vorspiegelungen und Täuschungen der Schriftgelehrten und Regenten und ihr bewußtes Weitertragen des falschen Glaubens das *arme volck* von Gottes Offenbarung ferngehalten wird.

In ihrer Arbeit über Müntzers Theologie im 'Prager Manifest' und der *Ausgedrückten Entblößung des falschen Glaubens* hatte schon LOHMANN festgestellt, daß die Charakterisierung des Volkes als *arm* nur in sehr beschränktem Umfang als Anprangerung sozialen Elends gemeint sei, weil dies ja der Theologie des Leidens und des Kreuzes widerspräche. Nach LOHMANN bezeichnet 'Armut' das Stadium des Unglaubens und des in geistlichen Dingen Unbelehrt-Seins, und schon der von Müntzer sicherlich beabsichtigte Nebensinn von materieller Bedürftigkeit stelle eine Verwässerung der Kreuzestheologie dar.[5)]

Demgegenüber stellt HINRICHS (1952, 119ff.) fest, daß *arm* vorwiegend Bezeichnung des Zustandes der materiellen Not sei. Er sieht keinen unvereinbaren Gegensatz zwischen Armut und Kreuzestheologie. Nach seiner Deutung hat Müntzer das mittelalterliche „Ideal der freiwilligen Armut“ überwunden und erblickt in schwerstem materiellen und sozialen Elend ebenso einen Hinderungsgrund für das Entstehen des rechten Glaubens wie im Reichtum: Die Besitzenden sind in ihrem Prassen und Wohlleben ebenso der reinen Kreatürlichkeit verfallen und verhaftet wie die Armen in ihrer täglichen Sorge um Nahrung.

Zwar lassen sich einige wenige Belege nachweisen, in denen *arm* durch den Kontext eindeutig als Bezeichnung sozialen Elends festgelegt wird (z.B. 96, 25; 275, 28; 275, 31; 329, 22), doch sind diese Stellen gemessen an der Zahl der übrigen Belege sehr selten. Hierbei ist es besonders aufschlußreich, daß auch bei diesen wenigen Belegen die materielle Bedürftigkeit in einen Kontext mit der spirituellen Armut gebracht wird, so z.B., wenn Müntzer beklagt, daß

> *die vorzcweyffelten beptischen boͤsewicht die heylge biblien der armen christenheit zu großem nachteyl gestollen und yren rechten vorstand vorhalten haben, und doch gleichwol armer leuthe guͤter daruͤber boͤßlich vorschlungen haben* (163, 21–24)

und

> *daß die armen lewt tag und nacht muͦsten in faͤrlichkeyt* (= Gefahr) *sytzen umbs evangelions willen* (337, 24f.).

In allen übrigen Belegstellen der liturgischen Schriften, in denen *arm* häufig das 'pauper' der Vulgata übersetzt, bezeichnet das Wort entweder sowohl materielle als auch spirituelle Bedürftigkeit (36, 5; 45, 12; 67, 1; 77, 14; 96, 9; 98, 11; 192, 2) oder den elenden Zustand der Christenheit (106, 5; 153, 2).
Armut kommt in den untersuchten Schriften ein einziges Mal vor, und zwar in den politisch-polemischen zur Kennzeichnung materieller Bedürftigkeit, aber auch hier wieder in bezeichnender kontextueller Verschränkung mit geistlicher Armut:

> *Do peiniget mich Got mit meinem gewissen, mit unglawben, vertzweyflung und mit seiner lesterung. Von außwendig werde ich uberfallen mit kranckheyt, armut, jamer und aller nodt, von boͤßen leutten etc.* (237, 31–34).

In weitaus überwiegendem Maße jedoch steht *arm* zur Kennzeichnung des Volkes, das von den Herren und Pfaffen verführt und um den rechten Glauben betrogen worden ist. So spricht Müntzer davon, daß der *arme gemeyne man seinen glauben auff eyttel larven gestellet hat* (163, 27) und von dem *arm hauff verfuͤret durch die hochfertigen bachanten* (277, 5), von der Aufgabe, *mit guͦter lere das arme volck* (335, 29) zu unterrichten, statt ihm ohne Erklärung die Heilige Schrift vorzulegen:

> *Es seint der geltdorstigen buben vill do gewest, dye dem armen, armen, armen volkleyn, dye dampatischen* (= päpstlichen) *unerfarnen texte der biblien vorgeworffen haben, wie man den hunden das broth pfleget vorzuwerfen* (500, 13–16);
> *Alßo seyn auch dye wuchersuchtigen, unde zcinßaufrichtisse pfaffen, welche dye todten worten der schrifft vorschlingen, dornach schuten sie den buchstab und unerfarnen glauben (der nicht einer lauß wert ist) unter das rechte arme, arme volk* (501, 1–4).

Durch die krasse Verweltlichung des Klerus, der seine Aufgabe der Unterweisung nicht mehr wahrnimmt, ist die Christenheit in einen erbarmungswürdigen

Zustand geraten und wird deshalb *arm* genannt (z.B. 153, 2; 163, 18; 163, 22; 228, 19; 242, 24; 267, 31; 300, 8; 322, 18; 339, 26). Die Kennzeichnung der 'Armut' als geistliches Elend wird besonders deutlich in der Verbindung von *arm* mit anderen charakterisierenden Adjektiven: Müntzer bedauert die *armen, schwachen* (163, 33), *armen vorwirreten* (249, 10), *armen, elenden, blinden* (163, 12) Gewissen der Menschen, das *arme dürstige* (333, 3), das heißt, nach Gottes Wort durstende, *blinde* (247, 25) Volk, die *arme zurfallende* (163, 18), *zerstrawte* (267, 31) Christenheit, das *rechte, arme erbermelich heuffelein* (500, 4), die *arme blinde welt* (258, 3). Dieses Bemitleiden kommt auch zum Ausdruck, wenn Müntzer die im Zustand der Grobheit Belassenen *arm* nennt: *arme grobe menschen* (247, 13; 299, 27), *armes grobes volk* (z.B. 238, 32; 294, 30; 498, 3), *arme grobe* (164, 34), *ellende, arme, iamerliche, durfftige, grobe, zurfallen christenheyt* (226, 17f.).

Die hohe Zahl derartiger Belege, in denen *arm* eine geistliche Bedürftigkeit bezeichnet, macht es wahrscheinlich, daß auch in Wendungen, die eine solche Bedeutung des Wortes nicht unmittelbar erkennen lassen, wie z.B. *arm, gemeyn man* (293, 23), *arm, gemeyn volck* (296, 27), *armer hauff* (277, 12; 342, 4) die Bedeutungskomponente der geistlichen Armut zumindest mitschwingt oder sogar vorherrschend ist. Denn auch in den Belegen, in denen die Bedeutung des Wortes eindeutig negativ gepolt ist, erfolgt die Beurteilung unter dem Kriterium des Glaubensbesitzes; das wird ganz deutlich, wenn Müntzer von den Schriftgelehrten als *armen leüt* (332, 27) spricht, die den *armen buchstab ym maul haben unde das hercz ist wol uber hunderttausend meylen dar von* (493, 1), von Luther als einem *arm schmeichler* (329, 13), der ein *armer sünder und gifftiges würmlein* ist (339, 16), und von dem weltlichen Regenten als einem *armen, elenden, jhemerlichen pulversack* (286, 32).
Auch in der Belegstelle, in der Müntzer von den Menschen als *armen woͤrmlein* spricht (244, 19), die den Gottlosen viel zu viel Ehre einräumen, ist die geistliche Motivierung für die Bezeichnung noch spürbar; dies trifft nicht mehr zu für die sehr seltenen Belegungen des Wortes, in denen *arm* ohne Bezug auf geistliche Inhalte mit neuhochdeutsch 'bemitleidenswert' übersetzt werden müßte, wie dies der Fall ist bei den Stellen, in denen Müntzer von den *armen pfaffen* (336, 2), den *armen münch und pfaffen und kaufleüth* (336, 27) oder von seinem eigenen *armen leyb* (240, 19) spricht.

Auch die übrigen zum sprachlichen Feld der Bedürftigkeit gehörenden Wörter bezeichnen vorwiegend ein 'Arm-Sein' in geistlichem Sinne.

Elend kommt in den untersuchten Schriften fünfundzwanzigmal vor und ist in keinem Beleg eindeutig als Benennung einer materiellen Bedürftigkeit anzu-

sprechen, sondern bezeichnet vielmehr den jämmerlichen und erbärmlichen Zustand der Menschen oder der Christenheit, der aus dem Unglauben herrührt und durch die Verführung der falschen und bösen Schriftgelehrten verschuldet wird. Deutlich wird dies vor allem auch in den Wendungen, in denen das Wort stark negative Bedeutung hat, so wenn Müntzer den Gottlosen *ellender mein bruder* (232, 28), Augustus *elender drecksack* (244, 28) nennt und den gottlosen Regenten als *armen, elenden, jhemerlichen pulversack* (286, 32) bezeichnet und zwar deshalb, weil ihnen allen die Einsicht in Gottes Offenbarung fehlt.
In seinem Bedeutungsgehalt steht *elend* sehr nah bei *arm*, was schon dadurch deutlich wird, daß die Verbindung zwischen den beiden Adjektiven sehr häufig vollzogen ist:

arme, elende, erbermliche, jamerliche christenheit (221, 9),
arme, elende, zurfallende christenheyt (242, 9),
arme, elende, jhemerliche christen (296, 5),
arme, ellende, erbermliche menschen (214, 23),
arme, elende, traurige, hertzbetrůbte menschen (280, 33),
arme, elende, blinde gewissen (163, 12),
arme, elende pauren (294, 21).

Der Zustand des *elend*-Seins ist ein Zustand der Gottferne, der deshalb *erbermlich* und *iammerlich* (226, 9) ist, weil der Mensch in ihm seiner eigentlichen Bestimmung, der *weisheit Gottes*, nicht gerecht werden kann. Wendungen wie: *elende, wůste, yrrende hertzen* (309, 3) und *grosse, elende blindheyt* (296, 16) kennzeichnen dieses 'Elend' als eine geistliche Not.

Auch *durfftig* bezeichnet das Fehlen des rechten Glaubens und damit die geistliche Bedürftigkeit und Dürftigkeit des Menschen.
Wie dies oben auch bei einer Anzahl von Belegen für *arm* festgestellt wurde, kann hierbei die Bedeutungskomponente von materieller Armut mitschwingen, die jedoch in keinem Fall absolut vorherrschend wird. So bezeichnet das Wort, das in den liturgischen Schriften ausschließlich in der substantivierten Form vorkommt, dort in Übersetzung des lateinischen 'pauper' der Vulgata den spirituell und a u c h materiell Armen. In den politisch-polemischen Schriften spricht Müntzer von dem Wort Gottes, das man *entpiethen den dorfftigen* (239, 15) müsse und den *armen důrfftigen leůt* (275, 24), der *důrfftigen samlung* (= der Gottes Geist bedürfenden Gemeinde) (209, 7), die eine *durfftige begir zum rechten glauben* (237, 25) haben und *der ellenden, armen, iamerlichen, durfftigen, groben, zurfallen christenheyt* (226, 19).
Auch in der Stelle, in der Müntzer sagt:

> *Es ist der allergröst greüel auff erden, das nyemant der dürfftigen not sich wil annemen, dye grossen machens, wie sye wollen* (329, 9f.),

bezieht sich das Wort sicherlich vorwiegend auf materielle Bedürftigkeit, der ausdrückliche Verweis auf das 41. Kapitel des Buches Hiob zeigt aber auch hier wieder den größeren geistlichen Kontext an, in dem das Wort zu sehen ist.

Not kommt in den liturgischen Schriften mit einer Ausnahme nur in den liturgischen Formeln *o Got, steh mir bei in meiner not* (z.B. 42, 9; 47, 11; 60, 11; 147, 14) oder Gott *hat mir in meyner not beygestanden* (z.B. 63, 10) vor, denen der Vers, daß Gott *uns hat erlost auß ewiger not* (99, 24) sehr nahe steht.
In den politisch-polemischen Schriften bezeichnet das Wort mit Ausnahme der Stellen, in denen es in der vielfach belegten Wendung *von nöten sein* (z.B. 211, 12; 246, 6; 502, 11) oder schon ganz gemäß der neuhochdeutschen Verwendung als *zur nott* (= wenn es notwendig ist) (289, 17) erscheint, vorwiegend einen Zustand seelischer Bedrängnis, der durch den Unglauben verursacht ist (z.B. 214, 17; 237, 34; 238, 23; 340, 18).
Auch in dem bereits zitierten Beleg (329, 10) sowie an der Stelle, in der Müntzer davon spricht, daß wir *in unseren nöthen* die Heiligen anrufen (232, 15), ist eine Beziehung auf spirituelle Bedürftigkeit nicht auszuschließen.
Nur in dem Syntagma *mit grosser noth* (257, 11) aus der Fürstenpredigt, mit der die kaum noch zurückzuhaltende Bereitschaft der Landesherren gekennzeichnet werden soll, zum Schwert zu greifen, um die Ungläubigen zu bestrafen, bezeichnet das Wort undifferenziert den Zustand der Bedrängnis.

3. Geistliche Bedürftigkeit und weltliche Obrigkeit

Da für Müntzer der Mensch aus seinen eigenen Fähigkeiten heraus und ohne Gottes Offenbarung die Wahrheit nicht erkennen kann und der Täuschung ausgesetzt ist und anheim fällt, sieht er ihn im Zustand der totalen geistlichen Bedürftigkeit. Als Konsequenz aus diesem Menschenbild ergibt es sich, daß es für Müntzer unsinnig ist, einem solchermaßen bedürftigen und vor Gott erbärmlichen Menschen Ehre zuzubilligen.
Die Untersuchung des Wortschatzes im Umkreis der Begriffe von 'Reputation' oder 'Ehre' kann aufzeigen, daß die hierher gehörenden Bezeichnungen nur dann in positivem Sinn gebraucht werden, wenn sie auf Gott bezogen sind. Dem Menschen gebühren nach Müntzers Auffassung *ehre*, *preis* und *rum* nicht.

Ehre ist in den liturgischen Schriften einmal auf Maria, sonst stets auf Gott oder Christus bezogen (z.B. 51, 3; 55, 6) und kommt fast ausschließlich in der liturgischen Formel vor *ehre sey dem vater und dem sone und dem heylgen geyste* (z.B. 66, 1; 94, 6).
In den politisch-polemischen Schriften wird *ehre* durch den Kontext als etwas Positives nur dort ausgewiesen, wo sie sich auf Gott oder Maria bezieht (z.B. 247, 6; 233, 15; 322, 19). In Relation zum Menschen gesetzt bekommt *ehre* negative Bedeutung und bezeichnet die Gier nach Ansehen und Reputation, die – besonders bei Fürsten und Pfaffen hochentwickelt – ein Anzeichen für Gottlosigkeit ist. Dies kommt deutlich in der Stelle der *Ausgedrückten Entblößung* zum Ausdruck, in der Müntzer Matthäus 6, 24 zitiert:

> *Ir kuͤnnet nit gott und den reychthumern dienen*

und dann fortfährt:

> *Wer dieselbigen ehr und guͤtter zum besitzer nimpt, der muͦß zuͦletzt ewig von Gott leer gelassen werden* (282, 25–30).

Müntzer kennzeichnet die Gottlosen als die *ehrgeizigen oder genießsucher* (255, 13) und spricht von den verkehrten Schriftgelehrten als den *wolluͤstigen, ehrgeitzigen* (305, 36) und sagt, daß *der ungetadelte gottessone … die eregeytzigsten schrifftgelerten dem teüffel mit bewehrung* (= Erfolg) *vergleichet* hat (332, 20). Ehre im positiven Sinne kann der Mensch nur dann erwerben, wenn er durch das Leiden zum Glauben gelangt ist. In diesem Fall handelt es sich dann aber nicht mehr um das Ansehen vor den Menschen, sondern um die Rechtfertigung des Menschen vor Gott; es wird hier wiederum die für Müntzer so charakteristische Bedeutungspolung sichtbar, die davon abhängt, ob das entsprechende Lexem auf geistliche oder weltliche Sachverhalte bezogen ist. Sehr schön wird dies in folgender Stelle deutlich:

> *Darüber uns nit anders gebricht, dann das wir unser blintheit nit erkennen wollen noch vornemen, wann uns Got in die hőchste ehre durch schande setzt, in des geists gesuntheit durch krankheit des leybs etc.* (211, 2–5)

Preiß kommt ausschließlich bezogen auf Gott oder seine Auserwählten vor. Müntzers Ansicht, daß *preiß* nur Gott zusteht, findet in seinem an Luther gerichtete Zuruf Ausdruck:

> *Hast du nit gelesen, du hochgelerter buͦbe, wie Got durch Esaiam sagt am 42.c: 'Ich wil meinen preyß nyemandt geben?'* (336, 16f.).

Rum und *rümen* haben in den liturgischen Schriften stets Bezug auf Gott (44, 9; 81, 14; 118, 21), in den politisch-polemischen Schriften tragen die Bezeichnungen nur dort positive Bedeutung, wo es sich um das Preisen Gottes oder seines Evangeliums handelt (z.B. 338, 20; 494, 27). In allen übrigen Belegen ist das Rühmen oder Sich-Rühmen das ungerechtfertigte Betonen des eigenen Glaubens (227, 13; 271, 21), der in Wahrheit verstockt ist, des Besitzes der Bibel (325, 16), der in Wahrheit ein Nachplappern des *toten* Buchstabens ist, oder der eigenen mutigen Opferbereitschaft des Lebens (341, 23), die in Wahrheit nie bestand.
Das ungerechtfertigte Sich-Berufen der in Wahrheit Gottlosen auf das Evangelium oder auf den Glauben, der in Wahrheit Unglaube ist, charakterisiert Müntzer als *rhumretiges* (218, 29; 227, 13; 236, 23; 271, 21) Schwatzen.

Die Abwertung, die bei Müntzer jegliches menschliche Ansehen erfährt, zeigt auch die Verwendung des Wortes *titel*, das in Beziehung zum Menschen gesetzt stets in negativem Sinne gebraucht (299, 23; 336, 14) und nur Christus zugestanden wird (322, 19; 336, 20).

Als vor Gott verworfenem Wesen kann dem weltlichen Menschen keine Ehre zugebilligt wrden; verlangt er sie dennoch für sich, wie dies die weltliche Obrigkeit tut, so beweist er damit, daß er gegen Gott verstockt ist.

Müntzers Obrigkeitsfeindlichkeit, die die folgende Untersuchung des Wortschatzes aus dem Bereich der weltlichen Machtausübung klar aufzeigen kann, ergibt sich somit aus seiner Anschauung der vollkommenen geistlichen Bedürftigkeit des Menschen. Diese Feststellung widerspricht nicht der von HINRICHS (1952, 120ff.) vertretenen Meinung, nach der die Reichen und Mächtigen an sich, das heißt durch ihren Stand und ihre Stellung, gottlos und der Verdammnis des göttlichen Zornes anheimgegeben sind. Vielmehr macht erst die Einsicht in die Bedeutung, die die Bedürftigkeit des Menschen im Denken Müntzers spielt, seine Ansicht von der grundsätzlichen Verworfenheit der Mächtigen erklärlich.

Kaiser erscheint nur einmal in den liturgischen Schriften als Standesbezeichnung *kaiser Augustus* (56, 19); *kaiserlich* kommt nur in den politisch-polemischen Schriften vor und kennzeichnet eine Verordnung Karls V. als *kayserlich mandat* (336, 2). In diesen Fällen ist der Begriff wertfrei.

Als *könig* werden in den liturgischen Schriften in überwiegendem Maße Gott oder Christus bezeichnet (z.B. 54, 31; 89, 23; 110, 3; 168, 4). Wo weltliche Könige wertfrei genannt werden, wird betont, daß sie von Gott eingesetzt sind und ihm dienen müssen (z.B. 89, 13; 139, 12; 140, 13). In allen übrigen Verwendungen sind die Könige die gegen Gott Aufbegehrenden, Verworfenen, denen ihr Untergang angekündigt wird (z.B. 89, 33; 93, 19). In den politisch-polemischen Schriften ist das Wort zehnmal Rangbezeichnung eines bestimmten, im Alten Testament erwähnten Herrschers (z.B. 248, 21; 257, 14). Einmal wird Christus *gůtiger ko̊nig aller ko̊nige* (322, 16) genannt. Die einzige Belegstelle, in der *König* nicht als Bestandteil eines speziellen Personennamens oder als Bezeichnung Gottes vorkommt, ist ein Zitat aus Jeremia, in dem *kuͤnig, fůrsten und pfaffen*, die gleichgesetzt werden mit *starcken, gottlosen tyrannen*, die Vernichtung prophezeit wird (267, 25).

Regirn in der Bedeutung von 'Herrschaft ausüben' erscheint in den liturgischen Schriften ausschließlich in Beziehung auf Gott – Christus (z.B. 65, 21; 106, 7; 169, 13), in den politisch-polemischen bezeichnet das Wort in allen Fällen, wo es nicht das Wirken Gottes meint, das anmaßende angestrebte oder ausgeübte Beherrschen anderer durch unfähige (257, 10), gottlose (284, 20; 289, 16), verworfene Menschen (283, 6) oder durch den Teufel (505, 1).

Ebenso ist *regiment*, das nur in den politisch-polemischen Schriften vorkommt, dort, wo es nicht göttliche (258, 15; 263, 6), sondern weltliche Herrschaft bedeutet, eine *verkerte*, das heißt, gottlose Machtausübung der Regenten, die die Untertanen beschwert und sich Gottes Willen hemmend entgegengestellt (283, 14; 284, 34; 288, 38). Nur in einer Belegstelle aus der *Auslegung des Unterschieds Danielis* trägt das Lexem keine abwertende Bedeutung (259, 2), doch diese Schrift nimmt eine Sonderstellung ein, weil Müntzer bei seiner Predigt vor Vertretern des sächsischen Fürstenhauses, die er für sich zu gewinnen hofft, scharfe Angriffe auf die Obrigkeit vermeidet und auch weitere Bezeichnungen aus dem Bezirk der weltlichen Macht entgegen der Verwendung in den übrigen Schriften nicht mit abwertender Bedeutung gebraucht.

Regent erscheint nur in der *Auslegung des Unterschieds Danielis* nicht abwertend in der Bedeutung 'weltlicher Herrscher'. In den übrigen Belegen sind die Regenten *gottlose* (262, 16; 300, 25; 377, 1), *unvernünftige* (288, 20) und *geistlose* (328, 11), das heißt, ungläubige Menschen.

Hirschen und *hirschaft* kommen nur in den liturgischen Schriften vor und bezeichnen in keinem Beleg weltliche Machtausübung, sondern meist das Regieren Gottes oder Christi (z.B. 68, 14; 93, 10; 99, 8; 115, 5; 148, 7) und in einigen Fällen die Gewalt des Todes, die Christus gebrochen hat (106, 17; 109, 17; 120, 3).

Thron (67, 24; 153, 21) und *scepter* (z.B. 55, 1; 93, 10) erscheinen ebenfalls nur in den liturgischen Schriften und bezeichnen die Herrschaftsinsignien Gottes oder des von ihm eingesetzten Königs David.

Herr begegnet in den liturgischen Schriften dort, wo es nicht als Synonym für Gott – kenntlich an der Großschreibung – gebraucht wird, ausschließlich als Bezeichnung für die Herrschaft Gottes oder Christi über die Menschen, wie es z.B. in 169, 1f. deutlich wird:

> *Dann du bist allein heylig. Du bist allein ein herr. Du bist allein der hͤochste, Jesu Christe.*

Fast die Hälfte der Belege des Lexems in den politisch-polemischen Schriften steht in dem gleichen Kontext. Sechsmal erscheint *liebe herren* als Anrede, wobei nur in der *Auslegung des Unterschieds Danielis* Angehörige des herrschenden Adels so angesprochen werden, sonst richtet sich die Wendung ironisch an die Pfaffen (493, 7) oder aufmunternd an den Leser (282, 2). Abgesehen von den wenigen Belegen, wo das Wort im Zusammenhang des Sprichworts 'Man kann nicht zwei Herren dienen' steht (288, 29; 342, 23), bezeichnet es einen weltlichen Regenten, der das gottlose, *verkehrte regiment* (288, 38) ausübt und die Untertanen ausbeutet, so z.B. in der *Hochverursachten Schutzrede*:

> *Sich zů, die grundtsuppe des wůchers, der dieberey und rauberey sein unser herrn und fürsten, nemen alle creaturen zum aygenthumb* (329, 18–20),

oder einen genußsüchtigen, ungläubigen Pfaffen:

> *Es seyn dye herren, die nor fressen unde sauffen unde pastalen* (= prassen?), *suchen tag unde nacht, trachten, wie sye sich erneren unde vihel lehen krigen* (500, 21–23).

Hertzog ist, wenn es sich auf einen Menschen bezieht, Anrede oder Titel (z.B. 338, 8; 342, 2). Wird das Wort in dem umfassenden Sinn gebraucht, daß damit zugleich die Aufgabe des Trägers dieser Würde angesprochen wird, ist stets Gott oder Christus damit gemeint (137, 20; 322, 16; 323, 21).

Fürst kommt in beiden Schriftengruppen insgesamt achtundvierzigmal vor und ist die häufigste Bezeichnung für den regierenden Adel. Es lassen sich in der Verwendung des Wortes drei Gruppen unterscheiden:

Fürst wird Gott–Christus genannt. Hierfür können nur zwei Belege herangezogen werden: Müntzer widmet seine *Hochverursachte Schutzrede* in bewußtem Gegensatz zu der Gepflogenheit, eine Schrift einem weltlichen Regenten zu dedizieren, seinem *fürsten* Jesus Christus (322, 11). In der zweiten Belegstelle kommt zum Ausdruck, daß Müntzer die Bezeichnung *fürst* als ehrenden Titel[6] nur Christus zubilligt analog der entsprechenden Verwendung von *hertzog*. Müntzer wirft Luther vor:

Warumb haystu sye (die sächsischen Regenten) *die durchleüchtigen fürsten? Ist doch der titel nit ir, ist er doch Christi* (336, 19f.).

Sodann kann *Fürst* Anrede oder Nennung bestimmter Personen sein, z.B. *fürst Friedrich*, die *fursten Juda*, und damit meist nicht wertend (z.B. 56, 9; 140, 10; 338, 8). Häufig ist eine derartige Verwendung des Wortes in der Fürstenpredigt. In der *Hochverursachten Schutzrede* legt Müntzer dem Wort noch keine direkt abwertende Bedeutung bei, doch rücken die Ernestiner als Träger dieses Titels, die sich von Luther blenden und schmeicheln lassen, bereits in die Nähe des Verächtlichen.
Als allgemeine Standesbezeichnung wird *fürst* von Müntzer fast ausschließlich in negativem Sinne gebraucht und deckt den gleichen Bereich wie *herr*, wenn dieses sich auf weltliche Regenten bezieht (z.B. 140, 5; 267, 25; 284, 38; 329, 19; 501, 9).

Juncker ist zweimal belegt und charakterisiert einmal einen müßiggehenden, untätigen (164, 31), zum anderen einen ironisch als *gůtt* bezeichneten, den *unvernünfftigen regenten*, die *wider alle billigkeyt streben und Gottes wort nit annemen*, gleichgesetzten Angehörigen des Adels (288, 25).

Edle strauchhenlin (340, 4) ist die ironische Benennung des zum Raubrittertum herabgesunkenen Landadels.

Tyrannen schließlich werden die weltlichen Herren genannt (165, 5; 267, 29; 275, 32; 330, 22; 342, 10), wenn allgemein von ihnen die Rede ist. In einem Fall bezeichnet Müntzer so die *ertzgottlosen* Pfaffen (294, 29).

4. Fazit

Die Untersuchung des sprachlichen Feldes der 'Täuschung' konnte klar die Relevanz aufzeigen, die für Müntzer Lüge und Betrug als Mittel zur Verführung des Menschen darstellen: Zum einen spiegelt der gottferne, weltverfallene *fleischliche* Verstand ohne Einwirkung der göttlichen Offenbarung dem Menschen Erkenntnisse und vermeintlich geistliche Einsichten vor, die in Wahrheit Täuschungen und Blendwerke des Teufels sind, der für Müntzer die Verkörperung der Lüge ist. Zum anderen tragen die so Getäuschten die *verkehrte* Wahrheit weiter und verhindern durch die hinterlistige und heuchlerische Ausstreuung ihrer mit dem Mantel des Glaubens getarnten Gottlosigkeit die weitere Verbreitung des rechten Glaubens im Volk und verursachen so den immer desolater werdenden Zustand der Christenheit.

Müntzer sieht also den Menschen im Zustand der umfassenden spirituellen Armut, wenn ihm nicht der rechte Glaube von Gott geschenkt wird, wie dies die Untersuchung des sprachlichen Feldes im Sinnbezirk der Bedürftigkeit deutlich machen konnte.
Da für Müntzer ausschließliches Beurteilungskriterium für jegliche menschliche Fähigkeiten und Betätigungen der Besitz des rechten Glaubens ist, ergibt sich für ihn konsequenterweise die Anschauung des Menschen als eines aufgrund seiner geistlichen Armut in jeglicher Hinsicht bedürftigen Wesens. Die Untersuchung des sprachlichen Feldes im Sinnbezirk von 'Ehre' und 'Reputation' konnte aufzeigen, daß diese Anschauung von der totalen Bedürftigkeit des Menschen ihren sprachlichen Ausdruck darin findet, daß alle Bezeichnungen für weltliches Ansehen in ihrer semantischen Polung von theologischen Bewertungskriterien abhängen und Müntzers Obrigkeitsfeindlichkeit folgerichtige Konsequenz seiner theologischen Vorstellungen ist.

5. Anmerkungen

1) So stellt LOHMANN, Annemarie (1931), Zur Geistigen Entwicklung Thomas Müntzers, Beiträge zur Kulturgeschichte des Mittelalters und der Renaissance, Bd. 47. Leipzig und Berlin, 9, fest, daß „das Wahrheitsproblem für Müntzer im Zentrum der Glaubensfrage steht".
2) Entgegen der Erwägung, das Wort als Ableitung aus dem Griechischen oder Niederdeutschen zu erklären (SPILLMANN 1971, 142) überzeugt der Nachweis von TSCHIRCH, Fritz (1974), Rez. SPILLMANN (1971), in: Anzeiger für deutsches Altertum und deutsche Literatur, Bd. 85. Wiesbaden, 59, daß das Wort vielmehr zu 'blasen' zu stellen ist und die Bedeutung „(heim)tückisch (in die Ohren) blasen" trägt.
3) GRIMM, Jacob und Wilhelm (1864–1960), Deutsches Wörterbuch, 16 Bde. in 32, Leipzig, Bd. 5, 1991, Belege für das 16. Jh. häufig in der Bedeutung 'Umstände, Possen'.
4) Das Wort hat bei Müntzer noch die rein negative Bedeutung. Vgl. zur Bedeutungsentwicklung des Wortes SCHWARZ, Hans (1964), 'Verschmitzt', in: Festschrift für Jost Trier zum 70. Geburtstag. Köln-Graz, 69–111.
5) LOHMANN (1931), 19f. und 60ff.
6) Die Etymologie des Wortes und damit seine eigentliche Bedeutung ist Müntzer durchaus klar, wie aus folgender Stelle deutlich wird: *Und die der christenheyt solten am allerhöchsten vorstehen, darumb sie auch fürsten heyssen* (313, 5–8).

Ingo Warnke

BIBLIOGRAPHIE ZUR MÜNTZER-FORSCHUNG 1950–1990

ABKÜRZUNGEN

AKug	–	Archiv für Kulturgeschichte
ARg	–	Archiv für Reformationsgeschichte
FriesGoertz	–	Friesen/Goertz (Hg.), Thomas Müntzer
HbA	–	Historisch-biographische Ausstellung „Ich, Thomas Müntzer, eyn Knecht Gottes“
JCHS	–	Journal for Church and State
JEH	–	Journal of Ecclesiastical History
KerDog	–	Kerygma und Dogma
LJ	–	Luther-Jahrbuch
MQR	–	Mennonite Quarterly Review
MühlBei	–	Mühlhäuser Beiträge
Prophet	–	Prophet einer neuen Welt, Thomas Müntzer in seiner Zeit
SCJ	–	The Sexteenth Century Journal
SteinmBau	–	M. Steinmetz (Hg.), Der deutsche Bauernkrieg
TheolLit	–	Theologische Literaturzeitschrift
TheolThM	–	Bräuer/Junghans (Hg.), Der Theologe Thomas Müntzer
TMDS	–	Peilicke/Schildt (Hg.), Thomas Müntzers deutsches Sprachschaffen
WZ	–	Wissenschaftliche Zeitschrift ...
ZfG	–	Zeitschrift für Geschichtswissenschaft
ZfK	–	Zeitschrift für Kirchengeschichte
ZPSK	–	Zeitschrift für Phonetik, Sprachwissenschaft und Kommunikationsforschung

Abramowski, Anneliese (1989a), Müntzer und die deutsche Sprache. in: HbA, 87–89.
– (1989b), „Was fragestu mich? Frag meyne zuhorer.“ in: Sprachpflege, Bd. 38, 161–163.
Babenko, Natalja S. (1990), Thomas Müntzer und die rhetorische Tradition seiner Zeit. in: TMDS, 157–169.
Bailey, R. (1983), The Sixteenth Century's Apocalyptic Heritage and Thomas Müntzer. in: MQR, Bd. 57, 27–44.
Bainton, Roland H. (1982), Thomas Müntzer, Revolutionary Firebrand of the Reformation. in: SCJ, Bd. 13, 3–15.
Baring, Georg (1959), Hans Denck und Thomas Müntzer in Nürnberg 1524. in: ARg, Bd. 50, 145–181.
Baylor, Michael G. (1986), Thomas Müntzer's First Publication. in: SCJ, Bd. 17, 451–458.
– (1988), Theology and Politics in the Thought of Thomas Müntzer: The Case of Elect. in: ARg, Bd. 79, 81–102.

Bender, Harold S. (1952), Die Zwickauer Propheten, Thomas Müntzer und die Täufer. in: Theologische Zeitschrift, Bd. 8, 262–278.

Bensing, Manfred (1962), Thomas Müntzer und Nordhausen (Harz) 1522, Eine Studie über Müntzers Leben und Wirken zwischen Prag und Allstedt. in: ZfG, Bd. 10, 1095–1123.

– (1964), Zum sogenannten Regenbogen am Tage der Schlacht bei Frankenhausen. in: Eichsfelder Heimathefte, Bd. 4, 231–234.

– (1965a), Idee und Praxis des 'Christlichen Verbündnisses' bei Thomas Müntzer. in: WZ der Karl-Marx-Universität Leipzig, Bd. 14, 459–471.

– (1965b), Thomas Müntzer. Leipzig [3. Aufl. 1983].

– (1965c), Finale eines großen Lebens, Zum bevorstehenden 440. Todestag Thomas Müntzers. in: Bauern-Echo, Bd. 18.

– (1966), Thomas Müntzer und der Thüringer Aufstand 1525. Berlin (Ost).

– (1966c), Thomas Müntzers Frühzeit, Zu Hermann Goebkes „Neuen Forschungen über Thomas Müntzer". in: ZfG, Bd. 14, 422–430.

– (1967/68), Zu Thomas Müntzers Aufenthalt in Nordhausen 1522 – Zwischenspiel oder Zeit der Entscheidung? in: Harz-Zeitschrift, Bd. 19/20, 35–62.

– (1977), Thomas Müntzers Kampf und Weggefährten. Frankenhausen.

– (1980), Von einem, der auszog, die Marxisten mit Thomas Müntzer zu schlagen. in: S. Hoyer (Hg.), Reform, Reformation, Revolution. Leipzig, 218–223.

– (1981), Grundfragen der Revolution in Thomas Müntzers Denken und Handeln. in: MühlBei, Bd. 4, 18–27.

– (1983), Thomas Müntzer und die Reformationsbewegung in Nordhausen 1522 bis 1525. in: Beiträge zur Heimatkunde aus Stadt und Kreis Nordhausen, Bd. 8, 4–18.

– (1985), Der ideologische Standort Thomas Müntzers im Jahr 1522. in: M. Steinmetz (Hg.), Die frühbürgerliche Revolution in Deutschland. Berlin (Ost), 160–166.

Bensing, Manfred und Trillitzsch, Winfried (1967), Bernhard Dappens 'Articuli ... contra Lutheranos', Zur Auseinandersetzung der Jüterboger Franziskaner mit Thomas Müntzer und Franz Günther 1519. in: Jahrbuch für Regionalgeschichte, Bd. 2, 113–147.

Bentzinger, Rudolf (1988), Besonderheiten in der Wortverwendung bei Thomas Müntzer. in: D. Buschinger (Hg.), Sammlung, Deutung, Wertung. Amiens, 387–399.

– (1990), Tradition und Innovation im Wortschatz Thomas Müntzers. in: TMDS, 44–59.

Berbig, Hans Joachim (1976), Thomas Müntzer in der Geschichtswissenschaft der DDR. in: Geschichte in Wissenschaft und Unterricht, Bd. 27, 211–222.

– (1977), Thomas Müntzer in neuer Sicht. in: AKug, Bd. 59, 489–495.

Berndt, Gundula (1980), Methodische Überlegungen zur Darstellung der historischen Persönlichkeit und ihres Verhältnisses zu den Volksmassen am Beispiel Thomas Müntzers. in: Geschichtsunterricht und Staatsbürgerkunde, Bd. 22, 420–426.

Beyer, Michael (1988), Schmalkalden, Luther und Müntzer. in: Standpunkt, Bd. 16, 21–25.

Blickle, Peter (1976), Thomas Müntzer und der Bauernkrieg in Südwestdeutschland, in: Zeitschr. f. Agrargeschichte und Agrarsoziologie, Bd. 24, 79f.

Bloch, Ernst (1968), Thomas Müntzer. in: H. J. Schultz (Hg.), Die Wahrheit der Ketzer. Stuttgart/Berlin, 108–118.

Bobrowski, Juliane (1988), Zwischen Reformation und Häresie: zur Theologie Thomas Müntzers. in: Standpunkt, Bd. 16, 175–179.

Bondzio, Wilhelm (1975), Thomas Müntzer und die Macht der Sprache. in: Prophet, 127–138.

– (1976), Reformation und Revolution in der Sprache Martin Luthers und Thomas Müntzers. in: Német filológiai tanulmányok. Arbeiten zur deutschen Philologie, Bd. 10, 19–34.

BORN, Georg (1952), Geist, Wissen und Bildung bei Thomas Müntzer und Valentin Icklsamer. Erlangen [Diss.masch.].

BRANDT, Gisela (1987), Thomas Müntzer – Plädoyer für die deutsche Sprache. in: Germanistisches Jahrbuch DDR–UdSSR, 9–19.

– (1988), nach der deutschen art und musterung – Eine syntaktische Studie zu Thomas Müntzer. in: Acta Universitatis Nicolai Copernici, Nauki humanistycznospoleczne, Bd. 82.

– (1989), Thomas Müntzers persönliche Sprachform im Spannungsfeld von Massenkommunikation und nationaler Normentfaltung. in: Beiträge zur Erforschung der deutschen Sprache. Teil I, Bd. 9, 181–216; Teil II, Bd. 10.

– (1990), Zum sprachlichen Wirken Thomas Müntzers über seine liturgischen Texte in evangelischen Kirchengesangsbüchern des 16.–18. Jahrhunderts. in: TMDS, 190–219.

BRÄUER, Helmut (1974), Zwickau zur Zeit Thomas Müntzers und des Bauernkriegs. in: Sächsische Heimatblätter, Bd. 20, 193–223.

– (1976), Der politisch-ideologische Differenzierungsprozeß in der Zwickauer Bürgerschaft unter dem Einfluß des Wirkens Thomas Müntzers (1520/21). in: SteinmBau, 105–111.

– (1989), Thomas Müntzer & die Zwickauer, Zum Wirken Thomas Müntzers in Zwickau 1520–1521. Karl-Marx-Stadt.

BRÄUER, Siegfried (1969), Zu Müntzers Geburtsjahr. in: LJ, Bd. 36, 80–83.

– (1971a), Müntzers Feuerruf in Zwickau. in: Herbergen der Christenheit, 127–153.

– (1971b), Die erste Gesamtausgabe von Thomas Müntzers Schriften und Briefen. in: LJ, Bd. 38, 121–131.

– (1972), Vier neue Müntzerausgaben. in: LJ, Bd. 38, 110–120.

– (1973), Die zeitgenössischen Dichtungen über Thomas Müntzer und den Thüringer Bauernaufstand, Untersuchungen zum Müntzerbild der Zeitgenossen in Spottgedichten und Liedern. Diss. Leipzig.

– (1974a), Hans Reichart, der angebliche Allstedter Drucker Müntzers. in: ZfK, Bd. 85, 389–398.

– (1974b), Thomas Müntzers Liedschaffen. Die theologischen Intentionen der Hymnenübertragung im Allstedter Gottesdienst von 1523/24 und im Abendmahlslied Müntzers. in: LJ, Bd. 41, 45–102.

– (1975a), Thomas Müntzer. in: Die Zeichen der Zeit, Bd. 29, 121–129.

– (1975b), Ein neues Thomas-Müntzer-Bild. in: Amtsblatt der Evangelisch-Lutherischen Kirche in Thüringen, Bd. 28, 52–58.

– (1976), Thomas Müntzer im Schauspiel des 16. Jahrhunderts. in: SteinmBau, 112–121.

– (1977), Thomas Müntzers Weg in den Bauernkrieg. in: Demke, Christoph (Hg.), Thomas Müntzer, Anfragen an Theologie und Kirche. Berlin (Ost), 65–85.

– (1977/78), Müntzerforschung von 1965–1975. in: LJ, Bd. 44, 127–141 und Bd. 45, 102–139.

– (1980a), Die Vorgeschichte von Luthers „Ein Brief an die Fürsten zu Sachsen von dem aufrührerischen Geist". in: LJ, Bd. 47, 40–70.

– (1980b), Thomas Müntzers Selbstverständnis als Schriftsteller. in: S. Hoyer (Hg.), Reform, Reformation, Revolution. Leipzig, 224–232.

– (1984), Thomas Müntzers Beziehungen zur Braunschweiger Frühreformation. in: TheolLit, Bd. 109, Sp. 636–638.

– (1987a), Thomas Müntzer und der Allstedter Bund. in: J.-G. Rott und S.L. Verheus (Hg.), Täufertum und radikale Reformatoren im 16. Jahrhundert. Baden-Baden/Bouxwiller, 85–101.

– (1987b), Thomas Müntzers Fürstenpredigt als Buchbindermaterial. in: TheolLit, Bd. 112, Sp. 415–424.

– (1989a), Die Theologie Thomas Müntzers als Grundlage seiner sozialethischen Impulse. in:

Standpunkt, Bd. 17, 62–67.

– (1989b), Konturen des Theologen Thomas Müntzer. in: HbA, 79–83.

– (1989c), Thomas Müntzers Kirchenverständnis vor seiner Allstedter Zeit. in: TheolThM, 100–128.

BRÄUER, Siegfried und JUNGHANS, Helmar (Hg.) (1989), Der Theologe Thomas Müntzer, Untersuchungen zu seiner Entwicklung und Lehre. Göttingen.

BRECHT, Martin (1989), Thomas Müntzers Christologie. in: TheolThM, 62–83.

BRENDLER, Gerhard (1975), Thomas Müntzer – „Die Gewalt soll gegeben werden dem gemeinen Volk!". in: Einheit, Bd. 30, 30–34.

– (1976a), Thomas Müntzer – einer der größten Revolutionäre unserer Geschichte. in: Geschichtsunterricht und Staatsbürgerkunde, Bd. 18, 426–439.

– (1976b), Zur Bedeutung bürgerlicher Radikalität für Ideologie und Aktion Thomas Müntzers. in: M. Kossok (Hg.), Rolle und Formen der Volksbewegung im bürgerlichen Revolutionszyklus. Berlin (Ost), 1–15.

– (1977), Idee und Wirklichkeit bei der Durchsetzung der Volksreformation Thomas Müntzers in Mühlhausen (Februar bis April 1525). in: G. Brendler (Hg.), Der deutsche Bauernkrieg 1524/25. Berlin (Ost), 81–88.

– (1989a), Thomas Müntzer, Geist und Faust. Berlin (Ost).

BUBENHEIMER, Ulrich (1983), Thomas Müntzer. in: K. Scholder und D. Kleinmann (Hg.), Protestantische Profile aus drei Jahrhunderten. Königstein/Ts., 23–46.

– (1984/85), Thomas Müntzer in Braunschweig, Teil I und II. in: Braunschweigisches Jahrbuch, Bd. LXV, 37–78 und Bd. LXVI, 79–114.

– (1985), Thomas Müntzer und der Anfang der Revolution in Braunschweig. in: Nederlands Archief voor Kerkgeschiedenis, Bd. 65, 1–30.

– (1987), Luther-Karlstadt-Müntzer, Soziale Herkunft und humanistische Bildung, Ausgewählte Aspekte vergleichender Biographie. in: Amtsblatt der evangelisch-lutherischen Kirche in Thüringen, Bd. 40, 60–68.

– (1988a), Thomas Müntzers Wittenberger Studienzeit. in: ZfK, Bd. 99, 168–213.

– (1988b), Thomas Müntzers Nachschrift einer Wittenberger Hieronymusvorlesung. in: ZfK, Bd.99, 214–237.

– (1989a), Thomas Müntzer und der Humanismus. in: TheolThM, 302–328.

– (1989b), Thomas Müntzer, Herkunft und Bildung. Leiden.

CAMPI, E. (1970), Thomas Müntzer, teologo e rivoluzionario. in: Gioventu Evangelica, Bd. 20, 3–38.

CATTEPOEL, Jan (1972), Ansätze zu einer Rechtsphilosophie bei Thomas Müntzer. in: Österreichische Zeitschrift für öffentliches Recht, Bd. 23 NF, 147–169.

CLAUS, H. (1976), Zur Druckgeschichte der in Sachsen veröffentlichten Schriften Thomas Müntzers. in: SteinmBau, 122–127.

DAMASCHKE, Maria (1988), Untersuchungen zum Wortgebrauch bei Thomas Müntzer. in: WZ der Pädagogischen Hochschule „Dr. Theodor Neubauer" Erfurt/Mühlhausen, Gesellschafts- und sprachwissenschaftliche Reihe, Bd. 25, 105–110.

– (1989), Zur Sprache Thomas Müntzers. in: Sprachpflege, Bd. 38, 173–177.

DANFFY, Erika (1986), Ausgewählte syntaktische Untersuchungen der Briefe Thomas Müntzers aus den Jahren 1521–1525, Ein Beitrag zur Herausbildung und Entwicklung einer deutschen literatursprachlichen Norm. Berlin (Ost) [unveröff. Diplomarbeit].

DEMKE, Christoph (Hg.) (1977), Thomas Müntzer, Anfragen an Theologie und Kirche. Berlin (Ost).

DIENST, Karl (1975), Thomas Müntzer – Eine Gestalt der Bewußtseinsgeschichte, Historie und Metapher. in: Blätter für pfälzische Kirchengeschichte und religiöse Volkskunde. Bd. 42, 217–237.

DISMER, Rolf (1974), Geschichte, Glaube, Revolution, Zur Schriftauslegung Thomas Müntzers. Diss. Hamburg.
DÖRING, Brigitte (1989), Gedanken zum 500. Geburtstag Thomas Müntzers. in: Deutschunterricht, Bd. 42, 386–392.
– (1990), Wortgebrauch und Wortbedeutung bei Thomas Müntzer. in: TMDS, 31–43.
DREHER, Martin N. (1982), O profeta Thomas Muntzer – Thomas Muntzer, um profeta?. in: Estudos teol, Bd. 22, 195–214.
DRUCKER, Renate und RÜDIGER, Bernd (1974), Zu Thomas Müntzers Leipziger Studentenzeit. in: WZ der Karl-Marx-Universität Leipzig, Bd. 23, 445–453.
DRUMMOND, Andrew W. (1979), Thomas Müntzer and the Fear of Man. in: SCJ, Bd. 10, 63–71.
– (1980), The Divine and the Mortal World of Thomas Müntzer. in: ARg, Bd. 71, 99–112.
EBERT, Klaus (1973), Theologie und politisches Handeln, Thomas Müntzer als Modell. Stuttgart.
– (1987), Thomas Müntzer, Von Eigensinn und Widerspruch. Frankfurt/M.
ELLIGER, Walter (1957), Müntzers Übersetzung des 93. Psalms. in: Solange es heute heisst, Festgabe Rudolf Hermann zum 70. Geburtstag. Berlin, 56–64.
– (1960), Thomas Müntzer, Erkenntnis und Glaube. Berlin-Friedenau.
– (1965/1978) [zitiert aus: FriesGoertz, 56–73], Thomas Müntzer. in: TheolLit, Bd. 90, Sp. 7–18.
– (1967), Zum Thema Müntzer und Luther. in: LJ, Bd. 34, 90–116.
– (1973), Müntzer und das alte Testament. in: Wort und Geschichte, Festschrift für Karl Elliger zum 70. Geburtstag. Kevelaer/Neukirchen/Vluyn, 57–64.
– (1975), Thomas Müntzer, Leben und Werk. Göttingen.
– (1976), Thomas Müntzer, Außenseiter der Reformation, Ein Knecht Gottes. Göttingen [3. Aufl.].
ENDERMANN, Heinz (1975a), Wesenszüge der Sprache Thomas Müntzers.in: ZPSK, Bd. 28, 574–581.
– (1975b), Thomas Müntzers Bekenntnis zur deutschen Sprache. in: Sprachpflege, 100f.
– (1980), Die Sprache Thomas Müntzers in ihren Lauten und Formen. Diss. Jena.
– (1981), Thomas Müntzer und die sprachliche Situation in Deutschland zu Beginn des 16. Jahrhunderts. in: Linguistische Studien, Reihe A, Arbeitsberichte, Bd. 79. Berlin (Ost).
– (1989a), Beobachtungen zur Sprache Thomas Müntzers. in: Proceedings of the XIVth International Congress of Linguists 1987 Berlin.
– (1989b), Thomas Müntzer und die deutsche Sprache. in: WZ der Friedrich-Schiller-Universität Jena, Gesellschaftswiss. Reihe, Bd. 38, 499–511.
– (1989c), Thomas Müntzer und die Sprachwirklichkeit zur Zeit der frühbürgerlichen Revolution. in: MühlBei, Bd. 12, 12–17.
– (1990), Zur Rezeption Thomas Müntzers durch Gottfried Arnold – Ein Textvergleich. in: TMDS, 220–227.
FAUTH, Dieter (1989), Das Menschenbild bei Thomas Müntzer. in: TheolThM, 39–61.
– (1990), Thomas Müntzer aus bildungsgeschichtlicher Sicht. Ostfildern.
FEDERER, Jakob Gottfried (1975), Didaktik der Befreiung, Eine Studie am Beispiel Thomas Müntzers. Bonn.
FEUDEL, Günter (1990), Thomas Müntzers „Deutsche Evangelische Messe“ – ein frühes Beispiel literatursprachlicher Gestaltung auf dem Weg zur nationalen Literatursprache. in: TMDS, 182–189.
FISCHER, Hubertus (1976), Thomas Müntzer, Religion und Kommunismus. in: W. Raitz (Hg.), Deutscher Bauernkrieg, Historische Analysen und Studien zur Rezeption. Opladen, 36–53.
FISCHER, Ludwig (1976), Der Streit um Geschichte, zur Beschäftigung mit Thomas Müntzer. in: ders.

(Hg.), Die lutherischen Pamphlete gegen Thomas Müntzer. Tübingen, I–LIV.
FORELL, G. W. (1963), Thomas Müntzer, Symbol and Reality. in: Dialog, Bd. 2, 12–23.
FOSTER, C. R. (1976), Das Müntzerbild in der amerikanischen Geschichtsschreibung. in: SteinmBau, 128–136.
FRANZ, Dietrich E. (1989), „Das Volk wird frei werden", Zu bedeutenden Sozialutopien des deutschen Bauernkrieges, Thomas Müntzer – Hans Hergot – Michael Gaismair. in: WZ der Friedrich-Schiller-Universität Jena, Gesellschaftswiss. Reihe, Bd. 38, 437–452.
FRANZ, Günther (1967), Thomas Müntzer. in: ders., Persönlichkeit und Geschichte, Vorträge und Aufsätze. Wuppertal, 47–55.
FRIEDMANN, Robert (1957), Thomas Muentzers Relation to Anabaptism. in: MQR, Bd. 31, 75–87.
FRIESEN, Abraham (1965), Thomas Müntzer in Marxist Thought. in: Church History, Bd. 34, 3–24.
– (1967), The Marxist Interpretation of the Reformation. Diss. Stanford.
– (1973), Thomas Müntzer and the old testament. in: MQR, Bd. 47, 5–19.
– (1974), Philipp Melanchthon (1497–1560), Wilhelm Zimmermann (1807–1878) and the dilemma of Muntzer Historiography. in: Church History, Bd. 43, 164–182.
– (1978a), Thomas Müntzer und das alte Testament. in: FriesGoertz, 383–402 [Übers. v. Friesen (1973)].
– (1978b), Die ältere und die marxistische Müntzerdeutung. in: FriesGoertz, 447–480.
– (1986), Thomas Müntzer and the Anabaptists. in: Journal of Mennonite Studies, Bd. 4, 143–162.
– (1988), Thomas Müntzer and Martin Luther. in: ARg, Bd. 79, 59–80.
– (1989), The intellectual Development of Thomas Müntzer. in: R. Postel/F. Kopitzsch (Hg.), Reformation und Revolution. Stuttgart, 121–137.
FRIESEN, Abraham und GOERTZ, Hans-Jürgen (Hg.) (1978), Thomas Müntzer. Darmstadt.
FRITZE, Marie-Elisabeth (1980), Zum regional gebundenen Wortschatz Thomas Müntzers. in: J. Schildt (Hg.), Syntaktisch-stilistische und lexikalische Untersuchungen an Texten aus der Zeit des Großen Deutschen Bauernkrieges. Berlin (Ost), 76–108.
GEIER, M. (1985), 'Drumb muss ein newer Daniel auffstehn', Müntzers Fürstenpredigt: ein theologischer Intertext. in: M. Geier, Die Schrift und die Tradition, Studien zur Intertextualität. München.
GERDES, Hayo (1955), Der Weg des Glaubens bei Müntzer und Luther. in: Luther, Bd. 26, 152–165.
GERICKE, W. (1975), Der Theologe des heiligen Geistes. in: Die Kirche, Bd. 30, 17–26.
– (1978), Thomas Müntzer als Theologe des Geistes und seine Sicht von der Erziehung der Menschheit. in: Herbergen der Christenheit. Berlin (Ost), 47–63.
GEYER, Iris (1982), Thomas Müntzer im Bauernkrieg, Analyse zweier seiner wichtigsten Schriften unter Berücksichtigung des sozial- und geistesgeschichtlichen Hintergrunds, Ernst Blochs zeit- und ideologiebedingtes Mißverständnis, Thomas Müntzer betreffend. Bensingheim.
GOEBKE, Hermann (1957), Neue Forschungen über Thomas Müntzer bis zum Jahr 1520, Seine Abstammung und die Wurzeln seiner religiösen, politischen und sozialen Ziele. in: Harz-Zeitschrift, Bd. 9, 1–30.
– (1961), Thomas Müntzer – familiengeschichtlich gesehen. in: E. Werner und M. Steinmetz (Hg.), Die frühbürgerliche Revolution in Deutschland, Bd. 2. Berlin (Ost), 91–100.
GOERTZ, Hans-Jürgen (1967), Innere und äußere Ordnung in der Theologie Thomas Müntzers. Leiden.
– (1974), Der Mystiker mit dem Hammer, Die theologische Begründung der Revolution bei Thomas Müntzer. in: KerDog, Bd. 20, 23–53.
– (1976), 'Lebendiges Wort' und 'totes Ding', Zum Schriftverständnis Thomas Müntzers im Prager Manifest. in: ARg, Bd. 67, 153–178.

– (1978a), Schwerpunkte der neueren Müntzerforschung. in: FriesGoertz, 481–536.
– (1978b), Thomas Müntzer, Revolutionär aus dem Geist der Mystik. in: ders. (Hg.), Radikale Reformatoren. München, 30–43.
– (1988), Das Bild Thomas Müntzers in Ost und West. Hannover.
– (1989a), Thomas Müntzer, Mystiker, Apokalyptiker, Revolutionär. München.
– (1989b), Zu Thomas Müntzers Geistverständnis. in: TheolThM, 84–99.

GÖTTING, Gerald (1975), Thomas Müntzer und wir. in: Prophet, 7–17.

GOLDBACH, Günter (1969), Hans Denk und Thomas Müntzer. Ein Vergleich ihrer wesentlichen theologischen Auffassungen – Eine Untersuchung zur Morphologie der Randströmungen der Reformation. Hamburg [Diss.].

GRANE, Leif (1975), Thomas Müntzer und Martin Luther. in: B. Moeller (Hg.), Bauernkriegs-Studien. Gütersloh, 69–97.

GRATZ, Frank (1989), Zur Vorgeschichte von Thomas Müntzers Sendbrief an Graf Ernst von Mansfeld vom 12. Mai 1525. in: WZ der Friedrich-Schiller-Universität Jena, Gesellschaftswiss. Reihe, Bd. 38, 533–550.

GRIESE, Christiane und ROMMEL, Ludwig (1988), Aus der Werkstatt einer Müntzerbiographie. in: ZfG, Bd. 36, 428.

GRITSCH, Eric W. (1963), Thomas Müntzer and the Origins of Protestant Spiritualism. in: MQR, Bd. 37, 172–194.
– (1967), Reformer without a Church, The Life and Thought of Thomas Muentzer 1488(?)–1525. Philadelphia.
– (1988), Thomas Müntzer and Luther, A Tragedy of Errors. in: H.J. Hillerbrand (Hg.), Radical Tendencies in the Reformation. Kirksville (Missouri), 55–83.
– (1989a), Thomas Müntzer, A Tragedy of Errors. Mineapolis.
– (1989b), Thomas Müntzers Glaubensverständnis. in: TheolThM, 156–173.
– (1989c), Thomas Müntzers Weg in die Apokalyptik. in: Luther, Bd. 60, 53–65.

GUTSCHE, Willibald (1977), Zum Verhältnis von religiösen und sozialen Elementen in der volksreformatorischen Lehre Thomas Müntzers. in: G. Brendler (Hg.), Der deutsche Bauernkrieg 1524/25. Berlin (Ost), 97–101.

GÜNTHER, Gerhard (1968), Thomas Müntzer und der Bauernkrieg in Thüringen. in: Beiträge zur Geschichte Thüringens, 172–206.
– (1973), Mühlhausen, Heinrich Pfeiffer und Thomas Müntzer, Eine Studie. Diss. Leipzig.
– (1974), Thomas Müntzer, ein revolutionärer Kämpfer für Frieden und soziale Gerechtigkeit. in: Militärgeschichte, Bd. 13, 716–724.
– (1975), Bemerkungen zum Thema Thomas Müntzer und Heinrich Pfeiffer in Mühlhausen. in: G. Heitz (Hg.), Der Bauer im Klassenkampf. Berlin (Ost), 157–182.
– (1989), Thomas Müntzers Staatsauffassung und der Versuch ihrer Verwirklichung in Mühlhausen 1524/25. in: HbA, 121–125.

GÜNTHER, Gerhard und KORF, Winfried (1986), Mühlhausen, Thomas-Müntzer-Stadt. Leipzig.

HANISCH, Jürgen (1975), Thomas Müntzer und Martin Luther: Anmerkungen zu ihren weltanschaulichen Positionen. in: Thomas Müntzer und der deutsche Bauernkrieg. Mühlhausen, 47–57 [2. überarb. Aufl.].

HAUN, Horst (1989), Erbe und Tradition – Müntzerrezeption in der Geschichtswissenschaft der DDR. in: HbA, 150–154.

HAUSTEIN, M. (1959), Müntzer contra Luther? in: Glauben und Gewissen, Bd. 5, 191f.

HELD, Wieland (1987), Der Allstedter Schosser Hans Zeiß und sein Verhältnis zu Thomas Müntzer. in: ZfG, Bd. 35, 1073–1091.

– (1988), Ein zweiter Bericht über das Verhör Thomas Müntzers im Weimar 1524? in: ZfG, Bd. 36, 515–523.

HEUKENKAMP, Marianne (1990), Die göttlichen Sendboten der Weltveränderung – vergleichende Untersuchungen zur Gestalt des Sendungsgedankens bei Müntzer und bei den Frühromantikern. in: WZ der Martin Luther-Universität Halle Wittenberg, Bd. 39, 3–8.

HILLERBRAND, Hans J. (1964), Thomas Müntzers last tract against Luther. in: MQR, Bd. 38, 20–36.

– (1967a), Thomas Müntzer. in: B. A. Gerrish (Hg.), Reformers in Profile. Philadelphia, 213–229.

– (1967b), The Impatient Revolutionary, Thomas Müntzer. in: A Fellowship of Discontent, The Stories of Five Dissenting Actors in the Great Drama of Church History. New York/Evanston/ London, 1–30.

HINRICHS, Carl (1952), Luther und Müntzer. Ihre Auseinandersetzung über Obrigkeit und Widerstandsrecht. Berlin.

HOBERG, Claudia und REMER, Gertraude (1989), Das Müntzerbild von Engels bis Mehring. in: WZ der Friedrich-Schiller-Universität Jena, Gesellschaftswiss. Reihe, Bd. 38, 587–602.

ICH, THOMAS MÜNTZER, EYN KNECHT GOTTES (1989). Thomas Müntzer-Ehrung der DDR, hrsg. vom Museum für Deutsche Geschichte, Nationales Geschichtsmuseum der DDR, Autorenkollektiv und Abt. Feudalismus. Berlin (Ost).

HONEMEYER, Karl (1964), Müntzers Berufung nach Allstedt. in: Harz-Zeitschrift, Bd. 16, 103–111.

– (1965), Thomas Müntzers Allstedter Gottesdienst als Symbol und Bestandteil der Volksreformation. in: WZ der Karl-Marx-Universität Leipzig, Gesellsch.- und Sprachwiss. Reihe, Bd. 14, 473–477.

– (1974), Thomas Müntzer und Martin Luther, Ihr Ringen um die Musik des Gottesdienstes, Untersuchungen zum 'Deutzsch Kirchenampt' 1523. Berlin.

HOYER, Siegfried (1986), Die Zwickauer Storchianer – Vorläufer der Täufer? in: Jahrbuch für Regionalgeschichte, Bd. 13, 60–78.

– (1989a), Müntzer im Bauernkrieg, seine Gefangenschaft und Hinrichtung. in: HbA, 126–129.

– (1989b), Radikaler Prediger und soziales Umfeld, Bemerkungen zu Thomas Müntzers Tätigkeit in Zwickau. in: R. Postel und F. Kopitzsch (Hg.), Reformation und Revolution. Stuttgart, 155–169.

– (1989c), Thomas Müntzer und Böhmen. in: TheolThM, 359–370.

– (1989d), Thomas Müntzer und Böhmen. in: HbA, 48–49.

– (1989e), Thomas Müntzers Lebensweg bis Mitte 1521. in: HbA, 44–47.

HUSA, Václav (1957), Tomas Münzer a Cechy. in: Rozpravy Ceskoslovenske akademie ved. Rocnik, Bd. 67.

IRMSCHER, Johannes (1976), Das Türkenbild Thomas Müntzers. in: SteinmBau, 137–142.

– (1988), Historische Leitbilder – historische Wirklichkeit. in: H. Stiller (Hg.), Probleme des Müntzerbildes. Berlin (Ost), 46–48.

IRWIN, Joyce L. (1972a), Müntzer's Translation and Liturgical Use of Scripture. in: Concordia Theological Monthly, Bd. 13, 21–28.

– (1972b), The Theological and Social Dimension of Thomas Müntzer's Liturgical Reform. Diss. Yale.

ISERLOH, Erwin (1962), Zur Gestalt und Biographie Thomas Müntzers. in: Trierer Theologische Zeitschrift, Bd. 71, 248–253.

– (1967), Die „Schwärmer“ Karlstadt und Müntzer. in: H. Jedin (Hg.), Handbuch der Kirchengeschichte, Bd. IV. Freiburg i.Br., 118–139.

– (1972a), Revolution bei Thomas Müntzer, Durchsetzung des Reiches Gottes oder soziale Aktion. in: Historisches Jahrbuch der Görres-Gesellschaft, Bd. 92, 282–299.

– (1972b), Sakraments- und Taufverständnis bei Thomas Müntzer. in: H. auf der Mauer und B. Kleinheyer (Hg.), Zeichen des Glaubens. Zürich/Einsiedeln/Köln, 109–122.

JACOB, Willibald (1975), Thomas Müntzers Parteinahme für die Unterdrückten als Ausgangspunkt seiner reformatorischen Bestrebungen. in: Prophet, 87–97.

JUNGHANS, Helmar (1976), Ursachen für das Glaubensverständnis Thomas Müntzers 1524. in: SteinmBau, 143–149.

– (1989a), Der Wandel des Müntzerbildes in der DDR von 1951/52 bis 1989. in Luther, Bd. 60, 120–130.

– (1989b), Thomas Müntzer als Wittenberger Theologe. in: TheolThM, 258–282.

JUNGHANS, Reinhard (1990), Thomas-Müntzer-Rezeption während des „Dritten Reiches“: eine Fallstudie zur populär(wissenschaftlich)en und wissenschaftlichen Geschichtsschreibung. Frankfurt a.M.

KAUTZKY, Karl (1974), Die deutsche Reformation und Thomas Müntzer. in: ders., Vorläufer des neueren Sozialismus, Bd. 2. Berlin (Ost), 7–103.

KERN, Udo (1989), „Das Volk wird frei werden, und Gott will allein der Herr daruber sein.“ (Thomas Müntzer.), Zum theologisch-sozialrevolutionären Konnex bei Thomas Müntzer. in: WZ der Friedrich-Schiller-Universität Jena, Gesellschaftswiss. Reihe, Bd. 38, 473–483.

KINNER, Klaus (1989), Die Müntzerrezeption in der revolutionären deutschen Arbeiterbewegung von den Anfängen bis 1945. in: HbA, 147–150.

KIRCHNER, Hubert (1961), Neue Müntzeriana. in: ZfK, Bd. 72, 113–116.

KLAASSEN, W. (1962), Hans Hut and Thomas Muntzer. in: The Baptist Quarterly, Bd. 19, 209–227.

KLEINSCHMIDT, Karl (1952), Thomas Müntzer, Die Seele des deutschen Bauernkriegs von 1525. Berlin (Ost).

KNOCHE, Andrea (1990), Zu Problemen der Identifikation von Phraseologismen – dargestellt anhand der Schriften Thomas Müntzers. in: TMDS, 60–67.

KOBUCH, Manfred (1960), Thomas Müntzers Weggang aus Allstedt, Zum Datierungsproblem eines Müntzerbriefes. in: ZfG, Bd. 8, 1632–1636.

– (1990), Thomas Müntzer in Aschersleben und Frose. in: ZfG, Bd. 38, 312–334.

KOBUCH, Manfred und MÜLLER Ernst (1975), Thomas Müntzer und die revolutionäre Volksbewegung in Allstedt. in: dies., Der deutsche Bauernkrieg in Dokumenten. Weimar, 16–27.

KOCH, Ernst (1985), Zum Einfluß Müntzers und der Mühlhäuser Bewegung auf die frühe Reformation in Nordhausen zwischen 1522 und 1524. in: B. Kaiser (Hg.), Archiv für Geschichtsforschung. Mühlhausen, 52–67.

– (1989), Zum Sakramentsverständnis Thomas Müntzers. in: TheolThM, 129–155.

KOLESNYK, Alexander (1975), Probleme einer philosophiegeschichtlichen Einordnung der Lehre Thomas Müntzers. in: Deutsche Zeitschrift für Philosophie, Bd. 23, 583–594.

– (1977), Zu den Grundelementen der Weltanschauung Thomas Müntzers. in: G. Brendler (Hg.), Der deutsche Bauernkrieg 1524/25. Berlin (Ost), 89–96.

KONSTITUIERUNG des Thomas-Müntzer-Komitees der DDR am 11. März 1988 aus Anlaß des 500. Geburtstages Thomas Müntzers (1988). Berlin (Ost).

KORF, Winfried (1975), Das Leben Thomas Müntzers. in: Thomas Müntzer und der deutsche Bauernkrieg. Mühlhausen, 31–46 [2. überarb. Aufl.].

KUENNING, Paul P. (1987), Luther and Muntzer, contrasting theologies in regard to secular authority within the context of the German peasent revolt. in: JChSt, Bd. 29, 305–321.

KUPISCH, K. (1955), Thomas Müntzer und die deutsche Geschichte. in: Luther, Bd. 26, 146–151.

KURZE, Dietrich (1972), Die zwölf Artikel der Bauern und der Brief Thomas Müntzers an Ernst von Mansfeld vom 12. Mai 1525 in der Überlieferung durch Johannes Indagine. in: Theorie und

Praxis der Geschichtswissenschaft, Festschrift für Kurze. Berlin/New York, 374–388.
LACKNER, Martin (1960/61), Von Thomas Müntzer zum Münsterschen Aufstand. in: Jahrbuch des Vereins für westfälische Kirchengeschichte, 9ff.
LAU, Franz (1955/1978) [zitiert aus: FriesGoertz, 3–15], Die prophetische Apokalyptik Thomas Müntzers und Luthers Absage an die Bauernrevolution. in: F. Hübner (Hg.), Beiträge zur historischen und systematischen Theologie. Berlin, 163–170.
– (1957), Der Bauernkrieg und das angebliche Ende der lutherischen Reformation als spontane Volksbewegung. in: LJ, Bd. 26, 109–34.
LAUBE, Adolf (1982), Luther und Müntzer in der Erbe- und Traditionsauffassung der DDR. in: Geschichtsunterricht und Staatsbürgerkunde, 691-696.
– (1988a), Probleme des Müntzerbildes. in: H. Stiller (Hg.), Probleme des Müntzerbildes. Berlin (Ost), 5–27.
– (1988b), Thomas Müntzer – Glaube und Revolution. in: Spectrum, Bd. 19, 16–19.
– (1989), Die gesellschaftliche Situation im Reich und Thomas Müntzer. in: HbA, 10–13.
– (1990), Thomas Müntzer und die frühbürgerliche Revolution. in: ZfG, Bd. 38, 128–141.
LÄNGERT, Sabine (1989), Die Darstellung Thomas Müntzers in Malerei und Grafik der DDR und ihre Traditionen. in: HbA, 154–157.
LEFEBVRE, Joel (1982), Thomas Müntzer (1490–1525), Ecrits Theologiques et Politiques. Lyon.
LENK, Werner (1989a), Das revolutionäre Denken Thomas Müntzers. in: HbA, 144–147.
– (1989b), Thomas Müntzer und der Bauernkrieg in der Literatur und Kunst, Ein Überblick. in: Weimarer Beiträge, Bd. 35, 1239–1260.
– (1990), Thomas Müntzers revolutionäres Denken. in: TMDS, 1–18.
LEY, Hermann (1971), Thomas Müntzer. in: ders., Geschichte der Aufklärung und des Atheismus. Berlin (Ost), 715–735.
LINDBERG, Carter (1976), Theology and Politics, Luther the Radical and Muntzer the Reactionary. in: Encounter, Bd. 37, 356–371.
– (1977), Conflicting Models of Ministry: Luther, Karlstadt and Muentzer. in: Concordia Theological Quarterly, Bd. 41, 35–50.
LINGELBACH, Gerhard (1989), „Fürsten – ... helfen nicht den Armen zu Recht". (Thomas Müntzer.), Zu rechtspolitischen Forderungen in der frühbürgerlichen Revolution. in: WZ der Friedrich-Schiller-Universität Jena, Gesellschaftswiss. Reihe, Bd. 38, 485–498.
LOHSE, Bernhard (1970), Auf dem Weg zu einem neuen Müntzerbild. in: Luther, Bd. 41, 100–132.
– (1972), Thomas Müntzer in marxistischer Sicht. in: Luther, Bd. 43, 60–73.
– (1974), Luther und Müntzer. in: Luther, Bd. 45, 12–32.
LOOSS, Sigrid (1989a), Müntzers Beziehungen zu Repräsentanten der reformatorischen Bewegung in den Jahren 1523/24. in: HbA, 59–62.
– (1989b), Nachdenken über Müntzer, Zu einigen Aspekten der „Thesen" zum 500. Geburtstag. in: MühlBei. Bd. 12, 5–11.
MACEK, Josef (1955), Z revolucní minulosti nemeckého lide: Tomás Müntzer a nemecká selská valká. Prag.
MÄGDEFRAU, Werner (1989a), Thomas Müntzer und sein Vermächtnis. in: Historische Beiträge zur Kyffhäuserlandschaft, Bd. 12, 56–73.
– (1989b), Thomas Müntzer und sein Vermächtnis. in: WZ der Friedrich-Schiller-Universität Jena, Gesellschaftswiss. Reihe, Bd. 38, 405–435.
MARON, Gottfried (1972/1978) [zitiert aus: FriesGoertz, 195–225], Thomas Müntzer als Theologe des Gerichts, Das „Urteil" – ein Schlüsselbegriff seines Denkens. in: ZfK, Bd. 83, 195–225.
– (1973/74), Thomas Müntzer in der Sicht Martin Luthers. in: Theologia viatorum, Bd. 12, 71–85.

MARTINSON, Steven D. (1988), Between Luther and Münzer, The Peasent Revolt in German Drama and Thought. Heidelberg.
MATHESON, Peter C. (1981), Thomas Muntzer and the sword of Gideon. in: TH, Bd. 84, 107–114.
MAU, Rudolf (1977), Müntzers Verständnis von der Bibel. in: C. Demke (Hg.), Thomas Müntzer, Anfragen an Theologie und Kirche. Berlin (Ost), 21–44.
– (1989), Gott und Schöpfung bei Thomas Müntzer. in: TheolThM, 11–38.
MEHL, Oskar Johann (1951), Thomas Müntzer als Liturgiker. in: TheolLit, Bd. 76, Sp. 75–78.
MEIHUIZEN, H. W. (1965/66), Der tragische Thomas Müntzer. in: Nederlands Archief voor Kerkgeschiedenis, Bd. 47, 98–119.
METZLER, Regine (1990), Zu einigen rhetorischen Charakteristika von Briefen Thomas Müntzers. in: TMDS, 170–181.
MEUSEL, Alfred (1952) [hrsg. v. H. Kamnitzer], Thomas Müntzer und seine Zeit, Mit einer Auswahl von Dokumenten des großen deutschen Bauernkriegs. Berlin.
– (1954), Thomas Müntzer. Leipzig/Jena.
MEYER, W. E. (1973), Reformation und Revolution, Thomas Müntzer. in: Reformatio, Bd. 22, 342–354.
MITZENHEIM, Paul (1989), Der Prediger Thomas Müntzer und die pädagogischen Anschauungen der frühbürgerlichen Revolution. in: WZ der Friedrich-Schiller-Universität Jena, Gesellschaftswiss. Reihe, Bd. 38, 513–522.
MOELLERING, R. L. (1960), Attitudes Toward the Use of Force and Violence in Thomas Müntzer, Menno Siemons, and Martin Luther. in: Concordia Theological Monthly, Bd. 31, 405–427.
MOLNAR, Amadeo (1958), Thomas Müntzer und Böhmen. in: Communio Viatorum, 242–245.
– (1988/89), Zu Müntzers hussitischen Affinitäten. in: Brücken, 1988/89, 119–122.
MÜHLEN, Karl-Heinz zur (1989), Heiliger Geist und heilige Schrift bei Thomas Müntzer. in: Luther, Bd. 60, 131–150.
MÜHLHAUPT, Erwin (1973), Luther über Müntzer, erläutert und an Müntzers Schrifttum nachgeprüft. Witten.
– (1974), Martin Luther oder Thomas Müntzer, wer ist der rechte Prophet? in: Luther, Bd. 45, 55–71.
– (1975), Welche Schriften Luthers hat Müntzer gekannt? in: Luther, Bd. 46, 125–137.
MÜLLER, Michael (1972), Auserwählte und Gottlose in der Theologie Thomas Müntzers. Halle [unveröff. theol. Diss.].
– (1979), Die Gottlosen bei Thomas Müntzer – mit einem Vergleich zu Martin Luther. in: LJ, Bd. 46, 97–119.
MÜLLER, Norbert (1975), Thomas Müntzers Anschauungen über das Verhältnis von Kirche und Gesellschaft. in: Prophet, 53–74.
NAUMANN, Horst (1990), Personenbezeichnungen und Personennamen in Müntzers Schriften. in: TMDS, 119–128.
NIKOLOV, Jordan (1977), Thomas Müntzer und die Balkanvölker. in: G. Brendler (Hg.), der deutsche Bauernkrieg 1524/25. Berlin (Ost), 81–88.
NIPPERDEY, Thomas (1963), Theologie und Revolution bei Thomas Müntzer. in: ARg, Bd. 54, 145–180.
OBERMAN, Heiko A. (1973), Thomas Müntzer: van verontrusting tot verzeret. in: Kerk en Theologie, Bd. 24, 205–214.
ONDROJOVIC, Dusan (1988/89), Die heutige Wertung von Thomas Müntzer in kirchlichen und theologischen Kreisen. in: Brücken, 1988/89, 128–131.
OPITZ, Helmut (1975), Zu neuerer Literatur über Thomas Müntzer. in: Christenlehre, Bd. 28, 82–92.

ORIENTIERUNGSHILFE zum Gedenken des 500. Geburtstages von Thomas Müntzer im Jahre 1989. in: Die Zeichen der Zeit, Bd. 42, 79–82.

OZMENT, S. (1973), Thomas Müntzer. in: ders., Mysticism and Dissent. New Haven/London, 61–97.

PACKULL, Werner O. (1977), Thomas Müntzer between marxist-christian Diatribe and Dialogue. in: Hist. Reflections, 67–90.

PACKULL, Werner O. und STAYER, James M. (Hg.) (1980), The Anabaptists and Thomas Müntzer. Dubuque/Iowa/Toronto, Ont.

PASCHE, Daniel (1975), Zu Müntzers Persönlichkeit. in: Standpunkt, Bd. 3, 130–131.

PASCHMANN, Wolfram (1976), Zu einigen wehrerzieherischen Potenzen in der unterrichtlichen Behandlung des deutschen Bauernkrieges und des Lebens Thomas Müntzers. in: SteinmBau, 287–290.

PAULI, Frank (1989), Müntzer, Stationen einer Empörung. Berlin.

PEILICKE, Roswitha und SCHILDT, Joachim (Hg.) (1990), Thomas Müntzers deutsches Sprachschaffen, Referate der internationalen sprachwissenschaftlichen Konferenz Berlin, 23.–24.10.1989. Berlin 1990.

PFEIFFER, Hans (1976), Über das Verhältnis zwischen historischer Objektivität und ihrer poetischen Individualisierung bei der literarischen Gestaltung Thomas Müntzers. in: SteinmBau, 167–170.

PIANZOLA, M. (1958), Thomas Munzer ou la Guerre des Paysans. Paris.

PIIRAINEN, Ilpo Tapani (1990), Thomas Müntzer und Münster/Westfalen. in: TMDS, 107–118.

PROPHET EINER NEUEN WELT (1975), Thomas Müntzer in seiner Zeit. Berlin (Ost).

READER, Siegfried (1989), Thomas Müntzer als Bibelübersetzer. in: TheolThM, 221–257.

RAPP, Francis (1974), Foi et Revolution au 16e siècle, Thomas Muntzer vu par des marxistes. in: H. Cazelles u.a. (Hg.), Liberte du chretien dans la societe civile. Paris, 81ff.

REKTOR DER FRIEDRICH-SCHILLER-UNIVERSITÄT JENA (Hg.) (1989), Thomas Müntzer und das Erbe der deutschen frühbürgerlichen Revolution. Heft 4/5 des Bd. 38 der WZ der Friedrich-Schiller-Universität Jena, Gesellschaftswissenschaftliche Reihe.

RICCA, Paolo (1983), Lutero e Muntzer, La politica. in: G. Alberigo u.a. (Hg.), Lutero nel suo e nel nostro tempo. Turin, 201–225.

ROCHLER, Wolfgang (1974), Ordnungsbegriff und Gottesgedanke bei Thomas Müntzer, Ein Beitrag zur Frage „Müntzer und die Mystik". in: ZfK, Bd. 85, 369–382.

– (1975), Das Ringen um die Gottheit Gottes bei Luther und Müntzer unter Berücksichtigung des Begriffs der „Furcht Gottes". in: Luther, Bd. 46, 76–87.

ROGGE, Joachim (1975a), Wort und Geist bei Thomas Müntzer. in: Die Zeichen der Zeit, Bd. 29, 369–382.

– (1975b), Gottfried Arnolds Müntzerverständnis. in: H. Bornkamm (Hg.), Pietismus in Gestalten und Wirkungen, Martin Schmidt zum 65. Geburtstag. Bielefeld, 395–403.

– (1977), Müntzers und Luthers Verständnis von der Reformation der Kirche. in: C. Demke (Hg.), Thomas Müntzer, Anfragen an Theologie und Kirche. Berlin (Ost), 7–19.

ROMMEL, L. (1987), Heinrich Pfeiffer und Thomas Müntzer oder die Geschichte einer Legende. in: Jahrbuch für Geschichte des Feudalismus, Bd. 11, 203–221.

ROSSELINI, Jay J. (1978), Thomas Müntzer im deutschen Drama, Verteufelung, Apotheose und Kritik. Berlin/Frankfurt a.M./Las Vegas.

RUDOLPH, Günther (1975), Thomas Müntzers sozialökonomische Konzeption und das Traditionsbewußtsein der sozialistischen Arbeiterbewegung. in: Deutsche Zeitschrift für Philosophie, Bd. 23, 558–569.

RUPP, Gordon (1957), Luther and Thomas Müntzer (1491–1525). in: R. H. Bainton u.a. (Hg.), The Martin Luther Lectures. Decorah/Iowa, 129–146.

– (1961), Thomas Müntzer, Hans Huth and the 'Gospel of all Creatures'. in: Bulletin of the John Rylands Library Manchester, Bd. 43, 492–519.
– (1966a), Luther and Thomas Müntzer. in: Luther Today, 127–146.
– (1966b), Thomas Müntzer, Prophet of Radical Christianity. in: Bulletin of the John Rylands Library Manchester, Bd. 48, 467–487.
– (1967), Programme notes on the theme „Müntzer and Luther". in: Vierhundertfünzig Jahre lutherische Reformation 1517–1967. Berlin, 302–308.
– (1969a), Thomas Müntzer. in: ders., Patterns of Reformation. London, 157–356.
– (1985), True History, Martin Luther and Thomas Müntzer. in: D. Beales u.a. (Hg.), History, Society and the Churches. Cambridge, 77–87.

RÜGER, Hans-Peter (1983), Thomas Müntzers Erklärung hebräischer Eigennamen. in: ZfK, Bd. 94, 83–87.

SALIMBENI, Fulvio (1974), Il pensiero di Thomas Muntzer: Problemi di studio. in: Nuova Riv. Storica, Bd. 58.

SATLOW, Bernt (1975), Thomas Müntzers Predigten als Widerspiegelung seines Engagements für soziale Gerechtigkeit und gesellschaftlichen Fortschritt. in: Prophet, 99–109.

SCHÄFER, Georg (1975), Erbe und Vergegenwärtigung, Zur Rezeption des Erbes von Thomas Müntzer. in: Standpunkt, Bd. 3, 35–40.

SCHAUB, Marianne (1984), Muntzer contre Luther, Le Droit Divin contre l'Absolutisme Princier. Paris.

SCHENK, Wolfgang (1989), Thomas Müntzer aus der Perspektive eines schwärmerischen Liberalen im Vormärz. Anmerkungen zur 1. Auflage von Wilhelm Zimmermanns „Allgemeine(r) Geschichte des großen Bauernkrieges" (1841–1843). in: WZ der Friedrich-Schiller-Universität Jena, Gesellschaftswiss. Reihe, Bd. 38, 657–671.

SCHIEWE, Dieter (1976), Zur Darstellung Thomas Müntzers in vergleichbaren Geschichtslehrbüchern sozialistischer Länder. in: SteinmBau, 291–297.

SCHILDT, Joachim (1989a), Thomas Müntzer und die deutsche Sprache. in: ZPSK, Bd. 42, 491–498.
– (1989b), Thomas Müntzers deutsches Sprachschaffen. in: HbA, 83–86.
– (1989c), Zum Modalwortgebrauch bei Thomas Müntzer. in: Wissenschaftliche Beiträge der Friedrich-Schiller-Universität Jena, 79–86.
– (1990), Thomas Müntzer – ein sprachgewaltiger Prediger und Agitator. in: TMDS, 19–30.

SCHMID, Reinhard (1965), Thomas Müntzer im Geschichtsbild des dialektischen Materialismus. in: Deutsches Pfarrerblatt, Bd. 65, 258–262.

SCHMIDT, Martin (1959), Das Selbstbewußtsein Thomas Müntzers und sein Verhältnis zu Luther, Ein Beitrag zu der Frage: War Thomas Müntzer Mystiker? in: Theologia Viatorum, VI. Jahrbuch, 25–41.
– (1969), Das Selbstbewußtsein Thomas Müntzers, eine Vorform des Pietismus, und sein Verhältnis zu Luther. in: ders., Wiedergeburt und neuer Mensch, Gesammelte Studien zur Geschichte des Pietismus. Witten, 9–23.

SCHOCH, Max (1968), Verbi Divini Ministerium, Bd. I: Verbum, Sprache und Wirklichkeit, Die Auseinandersetzung über Gottes Wort zwischen Martin Luther, Andreas Karlstadt, Thomas Müntzer, Hyldrich Zwingli, Franz Lambert, Die Begründung des Predigtamtes nach lutherischer und reformatorischer Prägung. Tübingen.

SCHÖNDORF, Kurt Erich (1990), Zum Begriff der „Auserwählten" in den Schriften Thomas Müntzers. in: TMDS, 87–106.

SCHORR, Hermann (1974), Thomas Müntzer, Ideologe und Organisator der antifeudalen revolutionären Kämpfe vor 450 Jahren. in: Freiheit, Bd. 29, 10.

– (1976), Müntzer und die revolutionäre Volksbewegung in den nordostthüringischen und mansfeldischen Zentren des deutschen Bauernkrieges. in: Bauern und Landarbeiter im Klassenkampf. Halle, 33–39.

SCHULZE, Winfried (1977), Unterschiede und Gemeinsamkeiten zwischen marxistischer und nichtmarxistischer Müntzerforschung. in: R. Koseleck (Hg.), Objektivität und Parteilichkeit in der Geschichtswissenschaft. München, 199–211.

SCHWARZ, Reinhard (1971), Luthers Erscheinen auf dem Wormser Reichstag in der Sicht Thomas Müntzers. in: F. Reuter (Hg.), Der Reichstag zu Worms von 1520. Worms, 208–221.

– (1975), Neun Thesen zu Müntzers Chiliasmus. in: B. Moeller (Hg.), Bauernkriegs-Studien. Gütersloh, 99–101.

– (1977), Die apokalyptische Theologie Thomas Müntzers und der Taboriten. Tübingen.

– (1989a), Thomas Müntzer und die Mystik. in: TheolThM, 283–301.

– (1989b), Thomas Müntzers hermeneutisches Prinzip der Schriftvergleichung. in: LJ, Bd. 56, 11–25.

SCOTT, Tom (1983), The „Volksreformation" of Thomas Müntzer in Allstedt and Mühlhausen. in: JEH, Bd. 34, 557–572.

– (1988), From Polemic to Sobriety: Thomas Müntzer in Recent Research. in: JEH, Bd. 39, 557–572.

– (1989), Thomas Müntzer, Theology and Revolution in the German Reformation. London.

SEEBASS, Gottfried (1972), Müntzers Erbe, Werk, Leben und Theologie des Hans Hut (gest. 1527). Nürnberg 1972.

– (1988), Artikelbrief, Bundesordnung und Verfassungsentwurf, Studien zu drei zentralen Dokumenten des südwestdeutschen Bauernkrieges. Heidelberg 1988.

– (1989), Thomas Müntzer – eine bleibende Warnung. in: Mennonitische Geschichtsblätter, Bd. 46, 10–22.

SELGE, K.-V. (1975), Zu „Müntzer in Allstedt". in: B. Moeller (Hg.), Bauernkriegs-Studien. Gütersloh, 103–106.

SEMENJUK, Natalja N. (1990), Müntzer und Karlstadt: Zur Frage nach der Persönlichkeit und Sprache. in: TMDS, 129–144.

SELLMANN, M. (1950/51), Thomas Müntzer heute. in: Zeitwende, Bd. 22, 259–261.

SKÁLA, Emil (1990), Die Stadtsprachen in Böhmen zwischen Hus und Müntzer. in: TMDS, 228–251.

SLAYER, James M. (1969), Thomas Müntzer's theology and revolution in recent non-marxist Interpretation. in: MQR, Bd. 43, 142–152.

SMIRIN, Moisej Mendelevic (1952), Die Volksreformation des Thomas Müntzer und der große Bauernkrieg. Berlin (Ost).

– (1952), Thomas Müntzer und die Lehre des Joachim von Fiore. in: Sinn und Form, Bd. 4, 69–143.

– (1975), Progressivnoe soderzhanie Miuntserovskogo Panteizma. in: Voprosy Istorii, 93–105.

– (1977), Fortschrittliche Ideen der Volksreformation. in: G. Brendler (Hg.), Der deutsche Bauernkrieg 1524/25. Berlin (Ost), 67–80.

SOLHEIM, S. (1964), Eine nordische Sage und Thomas Müntzers Volksreformation. in: Deutsches Jahrbuch für Volkskunde, Bd. 10, 225–237.

SPILLMANN, Hans Otto (1971), Untersuchungen zum Wortschatz in Thomas Müntzers deutschen Schriften. Berlin/New York.

STAUFFER, Richard (1983), Thomas Müntzer ou la politisation de l'Apocalypse. in: Apocalypse et sens de l'histoire, Colloque tenu á Paris les 11, 12, 13 juin 1982. Paris, 159–180.

STAYER, James M. (1969), Thomas Muentzer's Theology and Revolution in Recent Non-Marxist Interpretation. in: MQR, Bd. 43, 142–152.

– (1981), Thomas Müntzer's Protestation and Imaginary Faith. in: MQR, Bd. 55, 199–230.
STAYER, JAMES M. und Packull, Werner O. (1980), The Anabaptists and Thomas Müntzer. Dubuque/ Iowa.
STEINMETZ, Max (1956a), Das Müntzerbild in der Geschichtsschreibung von Luther und Melanchthon bis zur Französischen Revolution. Jena.
– (1956b), Zur Entstehung der Müntzer-Legende. in: F. Klein (Hg.), Beiträge zum neuen Geschichtsbild. Berlin (Ost), 35–70.
– (1963), Philipp Melanchthon über Thomas Müntzer und Nikolaus Storch, Beiträge zur Auffassung der Volksreformation in der Geschichtsschreibung des 16. Jahrhunderts. in: ders., Philipp Melanchthon 1497–1560, Bd. I. Berlin (Ost), 138–173.
– (1969a), Das Erbe Thomas Müntzers. in: ZfG, Bd. 17, 1117–1129.
– (1969b), Schriften und Briefe Thomas Müntzers, Zum Erscheinen einer westdeutschen Müntzergesamtausgabe. in: ZfG, Bd. 17, 739–748.
– (1970), Forschungen zur Geschichte der Reformation und des deutschen Bauernkrieges. in: Sonderheft ZfG, Historische Forschungen in der DDR 1960–1970, 338–350.
– (1971), Das Müntzerbild von Martin Luther bis Friedrich Engels. Berlin (Ost).
– (1974a), Luther und Müntzer, Vorbereitende Bemerkungen. in: WZ der Karl-Marx-Universität Leipzig, Gesellschafts- und sprachwissenschaftliche Reihe, Bd. 23, 433–444.
– (1974b), Müntzer in Allstedt. in: Illustrierte Geschichte der deutschen frühbürgerlichen Revolution. Berlin (Ost), 195–201.
– (1975a), Thomas Müntzer in der Forschung der Gegenwart. in: ZfG, Bd. 23, 666–685.
– (1975b), Thomas Müntzers Allstedter Wirksamkeit im Zusammenhang mit der deutschen frühbürgerlichen Revolution. in: Allstedt – Wirkungsstätte Thomas Müntzers, Ein Beitrag zum 450. Jahrestag des deutschen Bauernkrieges 1975. Allstedt, 2–27.
– (1976), Thomas Müntzer. in: Unter dem Regenbogen, Historische Porträts zur frühbürgerlichen Revolution. Leipzig/Jena/Berlin (Ost), 154–164.
– (1980), Forschungen zur Geschichte der deutschen frühbürgerlichen Revolution. in: Sonderband ZfG, Historische Forschungen in der DDR 1970–1980, 79–98.
– (1982), Thomas Müntzer und die Mystik, Quellenkritische Betrachtungen. in: P. Blickle (Hg.), Bauer, Reich und Reformation. Stuttgart, 148–159.
– (1983a), Thomas Müntzer: Bemerkungen zu Herkunft und Charakter seiner Ideologie. in: MühlBei, Bd. 6, 3–10.
– (1983b), Luther, Müntzer und die Bibel. in: G. Vogler u.a. (Hg.), Martin Luther, Leben, Werk, Wirkung. Berlin (Ost), 147–167.
– (1984a), Thomas Müntzer mit dem Schwert Gideonis, Zur Rolle der Apokalyptik in der frühen Reformation. in: Leipziger Beiträge zur Revolutionsforschung, 35–44.
– (1984b), Thomas Müntzer und die Bücher, Neue Quellen zur Entwicklung seines Denkens. in: ZfG, Bd. 32, 603–612.
– (1985), Bemerkungen zu Thomas Müntzers Büchern in Mühlhausen. in: Archiv und Geschichtsforschung, Festschrift für Gerhard Günther. Mühlhausen, 45–51.
– (1987), Müntzer und Leipzig. in: Leipziger Beiträge zur Universitätsgeschichte, 32–42.
– (1988a), Bemerkungen zur Müntzer-Forschung. in: H. Stiller (Hg.), Probleme des Müntzerbildes. Berlin (Ost), 42–45.
– (1988b), Thomas Müntzers Weg nach Allstedt, Eine Studie zu seiner Frühentwicklung. Berlin (Ost).
STEINMETZ, Max (Hg.) (1976), Der deutsche Bauernkrieg und Thomas Müntzer. Leipzig.
STENDER-PETERSEN, O. (1955), Thomas Müntzers religiose ideer og hans forhold til Luther. in: Dansk

Teologisk Tidsskrift, Bd. 22, 129–155.
– (1960), Thomas Müntzers politiske og sociale teanken. in: Dansk Teologisk Tidsskrift, Bd. 23, 209–225.

STEKLI, A. (1961), Tomas Mjuncer. Moskau.

STILLER, Heinz (Hg.) (1988), Probleme des Müntzerbildes, Vortrag und Diskussionsbeiträge vom 17.12.1987, Sitzungsberichte der Akademie der Wissenschaften der DDR, 6 G 1988. Berlin (Ost).

STOESZ, W. (1964), Anabaptist Origins: A Study of Thomas Müntzer, Hans Denck, and Hans Hut. Diss. New York.

STREUBEL, H.-G. (1975), Thomas Müntzers Predigttätigkeit in Jüterbog, Zwickau und Allstedt als Widerspiegelung der pragmatischen Funktion der Sprache. in: ders., Des Bauern Wort in des Bauern Kampf. Jena, 79–132.

TANAKA, Shinzo (1973), Eine Seite der geistigen Entwicklung Thomas Müntzers in seiner „lutherischen Zeit". in: LJ, Bd. 40, 76–88.

THALMANN, Rita (1976), Das Müntzerbild im „Schwarmgeist" von Walter Flex als Beispiel der wilhelminischen Ideologie im protestantischen Bürgertum Deutschlands vor dem ersten Weltkrieg. in: SteinBau, 171–178.

THESEN ÜBER THOMAS MÜNTZER (1988), in: ZfG, Bd. 36, 99–121.

THIELE, Holger (1990), Lexikalisch-semantische Untersuchungen zum Einfluß der Mystik in den Schriften Thomas Müntzers – dargestellt anhand ausgewählter Lexeme. in: TMDS, 68–86.

THIEMANN, R. F. (1975), Law and Gospel in the Thought of Thomas Muentzer. in: Lutheran Quarterly, Bd. 27, 347–363.

THOMAS-MÜNTZER-EHRUNG (1988), in: Standpunkt, Bd. 16, 86.

THOMAS-MÜNTZER-KOMITEE KONSTITUIERT (1988), in: Standpunkt, Bd. 16, 98–99.

ULLMANN, Wolfgang (1974), Thomas Müntzers Lehre von Gott und von der Offenbarung Gottes. in: Theologische Versuche, Bd. 6, 89–104.
– (1976), Ordo rerum, Müntzers Randbemerkungen zu Tertullian als Quelle für das Verständnis seiner Theologie. in: Theologische Versuche, Bd. 7, 125–140.
– (1977), Das Geschichtsverständnis Thomas Müntzers. in: C. Demke (Hg.), Thomas Müntzer, Anfragen an Theologie und Kirche. Berlin (Ost), 45–63.
– (1982), Die sprachgeschichtliche Bedeutung von Thomas Müntzers Liturgieübersetzung. in: MühlBei, Bd. 5, 9–31.
– (1989), Thomas Müntzers Kirchenväterstudien. in: TheolThM, 329–358.

VOGLER, Günter (1974), Müntzerbild und Bauernkriegsforschung, Bemerkungen zu neuen Publikationen. in: Jahrbuch für Wirtschaftsgeschichte, Bd. 15, 227–242.
– (1981), Thomas Müntzer auf dem Weg zur Bildung – Anmerkungen zur Frankfurter Studienzeit. in: MühlBei, 28–35.
– (1983), Thomas Müntzer als Student der Viadrina. in: Die Oder-Universität Frankfurt. Weimar, 243–251.
– (1988), Bemerkungen zu Müntzers sozialpolitischem Erfahrungsraum und zu seiner Theologie. in: H. Stiller (Hg.), Probleme des Müntzerbildes. Berlin (Ost), 35–37.
– (1989a), Die Entwicklung eines marxistischen Müntzerbildes, Positionen, Probleme, Perspektiven. in: Die Zeichen der Zeit, Bd. 43, 195ff.
– (1989b), Gemeinnutz und Eigennutz bei Thomas Müntzer. in: TheolThM, 174–194.
– (1989c), Sozialethische Vorstellungen und Lebensweisen von Täufergruppen, Thomas Müntzer und die Täufer im Vergleich. in: Standpunkt, Bd. 17, 75–79.
– (1989d), Thomas Müntzer. Berlin (Ost).

– (1989e), Thomas Müntzer und die Städte. in: R. Postel/F. Kopitzsch (Hg.), Reformation und Revolution. Stuttgart, 138–154.

– (1989f), Thomas Müntzers Urteil über seine städtische Umwelt. in: HbA, 56–59.

– (1989g), Thomas Müntzers Verhältnis zu den fürstlichen Obrigkeiten in seiner Allstedter Zeit. in: Jahrbuch für Geschichte des Feudalismus, Bd. 13, 67–88.

– (1990), Thomas Müntzers Sicht der Gesellschaft seiner Zeit. in: ZfG, Bd. 38, 218–234.

WACHSMUTH, Peter (1959), Luther und Müntzer, Reformator und Revolutionär. in: Urania, Monatsschrift für Natur und Gesellschaft, Bd. 22, 121–125.

WARTENBERG, Günther (1989), Auslegung der heiligen Schrift bei Thomas Müntzer und Martin Luther. in: Standpunkt, Bd. 17, 79–83.

WEHR, Gerhard (1971a), Thomas Müntzer deutet die Schrift. in: Die Christengemeinschaft, Bd. 43, 283–286.

– (1971b), Thomas Müntzer, Ein Streiter für das Recht. in: Die Kommenden, Bd. 25.

– (1972), Thomas Müntzer in Selbstzeugnissen und Bilddokumenten. Reinbek.

– (1974), Der unbequeme Thomas Müntzer. in: Frankfurter Hefte, Bd. 29, 904–910.

WENDELBORN, Gert (1975a), Thomas Müntzer – reformatorischer Prediger, Führer der revolutionären Bauernbewegung. in: Prophet, 19–52.

– (1975b), Thomas Müntzer als Theologe. in: Standpunkt, Bd. 3, 128–130.

– (1989), Theologische Motive für Müntzers politisches Handeln. in: Prediger für eine gerechte Welt, Zum 500. Geburtstag Thomas Müntzers. Berlin (Ost), 29-40.

WERMES, H. (1974), Bauernkrieg und Thomas Müntzer in ihrer Bedeutung für die sozialistische Schülerpersönlichkeit. in: WZ der Karl-Marx-Universität Leipzig, Bd. 23, 519–525.

WERNER, Ernst (1962), Messianische Prophetie für eine zukünftige Klasse, Thomas Müntzer und die Revolution der Armen. in: ZfG, Bd. 10, 606–622.

– (1988), Bemerkungen zum religiösen Selbstverständnis Thomas Müntzers. in: H. Stiller (Hg.), Probleme des Müntzerbildes. Berlin (Ost), 28–34.

WERNER, J. (1975), Thomas Müntzers Regenbogenfahne. in: Theologische Zeitschrift, Bd. 31, 32–37.

WIRTH, Günter (1988), Thomas-Müntzer-Ehrung 1989. in: Standpunkt, Bd. 16, 57–58.

WOHLFEIL, Rainer (1984), Luther und Müntzer. in: L. Markert (Hg.), Die Reformation geht weiter, Ertrag eines Jahres. Erlangen, 151–158.

WOLF, Norbert Richard (1990), /Nu aber Thomas Muentzer feylet/ists am tage/das er under Gottes namen/durch den Teuffel geredt und gefaren hat/, Zur Vertextungsstrategie reformatorischer Polemiken (Müntzer vs. Luther). in: TMDS, 145–156.

WOLFGRAMM, Eberhard (1956/57), Der Prager Anschlag des Thomas Müntzer in der Handschrift der Leipziger Universitätsbibliothek. in: WZ der Karl-Marx-Universität Leipzig, Gesellschafts- und sprachwissenschaftliche Reihe, Bd. 6, 57ff.

WOLGAST, Eike (1981), Thomas Müntzer, Ein Verstörer der Ungläubigen. Göttingen/Zürich.

– (1989a), Beobachtungen und Fragen zu Müntzers Gefangenschaftsaussagen. in: LJ, Bd. 56, 26–50.

– (1989b), Die Obrigkeits- und Widerstandslehre Thomas Müntzers. in: TheolTHM, 195–220.

WOLLGAST, Siegfried (1976), Zur Wertung Thomas Müntzers durch Valentin Weigel und antiweigelsche Streitschriften. in: SteinmBau, 183–190.

ZECCHI, Stefano (1985), Hiob und Müntzer, Die Utopie als Spur ethischer Bedeutung. in: Text+Kritik, 32–45.

ZIMMERMANN, Wilhelm (1952), Thomas Müntzer. in: ders., Der große deutsche Bauernkrieg. Berlin (Ost), 160ff. und 653–671.

ZITELMANN, Arnulf (1989), 'Ich will donnern über sie!', Die Lebensgeschichte des Thomas Müntzer. Weinheim/Basel.

ZÖLLNER, Walter (1990), Die Darstellung Thomas Müntzers bei Johannes Sleidan. in: WZ der Martin-Luther-Universität Halle Wittenberg, Bd. 39, 9–16.

ZSCHÄBITZ, Gerhard (1958), Thomas Müntzer und Hans Hut. in: ders., Zur mitteldeutschen Widerstandsbewegung nach dem großen Bauernkrieg. Berlin (Ost), 23–49.

– (1967), Martin Luther und Thomas Müntzer. in: Sonntag, Bd. 21, 12–13.

ZUCK, Lowell H. (1962), Fecund Problems of Eschatological Hope, Election Proof and Social Revolt in Thomas Muentzer. in: F. H. Litell (Hg.), Reformation Studies. Richmond, 239–250.

– (1981), Spiritual renewal in the radical reformation tradition. in: Brethren life and thought, Bd. 26, 18–30.

ZUMKELLER, Adolar (1959), Thomas Müntzer – Augustiner? in: Augustiniana, Bd. 8, 380–385.

Wortindex

Der Wortindex erfaßt alle in den Beiträgen herangezogenen Belege. Es handelt sich also nicht um einen Index verborum zum Gesamtwerk Thomas Müntzers; dieser wird später von Ingo Warnke vorgelegt werden.
Die Angaben der Seiten im folgenden Index für die besprochenen Belege gilt jeweils bis zur Nennung einer neuen Seitenangabe.
Eine Wortartdifferenzierung erfolgt nur an den Stellen, an denen sie zur eindeutigen Kennzeichnung des jeweiligen Lemmas notwendig ist.